Scrittori italiani e stranieri

Margaret Mazzantini

VENUTO AL MONDO

Romanzo

MONDADORI

Dello stesso autore

nella collezione Scrittori italiani e stranieri
Non ti muovere

nella collezione Oscar
Manola
Non ti muovere
Zorro. Un eremita sul marciapiede

Venuto al mondo
di Margaret Mazzantini
Collezione Scrittori italiani e stranieri

ISBN 978-88-04-57370-8

© 2008 Arnoldo Mondadori Editore S.p.A., Milano
I edizione novembre 2008
Anno 2010 - Ristampa   19 20 21

Venuto al mondo

a Sergio
ai figli

O tenerezza umana,
dove sei?

Forse solo
nei libri?

Izet Sarajlić

Il viaggio della speranza

Il viaggio della speranza... parole residue, tra le tante in fondo alla giornata. Le ho lette in farmacia, su un bussolotto di vetro accanto alla cassa, c'era l'asola per infilare i soldi e la fotografia di un bambino appiccicata con lo scotch, uno di quelli da portare lontano per tentare un'operazione, un viaggio della speranza, appunto. Mi giro sul cuscino, macino respiri sonori. Guardo il corpo di Giuliano, fermo, pesante. Dorme come dorme lui, supino, a torso nudo. Dalla bocca ogni tanto cava fuori un piccolo grugnito, come una bestia placida che scaccia moscerini.

Speranza, penso a questa parola che nel buio prende forma. Ha la faccia di una donna un po' sgomenta, di quelle che trascinano la loro sconfitta eppure continuano ad arrabattarsi con dignità. La mia faccia, forse, quella di una ragazza invecchiata. ferma nel tempo, per fedeltà per timore.

Esco sul terrazzo, guardo il solito. Il palazzo dirimpetto al nostro, le persiane accostate. Il bar con l'insegna spenta. C'è il silenzio della città, polvere di rumori lontani. Roma dorme. Dorme la sua festa, il suo pantano. Dormono le periferie. Dorme il papa, le sue scarpe rosse sono vuote.

La telefonata arriva al mattino molto presto. Sussulto per lo squillo, inciampo lungo il corridoio, forse urlo per sembrare sveglia.

«Chi è?»

C'è rumore nella cornetta, come vento in fuga tra i rami.

9

«Posso parlare con Gemma?»

L'italiano è buono, ma le parole sono troppo scandite.

«Sono io.»

«Gemma? Tu sei Gemma?»

«Sì...»

«Gemma...»

Ripete il mio nome e adesso sta ridendo. Riconosco questa risata rauca, strappata... mi salta addosso in un attimo.

«Gojko...»

Fa una pausa. «Sì, il tuo Gojko.»

È un'esplosione ferma. Un lungo vuoto che si riempie di detriti.

«Il mio Gojko...» balbetto.

«Proprio lui.»

Il suo odore, la sua faccia, i nostri anni.

«Sono mesi che provo a cercarti attraverso l'ambasciata...»

Ho pensato a lui pochi giorni fa, per strada, dal niente, da un ragazzo che passava e forse gli somigliava.

Parliamo un po': *Come va? Che fai? Ho vissuto qualche anno a Parigi e adesso sono di nuovo a casa...*

«Organizzano una mostra per ricordare l'assedio... ci sono anche le fotografie di Diego.»

Il freddo del pavimento si arrampica sulle gambe, si ferma nella pancia.

«È un'occasione.»

Ride ancora, come rideva lui, senza una vera allegria, piuttosto per consolare quella tristezza lieve ma perenne.

«Vieni.»

«Ci penso, sì...»

«Non devi pensarci, devi venire.»

«Perché?»

«Perché la vita passa, e noi con lei. Ti ricordi?»

Certo che mi ricordo...

«E ride di noi, come una vecchia puttana sdentata che aspetta l'ultimo cliente...»

I versi di Gojko... la vita come una lunga ballata. Ora mi ricordo il suo modo di toccarsi il naso, di schiacciarselo come cera molle mentre dice quei versi che scrive sulle scatole dei cerini, sulle mani. Sono in mutande, ho i piedi nudi. Gojko è vivo, è sempre stato vivo. Di colpo mi chiedo come ho fatto a rinunciare a lui per tutto questo tempo. Perché nella vita capita di rinunciare alle persone migliori a favore di altre che non ci interessano, che non ci fanno del bene, semplicemente ci capitano tra i passi, ci corrompono con le loro menzogne, ci abituano a diventare conigli?

«D'accordo, vengo.»

Il fango fermo della vita ora è polvere che vola verso di me. Gojko esulta, urla di gioia.

C'era polvere quando lasciai Sarajevo, s'alzava dalle cose smossa dal vento gelido, turbinava nelle strade, cancellava indietro. Copriva i minareti, i palazzi, i morti del mercato, sepolti dalle verdure, dalle chincaglierie, dai pezzi di legno dei banchi divelti.

Chiedo a Gojko perché mi ha cercato solo adesso, perché solo adesso ha avuto nostalgia di me.

«Sono anni che ho nostalgia di te.»

La sua voce scompare dietro a un sospiro. C'è di nuovo rumore di vento... di chilometri di distanza.

Di colpo ho paura che la linea cada e torni quel silenzio durato anni, che adesso mi sembra insopportabile.

Rapidamente gli chiedo il suo numero di telefono. È un portatile, lo segno su un pezzo di carta con una penna che non scrive. Dovrei cercarne un'altra ma ho paura a staccarmi dal telefono. Il rumore è sempre più forte. Vedo un filo del telefono che si spezza e cade scintillando... quanti ne ho visti di cavi appesi nel nulla in quella città isolata. Arpiono il passato, calcando sul foglio, con il timore di perderlo ancora una volta.

«Ti richiamo per dirti quando arriva il volo.»

Vado in camera di Pietro, rovescio le sue penne, ricalco quel numero bianco. Pietro dorme, i piedi lunghi fuori dal lenzuolo. Penso quello che penso sempre quando lo guardo steso, che il suo letto è troppo piccolo, ormai, e va cambiato. Raccolgo la chitarra, buttata in terra accanto alle ciabatte. S'arrabbierà, dovrò lottare per convincerlo a venire con me.

Mi faccio la doccia e raggiungo Giuliano in cucina. Ha già preparato il caffè.

«Chi era al telefono?»

Non rispondo subito, ho gli occhi laccati, immobili. Sotto la doccia la pelle mi è sembrata dura come un tempo, quando mi lavavo svelta e uscivo di casa con i capelli bagnati

Gli dico di Gojko, gli dico che vorrei partire.

«Così, all'improvviso?»

Ma non sembra sorpreso.

«L'hai detto a Pietro?»

«Dorme.»

«Forse è il caso che lo svegli.»

Ha la barba della notte, i capelli in disordine gli sporcano la fronte, si vede di più la parte calva al centro della testa. Durante il giorno è sempre a posto, è un animale di città, di caserme, di archivi. Quel disordine è solo per me, e mi sembra ancora la nostra parte migliore, la più odorosa e segreta... quella dei primi tempi, quando facevamo l'amore e poi ci sedevamo nudi e spettinati a guardarci. Siamo marito e moglie, mi è venuto incontro in un aeroporto militare sedici anni fa. Eppure quando gli dico che mi ha salvato la vita scuote la testa, diventa rosso, dice che non è vero, dice *siete stati voi, tu e Pietro, che avete salvato la mia.*

È ghiotto. Approfitta della situazione, dei miei occhi trasecolati, mangia un altro plum-cake.

«Non lamentarti della pancia, poi...»

«Sei tu che ti lamenti, io mi accetto.»

È vero, lui si accetta, e per questo è così accogliente. Si alza, mi sfiora una spalla.

«Fai bene ad andare.»

Ha letto nel mio sguardo un ripensamento... d'improvviso ho paura. Sono precipitata troppo in fretta indietro, nell'ardore della giovinezza. Che adesso mi sembra solo rimpianto. Ho freddo al collo, devo tornare in bagno ad asciugarmi i capelli con il fon. Sono di nuovo io, una ragazza sconfitta a un passo dalla vecchiaia.

«Devo organizzarmi, devo andare in redazione, non... non lo so.»

«Invece lo sai.»

Dice che mi chiamerà dall'ufficio quando andrà su internet, forse riuscirà a trovare dei biglietti low cost, sorride: «Non credo che ci sia la fila per andare a Sarajevo».

Vado da Pietro, apro le imposte. Con un gesto brusco si tira il lenzuolo sulla testa. Resto accanto a una mummia.

Quest'anno ha fatto la muta, ha lasciato le sue ossa di bambino per diventare un grosso airone zoppicante che ancora non controlla bene i suoi movimenti. Ha cominciato a guardare fisso per terra come un cercatore d'oro, a uscire di casa senza salutare, a mangiare in piedi davanti al frigorifero. A scuola s'è fatto bocciare, è stato di una stupidità disarmante, non ha compiuto neanche il più piccolo sforzo, gli ultimi mesi invece di mettersi sotto s'è rinserrato in una strafottenza ridicola. Mi volto indispettita al suono del suo vocione scorbutico che mi cerca solo per pretendere, per rimproverarmi. Che fine ha fatto quella piccola voce querula che mi ha accompagnato per anni? Riuscivo a parlarci così bene, sembrava accordata sulla mia.

Adesso mi fa pena. Quando dorme, quando il suo viso si distende, immagino che deve mancare anche a lui quel corpo gentile, divorato in pochi mesi dall'orco della pubertà, e che ancora lo cerca nel sonno. Per questo non vuole svegliarsi.

Mi chino, gli tiro via il lenzuolo dalla testa, gli tocco i capelli che si sono fatti ispidi, mi scaccia.

Adesso gli brucia, quella bocciatura. Adesso che è estate ed esce con la racchetta da tennis e le sue scarpe numero 43, e torna arrabbiato con i suoi amici, bofonchiando che non vuole più vederli, perché il prossimo anno non saranno più in classe insieme e gli sembra che siano stati loro a tradirlo.

«Ti devo parlare.»

Si alza di botto, il torso nudo dritto sul letto.

«C'ho fame.»

Così gli parlo in cucina, mentre spalma Nutella sui biscotti. Si prepara piccoli panini che inghiotte con un solo boccone.

Ha la bocca sporca, ha riempito il tavolo di briciole, ha aperto male i biscotti, ha strappato il pacco fino in fondo.

Non dico niente, non posso rimproverarlo di continuo. Assisto in silenzio al banchetto di mio figlio, poi gli dico del viaggio.

Scuote la testa.

«Non se ne parla nemmeno, ma', ci vai da sola.»

«Guarda che Sarajevo è una città bellissima...»

Sorride, unisce le mani, le scuote, mi guarda con la sua faccia simpatica, furba.

«Ma che dici, mamma! È troppo patetico quello che dici, la Jugoslavia fa schifo, lo sanno tutti.»

M'irrigidisco, mi stringo nelle braccia.

«Non si chiama più Jugoslavia.»

Inghiotte un altro tortino che goccia Nutella. La raccoglie con il dito, se lo succhia.

«È uguale.»

«Non è uguale.»

Abbasso la voce, quasi lo imploro.

«Una settimana, Pietro, io e te... ci divertiamo.»

Mi guarda, e adesso è uno sguardo autentico.

«Come facciamo a divertirci? Dai, ma'...»

«Andiamo fino alla costa, c'è un mare meraviglioso.»

«Allora andiamo in Sardegna.»

Sto facendo uno sforzo per non crollare, e questo idiota parla della Sardegna. Si alza, si stiracchia. Si volta, gli guardo la schiena, la peluria sulla nuca.

«Ma davvero non t'importa sapere dov'è morto tuo padre?»

Molla la tazza nel lavello.

«Che palle, ma'...»

Lo sto supplicando, ho la voce piccola, incerta. La sua voce di quand'era bambino.

«Pietro... Pietro.»

«Che vuoi?»

Mi alzo in piedi, rovescio per sbaglio la busta del latte.

«Come *che voglio*?! Era tuo padre!»

Scuote le spalle, guarda per terra.

«Che palle, sta storia.»

Sta storia è la sua storia, la nostra storia, ma lui non vuole sentirla. Da piccolo era più curioso, più coraggioso, faceva qualche domanda in più. Guardava quel padre ragazzo... quella fotografia di Diego sul frigorifero, tenuta da una calamita, ingiallita dai vapori della cucina. Mi stringeva, mi restava addosso. Crescendo non ha più chiesto nulla. Il suo universo s'è ristretto ai suoi bisogni, ai suoi piccoli egoismi. Non ha voglia di complicarsi la vita, i pensieri. Per lui suo padre è Giuliano, è lui che lo ha accompagnato a scuola, che lo ha portato dal pediatra. È lui che gli ha dato quello schiaffo al mare, la volta che si è tuffato con poca acqua sotto.

Mi lavo i denti, mi infilo la giacca, torno in camera sua. È ancora in mutande, suona la chitarra, con gli occhi chiusi, il plettro che fruscia sulle corde.

Il viaggio della speranza. Penso di nuovo a quelle parole che mi sono cadute negli occhi, per caso. Penso a Pietro. La speranza appartiene ai figli. Noi adulti abbiamo già sperato, e quasi sempre abbiamo perso.

«Preparati un bagaglio piccolo, a mano.»

Non risponde, fischia.

Siamo in macchina, Roma è ancora livida. Pietro è seduto dietro, ha i suoi Ray-Ban, i capelli lucidi di gel.

Non puoi fare questo torto a tua madre, gli ha detto ieri sera a cena Giuliano. Pietro ha chiamato il suo amico Davide per dirgli che non andava al corso di vela, che doveva partire con me. L'amico deve avergli chiesto quando tornava. Pietro ha staccato il cellulare dalla bocca e mi ha chiesto *quando torniamo?*

Ho guardato Giuliano. *Presto*, ho risposto.

Presto, ha detto Pietro all'amico nel cellulare.

«Torna presto» mi dice Giuliano mentre ci baciamo in aeroporto. Poi stringe Pietro, gli mette una mano intorno al collo e lo tira a sé. Pietro si lascia catturare, abbassa la testa, la strofina contro quella di Giuliano. Restano qualche secondo così.

«Mi raccomando.»

«Sì, papà.»

Metto la mia borsa sul nastro e passiamo dall'altra parte. Costeggiamo le pubblicità luminose di Lancôme, di Prada Eyewear, le ruote del mio piccolo bagaglio scivolano dietro i miei passi. Mi fermo. Torno indietro. Giuliano non se n'è andato, è ancora lì. Guarda l'angolo dove siamo scomparsi. Le gambe larghe, le mani in tasca come un autista in attesa, una figura anonima nel viavai della gente. Come se, partiti noi, avesse perso la sua identità. Ha una faccia diversa, inerte, i muscoli sembrano aver ceduto. In un attimo misuro la solitudine che gli lascio addosso. Mi vede, di colpo si rianima, agita le braccia, fa un balzo in avanti, sorride. Mi fa cenno di sbrigarmi, di andare. Mi bacia da lontano più volte, arricciando la bocca nel vuoto.

Siamo sull'aereo. La chitarra di Pietro occupa un'intera cappelliera sulle nostre teste. La hostess non ha fatto storie, la classe economica è piuttosto vuota. La business invece è piena. Uomini d'affari con cravatte griffate, invece di quelle opache e sintetiche di un tempo. Nuovi ricchi dell'Est, ingrassati sul dolore dei loro popoli. Leggono giornali finanziari, mangiano pasti caldi e consumano champagne.

Arrivano le nostre vaschette, fredde, striminzite. Due fette di prosciutto cotto affumicato, insalata di sottaceti, un dolce nel cellophane. Pietro divora, gli passo anche il mio vassoio. Chiama la hostess, le chiede ancora del pane. In inglese, con un accento decente. Sono davvero sorpresa. Sorride alla hostess. È bellissimo stamattina, ha gli occhi smerigliati come due pezzi di mare.

Stiamo attraversando l'Adriatico. Lui mastica e guarda il blu lì sotto, io guardo lui, i contorni del suo profilo sbiancati dalla luce che penetra dall'oblò.

La hostess ritorna con il pane, Pietro ringrazia, la sua voce rocciosa sembra persino bella. Le madri dei suoi amici mi dicono che è molto educato, mi fanno i complimenti. È un grande ipocrita mio figlio, solo con me si permette il peggio.

16

Dà un morso al dolce, un rettangolino burroso, ricoperto di glassa. Non gli piace, me lo offre.

«Lo vuoi?»

Gli sembra naturale che io debba mangiare i suoi avanzi.

«No, grazie.»

Resta con quel coso burroso che gli si squaglia in mano.

«Non mi va...»

«E allora lascialo.»

Prende i contenitori vuoti dei pasti che lui ha consumato e li piazza davanti a me. Aggancia il suo tavolino, ci appoggia le ginocchia. Si mette gli auricolari e sprofonda nel sedile. Mi dà un'occhiata.

«Mi sembri rimbambita.»

È vero, sono un po' rimbambita. Mentre ci imbarcavamo ho alternato momenti di lucidità, di dinamismo da viaggiatrice collaudata, a momenti di totale estraniazione. Ho avuto paura di perdere le carte d'imbarco, di non trovare il gate. Pietro invece s'è guardato intorno con la sua faccia da lince che scruta il mondo. Non gliene fregava un fico secco che io perdessi le carte d'imbarco. Mi ha lasciato sudare, svuotare la borsa.

Allora torniamo a casa, ha detto, prima che io ritrovassi quei due pezzi di carta e gli dicessi *cammina*.

Ha fatto il cretino ai controlli, gli scocciava che il tizio della sicurezza infilasse le mani nella sua chitarra. Gli ho detto che fa il suo lavoro. Lui ha detto per l'ennesima volta *che palle*. Poi camminando verso il finger ha cominciato a dire che erano tutte panzane, che era facilissimo attraversare i controlli armati fino ai denti. Mi ha straziato con le sue congetture da lettore di fumetti su tutti i possibili nascondigli per taglierini e forchette del self service.

Gli ho chiesto se s'era portato un libro. Mi ha detto di no, dal momento che è stato bocciato non ha libri per le vacanze. *Mi riposo*, ha detto.

Salendo ha detto che l'aereo era vecchio, che le compagnie aeree dell'Est comprano gli aerei che le altre compagnie buttano. Gli aerei che cadono. *Finiremo su YouTube*, ha detto. Ho pensato *che me lo sono portato a fare? Mi farà diventare matta.*

17

Ha chiuso gli occhi, muove la testa appresso all'iPod. È allegro, non si lamenta più della destinazione, si è arreso. In fin dei conti è un entusiasta. È pieno di difetti, ma almeno non è malato di apatia come tanti suoi coetanei.

Adesso si è appisolato, le labbra aperte, la testa rinsaccata, mentre l'iPod continua a biascicare. Fuori il cielo è bianco di nubi, fermo e irreale.

Mi sforzo di distrarmi, di pensare all'estate che mi aspetta. Andremo ospiti di amici in Liguria, ci saremo noi grandi e ci saranno i ragazzi dell'età di Pietro. Ci saranno le feste a piedi nudi, i libri, le camminate sulle rocce con i granchi nelle loro pozze. Giuliano andrà dal ferramenta a comprare i ganci e le viti per riparare una persiana. Faremo l'amore in mezzo alla notte, nel fresco vellutato di quelle notti lì, quando il vento sale dal mare e il buio ci illude sulla nostra età.

Pietro si sveglia, mi guarda, sbadiglia.

«Cosa sai di Sarajevo?»

«Non è dove hanno ucciso l'Arciduca?»

Annuisco, è già qualcosa.

«E poi che altro sai?»

«Che è scoppiata la Prima guerra mondiale.»

«E dopo?»

«Boh...»

«E quello che ti ho raccontato io?»

Non risponde, s'appiccica all'oblò.

Comincia la discesa, sento lo strappo del carrello sotto l'aereo. Ho le braccia e le gambe rigide, quelle ruote che si assettano per atterrare sembrano uscire dalla mia pancia.

Guardo in basso. Il nero fianco del monte Igman. Non si è mosso, è ancora lì, lungo, orizzontale come un gigante che si è addormentato, come un bisonte colpito, ucciso, su cui poi la natura è esplosa, stagione dopo stagione, selvatica, oscura. Eppure ricordo di averlo visto coperto di fiori (o erano bandiere?), piccole bandiere biancne come gigli che segnavano i percorsi degli atleti olimpionici e salutavano dall'alto chi scendeva su questa valle d'oro, su questa Gerusalemme dell'Est, dove la neve cadeva sulle guglie nere delle chiese ortodosse, sulle cupole di piombo delle moschee, sulle steli sbilenche del vecchio cimitero ebraico.

Non c'è autobus. Attraversiamo la pista d'atterraggio a piedi. L'aria è bianca, non c'è sole, sono almeno dieci gradi in meno che in Italia.

Pietro ha una maglietta a maniche corte, quella con la foglia di cannabis e la scritta DIO HA FATTO L'ERBA, L'UOMO HA FATTO LE CANNE.

«Hai freddo?»

«No.»

La facciata dell'aeroporto sembra la stessa di allora, fragile come quella di un capannone industriale. Credevo che l'avessero buttata giù, invece devono averla semplicemente restaurata.

Sulla pista c'è solo un piccolo aereo fermo, una croce rossa sul fianco bianco, come un'ambulanza. Per un attimo potrebbe sembrare uno di quelli del soccorso medico, invece è solo un aereo della Swiss Air, da turismo, da pace.

Dagli aerei militari si scendeva con gli occhi bassi, correndo in quello spazio spalancato, verso quel fango di divise mimetiche. Urlavano tutti, avevi la sensazione che chiunque potesse spararti addosso. L'aeroporto... tutti parlavano dell'aeroporto, era l'unica via d'uscita dalla città assediata. Ogni tanto un disperato tentava l'attraversamento di notte, era un'idea stupida. Così allo scoperto, anche un cecchino mediocre riusciva a colpirti.

L'ingresso è tranquillo, spopolato. Cannelli di neon, pareti laminate, la luce triste di un diurno, di una stazione secondaria.

Il ragazzo che controlla i passaporti ha un sorriso fermo sul volto senza colori.

«Italiani...»

Annuisco, mi restituisce i passaporti.

IZLAZ, uscita, dice il cartello. Pietro ha la chitarra a tracolla, guarda la gente intorno. Una ragazza musulmana molto truccata con un velo color carne sulla testa abbraccia un assistente di terra, si baciano in mezzo alla folla ostruendo il passaggio.

C'è bolgia agli arrivi, frugo tra corpi in attesa appoggiati alle sbarre di metallo. Scavalco le teste delle persone vicine, cerco tra quelle che si muovono in lontananza. C'è fumo di sigaretta ovunque, una nebbia che impasta i colori, li sporca.

Mi sono messa il rossetto nel cesso dell'aereo poco prima di scendere, mi sono scollata i capelli dalla testa per avere un aspetto migliore.

Sulla destra c'è un bar con un bancone circolare, i tavolini alti dove la gente consuma e fuma in piedi. Un uomo si stacca dal bancone e viene verso di me. Non sono sicura di riconoscerlo, invece è subito lui. Ha addosso qualche chilo in più, una camicia di lino nero stropicciata, una barba rossiccia e un po' meno capelli. Il modo di camminare è inconfondibile: gambe aperte, tranquille anche quando si affrettano, braccia che dondolano troppo, leggermente staccate dal corpo. Mi stringe senza incertezza, trattenendomi a sé come fossi un pacchetto di roba sua, poi mi pianta gli occhi sul viso. Fa un giro panoramico, le labbra, il mento, la fronte. Non se ne va dagli occhi. Resta, s'infila dentro. Come mare che ha viaggiato e violentemente si ricongiunge a se stesso. Scava indietro negli anni trascorsi per scolarsi il buco del tempo nella gola impudica di questo sguardo straziante e gioioso.

Mollo io per prima, abbasso gli occhi, mi ritraggo da quel pathos, per timidezza, per fastidio. Nessuno in Italia ti guarda così. Mi gratto un braccio come se avessi la scabbia. Due mani umide, grassottelle e forse nemmeno così pulite mi circondano il viso, come bende calde.

«Bella donna!»

«Vecchia donna...» mi schermisco.

«*Vafanculo*, Gemma!» dice Gojko. Sorrido, ritrovo il suono di quella effe che manca. Riconosco l'ironia beffarda, quella che dopo la sbronza tira un calcio alla commozione, incita alla risata. Mi bacia, mi stringe di nuovo, mi imprigiona il respiro. Sento il lino della camicia, il calore del corpo emozionato che palpita. Sento che mi sente le ossa. Mi attraversa la schiena come un cieco, contandomi le vertebre con quelle

20

mani bollenti. Ora riconosco l'odore, di collo, di sudore tra i capelli, di certe case con le tovaglie incerate e barattoli di ciliegie bianche immerse nella grappa, di certi uffici dove i posacenere colmi prendono fuoco e le macchine per le fotocopie sono sempre rotte, vanno avanti a calci, a fortuna.

È un nodo che sale e poi scende. Con un colpo di coda, di orgoglio. Ho promesso a me stessa di resistere, a cinquantatré anni è facile pisciare lacrime incontinenti. Do un colpetto sul braccio a Gojko.

«Ciccione.»

«Ho ripreso a mangiare, sì...»

Guarda Pietro, fa un passo, inciampa nelle sue gambe che non la smettono di ondeggiare. Traballa, ma non cade. Solleva una mano. Pietro al volo solleva la sua. I palmi sbattono l'uno contro l'altro, come in un telefilm americano. Gojko indica la chitarra.

«Musicante?»

Pietro lo guarda, sorride.

«Dilettante.»

Gojko è seduto davanti, accanto al tassista. Un braccio fuori dal finestrino aperto, parlano tra loro.

«Tu li capisci, mamma?»

«Qualcosa.»

«Che dicono?»

«Pioverà.»

«Vafanculo» sibila Pietro con una sola effe.

Sono ferma, composta sul sedile di tessuto grigio, guardo la mia mano che si regge in alto, accanto alla bocchetta del condizionatore nella plastica nera. Il finestrino è impolverato e oltre c'è quella strada, quel lungo indimenticabile viale. Se dominerò questo momento, forse dominerò anche il resto. Non mi lascerò scoperchiare da questa città. Lascio passare le prime immagini senza registrarle veramente, brevi occhiate furtive, spezzoni, come francobolli bruciati.

Basta guardare così, scivolare in mezzo senza assorbire niente di quello che vedo. Ho imparato che tutto può andare via, anche l'orrore può perdere le sue forme, stemperarsi in una nebulosa che lo altera, lo rende ridicolo, troppo assurdo per essere mai stato vero... le carcasse nere delle macchine, i vetri delle finestre esplose, il cuore schizzato vivo dal torace di un bambino e finito contro un muro bianco.

Mi tocco un orecchino, me lo lascio scivolare su e giù nel lobo.

Sono calma. Il corpo di Pietro mi aiuta, il suo ginocchio nei jeans che tocca il mio, la sua indolenza, il suo sguardo che ignora tutto, semplicemente scocciato da tanta mestizia urbana.

I vecchi palazzi grigi del realismo socialista sono ancora in piedi, balconi uno sull'altro come schedari scrostati in un ufficio pubblico. I fori delle granate coperti da rattoppi d'intonaco.

Basta una buca nel fondo stradale... devo frenare l'impulso di abbassare la testa. Sento il rutto di quelle corse. Si attraversava il viale dei cecchini a duecento all'ora, le teste piegate sui sedili, il respiro che gocciava tra le gambe. Le carcasse rosse dei tram fermi addossate le une alle altre per difendersi dalla linea di fuoco. Mi volto verso Pietro. *Non ha il giubbotto antiproiettile*, penso. Mi stringo la guancia tra i denti. *Stai calma...*

Gojko tace. Si è girato solo una volta, poi mi ha lasciata stare.

Lo guardo vivo, in salvo lungo questa strada. Un uomo di oggi nel mondo che va avanti, capelli che hanno dormito e si sono svegliati.

I semafori mi sembrano strani, queste soste ordinate. Questa gente che attraversa tranquilla. In alto le colline, i giardini che salgono, le piccole case bianche, quiete, tra le abetaie scure. Era da lì che sparavano, ogni apertura tra i palazzi, ogni sprazzo di verde, di luce, era uno sniper che poteva raggiungerti.

La redazione del mitico "Oslobodjenje" si è reimpiantata sulle sue macerie, strizzata in un edificio basso, ordinato. Accanto c'è un immenso grattacielo di vetri specchiati che guardano imperturbati le rovine del vecchio ospizio cittadino. Sopra c'è una grossa scritta di luce rossa: AVAZ.

«È il giornale più letto, il proprietario è un tizio che è diventato molto ricco...»

Gojko si carezza il cranio.

«E non ha nemmeno una pagina della cultura...»

Vicino a un'aiuola di terra smossa un uomo aspetta che il cane finisca i suoi bisogni. Una ragazza taglia orizzontalmente il viale pedalando su una bicicletta. Una famiglia con bambini biondi sorride nella pubblicità di *Sarajevo Osiguranje*. Sorridono anche i due militari nel cartellone dell'Eufor, un uomo e una donna grassocci, con le braccia conserte nelle tute mimetiche. La gente cammina ai margini del viale. Carne che scorre nella sua ordinata quotidianità.

Gli uccelli attraversano insieme alle persone, volando sulle loro teste passano da un albero all'altro, scendono in terra per raccogliere qualcosa da mangiare.

Una mattina mi svegliai e vidi quel grande raggio nero. Gli uccelli volavano via tutti insieme spaventati dai boati continui, dai fumi degli incendi, dall'odore insopportabile di corpi sepolti malamente. Risalivano la Miljacka per rifugiarsi nei boschi più lontani, lì dove d'estate si andava a fare i picnic, a cercare il fresco accanto a piccole cascate luccicanti come nodi d'argento. Tutti i sarajeviti provarono invidia verso quegli uccelli che potevano sollevarsi da terra e andarsene indisturbati.

Mi volto. Ed è lì. Lo schiaffo giallo dell'Holiday Inn. Un cubo fermo, composto di cubi che sembrano potersi spostare. Per tutta la durata dell'assedio è stato il rifugio della stampa estera. La facciata era esposta ai tiratori da Grbavica, si entrava da dietro, scivolando con le macchine sulla rampa che conduceva ai garage. Eppure quello era una specie di paradiso, irraggiungibile per chi intanto moriva, c'erano cibo caldo e telefoni satellitari. C'erano i giornalisti che facevano i servizi dalle loro stanze, gente fortunata, che poteva andare e tornare.

Siamo in centro. Nel serraglio geometrico degli antichi palazzi austroungarici il traffico scorre a fatica, la gente attraversa dove capita sfiorando le macchine che vanno a passo d'uomo. Gli alberi sono ricresciuti, giovani tronchi senza passato. Guardo i negozi. Nuove vetrine accanto a quelle tristi di una volta, ordinate, molto più vuote delle nostre. Il consumismo ha approfittato a chiazze di questa città da rifare, del suo volto corroso dalla guerra come da un acido. Una moschea s'affaccia con le sue piccole cupole come un cesto di uova scure. L'albergo è in una strada laterale proprio a ridosso dell'antico mercato ottomano della Baščaršija.

Insisto per pagare il taxi, ma Gojko mi scaccia. Porta dentro la mia borsa. È un interno accogliente, famigliare come l'ingresso di una casa. Sulla porta c'è una tenda chiara, quasi argentata, la moquette è rossa con piccole losanghe nere. In un angolo un grande vaso di fiori impettiti, palesemente finti. Pietro li tocca comunque per sentire se sono veri, poi si pulisce la mano sui jeans. Guarda la ragazza della reception, murata dietro un bancone di legno scuro, che cerca sul computer la nostra prenotazione. Dal salotto accanto arrivano voci di uomini, sbircio qualche scarpa scadente, calzini troppo corti. Stanno fumando, l'aria è terribilmente viziata. Il fumo sale con noi lungo le scale, s'insinua nel piccolo ascensore. Pietro dice: «Se restiamo qui più di una notte torniamo a Roma con il cancro».

La camera però è abbastanza grande, ha un copriletto azzurro di stoffa sintetica con i volant e due comodini nuovi di zecca. Apro la finestra, guardo in basso. È una strada chiusa, poche macchine parcheggiate, un albero dalle chiome rosse, una gronda larga appoggiata a una tettoia di lamiera punteggiata di cacche di piccione.

In bagno Pietro ride.

«Guarda, ma'...»

«Che c'è?»

Mi volto. Ha in mano il bicchiere per gli spazzolini da denti. Si avvicina, mi fa vedere che il bicchiere è infilato in un sacchetto di plastica con la scritta HYGIENIC CLEANING.

«E allora?»

«Il sacchetto non è sigillato e il bicchiere è uno di quelli della Nutella...»

Sorrido, gli dico di rimettere il bicchiere dove l'ha trovato.

Mi lavo le mani, mi siedo sul letto, mi trascino sulle gambe la borsa e comincio a sistemarla, a tirare fuori i resti delle carte d'imbarco, a riporre i biglietti per il ritorno. Pietro butta il suo zaino nell'armadio, non tira fuori nemmeno il pigiama.

«Usciamo, ma'. Che facciamo qui dentro?»

Fosse per me rimarrei in camera, ho una banana nella borsa, un po' annerita dal viaggio, mi basta quella. Ho voglia di distendere le gambe e di restare così, ferma fino a domani. Ieri notte non ho dormito pensando a questo viaggio. Ho la bocca ferita dentro, me ne accorgo perché sento il sapore del sangue, devo essermi morsa le guance in taxi, ho stretto i denti intorno alla mia carne per tollerare l'onda. Devo mettere le ciabatte sotto il letto, controllare se le tapparelle si chiudono, se la doccia ha un getto decente. Questo devo fare, niente di più. Gojko ci aspetta da basso.

«Va bene, scendiamo.»

Sono le sette di sera, la luce è scesa e d'improvviso ho freddo. Ascolto il rumore dei passi. Sembrano zoccoli di cavallo su un selciato anziano. È la strada che porta alla moschea di Gazi Husrev-Bey, frotte di ragazze con il velo scherzano tra loro, si spingono. Alle spalle della madrasa, in un cortile pieno di piccoli archi, c'è una mostra di manufatti locali. Appese a un filo, una lunga teoria di tuniche con le pettorine ricamate formano una tenda multicolore. Una donna pallida vestita di bianco m'invita con un gesto delicato della mano a guardare nel suo piccolo negozio di ricami, quando me ne vado si china mettendosi le mani sul petto e piegandosi.

Pietro fotografa con il cellulare i sacchi di spezie, gli utensili di rame che riempiono le botteghe fino al soffitto.

Vagabondiamo tra i vecchi vicoli di pietre fluviali, i negozi cominciano a chiudere. Le luci sommerse dietro le porte di legno. Pietro si ferma davanti a un banchetto carico di schegge di granate, di bossoli lucidati... souvenir per turisti. Solleva un bossolo, lo posa, ride, ne solleva un altro più pesante.

«Quanta gente può ammazzare questo?»

25

Vorrei dargli un calcio.

Gojko non è irritato, anzi, sembra divertirsi anche lui.

«Il riciclo bellico è la nostra energia pulita...»

«Hai fatto la guerra?»

Gojko annuisce, s'accende una sigaretta, abbassa la voce, forse non ha voglia di dire più niente.

«Come tutti.»

«Eri un soldato?»

«No, ero un poeta.»

Pietro è deluso. I poeti per lui sono un accolita di poveracci rachitici e infognati di disgrazia, che hanno intossicato la vita a milioni di studenti, di ragazzi normali, spensierati. «Ho fame» dice.

Usciamo dalla Baščaršija e ci fermiamo a mangiare all'aperto sotto un portico di legno, in un posto piuttosto squallido, una di quelle casette da presepio montanaro con i tavoli d'alluminio e il neon. Dall'interno arriva un odore di cipolla e di carne arrostita, l'odore inequivocabile di pietanze che torneranno su. Gojko dice che fanno dei buoni ćevapčići La ragazza che apparecchia ha tre dita infilate con noncuranza nei nostri bicchieri. Pietro chiede una Coca-Cola, chiede a Gojko di tradurre la parola *cannuccia*.

Mangiamo, la carne dei ćevapčići è saporita, riempie la bocca di buono, di sangue e vita. Il pepe brucia nella mia bocca ferita, non importa. Ora sono meno stanca e la fame è venuta con quell'odore buono, aromatico, che non sembra cambiato nel tempo. E forse l'alcol aiuta, è una bottiglia di vino rosso del Montenegro. *Non è Brunello*, ha detto Gojko, *ma è paludoso*. Forse voleva dire *pastoso*, ogni tanto sbaglia qualche parola nel suo italiano quasi perfetto. Ma sono sbagli giusti, in fin dei conti questo è un vino paludoso... ci riporta indietro protetti da una certa fangosa lentezza.

Mangiammo ćevapčići il giorno che ci conoscemmo. Li comprammo in un chiosco e li mangiammo in piedi, in un freddo siderale. La donna che li arrostiva aveva una giacca d' lana a trecce e una scuffia da cuoca. Assisteva alla nostra fame, spiando ogni morso, felice che apprezzassimo i suoi ćevapčići. Erano un vanto. Il vanto della sua piccola vita di cuoca di strada. La vedo come fosse adesso... un volto proletario, sofferto, eppure infinitamente dolce. Una di quelle persone benefiche che incontri per caso e ti viene voglia di abbracciare, perché ti sorridono dal fondo della loro esperienza umana e di colpo ti risarciscono dell'altra metà del mondo, quella accasciante delle persone rinserrate nella loro pozza di buio. Quante persone felici incontravo in quei giorni a Sarajevo! Tutti avevano le guance rosse per il freddo, certo, ma anche per timidezza, perché osavano sperare.

Erano i giorni delle Olimpiadi invernali. L'imponente edificio in stile neomoresco della Biblioteca Nazionale sembrava una città autonoma. Fu lì, in uno di quei saloni con le colonne che fuggivano in alto verso la luce di finestre lontane, lavorate come quelle di una cattedrale, che conobbi Gojko. Ero seduta su una piccola sedia ministeriale sotto uno strapiombo di volumi antichi, mi sentivo minuscola. Vidi entrare questo ragazzo dai capelli rossicci intabarrato in una giacca di pelle imbottita di pelo acciaccato, si muoveva a scatti come un grosso pupazzo meccanico.

«È lei Gemma?»

«Sì.»

«Sono la sua guida.»

Ci stringemmo la mano, gli sorrisi era incredibilmente alto e massiccio.

«Parla bene italiano.»

«Vado a Trieste almeno una volta al mese.»

«Studia lì?»

«Commercio in yo-yo.»

Infila una mano in tasca e tira fuori uno di quei rocchetti di plastica con un filo da lanciare e far tornar su.

«Vanno molto qui, scaricano la tensione. C'è molto nervosismo tra i ragazzi, con queste Olimpiadi abbiamo dovuto lavorare sodo... e non ci piace lavorare sodo. Ma la città doveva essere tirata a lucido, capisce?»

Ride, e non so per cosa.

«Dorme in un buon albergo?»

Scossi la testa. Dormivo in una pensione stracolma di turisti.

«Le piace il cielo stellato?»

«Perché?»

«Se lo desidera può dormire anche sotto uno degli infiniti ponti della Miljacka, nessuno le darà fastidio, non c'è più un ubriaco né un borseggiatore in giro. Pulizia comunista. È la prima volta che facciamo vedere il culo al mondo intero, mi capisce?»

Dovevo finire la mia tesi post laurea su Andrić, avevo chiesto una guida all'altezza, invece mi ritrovavo un commerciante di yo-yo.

Ne tira fuori uno e ci gioca un po', mi mostra diverse prodezze, chiede se voglio comprarlo.

«Sarebbe un bel colpo» dice, «vendere a un'italiana uno yo-yo comprato a Trieste, i miei amici mi offrirebbero da bere per una prodezza simile.»

Ero arrivata da qualche giorno a Sarajevo. L'incanto della neve, di quella città in festa, cozzava un po' con il mio umore. Ero nervosa, scontenta. In fondo non riuscivo ad adattarmi. Avevo deciso per quella ricerca spinta dal mio professore, che in realtà si stava servendo di me per una sua pubblicazione sulla letteratura dei Balcani. Adesso, dopo due giorni di dissenteria, a mettermi di cattivo umore bastavano gli odori di quella cucina troppo robusta, il freddo che mal sopportavo e il fiato di un miserabile provinciale che faceva lo spaccone, con la sua ridicola giacca in pelle nera imbottita di gatto siamese.

Gli guardai con ribrezzo i capelli unti stretti in un codino. Ai piedi aveva un paio di stivaletti a punta, da zingaro. Ero indecisa se fosse la parodia di un rocker o di un cacciatore di lupi. Gli dissi: «Senti, io ho bisogno di una persona che mi porti nei luoghi di Andrić a Sarajevo e a Višegrad, a Travnik... forse non sei la persona adatta...».

«Perché?»

«Non mi sembri esattamente un intellettuale...»

28

«Non c'è problema, ho la macchina.»

Pensai a una cazzo di Yugo con il tubo di scarico che sputava fumo nero come la maggior parte delle macchine in circolazione, invece si presentò con una Golf. Non così pulita ma decente.

«Assemblano i pezzi qui da noi...» mi spiegò. «Lo sai perché i tedeschi si fidano di noi?»

«No, non lo so», guardavo fuori dal finestrino. Era mattina presto, era arrivato in orario ma si capiva che doveva aver dormito poco.

«Perché siamo molto precisi. Anche se costiamo molto.»

Ride, troppo. Ride da solo. Poi inghiotte le frange di quella risata, gli resta il singhiozzo. Forse sono i postumi della sbornia recente.

«C'hai creduto?»

Vorrei dirgli di starsene zitto, lo pago, quindi che la pianti. Puzza come un cane bagnato, ha un singhiozzo che sa di miasmi di šljivovica ed ha anche un pessimo carattere, lo scopro adesso. Sembra arrabbiato perché io non gli chiedo niente, non sono interessata a quello che dice.

«Forse non siamo così precisi, ma di sicuro costiamo molto poco.» Lo dice con un tono ruvido, quasi ce l'avesse con me.

«Io ti pago bene.»

Mi guarda mentre guida senza più guardare la strada.

«Tu devi essere una grande puttana!»

Non lo guardo, ho il collo magro e rigido di una stupida statua. Ho paura, ma sono troppo orgogliosa per cedere a quella paura. Sono la vittima perfetta per un maniaco. Una a cui tirare il collo gemendo di felicità. Lui è un grosso ragazzo slavo reso ancora più mastodontico da una giacca imbottita, deve avere i freni in disordine come il comunismo dopo la morte di Tito. Io sono una giovane borghese riluttante, faccio parte del riflusso, della nuova corrente di fanciulle, quelle che dopo il femminismo sono tornate a mettersi i tacchi e a godere l'opulenza del nuovo decennio, sulle ceneri di quelle forsennate straccione in zoccoli.

Gentilmente gli dico di accostare, di farmi scendere. Lui urla, nella sua lingua. Urlo anch'io.

«Tieni la bocca chiusa, ti puzza il fiato!»

Mi guarda per uccidermi, invece ferma la macchina.

Scendo, cammino un po' sul margine di quella strada fuori città che fa paura. Camion sporchi mi passano accanto sfiorandomi.

Mi aspetta dietro una curva, appoggiato allo sportello aperto, fuma.

«Sali, facciamola finita.»

Non salgo. Guida a passo d'uomo, lo sportello sempre aperto.

«La macchina me l'ha prestata un amico, devo riportargliela entro stasera.»

Poi tira fuori un braccio e mi porge un libro. Lo prendo, è una raccolta di poesie di Andrić in serbo-croato.

«La poesia non si traduce!»

Imbecille, penso. Ma sono stanca, la neve ai margini della strada è alta e sporca, mi gela i polpacci. E le facce che mi guardano dai camion non sono più rassicuranti della sua.

Non gli parlo mentre guida. Anche lui sta zitto, dopo un po' parla in bosniaco. È concentrato, commosso, penso che sia completamente pazzo.

Gli dico che non capisco una sola parola. Lui dice di ascoltare il suono... blatera che la poesia è una partitura, ha il suono degli elementi invisibili... della notte, del vento, della nostalgia.

«Chiudi gli occhi.»

Non dovrei chiuderli perché forse mi strangolerà. Ha acceso il riscaldamento per me che sto gelando, suda nella giacca di pelo, mi fa quasi pena. Chiudo gli occhi.

Dopo un po' sento davvero qualcosa... terra che cade nel crepuscolo...

«Di cosa parla questa poesia?»

«Del becchino che seppellisce il poeta, e bestemmia, e fuma sulla sua tomba.»

«E sputa?»

«Sì, sputa.»

«Sai» sussurro, «ho capito un po'.»

Lui annuisce, mi passa il libro, mi spiega.

«È una lingua che si legge come si scrive...»

Mi guarda mentre incespico su quei versi.

«Piena di suoni dolci e con poche vocali... le parole si contagiano, si accordano con quelle accanto, se c'è un femminile, tutto diventa femminile, siamo molto galanti...»

Mi portò fino a Travnik, nella casa natale di Andrić, passeggiammo davanti ai suoi manoscritti, alle sue fotografie. Ci fermammo accanto alla vecchia culla dove lo scrittore aveva dormito i suoi primi sonni. In macchina al ritorno mi appisolai. Gojko mi svegliò soffiandomi sugli occhi.

«Puzza ancora il mio alito?»

«No.»

Eravamo affamati, dopo tutti quei chilometri su quelle strade scomode. Trovammo quel chiosco di ćevapčići... i più buoni della mia vita, stretti nella loro busta di pane farcita di cipolla fresca. La donna ci sorrise, benedisse la nostra fame, la nostra giovinezza.

«Siete fidanzati?»

«No, amici...»

Che fine ha fatto? Che fine fece il suo tegame carico di grasso, il suo golf di lana... il suo viso? Per me, quella donna è ancora lì, ferma all'angolo davanti al mercato di Bezistan, che ci sorride mentre ci sfama, e ci incoraggia a mangiare e a credere nel bene.

E anche se una granata se l'è portata via, se un getto di fuoco ha sparso le sue povere cose, io giuro che è viva. Stasera è viva la cuoca di strada, nei nostri occhi che s'incontrano umidi di questo paludoso rosso del Montenegro.

Gojko amava il poeta Mak Dizdar, Bruce Springsteen e i Levi's 501, ne avrebbe voluti un paio neri per spopolare nei locali dove andava a ubriacarsi, a disegnare vignette satiriche sui muri. Nei giorni seguenti mi prese per mano e mi fece vedere Sarajevo con i suoi occhi. I vecchi bagni pubblici, le case dei dervisci, la fabbrica di tabacco di Marijin Dvor, la piccola moschea di Magribija, gli *stečci* bogumili... conosceva ogni crepa, ogni leggenda. Mi trascinò lungo piccole scale odorose fino a piccionaie dai soffitti di

31

legno dove rocciosi artisti scavavano tele piene di tensione drammatica, nei locali del sevdah-rock e dei New Primitives tra ragazze che ballavano abbracciate tra loro, scalze, accanto a un mucchio di stivali sporchi di neve, nelle botteghe dove le donne stendevano la pasta bianca per la pita su teglie grandi come scudi, mentre sulla soglia vecchi con il fez rosso giocavano a dadi. Conosceva praticamente tutti e tutti sembravano amarlo. Camminavo dietro al suo codino come dietro alla coda sbilenca di un gattaccio di strada.

Una sera mi dice una sua poesia.

> *Tieni la bocca chiusa, ragazzo*
> *fino al giorno in cui qualcuno*
> *non ti dirà di tenerla*
> *chiusa.*
> *Allora ribellati e parla.*
> *Digli che sei giovane e impaziente,*
> *che la luna è gialla come il sole.*
> *Tua madre è una buona donna,*
> *però è andata via*
> *e il tuo cane non mangia da due giorni.*
> *Digli che le strade sono vuote,*
> *sono andati tutti a dormire,*
> *e tu vuoi cantare,*
> *prima che la vecchia Anela si alzi*
> *per tirare il collo a una gallina pazza*
> *che non fa più uova*
> *ma canta come un gallo.*

«Che ne dici?»

Gioco con il suo yo-yo. M'incaponisco con questo giochetto stupido che non mi riesce.

«Chi è la gallina pazza?»

«Sarajevo...»

«Interessante.»

Si riprende il suo yo-yo, gli serve: è nervoso. In ogni caso io non lo so usare, e non sopporta vedermi sbagliare. Dice che se non mi piacciono le sue poesie posso dirglielo liberamente. Dice che sono una bastarda in carriera, che finirò per fare la critica letteraria e stroncare i giovani talenti, perché sono una stupida maestra frigida, una mignatta che succhia il sangue dagli altri.

Stiamo camminando lungo la Miljacka, Gojko agita le mani in alto verso una misera fronda invernale.

«Ognuna di queste foglie vibra più di te!»

«Le foglie cadono» sghignazzo.

«Come i poeti! Concimano la terra troppo presto!»

Ha gli occhi incatarrati di un orso ribelle, il solito fiato alcolico.

Non ne posso più. Gli dico che deve farsi una doccia e smetterla di puzzare di grappa, perché il mondo è pieno di grandi poeti longevi, sobri e ben puliti. Lui si offende, mi guarda come un bambino. Dice che non si è mai sbronzato in vita sua, e che i suoi capelli sembrano sporchi perché usa una crema, dice che se voglio avere dei figli devo imparare a far correre lo yo-yo, perché i bambini piccoli impazziscono per quel gioco.

Così m'insegna. Una mano sulla mia, per farmi sentire il gioco del polso, il frusciare del filo, lo scatto per riportarlo su nel suo rocchetto magico.

E quella sera prima di salutarmi mi disse *volim te iskreno*.

«Cosa vuol dire?»

«Ti amo sinceramente.»

Feci un passo indietro... un piccolo passo indietro nei miei passi. Gojko non disse niente, si schiacciò il naso con il pollice come fosse plastilina. Si fermò sulla soglia.

«Lo dico a mia madre prima di salutarla la sera...»

Lo vidi slittare su una pozza ghiacciata prima di scomparire.

Adesso è qui, in questa sera tiepida... gomiti su una tovaglia di plastica, in questa città compromessa dal dolore che ora tace, cartacce per terra, cicche, passi di gente che torna a casa. Una bottiglia di vino finita, goduta, una benefica normalità.

E questa normalità è il miracolo, questa baklava che ci

stiamo dividendo, un impasto dolce, flessuoso di noci e pasta sfoglia. I cucchiaini s'incontrano sul piatto.

«Mangia tu l'ultima ciliegia.»

Pietro succhia il fondo della sua lattina di Coca-Cola, fa rumore. Non si sta comportando male, ha parlato di tennis con Gojko, si è alzato per fargli vedere il dritto di Federer. Adesso vuole un gelato, ma in questo posto hanno solo dolci bosniaci. Gojko allunga un braccio nel buio, gli indica una gelateria un po' più giù.

«Come si dice *gelato*?»

«*Sladoled*.»

«E i gusti?»

«*Čokolada, vanila, pistaci, limun...*»

«Se dico *ice cream* capiscono?»

Gojko annuisce, gli sorride, lo guarda mentre si allontana.

«È simpatico...»

Scruto la strada dove Pietro se n'è andato, e sento già un buco come ogni volta che esce dai miei occhi.

«È come suo padre, è identico.»

Gojko ha la bocca aperta, un'asola buia che fruscia.

«Cosa c'è?» gli chiedo.

«Niente, ti guardo.»

Mi prende una mano, mi chiede se sono tranquilla.

Gli dico di sì, che va tutto bene, ma sono un po' stizzita, ho il tono stridulo di una che si difende.

«Chiamami quando vuoi, per qualunque ragione, tanto io dormo in poltrona, seduto...»

«Perché, non hai il letto?»

«Non mi piace dormire disteso, mi sento il cuore negli occhi...»

Li guardo, questi occhi dove di notte gli sale il cuore. Li strizza un po', è come se volessero sorridere ma senza veramente riuscirci. In fin dei conti noi, io e lui, siamo fermi a quel tempo lì, non c'è stato niente in mezzo... nemmeno un'ora di pace.

Gli guardo la mano, un po' gonfia, con le efelidi e la fede troppo stretta.

«Ti sei sposato?»

Annuisce.

«E com'è lei?»

«Sono stato fortunato.»

Mi racconta gli anni con il foglio da profugo, i lavori occasionali, parcheggiatore, guardiano di un campeggio, benzinaio.

«Essere bosniaci era un vantaggio, avevano tutti molta pena di noi all'inizio...» sorride, ordina due bicchierini di rakija.

«L'ospitalità è durata poco, l'Europa ha smesso presto di sentirsi in debito. Non abbiamo una buona fama, perdiamo tempo, siamo troppo contemplativi.»

Una donna storpia mi passa accanto, magrissima, trascinandosi appresso una gamba come una scopa. Mette una mano aperta sul tavolo senza dire una parola. Gojko ci appoggia cinque marchi convertibili. La ragazza è così debole che non ha nemmeno la forza di chiudere la mano. Mentre se ne va le guardo i jeans molli e sporchi su un culo di sole ossa.

«Te la ricordi? Vendeva i biglietti della lotteria cittadina...»

Mi ricordo qualcosa... una mano, uno stupido pupazzo portafortuna.

«Era una delle ragazze più belle di Sarajevo. Si droga.»

Butta giù la rakija, strizza di nuovo gli occhi.

«È stato più facile prima correre sotto le granate che dopo passeggiare sulle macerie.»

Pietro è tornato con il cono gelato, guarda la ragazza che adesso è aggrappata al muro come un cane che deve pisciare.

«Perché zoppica così?»

«Uno di quegli amuleti che hai visto al mercato... le è entrato nell'anca.»

Mio figlio è nervoso, si agita sulla sedia.

«E non si può aiutarla?»

«No, non si può. Com'è il gelato?»

Pietro lo lecca, e per un po' resta solo il rumore della sua lingua. Ha la faccia assonnata appoggiata sul palmo della mano.

«Andiamo» dice. «Non ce la faccio più.»

Io invece potrei camminare per ore, adesso. Attraversa re la città, andarmene fino a Ilidža, in questa nebbia estiva, in questo vapore sporco che cancella un po' di realismo.. infilarmi, come uno stecchino in una torta, nella paccotti glia fumante dei ricordi.

Alzo gli occhi sul Trebević. Chiedo a Gojko di quel rifu gio dove servivano formaggio acido e grappa calda. Nor risponde subito, resta a scodellarsi il sapore di quel ricor do nella bocca chiusa.

«Sei tu che mi riporti indietro... tu...» sussurra.

Poi brutalmente dice che non c'è più niente, che la fu nivia è ferma, le cabine dimenticate nel cielo come den ti cariati.

«È pieno zeppo di mine. Per metterle ci vuole uno sputo, per toglierle servono anni e valanghe di soldi... ma se vuoi possiamo andare, arrampicarci a piedi, rischiare la ghirba e tornare lassù.»

C'è un lampo nei suoi occhi, come se si aspettasse da me una sfida, una follia.

«Buonanotte.»

Saliamo a piedi perché Pietro non si fida dell'ascensore.

«È matto questo tuo amico?»

«I bosniaci sono tutti matti, per loro è un vanto.»

Traballo sui gradini.

«Sei ubriaca?»

«Un po'.»

«Che schifo.»

Si lava i denti, aspetto che liberi il bagno seduta sul letto. È in mutande, piegato sul lavandino, la bocca spalancata gonfia di schiuma, si guarda allo specchio mentre strofina con il gomito alzato. È un maniaco dell'igiene orale, ha già avuto due carie e non capisce perché. Una volta mi ha chiesto di aprire la bocca, voleva vedere lo stato della mia dentatura, il dentista gli aveva detto che le carie sono ereditarie. Ho aperto e richiuso la bocca in fretta. *Lasciami in pace* gli ho detto, *non sono mica un cavallo*. Allora mi ha chiesto di suo padre, solo per sapere che denti aveva.

Adesso dorme. Dalla bocca socchiusa gli esce un sibilo, un piccolo vento profumato di dentifricio. È a torso nudo, ha i capezzoli un po' gonfi, mastite puberale, ha detto il medico. *Non è che mi vengono le tette?*

Anche il medico ha riso, *questo ragazzo mette di buonumore, oggi è difficile trovare un ragazzo così simpatico*. Già, lo trovano tutti simpatico, ha un umorismo buono, tende a denigrare se stesso molto prima che gli altri. Solo con me è stronzo.

Pietro.

Sarà la grappa, ma stanotte basta il suo nome a farmi piangere.

Stanotte è facile farsi scavare da un nome.

La finestra ha una soglia larga, c'è posto per sedersi, per allungare un po' le gambe. Mi appiccico al vetro. Giuliano mi ha chiamato, aveva la voce roca di uno che è stato zitto a pensare.

«Ti ho lasciato tanti messaggi», la gola logora di stanchezza, di ansia. «Ti sento lontana.»

«Sono lontana.»

Vedo la nostra casa. Il calendario dei carabinieri appeso all'ingresso, l'insalata che ho lasciato in frigorifero per Giuliano, il biglietto per la donna di servizio, la spugnetta con la quale mi strucco.

Stasera non mi sono struccata, mi ciancico gli occhi, mi porto il rimmel a spasso nelle occhiaie.

Pietro riposa. Le ciglia chiuse nel bianco delle palpebre sono un filare di alberi spogli nella neve... terra tagliata in due da una trincea.

Lascio la finestra, esco in corridoio scalza, scendo nella hall. Ci sono uomini che fumano e bevono, ci sono sempre uomini che fumano e bevono in quest'albergo. Mi guardano, vogliono offrirmi da bere. Gli chiedo una sigaretta, me ne danno due. Drina... già, le vecchie Drina. Non fumo da molti anni, ma stasera fumo scalza sul marciapiede perché ho bisogno di qualcosa che vada giù nella pancia, e che bruci.

Qualcuno passa, un uomo che si attarda su un bidone dell'immondizia, un poveraccio che cerca qualcosa, qualche avanzo che abbia ancora sapore, qualche scarto che valga la pena. Come me, in fondo.

Fu Gojko a portarmi

Fu Gojko a portarmi in quel locale.

Abbiamo camminato tutto il giorno da Bistrik fino a Nedžarići, eppure mi lascio ancora trascinare. S'è alzata la nebbia, ci balla intorno, la Miljacka in basso sembra latte di donna, colostro. È la mia ultima notte a Sarajevo.

L'Italia ha vinto la gara di slittino, festeggiano la medaglia. Sono molti quelli che ballano in piedi sui tavoli, le bocche incollate alle bottiglie di šljivovica, giornalisti sportivi, atleti che dovrebbero essere già a nanna a Mojmilo nelle loro casette del villaggio olimpico.

«Vieni, ti faccio conoscere il gruppo degli italiani.»

Mi siedo stretta tra i gomiti di gente sconosciuta, occhi unti di fumo, facce bruciate dal sole. Il locale è un cunicolo di archi bassi da cui spuntano teste imbalsamate, orsi bruni, camosci, dalle volte del soffitto pencolano bandierine di stoffa. Sono seduta sotto la Germania Est.

Lui non c'è, ha già salutato gli amici e se n'è andato. Sta cercando il cappotto nel guardaroba carico di giacche a vento e pastrani sporchi di neve, non riesce a trovarlo, e per questo torna indietro, per cercare la ragazza dei cappotti, la bassotta con i capelli crespi che è andata a prendersi una birra e ha lasciato il guardaroba incustodito. È per questo che lui torna indietro. Sta lì in piedi ad aspettare che lei finisca la sua birra.

È una schiena, un golf colorato di lana peruviana su una lunga schiena magra. Gojko lo chiama: «Ehi, Diego...».

Si volta portandosi una mano alla nuca, ha una barbet
ta rada su una faccia scavata da bambino magro. Poi mi
avrebbe detto che la testa gli pulsava, che gli occhi erano
due bracieri per tutte le raffiche di neve che aveva preso
durante il giorno. Si avvicina, fa un passo verso di noi. Poi
mi avrebbe detto che era perché mi aveva vista, nonostante gli occhi, nonostante la stanchezza. Ed era stato attratto,
senza nessun pensiero, come il toro dal rosso. Lo guardo
anch'io, lo aspetto mentre si avvicina. Non si può mai dire
cosa... cosa sia esattamente. È una membrana, forse una prigione fin dall'inizio. Una vita ha viaggiato lontano da noi
incontro alla nostra, ne abbiamo sentito il vento, l'odore di
una sosta. Il suo sudore, la sua fatica erano dentro di noi.
Era per noi lo sforzo.

Restiamo fermi come insetti a sentire quel battito simul-
taneo di cose. Ho le guance rosse, c'è troppo fumo, troppi
gomiti, troppe voci. Non c'è più nulla. Solo la macchia di
quel golf che cammina verso di me. I miei occhi in un attimo bru .ano i contorni di quella carne. E mi sembra di sen-
tirgli l'anima, ecco tutto.

Si avvicina al tavolo, la ragazza gli ha restituito la sua
roba, un giaccone blu un po' rigido, se lo infila. Resta lì in
piedi intabarrato a sudare. Gojko si sporge per abbracciarlo sul tavolo dove ballano, dove c'è un bicchiere di birra
che rotola.

«.n partenza?»

S'è messo anche uno zuccotto di lana con il pompon, annuisce, guardo quella pallina di lana che balla.

«Questo è il mio amico Diego, ti ho parlato di lui, ti
ricordi?»

Non mi ricordo.

Diego mi tende la mano. È un pezzo di carne ossuta che
scotta e si attarda nella mia. È la mano di Pietro. È già la sua.
Il tempo sbrana il tempo, un corpo è davanti al tuo, forte,
giovane... eppure un altro corpo sta già prendendo il suo
posto. Un figlio è già nel padre, ragazzo dentro ragazzo.

E quel figlio sarà la memoria, il bambino che correrà con
la fiamma.

Gli faccio spazio sulla panca, pochi centimetri di spazio dove lui scivola. Ridiamo perché siamo così vicini. Parliamo, di cosa non lo so. Ha una strana cantilena che fa pensare al mare.

«Di dove sei?»

«Di Genova.»

Non s'è tolto nemmeno lo zuccotto, suda. Guardo quelle gocce che dalla fronte gli scendono negli occhi.

«Stai sudando.»

«Usciamo.»

E ce ne andiamo così, subito insieme, passiamo attraverso la ressa dei tavoli, dei bicchieri sporchi, delle teste d'orso, della gente che spinge davanti alle porte dei bagni. Gojko non fiata, solleva una mano, rigida come la paletta di un vigile che intima l'alt. Dopo dirà che aveva già capito, che l'avrebbe capito anche un cieco. Che i colpi di fulmine lasciano stecchito un povero gatto che sta lì a far la posta e ci rimette la coda.

Diego cammina accanto a me con la sua giacca blu che sembra una di quelle della marina militare. È giovane, un ragazzo. Quanti anni avrà?

«Domani parto presto, sarà un aereo zeppo come quello dell'andata.» È qui per lavoro, dice.

«Che lavoro?»

«Fotografo. Faceva un caldo lì dentro...» sorride.

È docile questo sorriso.

Gli racconto della mia tesi, di Gojko che è stato così generoso e mi ha fatto innamorare di questa città.

«Cosa ci facevi ancora sveglia?»

«Aspettavo il suono delle campane, il canto del muezzin...»

Mi dice che possiamo aspettare insieme, arrampicarci fino alla vecchia stazione ferroviaria perché da lassù le punte dei minareti sembrano lance infilate nel cielo.

Abbiamo ripreso a camminare. Quanto cammineremo questa notte? Il camion degli uomini che ripuliscono le strade ci insegue per un po', poi si ferma. Tirano su vuoti di birre, volantini flosci nel nevischio... lunghe scope nere fruscíano sul selciato. Gli uomini sono fiacchi, infreddoliti, puliscono la nostra strada, ripartono, si fermano di nuovo. Non ce n'era bisogno, sarebbe andata bene anche la sporcizia del turismo delle Olimpiadi, non c'avremmo fatto caso. Siamo abituati a città sporche. Invece non possiamo non notare l'incanto di queste mani che si affannano per noi.

«Sei qui per un giornale?»

«No, inviato personale.»

Ha passato giorni sdraiato con il mento inchiodato sulla neve, a Bjelašnica, a Malo Polje, a beccarsi gli schizzi dei bob, dei salti dal trampolino della combinata nordica. Dice che si è fottuto gli occhi.

«Non potevi usare gli occhiali?»

Ride, dice che è come fare l'amore vestiti, che l'occhio dev'essere dentro l'obiettivo.

Mi guarda. Mi lascio esplorare dal suo occhio speciale...

«Sono fotogenica secondo te?»

Inclino la testa, gli mostro la mia metà migliore, come un'adolescente.

«Stai con qualcuno?»

Sto per sposarmi. Non glielo dico. Gli dico che ho una storia da molti anni.

«E tu?»

Allarga le braccia, sorride.

«Io sono libero.»

La Fontana dei Viandanti, il Sebilj, è ghiacciata, ci sediamo sul bordo, un uccellino intirizzito cammina sul ghiaccio. Si lascia raggiungere. Diego lo tiene tra le mani, avvicina la bocca, gli soffia un po' di caldo.

«Vieni con me.»

«Dove?»

«In Brasile, a fotografare i bambini nelle miniere rosse di Cumaru.»

Gojko sbuca dai banchi del mercato come ci avesse attesi lì, con la sua giacca di pelo, la sigaretta accesa.

«Ho promesso alla signorina che l'avrei portata in collina a vedere Sarajevo dalla finestra di Andrić...»

«E chi sarebbe questo Andrić?»

«Un poeta, ma non ti preoccupare, a Gemma non piacciono i poeti bosniaci, puzzano e si ubriacano.»

La sua presenza mi tutela dall'imbarazzo, da questo assillo di emozioni. Possiamo fingere di essere tre amici a spasso, tre innocui fratelli.

Il vento gelido muove gli alberi stecchiti, raffiche di nevischio ci bruciano il viso, si fermano nei capelli.

Guardiamo la città in basso, le punte ossute dei minareti tra i tetti carichi di neve. Sarajevo adesso sembra una donna distesa, le strade sono tagli sul vestito di una sposa.

Ho già scelto il mio abito da sposa. Un fuso di seta rigida come la corolla di una calla, un fiore senza movimento.

La notte se ne sta andando, le luci elettriche ballano nell'alba come candele sul mare.

Gojko allarga le braccia, grida in tedesco:

«*Das ist Walter!*»

«Chi è Walter?»

«È il protagonista di un film di propaganda che ci facevano vedere a scuola, un eroe partigiano che i tedeschi cercano di stanare per tutto il tempo, senza riuscirci. Alla fine del film l'ufficiale delle SS, sconfitto, guarda Sarajevo dall'alto e pronuncia questa frase: "Adesso so chi è Walter! Questo è Walter! È tutta la città, è lo spirito di Sarajevo...". Una vera puttanata, però ci faceva piangere.»

Ci sediamo in terra sotto una tettoia della vecchia stazione. Gojko tira fuori dalla giacca una bottiglia di grappa.

«Prima la signora...»

Bevo un sorso, sembra lava in quel gelo. Poi tocca a Diego... mi guarda mentre s'attacca al collo di quella bottiglia dove si sono appena posate le mie labbra. È il primo gesto erotico che passa tra di noi. Fa freddo ma sto sudando, colla che s'allarga sulla mia schiena.

«Che peccato...»

«Cosa?»

«Che non ho la macchina fotografica.»

Gli piacerebbe fotografarmi riflessa in quella pozza ghiacciata tra i binari.

Gojko tracanna il resto della bottiglia come acqua, poi la lancia nella neve. Blatera con la voce che si sfalda, parla del futuro... delle poesie che scriverà, di quel nuovo gioco che vuole importare, il cubo magico. Un rompicapo che lo farà diventare ricchissimo. Lo lasciamo andare come una radio notturna, come un ronzio. Ogni tanto Diego butta lì qualcosa, così, tanto per fare finta di stare lì in tre. Gojko s'accende un'altra sigaretta. Diego gli dà una gomitata. «Fai attenzione con l'accendino, sei così carico di grappa che se rutti saltiamo tutti in aria...»

Gojko gli fa i complimenti.

«Finalmente hai imparato un po' di umorismo bosniaco...»

Io rido, nonostante abbia le mascelle paralizzate dal freddo. Gojko mi guarda e sento che ce l'ha con me. Scuote la testa, ci manda a quel paese con un gesto molle, si volta su un fianco, sulla neve. «Chiamatemi quando avete finito di limonare.»

È stramazzato, ma non ci lascia soli, sta lì come un cagnaccio da guardia che finge di dormire. Diego mi prende la mano, la raccoglie come un guanto perso nella neve.

«E quindi...»

Non finisce la frase e io aspetto. Respira, fiato bianco nel freddo.

«... sei tu.»

«Cosa? Sono cosa?»

Cava fuori una voce rauca.

«Non te ne andare, non partire.»

Abbassa la testa fino alla mia mano, ci chiude gli occhi dentro. Respira lì sotto come l'uccellino intirizzito della fontana. Gli sfioro i capelli, lentamente ci infilo le dita.

«Ancora... ancora.»

«Mi sposo tra quaranta giorni.»

Tira su la faccia di botto.

«Con chi? Con la storia vecchia?»

Mi riprendo tutto di me stessa in fretta. Mi alzo, mi scrollo la neve dal sedere, dico che si gela, che devo chiudere i bagagli. Do un calcetto a Gojko: «Muoviti, Walter!».

Torniamo verso l'albergo, ed è un lento rotolare a valle, silenzioso e disarmonico. Non parliamo più, va bene così. Abbiamo corso troppo e siamo già stanchi. Il ragazzo magro e allucinato che mi cammina accanto adesso non mi piace più, ha cavato fuori dalla notte un umore cupo, perdente, molto simile a quello di Gojko. Di colpo non li sopporto entrambi, sono circondata da uomini stupidi, da spasimanti moribondi. L'alba sta nascendo, avvolge la città furtiva come un grosso gatto grigio. Sono arrabbiata con me stessa, che motivo c'era di non dormire, di bere, di prendere tanto freddo. Stringo il braccio di Gojko, approfitto del suo corpo. Mi strofina la schiena mentre andiamo, sembra contento di potermi riscaldare. S'è accorto del malumore di Diego, che cammina avanti incollato al muro come un cane, sa che qualcosa è successo mentre lui sonnecchiava. Pazienza. Adesso è di nuovo il suo turno, non gli dispiace che io sia così volubile Raccoglie un pezzo di legno, glielo tira addosso.

«Ehi, fotografo!»

Diego fa un saltello, scivola sul nevischio e cade. Gojko non voleva far sul serio, non credeva che il ragazzo fosse così molle.

«Ti sei fatto male, amico mio?»

Diego si tira su, si toglie la neve dai pantaloni, dice che non s'è fatto niente. Mi fa pena, di colpo mi fa pena. Di colpo penso che gli ho fatto male.

«Ci vediamo in aeroporto.»

Se ne va zoppicando un po', senza voltarsi, salutando con la mano.

Ho bisogno di tutto il peso di Gojko per chiudere la cerniera lampo della valigia, ho comprato tante sciocchezze al mercato, tovaglie ricamate soprattutto, per la mia futura casa. Passiamo davanti al monumento della Fiamma Eterna. Guardo quel viale per l'ultima volta... tutti quei palazzi nuovi di zecca, quello stupido lupacchiotto rosso di Sarajevo '84 accanto a una gigantografia di Tito. Il cielo fuori dal finestrino è bianco. Non ho dormito, ho la nausea, dico a Gojko se per favore può buttare la sigaretta.

Davanti ai check-in c'è molta gente che aspetta di partire, giornalisti, troupe televisive, turisti. Un gruppo di sostenitori della Finlandia cammina dietro una ragazza in giacca a vento color oro e minigonna di renna che agita un pupazzo di neve gonfiabile.

Lui non c'è. Non lo cerco, ma muovo gli occhi in giro, senza spostare d'un millimetro la testa. Compro un tabloid inglese. In copertina c'è la moglie del principe Carlo con la zazzera bionda troppo pesante, le guance rosse, il primo figlio sulle ginocchia.

Il suo volo partiva un'ora prima del mio, dovrebbe essere già qui. Forse non ha sentito la sveglia, è crollato sul letto e lì è rimasto. Deve essere uno di quei ragazzi che dormono, che sprecano il tempo.

Indosso un golf di lana d'angora con un largo collo sciallato, una gonna midi di jeans, stivali color cammello. Ho grandi occhiali da sole, fermi sulla testa. Sembro un po' più vecchia della mia età. Dopo l'università ho cominciato a vestirmi un po' da signora, a raccogliermi i capelli. Apro il primo bottone della giacca e respiro sotto la compostezza del seno, accavallo le gambe, poso la borsa accanto a me. Un po' recito, ma negli spazi pubblici recitiamo più o meno tutti... sono le prove generali della donna che mi piacerebbe essere. In realtà l'unica cosa che so di me è che non mi piace soffrire. Sono cresciuta in un mondo orizzontale, spuntato forse, ma confortante.

In fin dei conti Sarajevo mi lascia addosso uno strascico di tristezza. Ripenso all'apertura delle Olimpiadi, impeccabile, sontuosa... però anche lì, su quello stadio scintillante, c'era la cappa metallica di una tristezza stagna che la levità dei gesti delle majorette, i salti delle piccole atlete sui pattini non bastavano a dissimulare. C'era una cupezza militare, la stessa cupezza comune a tutti gli atleti dell'Est, la sensazione tangibile che durante gli allenamenti non si fossero mai divertiti. E che dire degli occhi del piccolo venditore di nocciole tostate fuori dallo stadio Zetra? Erano gli occhi di un bambino, quelli, o di un topo? Gli avevo fatto una carezza, gli avevo lasciato la mancia e lui non s'era smosso d'un baffo, un bambino di pietra.

Ho detto a Gojko di andarsene, invece lui ciabatta in aeroporto, fa i suoi commerci. S'avvicina, mi fuma addosso, sbircia la rivista.

«Chi è quella?»

«È la moglie del principe Carlo.»

«È bosniaca?»

«È inglese, naturalmente.»

«È uguale a mia madre.»

Chiudo la rivista, la butto nella borsa.

«Anzi, mia madre è più bella...»

Sono stufa di questo presuntuoso bosniaco convinto che questo buco di culo di posto sia il centro del mondo. Non ha fatto altro che ripeterlo, *il confine tra Oriente e Occidente, la Gerusalemme dell'Est... crocevia di culture millenarie e di avanguardie...* e adesso sua madre è più gnocca di Lady Diana. Ma vaffanculo

C'è un freddo cane d'inverno e d'estate si crepa, siete deprimenti, boriosi e ridicoli, le donne sono troppo truccate o troppo scolorite, gli uomini puzzano di cipolla, di grappa, di piedi che sudano dentro scarpe scadenti. Sono stufa di pita e di ćevapčići, ho voglia d'insalate e branzino. Mi hai rotto le palle, Gojko, le tue battute non fanno ridere, le tue poesie non fanno piangere.

Godo pensando ad Andrić... *e se solo in una parola potessi dirti cos'è che mi fa fuggire dalla Bosnia, ti direi: l'odio.*

«È in ospedale, mia madre...»

«Ah sì, e cos'ha?»

«Deve partorire, è una settimana che è lì, deve partorire ma non partorisce.»

«Quanti anni ha tua madre?»

«Quarantaquattro, mi ha avuto a diciassette anni... e adesso arriva un altro bambino, dopo tutto questo tempo.»

«È una bella cosa...»

«È la vita.»

Perché non chiamano i voli? I tabelloni sono fermi da un pezzo.

«C'è uno sciopero?»

47

Gojko scoppia a ridere, si dà un pugno sulla testa. Non può credere che io abbia detto una simile sciocchezza.

L'aeroporto ormai sembra una stazione nell'ora di punta, il puzzo di fumo è insopportabile. Mi alzo, cammino verso le vetrate in fondo, voglio vedere la pista, se qualche aereo sta decollando. Schiaccio il naso contro il vetro, non riesco a vedere niente... è tutto bianco, sta nevicando.

Sento un suono, corde di chitarra che vibrano. Mi volto. Diego è seduto per terra, spalle contro il muro, in un angolo tra la vetrata e una porta di servizio. Strimpella una chitarra, la testa bassa.

«Nevica »

«Già...»

«Molto.»

Aspetto in piedi, appoggiata a quel tempaccio candido, a quel destino. Adesso so che ho desiderato solo che qualcun altro decidesse per me. Passo un dito sul vetro, sul mio fiato... disegno una striscia ondulata, un pensiero.

«Mi hai offeso.»

Cosa sta blaterando? Perché parla di noi con questa intimità?

«Vieni a sederti qui.»

Mi metto lì accanto su una panca. Per terra no, per terra è troppo. Ho la mia gonna midi, rigida, da brava ragazza rassegnata alla benignità della vita senza punte, senza dolori, senza desideri.

«Ti piace Bruce Springsteen?»

Attacca a cantare...

You never smile, girl, you never speak... Must be a lonely life for a working girl... I wanna marry you... I wanna marry you...

«Sono innamorato di te.»

Mi sorride, si tira i capelli dietro le orecchie.

Di nuovo non mi attrae più, mi spaventa, mi sembra un perfetto imbecille.

«Ma tu fai sempre così?»

«Così come?»

«Corri... fai tutto da solo.»

48

«Io spero di fare tutto con te.»

«Ma io non ti conosco...»

Mi racconta tutta la sua vita, a raffica. Adesso so che suo padre era un operaio portuale, che è morto troppo presto, che sua madre fa la cuoca alla mensa dell'ospedale Gaslini, che lui è cresciuto a vaschette d'alluminio, che abita in un palazzo grigio che sembra uno di quelli del realismo socialista invece l'hanno fatto i democristiani, però nel seminterrato c'è uno studio fotografico e lui ha cominciato lì, andando a rompere i coglioni tutti i giorni.

La neve continua a fioccare, la voce gracchiante dice che tutti i voli per il momento sono annullati.

Diego si alza in piedi, raccoglie la chitarra.

«Meglio di così? Non perdiamo il biglietto e ci pagano pure l'albergo. Prendiamo due camere comunicanti?»

«Io aspetto in aeroporto.»

«L'aeroporto lo chiudono, hai sentito? Resterai sola.»

Penso ai miei bagagli, a Fabio che viene a prendermi a Fiumicino, a mia madre che ha comprato i tagliolini freschi. Vedo la mia vita coperta dalla neve, cancellata dalla neve. Eppure, penso, non ho niente da temere, questo imbecille diventerà un fratellino esattamente come Gojko. Questo viaggio è andato così: ho avuto un discreto successo, ho rimorchiato due sfigati, un poeta bosniaco e un fotografo genovese. Fabio si divertirà, dirà che il mondo è pieno di pazzi e che anche io sono un po' pazza, per questo gli piaccio. Mi guarderà in quel modo... quando è pronto per saltarmi sopra, felice come un cane che corre a strofinarsi su un prato addosso a una merda. Perché dico questo? Perché sputo sulla mia vita? Chi è questo ragazzo?

«Per me va bene anche restare in aeroporto, io e te da soli, chiusi qui dentro con la neve fuori. Per me va bene tutto.»

Saltella con le mani in tasca.

«Sono un ragazzo fortunato.»

«Ah sì?»

«Molto fortunato.»

«Quanti anni hai?»

«Ventiquattro, e tu?»

«Ventinove.»

Sorride, dice che credeva peggio, che ne dimostro trenta. Arriccia la faccia, scopre tutti i denti. Resto a guardare quel sorriso troppo grande per quel viso piccolo.

Ti ritrovo in questa prima notte sarajevita dopo tanti anni. Palate di vita. La mia pelle bianca ha più di cinquant'anni di pensieri e azioni. Ti piacerei ancora, Diego? Ti piacerebbero questa pelle molle sotto il mento, queste braccette? Mi ameresti ancora dello stesso amore carnale, della stessa gioia? Un giorno mi hai detto che mi avresti amata anche vecchia, che mi avresti leccata anche decrepita. Me lo hai detto e io ti ho creduto. E poco importa se il tempo non ci ha lasciato sperimentare. Da qualche parte siamo invecchiati insieme, da qualche parte continuiamo a rotolarci e a ridere. La finestra è spenta, Sarajevo non si vede, si vede solo una strada, uno scorcio anonimo. Ma come si può ignorare il resto? Questa città è una pita imbottita di morti, di innocenti strappati all'innocenza. Tuo figlio Pietro dorme, Diego.

Ai telefoni c'era una lunga fila. Gojko la scavalcò, urlò che era un'urgenza.

Incolla un orecchio alla cornetta e s'infila un dito nell'altro, parla a voce alta. Riattacca il telefono, grida.

«Mia madre ha partorito, è una bambina. È Sebina!»

Ci butta le braccia sulle spalle, ci trascina. Dobbiamo correre in ospedale a vedere la bambina, c'è la neve alta come una porta, ma lui ha le catene. Dobbiamo brindare! È felice che sia una bambina, perché nella loro famiglia nascono solo maschi, ed è una fortuna che sia venuta al mondo proprio oggi perché chi arriva sotto la neve che fiocca avrà una vita lunga e dolce. A chi somiglierà? Spera che somigli a sua madre che è così bella e sa cucinare la migliore zuppa di carne di tutta la Bosnia. Ci bacia, ci stringe. È commosso. In un attimo siamo commossi anche noi. Siamo sei occhi umidi che si guardano come stupidi pesci.

In macchina cantiamo. Non sappiamo cosa ma cantiamo, andiamo appresso ai ritornelli della radio. La neve è alta, il cielo è denso come gesso. Le macchine hanno i fari accesi, procedono pianissimo. Lo spazzaneve è davanti alla colonna, avanza liberando la strada... anche oggi c'è qualcuno che ci pulisce la strada!

Tutto è bianco e profondo. Gojko scende a comprare una bottiglia, lo guardiamo mentre cammina, affonda nella neve verso un'insegna luminosa. Diego si volta.

«Sei contenta?»

«Sì... non avevo mai visto una tempesta di neve.»

Mi prende la mano, me la tira fuori dalla tasca e se la prende.

«Ti voglio fotografare, oggi ti fotografo tutto il giorno.»

Gojko ritorna carico di neve come un cane da slitta. Stappa una bottiglia di vino frizzante.

«È austriaco, costa una fortuna.»

La mia vita è sepolta in un giardino lontano, sotto una lastra di ghiaccio. I fari vanno nel bianco. Ha quelle dita lunghe intrecciate alle mie che mi stringono... mi parlano, mi giurano tutto. E basta questa mano, adesso. La mano di questo ragazzo che non conosco, che mi strappa alla solidità stagna del mio corpo. Mi sembra quella di un bambino... una mano persa tanto tempo fa, di un amichetto che avevo all'asilo, che voleva sempre stare con me. Colla buona del passato. Mi tolgo una lacrima ancora attaccata all'occhio, con un gesto piccolo, invisibile.

All'interno dell'ospedale c'è un caldo confortante, quasi eccessivo. Il reparto maternità ha l'odore di una casa, di pentole sul fuoco, di panni stesi. La camerata è grande, i letti sono quasi tutti vuoti. La madre di Gojko è seduta, la schiena appoggiata ai cuscini, sta guardando la finestra, la neve che scende. Gojko si curva su di lei, la stringe. Restiamo dietro di qualche passo, ci fa cenno di avvicinarci. Mirna dice: «*Hvala vam*».

«Mia madre vi ringrazia.»

Gli chiediamo di cosa ci ringrazia, Gojko alza le spalle.

«Di avermi fatto lavorare...»

Sono basita, sua madre somiglia davvero a Lady Diana, ed è vero che forse è addirittura più bella. Ha un collo altero, e un volto fragile tenuto dagli zigomi come un telo candido su un tombolo, occhi color indaco e una matassa di capelli dorati.

E così ci ritroviamo davanti al letto di una puerpera bella come una regina, in questo giorno incredibile. Un brivido lungo mi scava come la punta di un trapano. Forse lo sente anche il fotografo di Genova. S'è tolto lo zuccotto per rispetto, come in chiesa. È la vita che mischia le carte, che d'improvviso canta e anticipa il giorno come un gallo.

Arriva la bambina, avvolta in un cartoccio di candide coperte. Ha le guance un po' quadrate e il mento appuntito. È bruttina. Non piange, ha gli occhi aperti, sembra sapere già tutto. La bocca di Mirna si apre quando la vede, come fosse lei, la madre, a cercare cibo dalla piccola. Gojko si commuove, lacrime grosse come semi gli rotolano sulle guance. Le prende la manina, la guarda. *Permetta che mi presenti, signorina, sono suo fratello Gojko... e le farò da padre.*

Il padre di Gojko è morto di cancro pochi mesi fa, la madre per fortuna ha un buon lavoro, insegna in una scuola elementare, è una croata di Hvar, è molto cattolica, non ha mai pensato ad abortire.

Adesso urla con una voce sfiatata che stride con la sua bellezza. Non vuole che il figlio tocchi la neonata prima di essersi lavato le mani. Gojko va verso il piccolo lavandino aggrappato alla parete, torna con le mani gocciolanti. Saltella con la sorella in braccio, la bacia, l'annusa. Resta vicino al letto mentre sua madre allatta, posa la testa accanto alla loro sul cuscino, e resta lì senza quasi respirare come un cane che ha paura di essere scacciato.

Diego ha caricato la macchina, scatta una fotografia a quella natività. Mirna è imbarazzata, si copre il seno con la mano. La donna ancora gravida del letto accanto ha una piccola piastra elettrica, prepara un tè scuro, asprigno, di lamponi, lo versa in tazze di ferro smaltato e ce lo offre. Mirna ha le gambe punteggiate di macchie rosse, la vedo mentre ritrae un piede e cerca di grattarsi. Si accorge del mio sguardo, sorride imbarazzata, mi spiega che è un eczema, le è venuto in gravidanza.

Frugo nella borsa, ho una crema di arnica che porto sempre con me, un unguento bianco e rinfrescante che uso un po' per tutto, per i miei gomiti perennemente screpolati. Le chiedo se posso stenderle io un po' di crema, visto che lei ha le braccia occupate dalla bambina.

Scuote la testa, scalcia con il piede, si schermisce. Ma io insisto, e lei cede. Sento le sue gambe che s'irrigidiscono, vedo che abbassa il capo e annusa, forse ha paura che le pantofole sotto il letto puzzino un po'. Ha polpacci solidi da donna che lavora, che cammina. La pelle è arida, si beve la mia crema. Dal basso le sorrido e lei sorride a me. Mi fa capire che sta già meglio, che la crema è davvero miracolosa. Sorrido, le dico che posso lasciarle il tubetto se vuole, mi dispiace solo che sia mezzo vuoto.

Mirna dice qualcosa: «*Hoćeš li je?*».

«Cosa ha detto?» chiedo a Gojko.

«Se vuoi prendere in braccio la bambina.»

Mirna mi tende quella neonata ancora calda del suo ventre.

La donna che ha preparato il tè adesso sta raccontando una storiella buffa e tutti ridono, così per un attimo si dimenticano di me.

La neonata sembra una vecchia. Ha addosso l'odore del suo viaggio, un odore fondo di pozzo, di lago. Vicino al lavandino c'è uno specchio, m'avvicino a quello. Per vedermi con un neonato in braccio, per vedere cosa sembro.

Diego mi raggiunge alle spalle, mi fotografa attraverso lo specchio.

«Tu li vuoi i figli?»

«E tu?»

«Io voglio solo figli.»

È serio, quasi triste. Sa che non gli credo.

Nevica ancora, ha smesso, poi ha ripreso. Alla Baščaršija i negozianti hanno spalato la neve davanti alle loro botteghe, così adesso c'è una specie di trincea bianca lungo le stradine. Alle sei del pomeriggio il buio s'inghiotte la neve, dalle colline scende l'odore della legna che brucia nei camini, il muezzin sale le scale del minareto per andare a pregare... e noi siamo già alticci.

Gojko ci costringe ad assistere a una sfilata di moda di un suo amico stilista. Le luci sono miserevoli, la colonna sonora è disco-music slava, le modelle sembrano uccelli variopinti, capigliature rapaci e abiti carichi di piastrine luccicanti, avanzano seminude con la carne chiazzata dal freddo in uno stanzone gelido che pare una discoteca di provincia. Il pubblico sembra lì per caso, gente raccolta dalla strada mentre andava al lavoro, vestita male, con scarpe sporche di neve e ombrelli grondanti, buttati sotto i piedi. Lo stilista amico di Gojko è glabro e grassoccio, indossa una maglietta di rete nera a buchi grandi come una tela di ragno, quando esce a ringraziare si piega fino a terra come la Callas.

Per strada ci sganasciamo dal ridere come studenti in gita scolastica. Io ancheggio sulla neve come quelle povere modelle barcollanti e intirizzite, Diego mi fotografa, si butta ai miei piedi come fossi una star, urla che vuole anche lui una camicia da ragno. Gojko dice che siamo due *krastavci*, due cetrioli ubriachi. È arrabbiato, siamo troppo complici, troppo stupidi. Gli sta prendendo di nuovo male. Cammina davanti a noi con il suo capoccione duro, scorbutico, la sua giacca di pelle imbottita di gatti.

Poi scivoliamo in un locale della Sarajevo underground, e se non fosse per la šljivovica per un attimo sembrerebbe davvero di stare a Londra. Artisti con lunghi capelli canuti ingialliti di nicotina si aggirano insieme a spettrali ragazze che dondolano a occhi chiusi, le palpebre bistrate di nero come cozze luccicanti. Le luci vanno e vengono, la musica è quella dura degli Ekv. Sembra che provenga dal fondo della terra e come un sisma fa tremare i tavoli, i posacenere, i bicchieri vuoti che nessuno porta via. Gojko ci presenta Dragana, che lavora alla tv di Stato e sa fare le voci, fa per noi quella dei Puffi, e il suo ragazzo Bojan, mimo e attore di teatro, poi Zoran, un avvocato dal viso butterato e serio, e Mladjo, il pittore, che ha studiato all'Accademia di Brera. Si perde, inghiottito dai suoi amici.

Diego si inginocchia accanto a me.

«Cosa prendi, piccina?»

«Non lo... cosa prendiamo?»

Sono stordita, non entro in un locale notturno da millenni, sono tutti seminudi, ballano tutti. Ho un golf di angora, una gonna rigida, mi sento impacciata, fuori luogo.

Sono riuscita ad accaparrarmi un posto su un divanetto scivoloso. Diego torna con una grande coppa di gelato una sola per due.

«Non ho trovato altro...»

Mangiamo dallo stesso cucchiaio. Lui m'imbocca e mi guarda mangiare. Un gelato con tutta quella neve... invece è proprio quello che ci vuole, si squaglia, scivola nell'arsura del corpo. Poi invece del cucchiaio avvicina la bocca. Non mi bacia subito, resta lì, il suo respiro addosso alle mie labbra fredde. È come se aspettasse il nulla osta finale... si avvicina a quel bacio lentamente. Forse è più astuto di quello che sembra. Forse è uno di quei ragazzi sensuali che hanno passato tanto tempo sotto le lenzuola. È un bacio lungo, molle, le lingue sono lumache che attraversano una piazza.

Se quella notte non si fosse fidato di me. Invece aveva solo voglia di fidarsi. Le bocche come pasta di una sola bocca. Pietro s'è girato nel letto, ha borbottato qualcosa, di colpo è affiorato alla veglia poi è sprofondato di nuovo, come una manta che risale in superficie e poi torna al buio dei suoi fondali. Da tempo non dormo con lui nello stesso letto, m'ero dimenticata i suoi nervi liberi, come corde di chitarra che si spezzano all'improvviso. Non gli è mai interessato sapere di suo padre. *Pietro si difende*, ha detto Giuliano, *è un ragazzo, e i ragazzi hanno paura di soffrire.*

Ho sempre parlato a Pietro di suo padre con leggerezza, gli ho detto com'era buffo, con le sue gambe da struzzo, la barba spelacchiata che si faceva crescere per sembrare più grande. Gli ho detto di quella volta che arrivò dicendo d'aver scattato il miglior servizio della sua vita, e poi s'accorse che non aveva caricato la macchina. Gli ho detto che mentre camminava gli cadevano i pantaloni perché era troppo magro, *come te*, gli ho detto, e non si ricordava di mettersi la cinta, *perché era distratto, come te*. E ogni volta mi sono bevuta le lacrime e mi sono messa a ridere.

Giuliano è rimasto zitto a lungo. Poi ha detto *è questo che lui ha percepito... il tuo dolore*.

È vero, ho cercato suo padre dentro di lui, affannosamente, ogni giorno della sua vita.

Una sera siamo in cucina, Pietro apre il frigorifero e s'arrabbia con me perché non ho comprato i gelati. Gli dico di sedersi perché non abbiamo ancora finito di mangiare, gli dico che è viziato e strafottente. Giuliano mi mette una mano sulla mano, dice che scende lui a comprare qualche gelato, il bar è ancora aperto. Io mi arrabbio anche con lui, gli dico che così non mi aiuta, si fa divorare da Pietro, si fa usare come uno zerbino. Si alza, ci lascia soli. C'è quella fotografia di Diego sul frigorifero. Pietro si ferma lì davanti, si volta verso di me: *che cazzo dici, non gli somiglio per niente*. Mi guarda come un uomo, come un estraneo: *io non somiglio a nessuno*.

Dunque quella sera furono baci, uno dentro l'altro. Diego s'era seduto addosso a me su quel divanetto di pelle, tra luci che sfarfallavano colorate come in una giostra, in quella tana di fumo e di voci.

«Ti peso?»

«No, non mi pesi.»

Curvo su di me con il suo odore, con il suo alito, con le parole più dolci. Come un serpente che divora una bestiola, che se la inghiotte piano... sto soffocando quaggiù.

Ballo, come un'alga. Ho voglia di sfrenarmi. Allungo le braccia in aria, alzo le gambe, le stacco da terra e oscillo... poco importa se ho questa gonna rigida, e se non so ballare... ballo come ballavo alle feste del liceo, quando si spegnevano le luci e si crepava dal ridere con quella scopa in mano. Diego mi sta guardando, una mano posata sulla guancia, gli occhi socchiusi nel buio che mi frusciano addosso. Ho già preparato la lista di nozze. Abbiamo passato un pomeriggio intero, io e Fabio, in quel negozio in centro, con la commessa appresso che compilava fogli su fogli. Penso a quella saliera in cristallo con tappo d'argento *da gemellarsi eventualmente con la pepiera.* Che cosa ci farò con quella saliera? Dove lo spargerò il sale? Sull'insalata o sotto il letto per scacciare il fantasmino di questo idiota che mi guarda come se fossi Bo Derek?

Non se ne fa niente, non se ne farà niente. Gli dico che è tardi, che bisogna andare. Mi scruta mentre mi lego la sciarpa. Non lo guardo più, guardo i miei passi per strada, seguo solo quelli.

L'albergo per i passeggeri dei voli soppressi è in periferia, e l'ultimo tram è partito da un pezzo. Così Gojko ci ha invitato a dormire a casa sua, c'è posto, la madre è in ospedale. È un condominio popolare, il cortile sembra quello di una prigione. Però dentro si sta bene. La luce si accende su una dimora accogliente, dove non manca nulla. Un pianoforte verticale, un tappeto turco, due righe di libri sul muro, tendine gonfie come piccole salcicce bianche. Gojko cede la sua stanza a Diego.

«Le lenzuola sono pulite, ci ho dormito solo poche volte...»

Io starò nella camera della madre. Gojko mi spiega come si accende la luce sul comodino, sgombra una sedia per farmi posare le mie cose. Accanto al letto c'è una culla già pronta, un mezzo uovo di vimini.

«Era mia, adesso ci dormirà Sebina, mia madre ha rifatto il materasso, ha ricamato le lenzuola.»

M'incanto sui merletti, su un filo di raso che pende.

Restiamo ancora un po' in salotto a parlare. Gojko distribuisce il resto di una bottiglia di kruškovača di pere fatta dalla madre. C'è una fotografia di Tito in soggiorno, incorniciata accanto alle altre, come se fosse uno di famiglia.

Gojko attacca a parlare di suo padre che si salvò sulla Neretva quando il Maresciallo fece saltare il ponte per ingannare i tedeschi.

Io mi alzo, *buonanotte*. Si alza anche Diego, mi segue per qualche passo.

«Quando il partigiano dorme posso farti una visita?»

Ha la faccia di un bambino che mendica. Scuoto la testa come una madre punitiva.

Li sento parlare ancora un po', poi attacca il ronzio del televisore. Sento Diego che dice *vado a letto, non capisco un cazzo*, e Gojko che dice *è vero, non capisci un cazzo*...

Sono tranquilla, sto leggendo da un po'. *La Signorina* di Andrić stanotte non si muove dall'Hotel Europa... le parole non penetrano, restano lì sospese, inutili come mollette per i panni su un filo senza bucato. È gentile questo letto, è gentile questa stanza con le sue tendine di garza, il tappeto di cotone beige, è la stanza di una donna umile, pulita. Mi alzo e guardo nell'armadio: un abito a fiori, un tailleur, due giacche da uomo, e sotto pile di panni da casa, lenzuola, asciugamani. Sull'anta un filo di metallo: due cravatte e una piccola cinta rossa laccata. Vado in bagno. Mi lavo il viso, le ascelle.

Il sapore di quei baci se ne va con il dentifricio. Gojko dorme buttato sul divano, le braccia abbandonate, le mani gonfie come quelle di un bambino. C'è puzza di piedi, di sigarette fumate rimaste a pesare nell'aria.

Diego mi chiama, *pss, ciao*. È sulla porta della sua camera, sorride. Indossa una specie di tuta intera di spugna giallina.

«L'ho trovata sotto il cuscino di Gojko...»

Sorrido, gli dico di nuovo *buonanotte*.

«Ma tu hai sonno?» domanda.

«Sì.»

«Tu dici un sacco di bugie stanotte...»

Siamo un po' intimiditi in quella casa, in quell'intimità di altri... e Gojko addormentato fa più impressione di Gojko sveglio.

Diego ha quel pigiama da papero, i capelli lunghi e ondulati da angelo. Storce la bocca come un fumetto.

«Chiudo la porta... così non mi senti piangere.»

Lo mando a quel paese, senza allegria.

Poi succede una cosa, Gojko fa un rumore, un peto bello corposo, lungo, quasi una piccola sinfonia dell'ano. Diego fa una faccia intensa, annuisce.

«Bella poesia, Gojko, complimenti...»

Io mi porto una mano sulla bocca e rido.

Anche Diego si piega a ridere. Mi volto, faccio un passo indietro verso la stanza dove andrò a dormire o a stare sveglia. E lui mi solleva da terra con un gesto secco, come se non avesse mai fatto altro, come un facchino con un tappeto arrotolato.

Cadiamo sul letto, accanto a quella culla vuota. Diego in un attimo si sfila la tuta di Gojko, resta in mutande, un paio di mutande rosse, assurde, da Capodanno. Rido, lui non ride. Ha le gambe magre e il torso esile di un bambino.

«Sono brutto?»

«No...»

Vedo pezzi di noi, la mia mano molle fuori dal letto, un suo orecchio, scuro come un pozzo, il punto dove i nostri toraci si appiccicano. Prima di entrare dentro di me si ferma, mi chiede il permesso, come un bambino.

«Posso?»

È una radice che s'infila nella terra. Sta lì a guardarmi, a guardare il miracolo di noi due insieme. Mi mette le mani intorno alla testa come una corona, guarda i miei capelli mentre li carezza.

«Adesso sei mia.»

Dopo c'erano quel letto e quella culla vuota, dove Gojko aveva dormito da piccolo e dove adesso avrebbe dormito sua sorella.

Sono stesa con un braccio sotto la testa di Diego. Sono calma, sazia... guardo questo piccolo fenomeno. Questo ragazzino che ha saputo conoscermi, accudirmi naturalmente, come se non avesse fatto altro tutta la vita.

La tempesta di neve è finita da un pezzo. Dalla strada arrivano delle voci, ragazzi ubriachi. Ci alziamo per spiarli dai vetri della finestra. Diego mi stringe a sé, io mi proteggo con un pezzo di tenda. Sono ragazzoni alti che parlano inglese tra di loro, atleti fuori pista. Rimangono un po' lì sotto a tirarsi la neve, poi se ne vanno.

Torniamo a letto. Questa notte passerà goccia a goccia. Diego mi tocca un capezzolo, piccolo e scuro come un chiodo. Tocca la nostalgia che avrà di me. Non sciupiamo niente. Nessuna paura, nessun rimprovero, nessun imbarazzo. Nessun sentimento noto viene a disturbarmi. Il pentimento è un signore vecchio e stanco che non ce la fa ad arrampicarsi su questo cancello.

Diego prende la chitarra e suona. La gamba piegata, il torso nudo, gli occhi bassi sulle corde.

«Che canzone è?»

«*I Wanna Marry You*. La nostra.»

Dormiamo un po'. Ed è un sonno profondissimo, affossato nella totale cecità. Quando riapro gli occhi trovo il profumo di questo corpo. Ha il naso infilato nei miei capelli, come se fosse rimasto ad annusarmi. L'alba comincia, piccola, livida. C'è tempo per fare l'amore ancora una volta, per cadere vicini. Il suo gomito mi strappa un po' i capelli, non importa. Mi alzo, ed è una vera fatica. La prima di quella notte. Lui è lì alle mie spalle, mi guarda mentre mi chino, mi infilo le mutande, cerco pezzi in giro.

«Mi mancherai tutta la vita.»

Ci ritroviamo in cucina. Gojko ha fatto il caffè, è sceso a comprare il latte e la pita dolce. È passato in camera sua, e senz'altro ha visto il letto intatto. Ci guarda mentre facciamo colazione insieme in quella cucina con i pensili color piccione e un lampadario che sembra un fungo rovesciato. Gioca con le briciole sul tavolo, guarda le mie mani sul manico della tazza. Ci lascia in pace, non fa battute. Non siamo né allegri né tristi, solo sperduti.

Prendo la borsa, apro il portafogli. Voglio pagare a Gojko quell'ospitalità, il cibo, le lenzuola da lavare. Lui guarda i soldi, tutti i dinari che mi rimangono. È al verde, come sempre, però mi scaccia con gesto deciso.

Gli dico che dovrà venire a Roma a trovarmi, che sarà ospite mio.

Ci guarda, respira quell'aria di agonia.

«Ma perche partite?»

Vado a lavarmi i denti. Piango, la bocca è una cloaca di schiuma bianca che non ce la fa a chiudersi. Mi strofino via il trucco rimasto sotto gli occhi. Torno di là con la mia borsa. Diego sta giocando con uno yo-yo. Gojko si volta, si piega sul piccolo lavandino, butta le tazze lì dentro, la sua schiena borbotta, è commosso.

‹Siete due *bakalar*, due merluzzi...»

Sto facendo colazione con mio figlio, ventiquattro anni dopo, in una sala ampia dai soffitti troppo bassi. Non si vede la luce del giorno ma solo tubi di neon, siamo nel seminterrato dell'hotel. Intorno a noi molti tavoli già sporchi e alcuni dove gli uomini che ieri sera parlavano nella hall parlano ancora, molti fumano già. Pietro si lamenta di quella puzza di fumo e del cibo.

«Ma una cosa normale non c'è?»

«Cosa intendi per normale?»

«Intendo un cornetto, mamma.»

Mi alzo, vado a prendergli il burro per il pane. Sbircio nei contenitori metallici tristi come quelli di una mensa, pesco uno yogurt e una fetta di torta con le ciliegie per me. Ho fame, tutto sommato ho fame. Imburro le fette di pane a Pietro, gli dico che il miele di qui è molto buono. La ragazza della cucina si avvicina. Indossa un completo da cameriera, camicetta bianca, gonna nera e grembiulino corto. Pietro la scruta. È giovane, sembra poco più di una bambina, ha un viso ovale, quasi trasparente, e grandi occhi giallastri. Chiede cosa vogliamo bere di caldo. Io chiedo un tè, Pietro chiede se c'è il cappuccino. La ragazza torna con il mio tè e un tazzone di latte scuro per Pietro. Sorride mentre glielo mette davanti, ha piccoli brufoli sulla fronte. Pietro guarda quella sbobba senza nemmeno un filo di schiuma, cerca di dire qualcosa ma non sa come si dice schiuma in inglese, così s'interrompe a metà. La ragazza gli sorride. È un attimo, forse il vassoio è bagnato... la teiera scivola per terra, non si rompe, è di metallo, però il fiotto colpisce in pieno i jeans chiari di Pietro.

Scatta in piedi come un pazzo perché gli brucia la gamba, si mette a saltellare, a scollarsi la stoffa bollente dalla pelle. La ragazza resta impalata, inebetita. Si scusa, lavora lì da pochi giorni. Parla inglese con un leggero accento slavo. Pietro si apre i jeans, se li fa scivolare fino alle caviglie, resta in mutande, si soffia sulla coscia. Bofonchia in italiano *impedita, imbranata...*, però siccome è vigliacco in inglese dice *don't worry... it's ok.*

La ragazza continua a scusarsi, si china per raccogliere la teiera. Dalla cucina intanto è uscita una donna robusta in zinale, con i capelli corti e ricci. Parla in fretta alla ragazza, non si capisce una parola, è chiaro che la sta maltrattando. La ragazza adesso ha le guance rosse, infuocate. Pietro s'è tirato su i jeans, tocca sulla spalla l'energumena, le dice *it's my fault... the girl is very good, very much good...*, e poi aggiunge un *indeed* senza senso.

La donna se ne va, Pietro si risiede.

«Non si dice *very much good.*»

Si lamenta che gli rompo le scatole, sempre, anche quando si comporta bene.

Sorrido, perché stavolta ha ragione.

Lo guardo mangiare, guardo i suoi denti bianchi e storti che sbranano il pane. Guardo la cameriera sarajevita che gli sorride e lo ringrazia con un piccolo inchino.

Ci salutammo all'aeroporto. Restammo stretti in piedi appoggiati al muro. Diego m'infilò le mani sotto il cappotto, cercava il caldo della mia carne. Lo lasciai cercare. Erano passati già tutti. Noi eravamo lì, fermi accanto a quel filare di sedie vuote. Poi mi voltai e andai via. Lo vidi contro il vetro, bussava come un uccello con il suo becco. Avevo pianto e adesso mi urlava di sorridere, di essere felice in ogni caso, anche senza lui.

Mi rinfilai nella mia vita

Mi rinfilai nella mia vita come in un sacco, e quando l'associazione dei ciechi passò per la raccolta dei panni vecchi regalai la lunga giacca a vento che avevo indossato per tutti i giorni di Sarajevo. Mi rimisi il cappotto di città, modellato sulle forme del mio corpo. Nei corridoi dell'università galleggiavano le voci degli studenti che uscivano dalle lezioni, echi di vite ancora spensierate, così lontane dalla mia. Con Fabio era facile, bastava dirgli la verità, che ero stanca, e un po' depressa. Lui non mi chiedeva ragione di niente. Era un ragazzo formidabile, trovava lui i motivi del mio malessere. Diceva che era naturale, che avevo studiato troppo, che chiedevo troppo a me stessa. Non facevamo l'amore, non ce n'era il tempo. Quando ci vedevamo era per passare da qualche suo parente a portare la partecipazione del matrimonio. Era una bella storia la nostra, docile. Guardavo Fabio, lo spiavo in macchina mentre guidava con il suo sguardo pensoso. Lavorava nello studio di ingegneria che il padre gli stava a poco a poco lasciando, erano sempre in gara per ottenere appalti pubblici, spazi multifunzionali, aree verdi, centri sociali. In quello studio, tra quei tavoli verticali foderati di fogli lucidi, io e Fabio avevamo fatto l'amore per la prima volta. Io ero vergine, lui farneticava di qualcosa accaduto prima di me, ma era così imballato che stentai a credergli. Adesso non ricordavo niente di noi due lì, in quello studio vuoto che rimase il nostro rifugio del sabato sera per molti anni. Fabio era il figlio del padrone, si faceva il bidet in quel bagnetto dove non mancava mai la capsula profumata che colorava lo sciacquone di celeste. *Il bagno è libero*, diceva. Mi guardava camminare nuda: *hai le gambe lunghe*. Oppure: *hai il busto modellato...* l'occhio professionale di quando faceva i calcoli del cemento.

Guardavo la sua faccia che scrutava il traffico, i suoi pensieri incuneati in qualche problema di cantiere, di impiantistica, di fognature. Mi piaceva l'odore della sua macchina, quel pacchetto di biscotti al cioccolato che si portava appresso e che mangiavamo dopo fatto l'amore. Non mi chiedevo perché avessimo così bisogno di addolcirci la bocca dopo, perché lui avesse così fretta di lavarsi, di sciacquarsi dall'uccello gli umori del mio corpo. Stavamo meglio con i vestiti addosso, nei ristoranti dove mi portava, mi toglieva il cappotto dalle spalle, consultava la carta dei vini. Aveva trentaquattro anni, era un uomo fatto, posato. Avevo quasi trent'anni, mi vestivo come una donna perché a lui piaceva così. La nostra era una sintonia silenziosa, salda. Il sentore buono di una vita che non ci avrebbe mai lasciati allo scoperto.

Adesso, quasi tutte le sere andavamo dal prete. Nessuno dei due era particolarmente credente ma ci piacevano quei colloqui prematrimoniali, l'odore della sagrestia, la porticina alla quale si suonava, i passi del sacerdote che si avvicinavano, la sua voce, *venite, ragazzi, entrate*. Era un ragazzone robusto, sanguigno, strizzato in una tonaca troppo stretta, studiava ancora Teologia all'Università Cattolica. Ci parlava come un amico, ci illuminava sul sacramento che avremmo celebrato con passione, e prima di farci qualche domanda più indiscreta si scusava. Mi sentivo al sicuro lì dentro. Era una stanza pulita, d'attesa. Di purificazione. Mi ricordava per ordine e umiltà certe stanze sarajevite. Non mi sentivo in colpa. Era come se non avessi obblighi nei confronti del mio futuro marito, non in quel senso lì. Il coltello era fermo nella mia pancia, ma non mi faceva male. Non avevo nessuna intenzione di confessarmi sulla spalla del nostro amico prete. Quello che era successo a Sarajevo apparteneva a me, cullava una parte remota della mia esistenza.

Mi manca Diego, ma non ho mai pensato di poter cambiare la mia vita. Glielo dico nel cuneo di una telefonata lunghissima, di notte. La sua voce è un singhiozzo di richieste impossibili, sta male, non fa che pensare a me, non mangia, non fotografa, non parte per il Brasile. Muore. Mi parla di quella notte, dei nostri corpi, del nostro fango.

Non mi fido della sua voce, mi tiro indietro. Non si dura così, non si può durare. Diego dice di sì, che il suo amore durerà tutta la vita, perché lui è pazzo, ma io non gli ho dato il tempo di lottare. Non s'è lavato per giorni per tenersi addosso la crosta della mia pelle. Prova a ridere, ma è una risata moribonda. Mi chiede se odoro ancora così. Non parlo, piango.

«Stai zitto.»

«Io aspetto» dice. «Io sono qui.»

È fuori di testa, è un ragazzino.

Non mi chiede di Fabio, del mio matrimonio. Mi chiede notizia dei miei piedi, del mio ombelico, del piccolo fosso dietro le orecchie. Ha sviluppato le fotografie di Sarajevo, quelle della neve e quelle degli atleti in relax, stravaccati nei loro accampamenti a Mojmilo, e soprattutto le ultime, le mie. Ride, dice che la madre gli domanda di quella ragazza in mezzo alla neve appesa in camera sua con scatti così ravvicinati da farla sembrare viva, in movimento. Abbassa la voce per raccontarmi di quella foto più intima che tiene nascosta... io nuda accanto alla finestra.

«Quando me l'hai fatta?»

«Quando non te ne sei accorta.»

La tira fuori di notte, la guarda durante quelle telefonate, la guarda quando è solo, se la stringe sulla pancia, ci dorme. Forse ci fa anche altre cose... me lo fa capire.

Lo vedo in quella stanza che mi ha descritto... la bandiera del Genoa, le fotografie dei bambini nelle riserve indiane, quelle dei suoi amici ultras, il letto spartano fatto da lui con assi di legno inchiodate. Ha acceso lo stereo, ha messo la nostra musica, quella che mi fa ascoltare al telefono spostando la cornetta accanto alle casse, quando mi dice di non parlare più, di ascoltare insieme la nostra canzone.

... To say I'll make your dreams come true would be wrong...
But maybe, darlin', I could help them along... È nudo, è magro,
è lui. Chiude gli occhi, cerca me.

Quando vedevo Fabio tornavo tranquilla. Se fossi stata
davvero infelice l'avrei lasciato, avevo abbastanza coraggio per farlo. Invece lui mi rasserenava, era bonaccia che mi
veniva incontro. Era il mio ragazzo, l'odore di certi pomeriggi d'inverno... i libri aperti sul tavolino di quella sala da
tè dove ci rifugiavamo a studiare, a rimpinzarci di piccola
pasticceria, ce l'avevamo fatta a laurearci, a crescere insieme. Mi accompagnava nei negozi, si sedeva ad aspettare,
aveva pazienza e gusto. Accavallavo le gambe. Apprezzavo il nylon delle calze, le lane sottili, la borsa sulla spalla...
tutti quegli strati che mi tenevano lontana dalla mia nudità, da quel fosso vulnerabile, infantile, che era il mio corpo. Non volevo soffrire. Da ragazzina m'era piaciuto sdilinquirmi sulla scia di certe creature letterarie derelitte, ma
io non ero destinata a rincorrere chimere, a raccattare lacrime. Il mondo mi sembrava saturo di tutto. Gli amori erano,
come il resto, cancerosi di nostalgia ma svelti nel consumo.
Era da fessi crederci. Tornavo a sentirmi in pace, benedetta
dalla normalità, dal benessere moderato.
Quella notte a Sarajevo era stata un addio definitivo a
un'altra donna, una rachitica mendicante che avevo sconfitto, che non viveva più in me.
Erano trascorse soltanto due settimane, sembravano anni,
sembrava appena successo. Mia madre forse s'era accorta
di qualcosa, di quel telefono che la notte restava occupato
così a lungo. Taceva. Le persone intorno a te non vogliono conoscerti, accettano le tue menzogne come buone. Mia
madre faceva quello che aveva sempre fatto: s'affidava alle
mie spalle. Era da lei che avevo imparato ad aver paura della sofferenza, e che una vita valida non ha bisogno di verità a tutti i costi. Basta tirarsi indietro, voltarsi altrove, su un
vaso di fiori, su una macchina che passa, sacrificare qualche
sguardo autentico, per andare avanti discretamente. Era la
classica moglie adatta a un mostro. So di dire una scelle-

ratezza, ma chi lo sa. Se mio padre fosse stato un pedofilo, lei si sarebbe semplicemente guardata le mani, si sarebbe tolta la fede... ma poi avrebbe deciso che no, quella mano nuda era troppo inclemente, e la fede se la sarebbe rimessa con un sorriso triste, certa di farcela anche stavolta. Ma la vita non ha dato ad Annamaria occasione di misurare fino a che punto arrivasse la sua paura. Mio padre non era uno stupratore di figlie, era un signore discreto, integerrimo, troppo vago e appartato per trovare un posto al sole nella mia vita concitata di trentenne. Così mi colpirono le sue parole, venute dal niente, dal corridoio, dal solito libro in mano, dalla solita faccia di un solito dopocena.

«Sei sicura di quello che stai facendo?»

Mi volto, sto per uscire con Fabio, è giù in macchina, dobbiamo andare dal prete per l'ultimo incontro.

«Di cosa parli, papà...?»

Alza un braccio verso il tavolo in soggiorno, nel buio del lampadario spento, un catafalco carico di pacchi regalo: scatole di piatti, di posate, bricchi d'argento, arredo minore, per armadi, per cene, per matrimoni del cazzo...

«Quella roba la rispediamo indietro ai mittenti... non devi preoccuparti di quel catafascio di pignatte.»

È un professore di applicazioni tecniche, le sue mani odorano di segatura e di colla, ma la sera legge Omero, Yeats. È rosso in viso, alterato. Sentiva di doverlo fare, ha dovuto parlarmi. Forse ci ha pensato, forse no. Ha sentito che i giorni insieme stavano per finire, che non c'era più tempo per dirsi qualcosa e la voce gli è partita così, risalita dalla pancia e saltata fuori in questo corridoio semibuio. Mia madre è di là, nel salottino, nel suo neon televisivo, nel suo viso reclinato su quella pace catodica. Io sono come lei, sono una sua evoluzione più articolata, più scaltra. So spargere menzogne come pepite di verità.

«Guarda che io sono contenta, papà, è tutto quello che voglio.»

«E quell'altro?»

Per un attimo penso che Diego sarebbe grato a quest'uomo onesto, che ha preso coraggio nella nebbia di questa casa.

Non arrossisco nemmeno, stiro la bocca. Sono io che lo rinnego, che non do a Diego nessuna possibilità.

«Quell'altro non c'è, papà, non è nessuno.»

Annuisce. «Allora va bene, continuiamo a far salire pignatte!», sorride, bofonchia. È timido, ha fatto un azzardo. Mi ha tirato una corda, io l'ho lasciata cadere.

S'allontana con le sue spalle. Mi crede, perché sono sua figlia. Mi crede, anche se non fino in fondo. Crede al disegno della mia testa, alle caselle che ho aperto e richiuso, scommette su quel rischio, su quella partita di scacchi. Lui non entra nelle mie mutande, dev'essere a malapena entrato in quelle di mia madre. Le donne per lui sono piccoli orchi, leccornie per palati più arditi. Lui rispetta il pensiero, la fronte: è lì che mi bacia. Il resto non lo sa, non lo riguarda, lo intuisce forse, ed è per questo che trema.

E il giorno dopo capisco. Capisco perché lo so e mentre lo so cammino verso una farmacia, le gambe matte come quelle di un cane scappato dal canile. Compro il test. Non so nemmeno come si dice, non mi viene la parola, dico *il coso... il coso per la gravidanza*. La donna vuole incartarlo, mette lo scotch. Quel tempo nelle sue mani è eterno.

M'infilo in una tavola calda. È l'una, i pavimenti trasudano unto, è pieno di ragazzi, vassoi che ballano lungo le scale, spintoni, puzza di carne, di fritto. Al cesso c'è la fila. Resto lì con le ragazzine che intanto si truccano, che dicono la loro. Sono sola, il seno gonfio, in fila davanti al cesso. Alla fine entro, odore di piscio caldo, scrosci dalle paretine accanto. Leggo il foglietto delle istruzioni, inzuppo troppo il bastoncino, chiudo il tappo. Aspetto.

L'ho saputo così, con la schiena appoggiata contro una porta lurida di scritte d'amore e di porcate, un piede sopra la tazza, gli occhi fissi sul bastoncino. La striscetta blu è venuta fuori prima lieve, poi più forte accanto all'altra. Mi sono infilata il bastoncino nella tasca del cappotto. Ho camminato, mi sono fermata all'Ara Pacis per controllare ancora. La linea era lì, azzurra come il mare.

Diego chiamò. Lo squillo basso, notturno, del telefono,

proprio mentre stavo pensando di chiamarlo. Ci siamo detti poco, a Genova pioveva. La pioggia si sentiva sotto le parole. Gli ho detto che da sposata non avrebbe più potuto chiamarmi. Mi ha detto che lo sapeva, che approfittava di questi ultimi giorni. Poi gli ho chiesto se era vero.

«Cosa?»

«Che vieni a Roma in poche ore.»

Non mi ha lasciato finire la frase. Credo che urlasse, saltasse... non si capiva esattamente che cosa stesse facendo. Andava in stazione, saliva sul primo treno notturno. Aveva anche un regalo per me. *Che regalo? Poi lo vedi.* Mi ha detto che mi avrebbe spogliata e leccata dal collo ai piedi. Fino a farsi cadere la lingua.

Invece non è andata così. È andata come gli pareva. L'ho perso subito, quella notte stessa, quel bambino iniziato da poco. Non è stato niente, fisicamente. Dormivo, ho continuato a dormire. Poi al mattino dopo ho visto il sangue. Mi sono lavata, sono rimasta impietrita nello specchio. Non ero disposta a soffrire neanche quella mattina. Sono uscita subito, non ce n'era bisogno ma sono andata comunque in ospedale. Il ginecologo era una donna anziana, mi ha visitata, ha detto che non c'erano problemi, non avevo bisogno di niente, che molto spesso non ci si accorge nemmeno di queste gravidanze, il corpo le elimina da solo quasi subito. *Sono ovuli ciechi,* ha detto, *camere gestazionali con un embrione appassito.* L'ho ringraziata, le ho dato la mano, forse gliel'ho scossa più del dovuto, volevo chiederle ancora qualcosa ma non sapevo cosa.

In motorino ho chiuso gli occhi, ero a un semaforo. Mi sono tornate in mente quelle uova che mia madre mi faceva colorare a Pasqua, le svuotava con una siringa per non farle puzzare.

Diego tra poco sarebbe arrivato in stazione. Mi sono fermata a fare colazione in un bar. Ho preso un cornetto, di quelli troppo grandi che sembrano grosse orecchie. La marmellata sembrava cerume. Non mi sentivo male, la visita medica, il tono pacato della ginecologa avevano ristabilito il mio equilibrio. Ho pensato persino che andava bene così. Ora anche gli ultimi resti di quel ragazzo se ne andavano da me. Non c'era niente di credibile in quella storia, solo bassi colpi di scena, sciabolate una sull'altra, come nel teatro dei pupi.

L'ho guardato arrivare. Aveva il collo fuori dal finestrino, i capelli lunghi nel vento come una bandiera strappata. Era in prima fila, pronto per catapultarsi giù. Mi cercava come uno che torna dalla guerra. Era sceso saltando sulle gambe magre. Come s'era vestito? Con uno strano giubbotto da aviatore e pantaloni rossi, a sigaretta, che gli smagrivano ancor più le gambe. Sembrava ancora più piccolo, uno di sedici anni. Di quelli che vanno alle partite, alle manifestazioni. Lo guardavo dall'altra pensilina, nascosta dietro una di quelle grosse colonne quadrate con le sedute di marmo. Avevo voglia di saltargli al collo come una ragazzina. Invece aspettavo come un geco. Certe volte si è più vecchie a trent'anni che a cinquanta.

Era lì, lo scemo, si guardava intorno con il suo becco aperto. La pensilina si era svuotata e lui era ancora lì. Me ne sarei andata, ecco che avrei fatto. Puzzava di treno, o odorava ancora di lui? Restavo per spiarlo. Era un gioco triste, come in uno di quei film d'autore con le stazioni e gli sguardi blu, i protagonisti che si sfiorano e non s'incontrano perché il regista è uno stitico figlio di puttana e solo a quello ha mirato fin dall'inizio, a lasciarti a bocca asciutta, senza i baci dei finali americani.

Adesso vado, mi dicevo. Intanto stavo lì. Ero scivolata a sedere sulla panca ai piedi della colonna. Diego camminava su e giù voltandosi di continuo, come se io potessi sbucargli alle spalle. Scrutava la gente che si muoveva nel grande atrio in fondo, però non si spostava dal binario. Capivo i suoi pensieri, potevo anticipare le sue mosse. Aveva una borsa di pelle a tracolla e una sedia in mano. Una piccola sedia di plastica verde. A cosa gli serviva? Ogni tanto faceva un salto per ritrovare un po' di brio, di elasticità nelle gambe. Adesso la pensilina si era riempita di gente scesa da un altro treno.

Lo avevo visto salire, *se ne va*, avevo pensato. Invece s'era messo ad aiutare una signora a tirare giù i bagagli. Era una cicciona vestita di chiaro. Doveva essere una di quelle americane che viaggiano cariche di bagagli in attesa di portantini, di ragazzi di un'altra epoca. Diego s'era messo a spiegarle qualcosa su una cartina. Poi il binario si era svuotato ancora. Era rimasto livido e vuoto. Il cielo era buio, forse la pioggia da Genova s'era spostata insieme a lui, durante la notte, verso sud. Diego si era steso su una panca di marmo, lo zaino sotto la testa. La seggiola addosso. La sollevava in aria, la guardava, la rimetteva giù.

Gli vado vicina.

«Ehi...»

Si tira su con un colpo ginnico. Nemmeno una parola su quel ritardo clamoroso. Mi prende la mano, mi guarda un po', mi toglie una ciocca dalla guancia. «Come sei bella... ti ricordavo bella, ma non così tanto. Cosa hai mangiato, paradiso?»

Come gli vengono certe frasi? Mi saltella intorno.

«E io come sto?»

Ha quei pantaloni attillati da torero, quel corpicino tonico.

«Stai bene.»

«Sono un po' calato di peso.»

Mi dà la sedia.

«Tieni.»

«Cos'è?»

«È il regalo. Non ti piace?»

«Sì...»

«È la mia sedia da bambino. È l'unica cosa che non ho rotto, perché è di una plastica fortissima, mi piaceva dartela.»

Si siede lì, in mezzo alla stazione.

«Ci entro ancora, vedi?, ho il culo identico.»

Si avvicina, mi cerca gli occhi... apre la bocca per baciarmi, io mi scanso un po', gli lascio solo un pezzo di guancia. Mi tira su per il mento.

«Ciao, come stai?»

«Bene, abbastanza.»

È troppo vicino a me, sento l'odore del suo respiro, del suo amore senza riparo. Siamo all'aperto, nel marasma della Stazione Termini.

«Vieni, andiamo.»

Gli cammino davanti, senza dargli la mano.

Lui porta la sua seggiola. Che idea stupida, portarsi dietro una seggiola.

Ho il motorino parcheggiato dalla parte di via Marsala. Davanti a noi c'è l'insegna di una delle tante pensioni senza stelle della Stazione Termini. Mi tira per un braccio e mi dice che gli piacerebbe infilarsi in una qualunque di quelle pensioni. Gli dico che sono brutte e squallide, piene di stranieri poveri e di luride coppie.

Lui dice che adora fare l'amore nei luoghi squallidi.

«Sono indisposta.»

«Non ci posso credere, mi hai chiamato dopo tutto questo tempo e... bel tempismo.» Fa una faccia da verme. «Se è per me, non ci sono problemi, ho i pantaloni rossi.»

Gli mollo una sberla violenta in piena faccia.

Ride: «Ma che sei matta?».

Do il colpo di reni, tiro su il cavalletto, lui s'aggrappa dietro con le sue gambe lunghe piegate, le ginocchia ossute. Mi tiene stretta per la vita, mi fa il solletico. Gli dico che così cadiamo, facciamo un incidente. Lui dice che sono una pippa con il motorino, che freno sempre. Ai semafori mi bacia il collo, le orecchie. Sembriamo due studenti.

Poi, seduti a un bar, glielo dico. Gli racconto dello stick di gravidanza alla tavola calda e del resto. Sono tranquilla, ho gli occhiali da sole, seguo un corpo che passa. Lui non parla, si è preso una birra ma ancora non sta bevendo.

«Ti dispiace?»

Fa sì con la testa, sorride ma la bocca è triste come un amo arrugginito. Si scola tutta la birra in silenzio.

«E a te?»

Scuoto le spalle. Non ho avuto il tempo di dispiacermi, è successo troppo in fretta. Gli dico che era un ovulo bianco, cieco.

Mi dice che sua nonna era cieca.

«Era di dodici anni più vecchia del nonno. Lui la vedeva passare in bicicletta, un giorno è caduta in acqua, non aveva visto il mare, il nonno ha ripescato lei e la bicicletta. Sono rimasti insieme tutta la vita. Il nonno è morto, la nonna è ancora lì. Non si fa aiutare, riesce a cucinare, a fare tutto. Quando vado a trovarla mi prepara le trofie, centra la pentola d'acqua bollente meglio di me che ci vedo...»

«Cosa c'entra tua nonna?»

«Niente, era per dirti che gli amori che sembrano assurdi certe volte sono i migliori... per dirti che ho solo cinque anni meno di te, che sono affidabile come mio nonno... che morirò prima di te perché le donne campano di più... era per dirti di non sposarti, piccina. Di scegliere me. Sono il tuo ovulo cieco.»

Ha il cielo negli occhi, fa quel gesto, si mette una mano sulla nuca e aspetta, ed è un gesto di abbandono, forse di sconfitta, è come se si appoggiasse con tutto il peso del corpo al suo collo... è lo stesso gesto che gli ho visto fare la prima volta, quando si è voltato verso di me in quel locale, s'è portato quella mano sulla nuca ed è rimasto così, inerte. È quel gesto che un giorno mi mancherà fino allo spasimo.

Gli dico che è l'ultima volta che ci vediamo, e che quando sarò sposata non dovrà più telefonarmi.

Mi ha chiesto se poteva fotografarmi. Mi sono fermata sulla scalinata di San Crispino e l'ho lasciato fare, c'erano dei piccioni in terra, posati accanto a me come piccoli becchini, li ho scacciati con la mano. Abbiamo ciondolato un po', mangiato un pezzo di pizza, guardato una vetrina di obiettivi, ho incontrato una mia amica, l'ho salutata senza fermarmi. Intanto la luce scendeva. Per un attimo i sampietrini del centro si sono accesi di un azzurro livido, poi il buio s'è sparso nei vicoli come fumo. L'ho accompagnato in stazione. Ha guidato lui in quel ritorno, tra le prime luci che andavano. S'è messo a correre come un pazzo. Ha detto che guida sempre così, che per lui è normale, perché è pratico, ha avuto caterve di motorini, ha passato l'adolescenza con le mani nere di olio, di pezzi di ricambio. Adesso ha una moto mitica. La prossima volta verrà a trovarmi con quella.

Non ci sarà una prossima volta. Camminiamo verso il binario. Vuole un bacio, glielo do. È un bacio strano che sa già di treno, di quel viaggio che lui si farà da solo, con i suoi pantaloni rossi, le sue ginocchia magre, la sua sciarpetta da tifoso genoano... quando poserà la testa contro il finestrino, quando andrà al cesso, quando tornerà al suo posto. Quando sarà buio pesto e prenderà il suo zaino e scenderà a Brignole, e s'incuneerà verso il porto, verso i carruggi, verso la sua piccola camera oscura. Quando svilupperà la foto dei piccioni con la mia mano che li scaccia, così come ho scacciato lui.

Basta, andiamo. La vita ha fretta. Un'ultima cosa, sì. Prima che la porta del treno si chiuda, aggrappata alla maniglia sul gradino di ferro, gli dico: «Stai attento, non fare cazzate».

Sembra un bambino che parte per la colonia.

Mi sposo. Cammino verso l'altare, verso Fabio voltato a guardarmi. Ha un tight grigio, di stoffa cangiante, con le due code e lo sparato inamidato. Laggiù nel fosco adorno della chiesa sembra un grosso piccione. C'è l'altare, il prete amico, la guida rossa, gli addobbi bianchi di rose e calle. C'è il braccio di mio padre. Rigido, teso. Sembra un braccio di legno tenuto su da un filo. Non è abituato a stare al centro di qualcosa. Avanza piano, non sa se salutare la gente o guardare soltanto avanti, fa una via di mezzo, saluta con gli occhi, trema. Quando tra un paio di decenni la sua bara passerà nello stesso corridoio tra gli stessi banchi lui sarà più a suo agio e io avrò nostalgia di questo giorno demenziale solo per lui, per il suo braccio di legno che mi traghettava come fossi di cristallo nel folto della mia foschia Se gli avessi detto *andiamocene*, se mi fossi avvicinata al suo orecchio per sussurrarglielo, lui non avrebbe fatto una piega. Il suo braccio si sarebbe ammorbidito, sarebbe tornato di carne, mi avrebbe presa per mano, io avrei buttato i tacchi e saremmo scappati sul sagrato lasciandoci alle spalle tutti quei baccalà inamidati. A mio padre piaceva un certo ristorantino a San Giovanni, spaghetti con cacio e tanto pepe. Saremmo scappati lì a mangiarceli con un quartino di rosso. Come gli sarebbe piaciuto! Il banchetto a puttane, io con il vestito da sposa ciancicato sotto il culo su quelle sedie di paglia, e lui con i suoi occhi luccicanti, matti come i miei. Ma questo non c'entra. Perché non è stato. Mio padre s'è seduto nel banco, mia madre si è spostata un po' per lasciarlo sedere. Lui ha tossito. Mia madre: il viso teso, le scarpe troppo strette. Mia suocera: un uccello come il figlio, seta color gabbiano, capelli come polvere, efelidi ed evanescenza. Mio suocero, l'ingegnere: canuto, robusto, elegantissimo, seccato di stare in chiesa.

Così ho sposato il mio sposo. Ho letto i giuramenti. Ci siamo dati le fedi senza farle cadere. Il riso c'è grandinato addosso. Un fotografo del cazzo ha fotografato. Siamo passati tra i tavoli degli invitati con il cesto dei confetti. Ci sono stati i cori e le battute. Ho riso sempre, anche quando sono andata in bagno e sono rimasta sola, a rinfrescarmi un po' senza rammarico. Il corpetto mi stava bene, sembrava un petalo rigido, una piccola corazza. Gli anziani se ne sono andati, sono rimasti i giovani, gli amici. Abbiamo ballato scalzi sul prato, Fabio a torso nudo, solo con i pantaloni e il cilindro. Era un rock and roll, mi tirava a sé come una molla, andato, ubriaco.

Ci siamo infilati nella nostra casa. Muri bianchi, parquet, pochissimi mobili, un letto naturale che puzza di becchime per uccelli, un frigorifero troppo grande.

Scene da un matrimonio.
Fabio torna dallo studio, sento le chiavi, sento i suoi gesti. Sono sul divano, non mi alzo. Lo saluto da lì.
«Come va?»
Mi passa accanto con la schiena.
«Devo andare in bagno.»
Fabio davanti al televisore, la sua faccia sbiancata nel buio. Fabio che apre il frigorifero: «Che mangiamo?». Fabio affacciato alla finestra di notte che guarda la strada. Fa-

bio al cinema con gli occhiali, la bocca chiusa, l'alito che un po' gli cambia quando la riapre, sembra quello di suo padre. I panni di Fabio attraverso lo sportello della lavatrice, è stato a correre, si sta facendo la doccia, esce nudo, bagna il legno, guardo quel bagnato, guardo il suo corpo biondo. «Che c'è?» dice.

«Niente.»

A cena dai suoi. Il tavolo ovale laccato, le tende lunghe, a pannello. Fabio ha una cravatta di lana blu, parla con il padre. Calcoli per una discarica. La madre ha fatto la galantina di pollo, sorrido alla filippina che sgombra i piatti.

A cena dai miei. Mio padre non parla, mia madre si alza di continuo. Sulla porta le dico di darmi la spazzatura. Fabio in ascensore si lamenta di quella puzza, dice che faccio gesti assurdi, che non ho rispetto di lui.

«Ma scusa, per un sacchetto di immondizia?» rispondo mentre spingo la leva che apre il cassonetto.

«Non solo per questo... per tutto.»

Gli dico che non ho voglia di discutere, sono stanca, ho lavorato tutto il giorno.

«Sono stata all'università fino a tardi.»

«Non è un lavoro, quello.»

«E allora che cos'è?»

«Non è pagato.»

Non facciamo l'amore, stiamo vicini nel letto e parliamo, dei nostri amici, dei lampadari che ancora mancano, di un ponte di tre giorni da passare al mare in quell'agriturismo all'Argentario.

Non posso dire che sia stato un matrimonio infelice, è stato infilarsi in uno di quegli showroom di design, sedersi sui divani, guardare quelle cucine nuove senza attacchi, e restare lì a provare le sedute, a stendersi sui letti. È rimasto così, senza lenzuola sporche, senza cose rotte, consumate, senza graffi sul parquet, senza litigi. È stato qualcosa che avevo deciso di fare per obbedire a una sorda volontà. Volevo onorare quella promessa anche solo per pochi giorni.

Fabio torna la sera e si mette vicino a me sul divano, certe volte mi prende la mano, certe volte è stanco, si tiene le sue mani, una sull'altra, sulla patta dei pantaloni. Non so cosa pensa, non me lo chiedo. Non so cosa penso io. Non mi dispiace ritirarmi in quelle mura, in quella caserma di design. Non ci manca niente, siamo giovani, piuttosto belli. Il box doccia è quello più caro che c'era, una sola lastra di cristallo ricurva. Camminiamo a piedi scalzi sul legno come nelle pubblicità. Siamo una coppia giovane, non ci sono problemi di orari o di altro. Il frigorifero spesso è vuoto. Ogni tanto riempiamo un carrello al supermercato. Fabio non si lamenta, mangia quello che trova. Il sabato cucina lui, si mette un lungo grembiule bianco da cuoco professionista che s'è fatto regalare in un albergo. Invitiamo spesso, ci piace fare le cenette per gli amici. Aprire il vino, accendere le candele.

Mi manca il ragazzino dei carruggi? Non ci penso. Non c'è spazio per lui in questa casa bianca. So che è partito. Finalmente ha preso coraggio e se n'è andato in quella regione rossa ai confini con l'Amazzonia. Era quello che voleva fare da sempre, zaino pieno di rullini, macchina fotografica al collo, autostop, treni puzzolenti, camion carichi di foglie e di bambini da fotografare. Va bene così. Ognuno nel proprio lembo di mondo, nel proprio straccio di vita. All'università non mi pagano, non becco una lira. Penso che me ne andrò, sono stufa di quell'odore. Il mio assegno di ricerca non è stato rinnovato, Andrić non m'interessa più, è passato come il resto.

Siamo davanti al frigorifero, io e Fabio.

«Cosa c'è?»

«Non sono contenta di me stessa.»

«Tu non sei mai contenta di te stessa.»

Casco con il motorino, scivolo sotto la pioggia. Non mi faccio niente, però resto lì imbalsamata, incapace di muovermi, di togliermi dalle macchine. Un ragazzo mi aiuta. Uno di quelli del liceo. Ha una bandana intorno al collo e la faccia bagnata.

«Grazie.»

«Prego, signora.»

Io sono una signora. Sono una povera signora. Trascino il mio motorino sotto la pioggia. Mi fermo a un bar, bevo una birra. Una birra da sola alle quattro del pomeriggio. Torno a casa dei miei, mi asciugo i capelli, mi faccio una coda, mi metto i blue jeans e un vecchio golf di quando andavo al liceo.

Mio padre m'incontra in corridoio con il mio viso bianco.

«Come mai a quest'ora?»

Sono tornata a prendermi la seggiolina verde di plastica. Il sedere adesso ci sta meglio, sono dimagrita. Mi siedo sul balcone di casa dei miei. Diventa un'abitudine, stare lì fuori strizzata dentro quella piccola seggiola, le ginocchia vicino alla bocca, le maniche del maglione tirate sulle mani quando fa freddo. Si vede un pezzo di Lungofiume, guardo i gabbiani che risalgono dal mare, la gente che fa jogging. Riprendo a fumare, avevo smesso da qualche anno e adesso riprendo. Non vado più all'università.

«Che fai?» chiede mia madre.

«Un cazzo.»

Fabio è socio di un circolo, la sera fanno le partitelle di calcetto. Lo accompagno. Rimango lì, attaccata alla sbarra a fumare. Il gruppo delle mogli fa il tifo, i tacchi infilati negli spalti. I fari puntati sul campo illuminano quel branco notturno di scemi sudati in calzoncini lucidi.

«Non ci vengo più, è umido.»

Fabio annuisce, si riempie la sacca. Mi fa vedere le scarpe che s'è comprato, carissime, piene di bolle di gomma trasparente, per attutire i colpi. Ormai è in fissa con lo sport, gli piace sentirsi bene, avere un bel fisico. Io fumo, ho il respiro corto, lui non mi dice niente, solo se posso evitare di fumare in casa.

Un pomeriggio che è quasi sera entro da Ricordi e mi metto lì con le cuffie sulle orecchie accanto ai ragazzi. Compro qualche cassetta... compro anche la *nostra* canzone... *You never smile, girl, you never speak...* L'ascolto in motorino vagando per il centro. Adesso corro, come correva lui. Le lacrime scivolano indietro sulla pelle che buca il vento, mi commuovo, come a quattordici anni. Sono una povera cretina. Mi fermo a piazza Farnese. Si è fatta notte fonda, se ne sono andati anche i tossici. Mi sdraio sul marmo e fumo una sigaretta. Mi piace tirarmi dentro il fumo. Ha il gusto di qualcosa che mi manca, che mi riempie il corpo.

Spesso mi fermo a casa dei miei. «È più vicina all'università» ho detto a Fabio. Non gli ho detto che all'università ho smesso di andarci. Ho le chiavi di casa, i miei dormono. Hanno capito che c'è qualcosa che non va, però non chiedono, fanno finta di niente. «Che fai, ceni qui?» Mia madre frigge le polpette che piacciono a me. Papà apre il vino, parliamo di politica, di Reagan e della Thatcher, del nostro pentapartito. Papà dice che sto diventando una mente sovversiva, non gli dispiace, mi chiede una sigaretta. Così riprende a fumare anche lui, mia madre non si lamenta, fumiamo dove ci pare.

Di notte metto lo stereo basso, spengo le luci. Ballo davanti all'anta dell'armadio aperto, in quella fetta di specchio dove si riflettono le fessure di luce che attraversano le persiane. Guardo il mio seno e la mia pancia. La brace della sigaretta nel buio è una torcia bagnata. Sono nella mia cameretta. Qui ho pianto, ho studiato, ho sentito la radio. Ci sono ancora i miei poster, i miei libri, i miei vecchi vestiti imbustati nel cellophane di tintoria. C'è il casco bianco di quando andavo a scherma... il poncho con le frange spelacchiate che succhiavo sull'autobus verso il liceo. C'è la mia vita fino a trent'anni. La guardo. Guardo quello che mi aspettavo ogni volta. Sono stata sola, ostaggio della mia volontà, mai all'altezza di niente, alla fine. Ballo nel buio. Sono malata d'incompletezza, di illusioni.

«Ho trovato un lavoro.»

«Che lavoro?»

«Faccio i cocktail in un bar, la sera. Mi piace farli. Imparo in fretta.»

Mio marito scuote la testa, mi guarda in modo diverso, adesso si diverte con me, dice che sono matta. Gli rispondo che sono giovane, che non abbiamo figli, posso permettermi un lavoro stravagante. Una sera viene a bere nel bar dove lavoro, a Testaccio. Non è solo, s'è portato un paio di quelli con cui gioca a calcetto, un avvocato e un altro ingegnere

come lui. Mi guarda mentre passo tra i tavoli con la minigonna e il grembiulino nero. Io lo guardo solo una volta, ho
il vassoio sempre pieno: vedo una testa bionda, sfocata in
mezzo a quella cagnara. Non sopporta il chiasso e il fumo,
però rimane fino alla chiusura. Mi fa salire in macchina. Si
ferma al Gianicolo, mi salta addosso. Balbetta che gli piaccio, che dobbiamo tornare a fare i fidanzati... non gli sono
sembrata sua moglie, ma un'altra... i suoi amici mi hanno
guardata in un modo, è stato geloso. Gli dispiace che non
facciamo più l'amore... ma adesso... È molle, ubriaco.

Gli dico che non lo amo.

«E anche tu non mi ami.»

Gli dico che abbiamo sbagliato a sposarci. Lui fa pipì, sento la sua urina che croscia nell'erba, dice che esagero, che
sono troppo drammatica, che non è facile starmi accanto.

Quella notte chiamò Gojko.

«Ehi, bella donna...»

Mi mancavano i suoi capelli sporchi, la sua voce.

«Non sei venuto in Italia, poi...»

«Sì, sono stato a Genova da Diego, quasi un mese.»

«E non mi hai telefonato?»

«Diego ha detto che ormai sei una donna sposata e non
hai voglia di sentire vecchi spasimanti.»

«Vaffanculo.»

«È stato molto male.»

«Lo so.»

«Non è stato facile tirarlo fuori dal buco. L'ho soccorso...
ci siamo scolati diverse bottiglie.»

«Ah, ecco...»

Mi dice che ha scoperto il limoncello, che è buonissimo,
dice che Diego è partito.

«Lo so.»

«Facciamo il battesimo a Sebina la prossima settimana.»

«Così tardi?»

«Abbiamo aspettato per il lutto di mio padre.»

«Come sta Mirna?»

«Bene, non ha avuto latte, Sebina prende la polvere.»

Sorrido. «Dalle un bacio grande.»

«Vuoi fare la madrina?»

Insiste, mi telefona anche la sera successiva. Mirna sarebbe così contenta, si ricorda di quella crema che le ho steso sulle gambe. Insiste, dice che ho visto solo la neve, invece adesso le colline sono verdi, il profumo dell'erica e dei ciclamini s'incunea nei crepacci, scivola nei vicoli della Baščaršija.

M'infilo in una gioielleria, compro una catenina con una croce per Sebina. Fabio non dice niente, solo che non può accompagnarmi in aeroporto, ha un cantiere con i sigilli, scavando hanno trovato i soliti resti romani.

E così siamo di nuovo noi. Seduti all'aperto, con i piccioni che saltano sul tavolino. Gojko beve la sua Sarajevsko pivo, e io una bosanska kafa con il suo fondo spesso. Gli ho portato una stecca di Marlboro, e due bottiglie di limoncello industriale. Lui mi offre una delle sue turpi Drina.

«Sono contento che hai ripreso a fumare...»

Mi guarda. S'accorge che mi sono tagliata i capelli. Dice che sembro più giovane, che il matrimonio mi ha fatto bene. Mi chiede dell'università, gli dico che faccio la cameriera in un bar.

«Ti lasciano buone mance?»

«No.»

«Devi imparare a sculettare.»

Si alza, mi fa vedere come si fa. Si siede, mi legge una sua poesia.

Perché il tuo corpo non galleggia più sul mio?
Come quella chiatta che vedemmo sulla Neretva
la nebbia rosa come il tuo seno
le mie gambe ardite come l'acqua in piena.
Venne il sole cocente che si scolò anche il fango
tu, come una pigra mucca, strofinavi la lingua
nelle buche dove i moscerini gemevano.
Mi rovesciai come una carcassa
e rimasi in attesa della tua bocca
sulle mie ossa.

«Ti sei innamorato?»

«Mi ha lasciato. Per sposarsi con un altro» ride.

Piango, gli dico che il mio matrimonio è una farsa, che anch'io gemo come un moscerino. Mi chiede se sono innamorata di Diego, gli dico di no.

«Allora, ho qualche speranza...»

Sarajevo aveva smontato le sue Olimpiadi. Via le bandiere, via i grossi cartelli pubblicitari destinati agli stranieri. La città sembrava una casa quando gli ospiti se ne vanno. Era ancora più bella, raccolta nel suo silenzio, nella sua parsimonia.

Il giorno dopo mi ritrovai nella cattedrale del Sacro Cuore di Gesù per quel battesimo semplice e commovente. Il prete disse poche intense parole, tutte dirette in Terra, cercando i visi delle persone presenti.

Sebina aveva in testa una piccola cuffia con una grande balza bianca che le circondava il viso come un'aureola, sembrava una piccola badessa con le gote rosse, i suoi occhi fondi che arrivavano da lontano, incassati nella carne.

Sebina adorata, ripenso a te nella luce ambrata della cattedrale, in quella buffa giornata, dove si celebrava il sacramento che ti liberava dal peccato originale dei cristiani, circondata dai tuoi parenti musulmani. La tua pace metteva pace. Passava dal tuo corpo nelle mie braccia. Eri alonata di buono, di saggezza che torna a incarnarsi. Saresti stata poi una grande mangiatrice di pita, avresti avuto un pesce di nome *Bijeli*, Bianco, avresti adorato guardare i *Simpson* in tv, avresti avuto i quaderni più disordinati della tua classe e le gambe più veloci del tuo quartiere a Novo Sarajevo.

Sento una presenza accanto a me. Credo che per il colpo la bambina può cadermi dalle braccia, ho le gambe molli, il sangue scivola giù, finisce tutto nei piedi. Non ho più una goccia di niente in faccia. Non volto la testa. Ma so che lui è lì. È suo quel gomito, suo quell'odore. Stringo Sebina, pesa poco, ma ho davvero paura di non farcela a tenerla. È lui. È suo questo modo di comparire. È lui perché è scemo, perché non s'è preoccupato che io potessi svenire.

S'avvicina al mio orecchio e sussurra: «Sono il padrino».

Adesso capisco tutto... il senso di quel giorno e di quel luogo. Lo sguardo furbo e morbido di Gojko. Dopo, quando gli darò un bel pugno in pancia: «Non sai che fatica ho fatto a non dirtelo» ammetterà, «ma avevo promesso». Capisco che era questo che aspettavo, che chiedevo a Dio in quella chiesa. Lo chiedevo a ogni corpo che entrava.

Mi torna un po' di sangue in viso, lungo le vene del collo, posso voltarmi e guardare qualcosa di lui... una mano, un ciuffo dei suoi capelli, un pezzo di jeans.

Però non è vero che lui è il padrino. Dopo Gojko dirà che gli sarebbe piaciuto che fossimo noi due a battezzare Sebina, ma c'erano degli obblighi famigliari. E che Diego gli aveva detto di scegliere me, *così è sicuro che viene*. Lui non era certo di poter arrivare in tempo, ha viaggiato due giorni e due notti, odora di aeroporti, di attese.

Così mi avvicino al fonte battesimale accanto a un altro uomo, un signore con grossi baffi neri, il fratello di Mirna.

Però quel battesimo è il nostro. Quando l'acqua bagna il corpo di Sebina alzo gli occhi e trovo quelli di Diego.

Mangiamo trote e bosanski lonac seduti all'aperto davanti a uno chalet di montagna con un gigantesco orso imbalsamato sull'ingresso, nella lunga tavolata dove si festeggia Sebina. Parlo, svuoto la gola e il cuore. Ci diamo la mano sotto al tavolo. Sono mani che scottano, vibrano. Di nuovo le nostre mani insieme. Lui è sorpreso di ritrovarmi così arresa. Forse non mi crede. Suda e beve. Non poteva immaginare questo brodo, questa gallina senza più cresta né unghie. Guarda i miei capelli corti, il mio volto senza trucco.

«Tu sei ringiovanita e io sono invecchiato...»

E mi fa vedere un pelo bianco tra le basette che s'è fatto crescere. È spelacchiato, cotto dal sole, dimagrito: forse è vero, sembra più vecchio. Di qualche mese. Alza un braccio, infila il naso in un'ascella, mi chiede scusa perché puzza. Si è sciacquato nel bagno di un aeroporto, porta la stessa maglietta da tre giorni.

«Perché, dov'eri?»

«Dall'altra parte del mondo.»

Era immerso in un grande fiume paludoso, rischiava le gambe e la vita accanto a una placida colonia di caimani. Fotografava un vecchio traghettatore sulla sua barca di bambù stipata di un carico di pelli seccate al sole. Stava bene, cominciava a venirne fuori. Aveva anche provato a far l'amore con una ragazza, una tedesca, in un bungalow, sotto una pala che muoveva zanzare. Lei s'era alzata per chiudere la porta, perché aveva paura che entrassero i serpenti. Lui l'aveva guardata: quei pochi passi erano bastati a fargli capire che non ce l'avrebbe fatta.

«Bugiardo, e cosa le hai detto?»

«Che avevo la cacarella. Mi sono chiuso al cesso finché non se n'è andata.»

Ride. Credeva di star bene, dice, si alzava all'alba, si beccava il sole che usciva dall'altopiano, già rosso, *come uno di quei lecca-lecca pieni di coloranti,* caricava le macchine, camminava nella foresta verso i piccoli villaggi dei *seringueros.* E alla fine cominciava a frullargli nella testa il pensiero di fermarsi lì, come un eremita, come un monaco. Mi guarda, fa quel sorrisetto, scuote i capelli...

«Però non sono un monaco, piccina...»

Quando gli era arrivato il telegramma di Gojko, aveva buttato le sue cose nello zaino e s'era messo a correre sotto una pioggia torrenziale, con il dito alzato in attesa di un camion, di una macchina che passasse di lì. Alla fine l'aveva raccolto una jeep della Polícia Civil e aveva viaggiato, in maniche corte e fradicio, attraverso la foresta seduto in mezzo a due cristi grossi e scuri, che più che due angeli custodi sembravano due diavoli. *Se torna a Sarajevo,* si ripeteva, *vuol dire che anche lei ha nostalgia di noi.*

Si avvicina con la testa come un toro, mi fa *buh,* mi casca addosso.

«Dammi i tuoi occhi, maledetta, non li scollare da qui... stavolta ti rapisco.»

La sofferenza l'ha reso più uomo, più ardito. È un bullo cresciuto. Mi tira su dalla sedia, mi porta a ballare tra gli altri in mezzo al prato. Mi stringe come uno sposo. Ha le braccia più forti. Mi prende per i capelli come fossi una pannocchia, mi spinge sulla sua bocca, respira nella mia. Mi cerca minaccioso come un caimano a pelo d'acqua.

«Guardami.»

Lo sto guardando.

«Ti amo.»

Sa ballare come un padreterno, tra le sue braccia sono uno straccetto che si lascia portare. Ha le spalle dritte di un ballerino di flamenco, il bacino sinuoso e le gambe matte che si rompono come quelle di Michael Jackson. Dove mi porterà questo pazzo? In quale inferno? In quale paradiso? Intanto non voglio scollarmi dalle sue labbra.

«Sarà una festa, piccina, ogni giorno una festa. Ti darò tutto, giuro.»

È l'imbrunire, il sole se ne sta andando da quel prato. Sebina ha l'abito gualcito, le balze mosce, sembra una piccola capra sporca di latte. S'è addormentata addosso a me, suda contro la mia camicetta. Ha l'odore di carne piccola, accartocciata in un cielo più grande del nostro. È colla tiepida, miele nella spugna di un alveare. L'impalpabile si muove davanti a me trascinato dal ronzio di un insetto... la sensazione che la vita andrà, anello dentro anello.

Diego e Gojko fanno a braccio di ferro sul tavolo che s'è svuotato, sono rimasti solo bicchieri vuoti e avanzi di cibo che le donne si stanno dividendo, stringono canovacci intorno a piccoli recipienti di coccio rosato.

Sarajevo è in fondo, laggiù, nel suo letto scavato tra i monti. Il sole muore, crepitano gli ultimi raggi. Sembra immersa nell'acqua. Sembra che tutto, le sue case, i suoi minareti, sia lì ammucchiato per caso, per incanto, portato da un fiume, e che potrebbe andarsene da un momento all'altro. Come noi, come Sebina, come qualunque cosa troppo viva per durare.

Prendiamo una camera all'Holiday Inn, deserto dopo le Olimpiadi. Saliamo a piedi, nei lunghi ballatoi che girano

85

tutto intorno alla hall. Il monumentale lampadario che cade dall'alto sembra una grande medusa prigioniera in una rete. I camerieri in basso passano come alghe in un mare vuoto. La stanza odora di nuovo, di mobili appena usciti dalla fabbrica. C'è un grande letto e una grande finestra che si affaccia sul viale. Diego dice che deve fare una doccia, perché puzza come un maiale. Così lo aspetto, guardando fuori dalla finestra il quadrilatero dello Zemaljski Muzej, con il suo orto botanico, accanto al faraglione, nuovo di zecca, del Parlamento. Mi bacia da dietro, ha i capelli bagnati, l'acqua mi scivola addosso. Facciamo l'amore senza quasi muoverci, aggrappati. È diverso dall'altra volta, siamo più timidi. Abbiamo sofferto, abbiamo paura. Non azzardiamo più niente. Siamo due coniugi che si ritrovano. Che temono di fallire. Diego ha perso la sua verve. Ha gli occhi chiusi. Gli sono mancata tanto, troppo, dice, e adesso è troppo ubriaco per essere felice.

Dopo mi bacia la nuca sudata, scolla i capelli.

«È qui, sai... è nella nuca che nasce la vita. La nuca è il fiume, il destino.»

«Come lo sai?»

Dormiamo carne contro carne. Visti dall'alto sembriamo due precipitati in un burrone. Ci svegliamo all'alba perché la finestra è già troppo piena di luce. Facciamo colazione in camera. Un cameriere bussa, spinge il carrello dentro. Più tardi il vassoio è in terra accanto agli asciugamani calpestati. Noi siamo di nuovo sul letto. Sono supina, i miei seni cadono uno di qua, uno di là. Diego mi fotografa la pancia, stringe l'obiettivo sul mio ombelico. Ci vestiamo solo nel pomeriggio. Non trova i calzini, li cerca in giro per la stanza, si china sotto il letto, mi chino anch'io dalla parte opposta. Restiamo un po' così a guardarci lì sotto, ai due lati del letto. All'aeroporto lui dice: «Cosa devo fare?».

«Aspettami.»

È mogio, ha quello zaino gonfio di roba sporca buttato per terra, tormenta una fibbia arrugginita.

«Mi mollerai anche stavolta, è scritto.»

«È scritto dove, scusa?»

Mi lascia lì, va in bagno, torna quasi subito. Ha una mano sulla fronte.

«Ecco dov'è scritto...»

Toglie la mano, leggo STRONZO, scritto a biro sulla sua fronte. Mi sputo sul dito, strofino. La fronte gli resta un po' blu.

«Sei uno scemo.»

«Sono disperato.»

Torno a casa, a quell'ora Fabio non c'è, lo so. Raccolgo le mie cose, le metto nei cartoni dell'acqua minerale, non voglio prendermi una valigia di Fabio. Mi siedo sul divano, fumo una sigaretta, guardo il telegiornale. Lo speaker ha gli occhiali spessi e le spalle piccole e quadrate, sembra che il collo sia infilato in una scatola. Legge le notizie. Alle sue spalle l'Università La Sapienza, l'immagine di un corpo esanime, accasciato in un'automobile. Poi il volantino bianco dattiloscritto con la stella a cinque punte delle Brigate Rosse. Poi le cupole della Piazza Rossa. Černenko è morto da qualche giorno. Sullo schermo passano le immagini del nuovo segretario del Pcus. Sembra un signore simpatico, ha un cappotto nero che gli si apre davanti con il vento, sorride. Il viso rotondo da fornaio e una macchia sulla fronte, che sembra una regione geografica. Fabio ritorna, butta la sacca della palestra per terra. È sorpreso di ritrovarmi. Gli parlo. Non dice niente. Dice: «Fammi organizzare».

Si guarda intorno: la casa è sua, è in ordine, valuta con un'occhiata... si fa una ragione dell'accaduto in fretta, senza nemmeno chiedere troppo. Poi però piange. Torna dalla doccia e ha due occhi gonfi e rossi. S'attacca alla busta del latte. Io gli dico di controllare la scadenza. Lui sputa nel lavandino, dice *cazzo*, dice che è cagliato, mi guarda preoccupato, mi chiede se può fargli male. Scuoto la testa: «È come yogurt».

«Mi mancherai» dice. Non piange più. Si è già organizzato.

Mi aiuta a portare giù la roba, anche i libri. Suda, s'incastra nella porta dell'ascensore, si guarda le braccia grosse di palestra nello specchio mentre scendiamo. Lo ringrazio, lo abbraccio. È come stringere il portiere dello stabile, qualcuno che ti saluta quando rientri, che ti dà la posta.

Non ho mai più ripensato a lui. L'ho rivisto l'estate scorsa. Ci stavamo imbarcando per la Corsica, ero nella pancia di ferro della nave, in quel puzzo di mare e di nafta, incastrata tra le macchine già parcheggiate. Giuliano si era messo nella fila più lenta, come sempre, e io m'ero alzata in piedi a mangiarmi il fegato, aggrappata allo sportello aperto per sbirciare le macchine in fondo, strozzate da una fila proveniente da un altro molo. Giuliano se ne stava lì placido, leggeva il giornale. Avevamo discusso. Pietro come al solito aveva preso le parti di Giuliano, s'era staccato le cuffie dell'iPod dalle orecchie per dire *quant'è brutto litigare in vacanza*. Alla fine avevo portato io la macchina dentro la nave e loro erano saliti dalla scaletta dei passeggeri. Poi Pietro era tornato da me perché voleva la sua chitarra. Così me ne stavo lì sudata, frugavo nel bagagliaio che non s'apriva del tutto. Nella fila accanto c'era Fabio. Scendeva da un fuoristrada gagliardo, un vecchio modello ben tenuto. Aveva ancora tutti i suoi capelli biondi in testa, un gilet pieno di tasche e le braccia di uno che non ha mai smesso di fare sport. C'eravamo incontrati proprio faccia a faccia, era difficile far finta di non vederlo. Mi aveva abbracciata, aveva cominciato a parlare con la sua voce robusta che rimbombava in quel garage marino. Mi aveva guardata... io mi ero guardata insieme ai suoi occhi. Avevo una canottiera gualcita dalla lunga seduta in macchina, la pelle sotto le braccia era quella che era, quella che m'ero vista tante volte nello specchio. M'ero irrigidita, avevo chiuso le braccia. Pensavo ai miei capelli, a quella ricrescita bianca sulle tempie, non ero passata dal parrucchiere, non valeva la pena, andavamo al mare, sarei stata tutto il giorno con il cappello di paglia. Mi sentivo a disagio, ero bianca di redazione, struccata. Lui invece era abbronzato, uno di quelli che già a maggio sono in acqua. Parlava, mi raccontava di sua moglie e dei suoi figli, tre, il più piccolo ancora piccolo. «Però va già sulla tavola!» E aveva dato un colpo in alto sul bagagliaio della jeep dov'erano allineate, perfettamente incastrate tra loro, le tavole del windsurf.

«Come stanno i tuoi? Tuo padre, tua madre...»

«Sono morti.»

Sorrideva, annuiva: «Ebbè, certo... siamo vecchi noi».

Lui non era affatto vecchio. Stava meglio di prima, gli anni gli avevano messo addosso una patina ruvida, un piccolo disordine che migliorava parecchio quel viso tutto sommato da allocco.

Gli avevo presentato mio figlio.

«Ha quindici anni...»

Pietro s'era messo a sbirciare nel bagagliaio della jeep di Fabio i fucili da pesca, le mute subacquee. Poi aveva chiesto cos'era quella specie di sacca con un beccuccio che a me sembrava una cornamusa floscia. Fabio gli aveva spiegato che era una doccia portatile. Era fatta di una pelle termica, speciale. Al mattino si riempiva d'acqua dolce, poi bastava lasciarla tutto il giorno al sole, e la sera, dopo le immersioni, quando si usciva dall'acqua infreddoliti si poteva fare la doccia calda direttamente sulla spiaggia.

«Se si sta attenti a non sprecare possono sdocciarsi anche quattro persone.»

Sdocciarsi. Il culo di Fabio era salito lungo la scaletta davanti a me. Il portachiavi galleggiante gli penzolava dalla tasca. Pietro aveva detto: «Che genio, mamma. Loro sì che si divertono, hai visto che vacanze che fanno, come sono organizzati...».

Ero scoraggiata, distrutta dal caldo, avevo gore di sudore che scurivano il colore della maglietta sotto le ascelle, e i soldi che Giuliano avrebbe sborsato non valevano niente, non valevano niente la spiaggia, l'albergo. Giuliano al massimo poteva riempire qualche amo con i vermetti al tramonto. Invece Pietro voleva fare surf, pesca subacquea, volare sul mare con uno di quei pericolosissimi aquiloni. Si sarebbe spostato volentieri dalla nostra macchina sulla jeep di Fabio. Giuliano era già al self service, aveva preso i posti, riempito i vassoi. Mi chiamava con la mano. Non era più arrabbiato. Si mangiava, era felice. Aveva paura della mia reazione, di quei vassoi troppo carichi.

«Per non fare la fila due volte...» s'era giustificato. Mi aveva imboccato una forchettata d'insalata russa, «è squisita». Aveva la sua pancia appoggiata sulla cintura, mi ero un po' vergognata. Fabio si avvicinò per presentare sua moglie, una bionda vecchia come me, ma atletica come lui. Avevo sbirciato nella maglietta scollata un davanzale troppo turgido.

«Quella c'ha il seno rifatto» avevo detto a Giuliano sul ponte della nave. Lui indicò una schiuma appena visibile nella notte.

«Guarda, sono delfini.»

Mi teneva una mano sulla spalla, io gli cingevo la vita, la ciccia. Eravamo sul pontile di quella nave che c'avrebbe portati verso una vacanza così così. Mio figlio avrebbe provveduto a rovinarcela, era nell'aria. Ma adesso si stava facendo un giro per sbirciare gli altri ragazzi sulla nave, eravamo liberi, momentaneamente in pace. Il mare era grande e nero, tratteneva lame di luna. Eravamo una coppia di mezza età, non belli, non brutti. Simpatici, questo sì. Se qualcuno ci avesse chiamato ci saremmo voltati con un sorriso, con la voglia di andargli incontro. Spesso non ci accorgiamo di quello che abbiamo, non siamo grati alla vita. Toccavo il fianco di Giuliano, sentivo l'odore del suo dopobarba che mi arrivava con quello del mare, e ringraziavo la vita di avermi dato quest'uomo buono.

Mia madre mi chiese notizie dei regali di nozze, per nervosismo, credo, per non parlare di cose che valessero la pena e che l'avrebbero fatta soffrire. «Ho lasciato tutto a Fabio» le dissi, senza nemmeno fermarmi accanto a lei, al suo corpo immobile sullo stipite della porta. Mio padre era tetro in volto, si fingeva amareggiato, si dava un contegno. Gli sembrava che così dovesse comportarsi il padre di una figlia che sposa un giovane ingegnere impaccato di appalti pubblici e ritorna a casa dopo pochi mesi di matrimonio.

«Ma come! Gli hai lasciato le pignatte?» e gli veniva da ridere, mentre mia madre lo fulminava. Io preparavo una piccola borsa.

«Dove te ne vai?», curioso, fingendo di essere offeso. Briccone.

«Faccio un piccolo viaggio.»

«Destinazione?»

Non gli risposi. Salutandomi sulla porta mi disse di portargli le trofie e il pesto. Sorrise. Sapeva tutto.

Scendo a Brignole, non ci sono taxi, cammino sotto la pioggia cercandone uno tra i fari delle macchine. Ho il suo indirizzo, ma non so nemmeno se lui è in casa a quest'ora. È una sorpresa. Attraverso il confine che separa la città ricca dalla casbah. Basta scendere, seguire l'odore del mare. Vicoli stretti come lacci, saracinesche chiuse. La strada del porto è un ricamo di luci scolorite... tossici stesi sui cofani delle macchine, puzza di ceci bruciati, di sporco marino. È un caseggiato popolare appoggiato in un vallone sbilenco. Un cane abbaia chiuso da qualche parte. Ha smesso di piovere, ma è umido. Dal citofono arriva una voce femminile, esile, rauca.

«Chi è?»

«Sono un'amica di Diego.»

La voce scompare dal citofono, e una testa si affaccia da una serranda alzata al primo piano. Capelli giallini, ordinati, una vestaglia che mi sembra turchese. La donna mi guarda.

«Sei quella di Roma?» grida.

«Sì...»

Mi apre, mi fa entrare. Diego non c'è, tornerà. È andato a fotografare una band di amici in qualche garage. È piccola, magrolina come il figlio, ha occhi diversi, celesti, lo stesso naso un po' largo. Mi scuso perché l'ho disturbata a quest'ora. *Nessun disturbo*, dice, *è un piacere*. Si scusa lei per la casa in disordine, a me invece sembra perfetta. Ha i mobili laccati delle case modeste, ma un buon odore. Mi fa sedere in un salotto dove si capisce che non entra mai nessuno.

Vuole darmi da mangiare, da bere. Vado in bagno a lavarmi le mani e lei mi insegue con un asciugamano pulito. Accetto una cosa calda, una camomilla. Mi guarda. Mi alzo in piedi, si alza anche lei, fulminea. È come se avesse paura che io me ne vada. In realtà mi sono alzata per darle il piccolo regalo che le ho portato, un orologio da comodino infilato in una maschera di porcellana. Si piega su di me, mi bacia.

«Non dovevi disturbarti.»

Mi bacia di nuovo. Sento il suo corpo che vibra addosso al mio.

«Diego mi ha parlato tanto...»

Ha un forte accento genovese, una piccola nenia. Si chiama Rosa.

Adesso s'è accorta che ho i capelli bagnati, insiste che vada in bagno ad asciugarmeli, mi dà un altro asciugamano pulito.

Mi accompagna in camera di Diego. C'è il manifesto del Genoa, c'è lo stereo, c'è il letto fatto da lui, di assi inchiodate, le lenzuola sono blu, disordinate. Ci sono io dappertutto. Il mio ombelico è ai piedi del suo letto, accanto alla finestra. Per terra ci sono un paio di stivali capovolti, la madre si china a raccogliere un cencio, forse mutande.

«Mica ci posso entrare qui dentro, non sono autorizzata...»

Sento rumore di chiavi, di porta che sbatte. Mi volto. C'incontriamo in corridoio. Lui s'immobilizza: «No...».

Si butta in ginocchio, ai miei piedi. Si rovescia come un cane, strofina la testa sul pavimento, mi bacia le scarpe, i jeans.

«Non è vero... non è vero!»

Si tira su di scatto come una molla, anch'io gli salto addosso, le ginocchia strette intorno ai suoi fianchi. Mi trascina per casa così. La madre si stritola contro il muro, s'infila nella porta del bagno.

«Mamma, questa è la mia donna! La *mia* donna! La madre dei miei figli! Questo è il mio sogno!»

Rosa si asciuga gli occhi con un pezzo di vestaglia, batte le mani. Dico a Diego che non può urlare così, la gente dorme, sveglierà tutto il palazzo. Ma sua madre invece urla di urlare, perché gli altri fanno sempre tanto rumore, *e stanotte invece lo facciamo noi!* È pazza anche lei, è una famiglia di gente fuori di testa.

Mangiamo qualcosa in cucina, un po' di frutta, dei wafer. Poi c'infiliamo in quel letto con le lenzuola blu, da studente. Facciamo l'amore piano, piano. Come due adolescenti che non vogliono farsi sentire dai genitori. La musica fruscia... lo stereo con le sue piccole luci nel buio. Dalla strada filtra un cielo luminescente, c'è la luna in carne. Guardiamo la gigantografia della mia pancia, l'ombelico sembra un cratere.

«Cosa ci facevi con la mia pancia?»

«Ci giocavo a freccette.»

Rimasi in quella casa fino alla fine dell'estate. Ogni giorno dicevo che dovevo partire, e ogni giorno restavo. Diego aveva abitudini e orari completamente diversi dai miei. Dormiva fino all'ora di pranzo, poi strisciava in mutande verso la cucina, apriva il frigorifero, tirava fuori una di quelle vaschette d'alluminio che la madre riportava dalle cucine del Gaslini e ingollava una lasagna rafferma, una sogliola brodosa, gelida. Era abituato a mangiare così. La madre non c'era mai, aveva un compagno, un tipo d'altri tempi con scarpe bicolori e foulard.

Se c'era il sole andavamo al mare. Aveva una barchetta con le vele piccole come due tovaglie, in uno sgarrupato circolo nautico. Restavamo fuori fino a sera, digiuni, con le cerate fradicie. La notte ciondolavamo da un locale all'altro, nelle grotte dei carruggi. Era euforico di avermi lì nel suo mondo, mi presentò il mucchio strampalato dei suoi amici, facce giovani, già consumate, traduceva il dialetto, spiava se ero felice. Mi passava uno spinello lurido di bocche e io scuotevo la testa, non volevo che fumasse neanche lui. Mi portò sul molo Etiopia dov'era morto suo padre, schiacciato da un container. Ci sedemmo su una bitta, davanti a un mare tetro come cellophane.

Mi confessò che per un periodo si era fatto di eroina... *qualche schizzo e poi basta, perché a Genova è difficile non far-*

si di qualcosa, e che era stato in prigione insieme agli ultras di Marassi.

«Ti ho deluso?»

«No.»

Gli dico che non posso vivere così, alla giornata, sradicata da tutto. Anche sua madre mi sembra diversa mentre me ne vado, sconfitta, una lucertolina acciaccata.

«Scusa» dice.

«E di cosa?»

Aspettiamo nella hall

Aspettiamo nella hall, io e Pietro. Piove. Pietro guarda dai vetri quell'acqua che scivola, il suo sguardo celeste s'è scurito insieme al cielo. S'è messo una felpa, s'è tirato il cappuccio sulla testa, se ne sta lì, sbracato su un divanetto troppo basso, le gambe larghe, la testa rinsaccata nelle spalle. Davanti all'albergo c'è un internet café, vorrebbe infilarsi lì dentro, mettersi a chattare con i suoi amici. Gli ho detto di no. Così lui s'è tirato quel cappuccio sulla testa e se ne sta lì abbacchiato e strafottente come un calciatore appena espulso. La ragazzina delle colazioni adesso sta passando l'aspirapolvere sulla moquette delle scale. Il filo troppo lungo le si attorciglia intorno ai piedi. Pietro fa un sorriso dei suoi, dice: «Questa è un'incapace totale».

Io dico: «*Questa* ha l'età tua e già lavora».

Lui allora s'infiamma, incomincia a parlare veloce, smozzicando le parole, dice che anche lui avrebbe voluto lavorare e che io non gliel'ho permesso. È vero, voleva attaccare volantini pubblicitari sui parabrezza delle macchine per venti euro al giorno. Non mi andava che stesse per ore in mezzo al traffico, allo schifo, in compagnia di Biffo, un amichetto troppo furbo, di quelli con gli occhi sempre lucidi di marijuana. Potrei dirgli che quello non era un vero lavoro, era il solito bivacco, che un lavoro per essere considerato tale richiede una vera necessità, e che lui invece ha il motorino, la chitarra, gli occhiali da sole, un libretto di risparmio in banca... ma sto zitta perché non mi va di discutere.

Mi alzo, mi avvicino alla reception e chiedo un ombrello. Mi danno uno stecco giallo, floscio, mezzo rotto. La ragazza sulle scale intanto è inciampata davvero, non ha fatto una piega, si è rialzata subito guardandosi intorno col patema che qualcuno l'abbia vista. Ci siamo solo noi. Pietro s'è piantato due pugni sulle tempie e scuote la testa coperta. Ride come un pazzo, singhiozza nella sua felpa azzurra. La ragazza lo guarda seria. Pietro allora finge di sentirsi male, si spinge la pancia, simula un conato di vomito. Indica il posacenere gonfio di cicche sul tavolino. La ragazza s'avvicina, prende il posacenere. Pietro dice *thank you*, prova a non ridere ma non ce la fa, continua a sghignazzare come un cretino. La ragazza fa una specie di piccolo inchino, col respiro smuove un po' di cenere. Pietro scuote la testa, si scrolla la cenere dai jeans, poi alza le mani, ride. Teneramente, adesso.

«Mi arrendo.»

La ragazzina arriccia il suo viso sodo e chiaro come una piccola patata appena sbucciata, dice: «*What?*».

Pietro scuote la testa, non sa come si traduce *mi arrendo*. Dice: «*Sorry*».

La ragazzina si volta, poi torna con il posacenere pulito. Ha il volto arrossato.

«*You are great*» dice con una voce flebile mentre se ne va.

Pietro tossisce, mi guarda.

«Cosa ha detto, ma'?»

«Lo sai, ha detto che sei *great*, sei grande.»

«Giura?»

Si ringalluzzisce, guarda il corpicino della piccola sarajevita che si allontana... si toglie quella calotta dalla testa, s'aggiusta i capelli.

«Ti piace?»

Mi si rivolta come un serpente. «Ma che sei pazza?! È patetica. A me mi piacciono le ragazze italiane.»

«E perché?»

«Perché le capisco.»

Gojko entra, si ferma sull'uscio. Non ha l'ombrello, le spalle della giacca sono scure di pioggia. Scuote la testa come un cane. Mi cerca con gli occhi, si avvicina, mi bacia. Il suo corpo bagnato è caldo, anche stamattina. Esala un vapore buono, come fieno sotto la pioggia. Si siede, ordina un caffè, s'accende una sigaretta, accavalla le gambe. È in ritardo perché è stato in galleria a dare una mano per la mostra fotografica. È di ottimo umore, ci chiede come abbiamo dormito, se vogliamo fare un po' di turismo, continuare il tour triste, quello dei luoghi della guerra, lui è abituato a farlo perché tutti i turisti lo vogliono. Possiamo andare al cimitero ebraico da dove sparavano gli sniper oppure bivaccare in centro fino all'apertura della mostra.

Pietro dice che per lui è uguale. Poi che preferisce restare in centro. Stamattina ho fatto una sciocchezza, nel dormiveglia ho teso una mano verso di lui e per sbaglio l'ho chiamato Diego, perché la notte era stata troppo invasa da quel fantasmino genovese.

Pietro si è allontanato dalla mano, ha detto: «Mamma...».

Dormivo a metà, ancora. «Oh...»

«Come mi hai chiamato?»

«Non lo so... come t'ho chiamato?», tremavo, perché non me n'ero nemmeno accorta. «Scusa.»

«Tu sei fusa.»

S'è buttato in bagno, per andarsene da me, dal mio corpo tormentato dal passato. Poi è uscito e ho visto che si chinava sul letto per vedere se per caso erano due, se si potevano dividere. Gli ho detto: «Se vuoi cambiamo stanza, ne chiediamo una coi letti separati... anch'io non riesco a dormire con te, ti muovi troppo».

Invece mi veniva da piangere.

Piove ma c'è tanta gente in giro, tanti giovani. Siamo nel viale che porta alla madrasa, gruppi di studenti islamici passano con gli zaini carichi come studenti di una qualsiasi scuola del mondo. L'ombrello dell'albergo è un vero schifo, devo stare attenta a non accecare chi passa. Mi fermo a comprarne uno per Pietro, Gojko non lo vuole, gli è d'impiccio. Gli dico che a una certa età fa male infradiciarsi le ossa, bofonchia che a una certa età fa male tutto, quindi tanto vale non pensarci. Lo prendo sottobraccio.

«Scrivi ancora?»

Mi piacerebbe sentire qualche sua poesia, detta da lui, con quella voce che s'inzuppa di sentimento, di intenzioni. Abbassa il testone, dice che da un po' di tempo, la sera, s'è rimesso a trafficare con le parole.

Gli chiedo come mai ha aspettato così tanto. «Era necessario» dice. «Ci vuole un po' di tempo bianco in mezzo, una garza... ci vuole che Dio ti assista, e non si faccia scrupolo della tua anima consumata. Ci vuole che un giorno a tua insaputa ti aiuti a ripristinare l'equilibrio tra il bene e il male.»

Apre la mano e non lo so perché ci sputa dentro.

«Un giorno sono passato accanto a un prato rosso di papaveri e per la prima volta non ho pensato al sangue, mi sono incantato su quella bellezza così fragile. Bastava molto meno di un'ascia, di una maljutka, bastava un colpo di vento. Era lì fermo per noi, quel prato, in attesa dietro quella curva. Un immenso campo punteggiato di lingue rosse, come cuori caduti dal cielo nell'erba. Ero in macchina con mia moglie. Ci siamo fermati e abbiamo cominciato a piangere. Prima io, poi dopo un po' anche lei mi è venuta dietro come un torrente. È stato un pianto che lentamente ci ha svuotati, ci ha risarciti. E da quella sera abbiamo ricominciato a respirare con il petto. Riuscivamo a sopportarlo. Per anni il nostro respiro è stato fermo alla gola, non poteva andare oltre... Due mesi dopo mia moglie era incinta.»

Abbiamo ripreso a camminare. Il mio braccio infilato sotto al suo è al sicuro. E dopo un po' ho la stessa sensazione di una volta, di quelle passeggiate senza meta, quando le nostre vite sembravano al riparo, sotto l'ombrello di quell'amicizia che ci rendeva spavaldi.

La donna che mi passa accanto con la retina della spesa sembra una donna qualunque, frettolosa, preoccupata di far tardi a casa... però ha il passo strano di un insetto rotto, le anche sotto la giacca troppo leggera per questa pioggia ondeggiano scombinate come ruote diverse sulla stessa macchina, le gambe si muovono rigide come i pendoli di un orologio a muro. E dopo un po' m'accorgo che è pieno di gente così, con qualche vecchia scheggia infilata nelle ossa, e che sono tutti molto bravi a dissimularsi, a confondersi.

«È la prima cosa che abbiamo imparato.»

Osservo le persone, conto quanti anni avevano allora. Se erano già grandi o ancora bambini, conto quello che la guerra gli ha mangiato, nelle occhiaie, in certi sguardi fermi come vetro, nelle sigarette che tremano bagnate nelle dita. Glielo conto su questi visi, grigi sotto la pioggia, che ora guardo come morti che risorgono dal mare.

«Abbiamo mangiato troppo uranio... troppe di quelle maledette scatole umanitarie, scarti della guerra in Corea...»

I bambini che incontro, loro sono salvi, mi dico. Non sanno, non hanno visto, quindi non possono ricordare... eppure non è del tutto vero. Anche loro sembrano sapere, seguono circospetti i passi degli adulti. Sono i bambini che sono nati e su di loro giace l'universo invisibile degli altri, di quelli che non sono potuti venire al mondo, attraversare il loro destino terrestre.

Guardo la nuca di Pietro sotto la pioggia. Ogni tanto si ferma davanti alle vetrine, non gli interessa la merce, gli interessano i prezzi in marchi convertibili, gli interessa tradurli in euro. Dice che la roba costa *abbastanza poco*... Poi ci ripensa, *ma non pochissimo*. Chiede a Gojko notizie sugli stipendi correnti. Non sapevo che mio figlio s'interessasse di economia.

«Una che fa la cameriera in un albergo, quanto prende?»

«Centocinquanta, duecento euro...»

Sorrido. Pietro arriccia il naso, è irritato.

«Che vuoi?»

L'acqua cola dalle grondaie, dai ballatoi, dalle tettoie.

Passiamo sul Ponte Latino, dove fu ucciso Francesco Ferdinando.

«La targa commemorativa per un bel pezzo è stata rimossa perché Princip era un serbo, adesso l'hanno rimessa per i turisti, ripulita della parola *eroe*.»

Nella piazza dove si gioca a scacchi, i vecchi hanno tutti l'ombrello. Giocano imperturbati sotto l'acqua che scende, ogni tanto si chinano a spostare quei grossi cavalli, quei grossi fanti nella scacchiera disegnata sul selciato. Pietro fa qualche fotografia col cellulare. È incredulo davanti a quei vecchi giocatori accaniti.

«Sono quasi tutti contadini, gente venuta dopo. La città si è ruralizzata. Per anni non ho riconosciuto nessuno...»

Camminiamo ancora un po' e la pioggia cessa, prima s'alleggerisce, poi rimane a correre negli scoli. Il cielo è ancora carico ma per il momento tace. Pietro è zuppo. Gli piace bagnarsi, gli piace ammalarsi. Scottare per una notte e stare già bene il giorno dopo. Ha sete, con tutta questa guazza, si ferma a un baracchino e ingolla una Coca-Cola ghiacciata. Guarda in terra, chiede cosa sono quegli schizzi di vernice rossa sull'asfalto.

Sono le rose di Sarajevo, testimoniano morti e granate. Passiamo sulla rosa che ricorda la prima strage, quella della gente in fila per il pane. Gojko mi guarda per un attimo, apro la bocca, la richiudo.

Attraversiamo la strada, svoltiamo un angolo, altre rose, altri spruzzi di vernice rossa scolorita nel viavai della gente che affolla il mercato ortofrutticolo.

«A un certo punto hanno detto che ci sparavamo addosso da soli, per avere le televisioni, l'opinione pubblica su di noi...»

I banchi sono pieni di colori, molto più ordinati di quanto non ricordassi... l'elenco dei morti è in fondo su un muro di pietra grigia, è impressionante. È l'elenco dei vivi strappati alla vita, tutti nello stesso istante, nello stesso battito d'ali dello stesso diavolo. E in un attimo mi chiedo dov'è quel diavolo, se si è allontanato abbastanza o se ancora zoppica non lontano da qui.

Gojko poco fa ha detto una battuta che mi ha fatto rabbrividire.

«Molti a Sarajevo pensano che questa guerra non è finita, si è semplicemente interrotta.»

Saliamo le scale che portano a un ristorantino proprio sopra al Markale, il mercato coperto. È una sorta di ballatoio con tavoli e panche di legno affacciato sul mercato sottostante, sembra di stare in una stazione ferroviaria d'inizio secolo. Guardo in basso i formaggi nelle vasche, bianchi come pezzi di gesso. Gojko mi indica l'unico banco che vende ancora maiale, è relegato in fondo, in una zona in disparte.

Pietro vuole sapere cos'hanno i sarajeviti contro il maiale. E Gojko gli spiega che ormai sono quasi tutti bosgnacchi, cioè bosniaci musulmani, e che i musulmani non mangiano il maiale. Pietro dice che questo lo sa, lo ha studiato quando ha fatto una tesina sulle tre religioni monoteiste. Ride, dice che però qui non si capisce che sono musulmani.

«Sono tutti troppo bianchi» dice.

Gojko gli racconta che quand'era piccolo festeggiava il Natale in casa come un buon cattolico, e poi andava a fare la questua con i suoi amichetti per la fine del Ramadan.

«Per noi era assolutamente normale. Adesso abbiamo tre lingue diverse a scuola, e quando iscrivi un bambino devi dichiarare a che etnia appartiene...»

Ordiniamo una zuppa bosniaca. Ho voglia di quella cuccuma di brodo denso con le verdure che galleggiano accanto ai pezzi di carne. Pietro mangia pljeskavica, la cosa più simile a un hamburger.

«Ma perché c'è stata questa guerra?»

Gojko ride, gli occhi sporchi di follia.

Mette una mano sulla testa di Pietro.

«Sai chi ci vorrebbe per risponderti? Un grande comico, uno disperato e muto come noi che non abbiamo mai smesso di ridere. Buster Keaton, ci vorrebbe. Hai mai visto *Film*?»

Pietro scuote la testa, non gli piacciono i film senza colori.

Gojko spegne la sigaretta, ci gira il dito sopra.

«Cosa vuoi fare da grande, Pietro?»

«Non lo so... forse il musicista.»

E naturalmente non ha il coraggio di guardarmi. È una vecchia storia. Gli ho noleggiato il pianoforte e l'ho tenuto per anni a marcire in casa. Pietro si esercitava pochissimo, diceva che non ne aveva bisogno. Poi, due anni fa, è passato alla chitarra, fa tutto da solo, va in un jazz club e prende lezioni lì. Io me ne disinteresso di proposito. Ogni volta che ha sentito una mia piccola pressione ha fatto di tutto per contrariarmi.

Siamo di nuovo per strada, la pioggia ha ripulito l'asfalto, le strade sono scintillanti come ferro.

Pietro ci cammina davanti, con il suo passo indolente, acciacca pozzanghere, lo fa apposta. È da quando siamo arrivati che mi sfugge. Cammina sulle rose delle granate come se passeggiasse sui sampietrini di un vicolo romano, sembra insensibile, volutamente sgangherato, quasi oltraggioso. Sono dispetti che rivolge a me perché sente che c'è qualcosa di più in questo viaggio, un'intenzione che ignora. Vorrei prenderlo sottobraccio, stringerlo a me. Eppure non ho il coraggio di andargli vicino. Se Pietro ha qualcosa da capire, qualche traccia da odorare come un cane, farà da solo, io non posso aiutarlo. D'altronde somiglia a suo padre, è un piccolo radar di onde perdute.

«Gli somiglia, vero?»

Gojko non guarda Pietro, guarda me.

«Vuoi che ti dica la verità?»

«Sì...»

«Somiglia a te... cammina nello stesso modo, sorride come te, cambia umore spesso come te...»

Mi stringe, mi sommerge con la sua mole. Respira nei miei capelli.

«Devi essergli entrata dentro, Gemma. Hai sempre avuto questa capacità d'infilarti sotto la pelle degli altri... di sconfiggerli senza far niente. Non ti ho mai detto quanto ero innamorato di te?»

«No, non me l'hai mai detto.»

«Eri così innamorata di lui... eravate così innamorati.»

Entriamo in una corte di bassi archi ottomani, accanto alla moschea. La mostra fotografica si tiene in due lunghe stanze gemelle con pareti di vetro tagliate da bianche cornici di ferro, sembra un lungo bovindo, una serra. Una ragazza diafana e alta come una modella, un paio di grossi calzettoni neri che le pencolano sulle gambe nude, sta dando gli ultimi aggiustamenti alle sue opere sospese a piccoli cavi di acciaio. Ci viene incontro, dà un pugno su una spalla di Gojko, gli cerca le sigarette nella giacca, gliene ruba una, sorride, lo bacia sulla bocca.

Gli chiedo se è sua moglie. La ragazza ride, perché anche se non sa l'italiano ha capito comunque. Scuote la testa. È un'artista abbastanza nota, pazza come un cavallo, brava come un diavolo.

Mi fermo a guardare le sue fotografie, sono immagini di uomini e donne reduci del campo di Omarska. Istantanee di visi scheletrici, scavati dalla fame, dalla paura. Primi piani di gente anziana, così stretti che spesso i capelli sono tagliati fuori, restano solo gli occhi, i sentieri tortuosi delle rughe, le bocche logore. Nessuno di loro ha un'espressione mite, sembrano guardare tutti nello stesso punto, in una zona oscura, ignota della loro storia di esseri umani. È come se chiedessero qualcosa all'obiettivo che li scruta, una risposta che ancora nessuno ha saputo dar loro.

Le fotografie di Diego sono nella seconda stanza. Mi siedo su una sedia per guardarle. La mostra non è ancora aperta al pubblico, una donna sta sistemando piccole cose da mangiare su un tavolo ricoperto da una tovaglia di carta. Sono fotografie che conosco, non c'era necessità di arrivare fino a qui per vederle. Sono poche, occupano una piccola parete laterale, nascosta dietro una colonna. C'è la donna che corre per sfuggire ai cecchini, i capelli stracciati dalla fuga, una gamba alzata come un'ala rotta. C'è la vasca da bagno tra le macerie con lo shampoo sul bordo e un morto dentro ricoperto dal telo verde dei musulmani. C'è la vecchia che ritira i panni sotto la neve, le braccia infilate nel telaio di una finestra chiusa ma senza vetri. C'è il gatto che dorme sul sedile di un autobus incendiato. C'è il passeggino carico di taniche d'acqua trascinato da Sebina che sorride.

Pietro ciondola in giro, s'avvicina alle pareti, scruta le istantanee della mostra. Lo aspetto. E poco alla volta mi sento in pace.

Ho mucchi di fotografie di Diego, nascoste in casa, nel soppalco. Per un lungo periodo mi tennero in vita. Aspettavo che il bambino dormisse, ero euforica, nervosa. Come se dovessi davvero fuggire da un amante. Non ci pensavo per giorni, per mesi. Come per il sesso, verso il quale ho sempre avuto un interesse singhiozzante, fatto di folate improvvise e poi di niente, di dimenticanza. Nel tardo pomeriggio ogni porta di casa mi metteva tristezza, quella del corridoio, quella del salone spento. C'era fango ovunque, c'erano cose che si muovevano, trascinate. Giuliano faceva spesso i turni di notte in caserma e io restavo sola. Allora dal niente, dal buio di quelle finestre, dal sonno del bambino, pensavo a Diego con tale insistenza da sentirmi male.

Mi chiudevo in camera, aprivo le scatole. La luce bassa abbastanza da cancellare il resto intorno. Spargevo le fotografie sul letto, sul tappeto. Mi muovevo a quattro zampe, carponi su quel sentiero di pezzi di carta lucidi, piangevo, sorridevo, sbavavo come un cane sulla tomba del suo padrone.

Una mattina Giuliano trovò una fotografia rimasta sotto il copriletto, nella piega del cuscino. S'era stropicciata durante la notte. Cercò di aggiustarla un po' con le mani. Me la restituì, *tieni amore, dev'essere tua... È molto bella.*

Era seduto sul letto, le spalle accasciate, la pancia come una piccola borsa. Mi avvicinai, presi la sua mano orfana sul lenzuolo, me la misi in faccia e ci piansi dentro. Dopo un po' ruttava anche lui, piccoli singulti solitari. Ho pensato che era molto più solo di me, che gli uomini sono più soli delle donne, comunque vada. Piangere insieme, per una coppia, è un minuscolo, emblematico accadimento... è il respiro dell'altro che crepa nella tua gola. È la pena che hai del mondo e di te stesso lì dentro, pezzo di carne, würstel animato, sacco che vale poco. La tua pancia balla insieme alle tue lacrime. Alzati, uomo miserabile, sparisci di là, nel fosso della casa, oppure spalanca la finestra e buttati di sotto, ma, se resti, di' qualcosa che possa consolarci.

Giuliano disse: «Mi dispiace che sto ragazzo sia morto, non sai come mi dispiace...».

Io sorrisi: «Magari l'avresti fatto arrestare, era uno di quelli che si fanno arrestare».

Pietro si è avvicinato, guardingo come un topo che s'accosta alla trappola, che ha fame però rischia la testa.

«Sono queste?»

«Già.»

Guarda le foto, in fretta, dal basso verso l'alto e poi di nuovo verso il basso, due sciabolate d'occhi e poi basta.

«Ti piacciono?»

«Quella del gatto mi piace, è forte... Tu c'eri, stavi con lui?»

«No, non sempre.»

Si siede accanto a me, non ci sono altre seggiole, scivola lungo la colonna e si siede sui suoi talloni, come un grosso uccello.

«E io dov'ero?»

«Tu dovevi ancora nascere...»

«E non avevi paura?»

«Di cosa?»

«Be', eri incinta, non avevi paura a stare incinta dentro una guerra?»

Annuisco, tiro su col naso, gli dico che forse mi sto ammalando, ho preso freddo con quella pioggia, ho le scarpe bagnate. Pietro dà un'occhiata ai miei piedi, se ne va. Lo vedo che spilluzzica, tira su una tartina, la mette giù, ne sceglie un'altra. Intanto è arrivata un po' di gente, piccoli capannelli di due, tre persone, si fermano davanti ai pannelli delle fotografie, parlano con i bicchieri in mano. Quaggiù, in questo angolo, ci sono solo io. Conosco queste fotografie eppure mi fa effetto vederle esposte su questo muro.

Guardo i dettagli, una mano, un uccello che sporca il cielo, il paraurti di un'automobile buttato in un canto. Guardo Sebina, i suoi occhi rotondi come bottoni... quella bocca buffa, fina ai margini e gonfia al centro, rossa come una lingua.

Sorrido, perché riconosco così bene quell'espressione, da capobanda, da piccola tiranna di quartiere.

«Vieni un po' qui, *Bijeli biber...*»

La chiamavo così, *Pepe bianco...*

Lei allora si avvicinava con i suoi occhi sommersi e quella piccola fossa nel mento, perfetta come il ricovero di una perla. Nascondevo una caramella nei pugni stretti e facevamo il gioco delle mani. Lei indovinava sempre.

«*Bijeli biber*, devi studiare, hai capito?»

Annuiva, con la fretta di andarsene. Dicevo a Gojko di starle dietro, di non lasciarla troppe ore sulla strada.

«Cosa farà Sebina se non studia?»

Gojko si godeva quella sorella discola come un regalo, incantato.

«Farà l'artista, sa pattinare sul ghiaccio, sa camminare sul filo... ed è bugiarda.»

Certe volte sembrava sgarbata, non salutava nemmeno, giocava insistentemente con certe palline rumorose che suo fratello aveva importato per un periodo, ma che non avevano avuto lo stesso successo degli yo-yo. Nessuno riusciva a interpretare quel malumore. Ma io sapevo farla parlare, pescare l'origine di quell'uggia. Era sempre a causa della sciocchezza più inimmaginabile, più insensata... eppure io la capivo. Da piccola ero stata una demente perfezionista, sconfitta più volte al giorno da me stessa, esattamente come Sebina.

Diventava ostica e persino brutta a vedersi. Se ne stava lì seduta sul muro del cortile a succhiarsi i capelli, a rispondere male a chiunque s'avvicinasse. *Ehi, Pepe bianco*, la stringevo. Ed era come stringere un orgoglio troppo robusto, la parte meno allettante di me stessa. Quello scoglio troppo duro che non avrebbe mai consentito a nessuno di amarmi fino in fondo. Sebina era in grado di raggiungere la mia solitudine, eravamo identiche. Presuntuose e stupide. Mi si attaccava al collo, la riportavo su in casa da sua madre, le gambe ciondoloni sul mio corpo lungo le scale. Era guarita, era passato il buio. Non sono mai stata una di quelle persone particolarmente adatte ai mocciosi, non ho pazienza, non faccio le vocine. Ma Sebina fu un caso a parte. Fu un regalo che Dio mi fece, un anticipo d'amore. Rivedo il pianerottolo dove mi fermavo a respirare tra un piano e l'altro perché lei pesava, il grigio del cortile nella finestra lunga, smerigliata, la luce già scura... e al collo lei, il suo fiato, il suo mistero.

Pietro s'è fermato dietro una colonna.

«E questa, ma'?»

È una fotografia che non avevo notato, accanto all'uscita, sopra al portaombrelli.

«È di Diego?»

Gli dico che non sono sicura...

«C'è il suo nome, sotto.»

È una fotografia sgranata, fuori fuoco, forse un pezzo di muro con una macchia scura, profonda, circondata da petali rossi, slabbrati... una specie di rosa.

«Cos'è?»

«Non lo so.»

A Pietro piace, resta a guardarla.

«Non vuol dire un cazzo, però vuol dire...»

Dice che gli sembra la copertina di un cd fico.

A me sembra di una tristezza tangibile. Una strana immagine materica. Mi sembra che in questa macchia rossa ci sia più guerra che in tutte le altre foto di guerra.

Allungo la mano per toccarla, per toccare quel buco granuloso al centro. Scuoto la testa.

«Secondo me non è di papà, si sono sbagliati.»

Diego si era presentato a Roma in motocicletta, a modo suo, all'alba, dopo cinquecento chilometri di autostrada nella notte. Aveva superato un tir dietro l'altro, montagne di fari, con il suo corpo da zanzara, senza mai fermarsi. Suonò al citofono di casa dei miei, nella mano un ciuffo di girasoli comprati da un fioraio notturno. Scesi per strada in camicia da notte, la prima luce galleggiava nel buio, le saracinesche del bar erano ancora chiuse.

«Mi sono già organizzato!»

Prendo i girasoli, li tengo così, appesi tra le braccia conserte. Sono arrabbiata, confusa. Ho lasciato Genova il giorno prima. Non ho neanche disfatto la valigia e lui è già qui, i capelli schiacciati dal casco, le guance bucate per il freddo che ha preso.

«Io non posso ospitarti, lo sai. Mi sono separata pochi mesi fa, non posso portare un altro tizio a casa dei miei...»

Si guarda intorno.

«Chi sarebbe l'altro tizio?»

Sorride: «Ho già un alloggio, sono autonomo». Non gli sembrava bello lasciarmi sola in un momento così delicato della mia vita, dice, con una faccia da agnellino. Gli do un calcio, ride perché mi faccio male io, ho le ciabatte infradito e lui invece ha i paracolpi di cuoio duro, da motociclista.

Agita la mano, guardando in su. Sollevo lo sguardo e vedo papà appoggiato alla ringhiera del terrazzo, è in pigiama e fuma. Saluta anche lui con la sigaretta nella mano.

Diego sotto si sbraccia.

«Salve.»

«Salve.»

«Sono io, sono Diego.»

«Sono Armando, il pad·e. Com'è andato il viaggio?»

«Spedito.»

Faccio un cenno a mio padre, per dirgli di togliersi da lì, di rientrare. Invece lui scende in pigiama con le pantofole che gli ho regalato io per il compleanno, butta la cicca nell'alba, s'avvicina. Si danno la mano. Papà fa un giretto intorno alla moto.

«Triumph Bonneville Silver Jubilee, grande scelta.»

Poi avrei scoperto che avevano parlato al telefono tante volte durante il mio matrimonio. Parlato di me, di fotografia, di viaggi. Si erano stati simpatici, adesso si guardano e si capisce al volo che si piacciono. Che da quest'alba nascerà un amore, un altro. Forse è facile, perché la vita è fessa. Perché Diego è rimasto orfano da bambino e papà non ha mai avuto un figlio maschio. Ha avuto solo quel genero che non gli è mai sceso più di tanto nel cuore, gli è rimasto a metà gola come una raucedine.

Diego gli chiede se vuole fare un giro, provare la moto. Papà è tentato, ha il cappotto sul pigiama, comincia a chiudersi i bottoni. Lo fulmino con gli occhi. Si lascia fulminare, dice *non importa*, farà il giro un'altra volta, con la tenuta giusta.

Il bar sta aprendo, papà insiste per offrirci la colazione. Così attraversiamo la strada deserta appresso a lui in pigiama e ciabatte. Aspettiamo che la macchina si scaldi, che il ragazzo sistemi i cornetti sui vassoi. Diego mangia, ha fame. Papà prende solo il caffè, si fuma un'altra sigaretta. Appoggiati a un tavolino alto guardiamo la strada oltre la vetrata, i primi movimenti del giorno. Mio padre dice: «Che bello...».

«Cosa, papà?»

«Quando nasce qualcosa.»

«Allora, dov'è questo posto?»

«Sotto, sul fiume.»

Ci perdiamo alle spalle di un mercato. Diego ha un foglietto gualcito con l'indirizzo e un mazzo di chiavi in una busta da lettera, gliele ha date un suo amico, un musicista. Scendiamo i gradoni di travertino che conducono sull'argine, tra macchie di muschio e bottiglie di bivacchi notturni. Sotto fa più freddo, si scivola. L'acqua del fiume è giallastra, s'avviluppa vorace intorno a piccole isole di verzura che spuntano dal fondo, dove si fermano i rifiuti. Il caos è rimasto lassù, più in là, nella zona del mercato. Quaggiù si sente solo il rumore dell'acqua e lo stridio ruggginoso di qualche gabbiano. Io mi guardo intorno, non vedo niente.

«Sei sicuro che sia qui?»

«No.»

Camminiamo lungo l'argine, torniamo indietro. Sotto un ponte c'è una cassetta capovolta, il muro è incendiato da un fuoco spento.

«Dio c'è.»

Mi volto. L'ha letto sul muro, in mezzo ad altre scritte ce n'è una rossa, massiccia: DIO C'È.

«Ci credi?»

«A cosa?»

«Che Dio sia sotto questo ponte.»

Scuoto le spalle, sospiro: «Pare che sia un codice della malavita...».

Diego non crede in Dio. In una delle sue telefonate notturne mi ha fatto un discorso delirante, mi ha raccontato di una grande energia che aureola l'universo, una sorta di cappello fluido, le anime brutte non riescono mai a raggiungerlo, sono vecchie, insudiciate da troppi passaggi terreni, muoiono quasi subito, si polverizzano, risucchiate dal buio cosmico. Le anime belle, invece, volano a razzo, trascinate verso l'alto. Lassù si rigenerano dopo la fatica della vita, e quando possono allungano piccole scosse benefiche sulla Terra. Probabilmente quella notte s'era fatto una canna. Quanto a me, sono come la maggior parte delle persone, credo in Dio ogni tanto, quando ho timore.

Oltre il ponte l'argine è più ordinato, c'è un centro sportivo, con due campi da tennis e una piccola area per i bambini, deserta, nascosta tra le canne. Sul fiume c'è una chiatta ormeggiata.

«Eccoci.»

È il locale di un suo amico, uno che ha conosciuto durante un viaggio, è chiuso da qualche mese... *girava un po' di fumo, il mio amico ha avuto qualche casino*. Dice che con la buona stagione il locale riaprirà, ma adesso ormai è fine settembre, l'amico glielo lascia come pied-à-terre, finché lui resiste, finché non sale troppo umido dal fiume. Io non parlo, non ci posso credere. La chiave serve ad aprire un grosso lucchetto arrugginito, la porta di legno ha bisogno di una spallata. Dentro è più buio che fuori, i vetri sono opachi di polvere, verdi di muffa. È uno stanzone lastricato di un finto parquet di linoleum. Al centro un bancone da bar sotto un grosso lampadario a forma di timone, ammucchiati sul fondo tavoli, panche e sedie di metallo. Mi strofino le braccia, ho già freddo. Diego è entusiasta, tira i ganci di ferro degli oblò, due in canoa passano sul fiume.

«Ma davvero hai intenzione di stare qui?»

«Non ti piace?»

Guardo un frigorifero trasparente da bar, senza niente dentro, e un divano in similpelle scarabocchiato di scritte a biro. Diego si china e legge a voce alta qualche oscenità. Ride come un pazzo.

«È un posto da sballo...»

È eccitato, gli occhi gli brillano spiritati nel giro scuro delle occhiaie.

«Hai ricominciato a drogarti?»

Non si offende. Dice di sì, che è strafatto di me, che sono meglio dell'eroina, perché l'effetto non finisce, resta nel sangue, e a me non mi possono tagliare con la stricnina. Vorrebbe fare l'amore subito. Gli dico di non toccarmi, di stare lontano. Quel posto mi debilita, non so dove mettermi, è umido, è sporco...

Lui disfa il suo bagaglio, qualche libro, il mangianastri, pochi indumenti appallottolati tra le macchine fotografiche. Ha un altro regalo per me: un barattolo di salsa di noci avvolto da un paio di mutande intrise d'olio.

Canticchia, mentre cerca un posto dove sistemare le sue cose. Piazza i vestiti in alto, sulla rastrelliera dei bicchieri. È già a piedi nudi su quel linoleum incrostato di vecchio sporco. Scende le scalette che portano sotto, torna con uno scopettone e un secchio pieno d'acqua che svuota per terra. Io tiro su i piedi, lui pulisce. Sto lì sprofondata tra le scritte oscene del divano. Penso che non andremo da nessuna parte, che dureremo pochi mesi, che questo ragazzo è fuori di testa, uno spostato che ha dormito ovunque, anche seduto sulla tazza, nel cesso di un aeroporto africano.

Ho le mie scarpe da ginnastica bianche, appena messe in lavatrice, le guardo. Penso alla faccia di Fabio... a quella che farebbe se mi vedesse qui. Dietro una tenda c'è un loculo non più grande di un armadio con un fornello di quelli di lamiera bianca a due fuochi. Diego s'è infilato lì dentro, sta armeggiando con una vecchia bombola a gas, la smuove, sente se dentro c'è qualcosa.

«T'invito a cena. Vieni?»

Ci vado. Sono le nove di sera. Ha insistito che mi vestissi elegante, così ho trattenuto il respiro per chiudere la lampo di un abito nero, troppo striminzito, di un vecchio Ca-

111

podanno. Poi ho aperto la bocca davanti allo specchio e mi sono passata il rossetto sulle labbra, crogiolandomi in quel piccolo gesto molle. Gli ho chiesto se voleva che portassi qualcosa di già pronto, un po' di salmone, una mozzarella, ha detto che il gas c'era, che era tutto sotto controllo. Sono scesa a prendere il vino. I negozi stavano chiudendo, mi sono infilata nella saracinesca già ammezzata di un negozio di intimo per comprarmi un paio di calze nuove. In taxi ho accavallato le gambe scure inguainate in quelle calze autoreggenti... le luci delle macchine sul Lungotevere mi ballavano sul viso... mi sono sentita una piccola, stupida fata.

I campi da tennis sono illuminati, qualcuno gioca una notturna. Una delle chiatte sull'altra sponda è fasciata di luminarie, vibra di una musica assordante, dev'esserci una festa privata, un matrimonio, un compleanno.

La chiatta è quasi al buio, una luce fioca vibra dall'interno, pulsa come la luce nel ventre di un insetto notturno... sembra fatta di pergamena, sembra una lanterna posata sull'acqua. Intorno il fiume, il suo rumore nel buio, il suo vapore un po' triste, tacito come una laguna.

Esce nel buio, non gli vedo il viso, vedo solo la macchia bianca del busto, sento il rumore delle sue gambe leggere.

«Benvenuta.»

Mi porge la mano, mi tira a sé. Profuma come non l'ho mai sentito profumare...

«Cos'è?»

«Bagnoschiuma al ginepro» ride.

Rido anch'io. Siamo entrambi un po' imbarazzati. È una serata speciale, festeggiamo il nostro fidanzamento.

Sulla porta resta a guardarmi... mi fa camminare i suoi occhi addosso, sulle gambe, sul vestito nero scollato, sul rossetto...

«Wow...»

Anche lui è elegante a suo modo, ha un paio di pantaloni aderentissimi neri, a righe, e intorno al collo un cravattino smilzo che pencola sulla T-shirt.

«Ho dimenticato le camicie a Genova.»

Resta a guardarmi con la sua faccia dolce e insolente. Dalle sue spalle filtra quel velo di luce e un odorino buono di cucina.

«Prego, amore mio, entra.»

Mi guardo intorno, non so cosa abbia fatto a quel cesso di posto... ha disposto le sedie e i tavolini in giro, in ordine, come un locale in attesa di avventori... su ogni tavolo c'è una piccola candela accesa e in terra, qua e là, isole di bicchieri da birra da cui spuntano ciuffi di fiori, come piccole aiole. Alzo gli occhi... le fotografie di noi a Sarajevo, di noi a Genova, la mia bocca, i miei occhi, la mia pancia... appese con mollette da panni a due fili che attraversano la chiatta come festoni. Il piccolo stereo è acceso... la musica bisbiglia, si disperde in quell'ambiente troppo grande. In fondo, accanto alla vetrata, c'è un tavolino apparecchiato con una tovaglia bianca e lunghi bicchieri a calice... nella penombra persino il divano in similpelle sembra elegante.

Ride: «Allora, com'è?».

«È come te...»

Mi viene da piangere. Nessuno ha mai fatto una cosa del genere per me... nessuno la rifarà mai più. Guardo quella distesa di candele e tavolini, sorrido. «Sono moccoli per i morti» ride anche lui.

Mi porta da bere. Champagne alla pesca. L'ha comprato al supermercato insieme al bagnoschiuma, allo scolapasta, al radicchio, ai moccoli.

La salsa di noci è buonissima. Ha fatto anche un piccolo arrosto, morto perché il forno è scassato.

Mi guarda mentre mangio, avvicina il bicchiere, vuole fare un altro brindisi... non so quanti ne abbiamo fatti, ho perso il conto.

Gli chiedo se ha riposato un po'. Mi dice che non può più dormire, che è troppo felice, troppo eccitato. Perché comincia la nostra vita, e lui si sente pieno di euforia, di dinamite. Gli dico di calmarsi, perché mi spaventa... in ogni caso non potrà durare così. Un giorno si sveglierà e mi vedrà come sono, normale, persino un po' antipatica.

Lui risponde che è impossibile, mi ama.

«Ti farò fare tanti figli.»

Sorrido, scuoto la testa, gli dico che non abbiamo una lira, che non possiamo permetterci neanche un cane.

«Come conti di campare a Roma?»

Si metterà in giro per agenzie fotografiche, per matrimoni. Oppure busserà alle porte delle vecchiette. Lo ha già fatto altre volte in periodi di magra.

«Hanno tutte bisogno di una fotografia per la lapide, si mettono in posa con gli orecchini. Mi fanno il caffè.»

Lo guardo... con quel cravattino appeso al collo come un guinzaglio, eccitato come un cane scappato dal padrone. Sembra uno che va ancora al liceo. Non andremo da nessuna parte, sprofonderemo insieme a questa chiatta.

«Ma tu come fai a essere sempre così felice?»

«Semplice, mi fa schifo la tristezza.»

Fa un urlo: «Ahhh!», stramazza come se gli avessero sparato. Ho mosso le gambe e lui ha visto quello spicchio di carne nuda oltre il ricamo della calza, e adesso fa la scena... china la testa, urla che ho deciso di ucciderlo, che quella visione è troppo per un moribondo. Si avvicina strisciando, mi toglie le scarpe, mi massaggia un piede, mi bacia attraverso il nylon della calza, sussurra che se vogliamo tutti quei figli dobbiamo metterci al lavoro subito, perché lui ha bisogno di tempo, di molto tempo, e i lavori andranno a rilento come per la metropolitana di Genova...

Ci allunghiamo lì, su quel divanetto in similpelle imbrattato di scritte, di cuori trafitti, di piselli che spruzzano.

Più tardi guardo Diego da sotto in su, sono ancora stesa, mi ha dato un suo golf perché ho freddo, ho le gambe rannicchiate, le ginocchia sotto la lana. Lui cammina scalzo su quella chiatta che adesso mi sembra il posto più bello dell'universo. Ha sparecchiato, ha messo i piatti nell'acquaio. È nudo, gli è rimasta solo la cravatta, se l'è dimenticata intorno al collo... per la prima volta mi sembra un uomo. Quando facciamo l'amore, quando non parliamo più, quando sento solo la sua anima ho fiducia in lui.

Chiudo gli occhi, so che mi sta fotografando, che s'è chinato piano piano accanto a me e mi sta rubando un occhio, una mano, un pezzo di bocca, un orecchio.

Siamo quasi al buio, i moccoli intorno sono sprofondati uno per volta nella loro pozza molle. Adesso me ne vado, penso, riacchiappo le mie calze, le mie scarpe. Invece resto a guardare quelle luci sempre più fioche. Il tempo non morde più alla nuca, si allarga nella mia pancia, placido. Resto a pascolare beata, come una capra persa al tramonto.

Tornai a casa dei miei al mattino presto, per andarmene quasi subito. Mia madre mi aspettava con il volto teso, sconfitto.

«Chi è questo ragazzo?»

«È uno.»

«Sei sicura di fare bene?»

«No, mamma, non sono sicura di niente.»

Scendevo quelle scale scivolose d'umido, tra i tigli, e trovavo Diego laggiù, sul fiume. Ormai mi sembrava una cosa normale che lui vivesse lì. La città in alto pareva lontana... piccole frotte di anatre scure passavano, sedute sulla corrente. Quando pioveva sembrava di essere in un sottomarino, i vetri annegavano nell'acqua. Mi piaceva stare lì sotto, mi ero abituata a quegli anfratti di canne, ai garriti violenti dei gabbiani. Certe volte Diego sgattaiolava fuori all'alba, dopo la pioggia andava a caccia di pozzanghere. Passava ore in ginocchio a fotografare un palazzo, il ramo di un albero, un semaforo riflessi in una buca d'acqua. Io lo seguivo, scartavo i rullini nuovi, m'infilavo quelli usati nelle tasche. Era capace di starci ore. Le macchine passavano, lo schizzavano. Non se ne accorgeva nemmeno, anzi, gli piaceva quell'acqua turbata, le immagini smembrate che sembravano esplose. Non portava a sviluppare le fotografie, impilava i rullini sul bancone da bar della chiatta e se ne dimenticava. Qualche volta ci pensavo io. Arrivavo alla chiatta con quelle buste gialle Kodak. Lo chiamavo, tirandogli un sasso. Mi ringraziava, sparpagliava le fotografie in terra. Ci girava intorno, ne scalzava una con un piede per sbirciare quella nascosta sotto. Spesso non riconosceva il suo lavoro, guardarlo in qualche modo gli faceva fatica. Era come se avesse bisogno di quella distanza per stare alla larga da se stesso. Pescava due, tre foto e le attaccava al filo con le mollette dei panni, infilava le altre nella busta e le abbandonava accanto ai rullini sul bancone.

Eravamo una di quelle coppie strampalate, su cui nessuno avrebbe scommesso un'unghia. Di quelle destinate a una manciata di mesi superbi e poi ad afflosciarsi di botto, come i riccioli di Diego quando pioveva. Eravamo così diversi. Lui dinoccolato, io sempre un po' rigida, con le borse sotto gli occhi, il cappottino austero. Invece i mesi passavano, le nostre mani erano sempre l'una nell'altra per strada, i nostri corpi dormivano vicini senza darsi noia come due feti nello stesso sacco.

Iniziò un altro anno, un altro giro di boa. Divenni pubblicista, cominciò il singhiozzo delle collaborazioni con i giornali.

Diego rimase nella chiatta tutto l'inverno. Lo trovavo con il naso rosso, sempre raffreddato. Spogliarsi in quel posto era ormai impossibile, facevamo l'amore dentro un sacco a pelo, io non mi toglievo più il golf. Si era comprato una cassa di whisky, avevamo cominciato a bere un po' troppo, un goccio dietro l'altro per scaldarci, come due barboni.

Poi il destino ci aiutò con quella casa. La trovammo in affitto da un ente religioso a una cifra equa. Andammo di notte a vederla, facemmo la ronda sotto le finestre sbarrate... le contammo nel buio, non potevamo credere che fossero così tante. Sei finestre grandi al secondo piano di un bel palazzo umbertino. Aspettammo il tipo dell'agenzia, e in un mattino di marzo salimmo per la prima volta quelle scale. Cosa devo dire? Sembrava davvero che quella casa ci stesse aspettando. Perché anche le case aspettano i loro inquilini, sopravvivono anni lontano da noi e poi aprono le loro braccia di porte e di persiane a una giovane coppia, a due scemi che tremano di felicità. E adesso mi torna in mente quel cuore. Era lì sul pianerottolo, scavato nell'intonaco con un chiodo, accanto c'era una freccia che indicava la porta. Il portiere ci disse che l'appartamento per decenni era stato abitato solo da una coppia di anziani senza figli. Chi aveva inciso quel cuore? Un nipote? Un bambino del palazzo? Un mendicante che aveva ricevuto un'elemosina generosa da quei due vecchietti? Non lo so, non importa. Importa che quel cuore era lì, e ci rimase per anni, fino a quando non rifecero l'intonaco e io mi arrabbiai come una bestia perché quel giorno, quando gli operai stuccarono il muro del nostro pianerottolo, purtroppo non ero in casa.

Diego tirò fuori il suo libretto di assegni, pagò la caparra e tre mesi anticipati, riempiendo l'assegno in piedi contro il muro con la penna che non scriveva. Era rosso in viso, sudato.

«Ce li hai tutti questi soldi?» gli chiesi, mentre scendevamo le scale.

«Speriamo.»

Era una casa buona, testimone di vite riservate, parsimoniose, di luci spente presto per non consumare la corrente. Quando restammo soli, la prima volta che avemmo le chiavi, fu come entrare in un santuario. Carezzammo i muri, ci posammo le guance contro, li baciammo. Come fossero vivi, perché quella calce e quei mattoni adesso avrebbero dovuto difendere le nostre vite.

L'unico mobile superstite nella casa vuota era un vecchio pianoforte verticale, color latte, da signora, con piccoli fiori sull'alzata. Il rigattiere che aveva svuotato l'appartamento doveva tornare a prenderselo. Diego sollevò il coperchio e cominciò a muovere le dita sui tasti.

Non aveva mai studiato, andava a orecchio. Il pianoforte era completamente scordato, eppure mi sembrò la musica più bella del mondo.

«Cos'è?»

«Quello che mi ricordo, Debussy, Leonard Cohen...»

Le sue scapole si muovevano sotto una T-shirt di cotone color terra, un po' di sole bagnava il pavimento. Il rumore del traffico restava in basso. Quassù c'era questo piccolo pianoforte color latte, queste mani che gli davano vita.

117

Le note galleggiavano nelle stanze vuote, battezzavano il nostro futuro.

Quando il rigattiere tornò ci mettemmo d'accordo e per due soldi riuscimmo a tenerci quel pianoforte.

Cambiammo la vasca da bagno che era rotta, riverniciammo le pareti, sistemammo qualche buco nel vecchio parquet. Passammo ore con il fon in mano ad asciugare il massetto. A mezzogiorno ci sbracavamo in terra, a mangiarci un panino da operai con la coppa, con la mortadella e le melanzane. I panini più buoni della nostra vita. Una notte facemmo l'amore sui giornali sparsi in terra, l'inchiostro della stampa stinse sui nostri corpi accaldati, un pezzo di un soldato sovietico in Afghanistan restò tatuato sulla schiena di Diego.

Gli regalai un manifesto che amava, Braque nel suo studio fotografato da Man Ray, e feci incorniciare alcune fotografie, quelle che mi piacevano di più, gli ultras di Marassi, la marcia sconsolata dei pinguini artici, una zattera di foglie sul Mekong invaso dal volo dei coleotteri blu, e poi le fotografie di Sarajevo... quel neonato addormentato in una cassetta di legno al mercato ortofrutticolo.

La Sip attaccò un telefono grigio, che rimase a lungo per terra in un angolo.

«Come stai, poeta?»

«Come state, piccioni?»

Il vocione di Gojko triturato dal fumo ci raggiungeva attraverso quel filo.

«Vi sento allegri.»

«Lo siamo.»

«Nel mondo c'è qualcuno che lavora per voi...»

«Chi?»

«Un poeta...»

«Ci mandi buoni pensieri?»

«I miei pensieri... non so se sono così buoni...»

Rise, come rideva lui, nella gola che pareva un santuario o una discarica di ferro vecchio.

Comprammo il divano, bianco di cotone, con piccole ruote che lo facevano muovere, spostare in giro per il salone. Diego firmò un altro assegno, voleva pagare tutto lui. Poi scoprii che aveva finito i soldi e che sua madre era corsa in banca a versare la sua pensione di vedova d'operaio portuale sul conto in rosso del figlio. Mia madre ci portò in regalo un lungo vaso di rame per gli ombrelli, mi guardò con il suo viso sparuto, quasi scusandosi: «Almeno è una cosa utile...».

Diego le diede due lunghi baci collosi sulle guance.

Lei, abituata agli slanci rachitici di papà, divenne paonazza, si lasciò scuotere inerte come un fantoccio.

«Ma tu sei sicura che sia maggiorenne?» mi sussurrò.

«No, non ho visto il passaporto. L'ha perso.»

Mio padre si affacciò alla finestra, gli piacque la vista... le rotaie del tram che tagliavano la strada, i banchi del mercato ammucchiati tra i platani, gli piacquero persino quei branchi d'uccelli cacatori. Era uno di quei palazzi vecchi che piacevano a lui, che invece aveva vissuto tutta la vita in una palazzina anni Sessanta, perché mia madre aveva voluto il box.

La casa puzzava ancora di vernice, mia madre tossì, si guardò intorno prigioniera, tenne mio padre accanto a sé, non gli permise di affacciarsi in camera da letto. Diego faceva avanti e indietro dalla cucina a piedi nudi, portando tartine, ciotole di olive, di lupini. Mia madre lo guardava come un animale selvatico, attratta e spaventata. La pasta galleggiava nel sugo, Diego aveva esagerato col condimento. Mio padre si schizzò la camicia, mia madre scosse la testa, passò la punta di un tovagliolo su quella macchia terribilmente rossa.

«Che lavoro fa?» chiese a Diego.

«Sono un fotografo.»

Lei annuì: «Ah, ecco...».

Mangiò un altro boccone, poi tornò sull'argomento.

«Fotografo di cosa? Di pubblicità... di matrimoni...»

Diego sorrise, puntò la forchetta su cui era infilzato un rigatone verso una delle sue fotografie appese al muro.

«Di pozzanghere.»

Io scoppiai a ridere, avevo già bevuto due bicchieri, ero

felice, avevo incollato il parquet, dipinto i muri. Cercò di ridere anche mia madre. Mi fece un po' pena, conoscevo quello sforzo, quella legnosità.

Mio padre si mise gli occhiali e andò a vedere le fotografie di Diego appese al muro. Chiamò anche mia madre: «Annamaria, vieni a vedere...».

E Annamaria andò. Rimasero così, i miei vecchi, di spalle, il naso puntato contro il muro... cercando di rintracciare nelle fotografie di Diego qualcosa di me che gli era sfuggito.

Poi mia madre si ammorbidì, cominciò a invitarci a cena, fin troppo spesso. Adesso era lei a porgere le guance a Diego, ad aspettare sulla porta quei baci collosi, da bambino. In fin dei conti io e mio padre l'avevamo sempre lasciata un po' sola, eravamo più intelligenti di lei, teste solitarie, punteggiate di arroganti stravaganze. Le faceva tenerezza quel ragazzo magro, che parlava a raffica, che s'alzava di continuo per aiutarla. Gli faceva porzioni gigantesche.

Gli comprò un golf, me lo infilò nella borsa all'ingresso perché si vergognava di darlo direttamente a lui.

«Cos'è, mamma?»

«Niente, un golf... se non vi piace lo regalate.»

Invece Diego se lo infilò subito, quel bel maglione a collo alto di lana doppia...

«Con questo ci faccio dieci anni, è il classico capo immortale...»

Mia madre era rossa in viso, felice di aver azzeccato il colore, la taglia... felice che Diego fosse così facile, così diverso da me.

«Andiamo a casa, amore.»

«Ciao pa', ciao ma'...»

Io m'infilavo in fretta nell'ascensore, lui si attardava su quelle guance anziane.

«Ciao ragazzi, alla prossima!»

Già, li chiamava *ragazzi*...

Così era cominciata la piana della nostra normalità. Temevo che prima o poi il bivacco quotidiano, quel masticamento di cose sempre uguali, avrebbe corrotto anche noi, e che un giorno il disincanto avrebbe fatto capolino tra le lame delle persiane, insieme a una di quelle giornate di maltempo e di smog. Ognuno dei due avrebbe ricominciato a pensare a se stesso, ai propri problemi, svincolato dall'altro. Anche su di noi sarebbe sceso quel velo opaco che ammanta le coppie dopo un po', quando finisce l'illusione e con essa la benigna cecità che scolora i difetti dell'altro. È così che capita, così era capitato ai miei genitori. Mio padre era felice di uscire di casa al mattino e mia madre tirava il fiato anche lei, s'annusava beata l'odore della sua solitudine. Eppure si volevano bene, si rispettavano.

Ma noi partecipavamo a un altro mondo, più audace forse, senza dubbio più promiscuo. Eravamo tempre friabili, figli della mollezza, di quel benessere sbandierato come l'unica conquista necessaria.

Molti dei miei vecchi amici li avevo persi di vista, dopo la rottura con Fabio si erano ritirati come lana infeltrita. Le poche coppie di trentenni che ci capitava di frequentare erano deprimenti. In pochi anni si erano rilasciati, imbolsiti... nei ristoranti, nei camerini dei negozi, negli spogliatoi delle palestre parlavano a voce alta di soldi e di sesso. Non dicevano *fare l'amore*, dicevano *scopare*, sbandieravano la loro vita intima. Il pudore sembrava scomparso, divorato dall'ironia.

Diego accettava quelle serate avvilenti alle quali ogni tanto lo trascinavo.

«Non possiamo isolarci» gli dicevo.

Si piazzava in un angolo, si riempiva un bicchiere di vino. Non interveniva nelle discussioni perché non aveva niente da dire. Però non era mai ostile. Che c'entravano con lui quei giovani arrivisti che avevano già il ghigno della loro fine un po' sporca sui visi? Carniccio che si sarebbe macerato docilmente nella salamoia del benessere, senza quasi accorgersene, senza più accorgersi di niente e di nessuno. Allora mi sembravano i miei amici. Poi, negli anni, mi sarebbero apparsi per quello che erano: navigatori d'altura e bassura. Alcuni li avrei ritrovati in televisione con gli occhialetti trendy, i calzettoni a righe, trasgressivi sotto il vestito nero, austero. Un colpo al cerchio e uno alla botte, una boccata di acqua santa e una di peccato. Tasche piene, appartamenti di prestigio, divani lunghi per contenere tutti.

Trascinavo Diego in quello che mi sembrava un mondo più sofisticato del mio, un approdo. Ero figlia di un professore di applicazioni tecniche, uno che entrava in classe con il seghetto e i fogli di compensato. Puzzavo di libri e di onestà. Ridevo alle battute, partecipavo ai giochi che mi sembravano intellettuali, indovinare gli incipit dei libri, il pensiero di un filosofo, mimare le scene dei film più sconosciuti.

Poi una sera lo vidi in piedi accanto a una finestra, quella più lontana dal divano dove si ciacolava. Stava guardando la strada fuori, pioveva.

«A cosa pensi?» gli dissi.

«A mio padre.»

«A tuo padre?»

«Piove. Quando piove penso a Genova, a mio padre che cammina con la sua cerata sotto la pioggia.»

Ero distratta, con un orecchio ancora teso a quelli del divano, al gioco che proseguiva. Tornai dai miei amici, vezzeggiata da tutti quelli della mia squadra perché sapevo la risposta. Era fin troppo facile, era l'incipit di un libro di moda quell'anno. La nube di Chernobyl galleggiava sull'Europa, un mio amico nutrizionista stava facendo l'elenco dei cibi più contaminati, non bisognava fidarsi nemmeno del pane.

Diego era ancora lì, guardava la pioggia. Allora mi ricordai che suo padre era morto in una giornata di pioggia torrenziale, il container s'era staccato dal cavo d'acciaio.

Ero tornata da lui, gli avevo posato una mano sulla spalla. Ero rimasta lì accanto in silenzio. E in silenzio avevo sentito il rumore del suo cuore... i suoi passi da bambino. Era accorso insieme a sua madre, il padre giaceva in una pozza d'acqua sporca di sangue.

Quella è la prima fotografia che ho immaginato, mi aveva detto quel giorno di un anno prima a Genova. *La prima pozzanghera... quella che è sempre con me in fondo a ogni rullino.*

Ce ne andammo nonostante la pioggia, nonostante fosse ancora presto.

«Andiamo.»

«Sei sicura?»

«Sono stanca.»

Ci bagnammo sul sellino della moto. Tornammo a casa fradici. Facemmo l'amore in terra, sulla pozza dei nostri panni bagnati. Facemmo l'amore su quella fotografia mai scattata, su quel padre morto, zuppo di pioggia, piatto come una razza. Mi disse *grazie*. Gli tirai su la testa, infilai la lingua nei suoi occhi, leccai le lacrime.

«Voglio un figlio» gli dissi, «un figlio come eri tu, come sei tu... voglio ridarti un padre... vorrei ridarti tutto, amore mio. Tutta la pioggia...»

Allora non resse, cominciò a singhiozzare nelle ginocchia come quel giorno, come un sudicio moccioso disperato sotto l'acquazzone che gli ha ucciso il padre.

Una mattina di un luglio afosissimo lo accompagnai nel centro d'accoglienza dov'erano arrivati i primi bambini da Chernobyl. Gli facevo da assistente, gli caricavo le macchine. M'incantai a guardarlo. Io ero tesa, a disagio tra quei bambini indelebilmente segnati... avevo paura delle radiazioni, mi sembravano fosforescenti come quei pupazzi che s'illuminano al buio. Mi muovevo circospetta, un po' discosta. Diego invece li prendeva in braccio, tirava fuori qualche parola di russo. Non aveva intenzione di fotografarli a tutti i costi. Dopo i primi scatti, depose la macchina fotografica e cominciò a giocare. Capii che non avrebbe guadagnato una lira come reporter, il suo occhio non era di quelli che restano incollati alla macchina, morbosi e ciechi. Lo vidi rinunciare agli scatti migliori in favore di altri che semplicemente divertivano i bambini. Addirittura mise la macchina fotografica al collo di uno di loro e gli lasciò sputtanare un intero rullino. Tornammo con un servizio misero, invendibile. Campavamo con il mio stipendio, non potevamo permetterci un figlio. Non gli dissi niente, continuai a prendere la pillola.

Ogni giorno, anche nei giorni peggiori, si tirava su dal letto pieno di energia, mi ringraziava di essere ancora lì accanto a lui. Era come vivere con un gatto, di quelli che si muovono appresso a te per casa e appena possono ti saltano addosso e ti leccano con la loro linguetta ruvida. Restava in camera oscura fino a tarda notte, ne usciva con gli occhi rossi, le mani consumate. Al mattino stavo attenta a fare piano, aprivo le ante dell'armadio trattenendo il fiato. Ma lui voleva starmi vicino, preparava il caffè, scriveva piccoli messaggi che infilava nelle tasche del mio cappotto. Faticavo a lasciarlo lì in cucina appeso alla finestra. Toglievo la catena al motorino, mi voltavo a salutarlo. Non pranzava, non faceva niente senza di me, usciva anche lui. Si metteva in giro per cercare di vendere qualcuna di quelle fotografie che nessuno voleva. Camminava fiducioso con la sua borsa a tracolla, con le sue gambe scheletriche, in quella città che non era sua senza deprimersi mai.

Ci sono cose. Piccole cose che non dimenticherò, che sono niente e invece restano più forti di tutto. Restano le scale del palazzo della nostra prima casa, quei tornanti di marmo a scaglie bianche e nere, quei pianerottoli... il corrimano dove mi aggrappavo correndo. Tornavo con la borsa che mi cadeva dalla spalla, la sciarpa che pencolava sui gradini, i sacchetti della spesa. Non aspettavo nemmeno l'ascensore, m'arrampicavo sulle scale, i polmoni grandi. Ancora col cappotto addosso mi mettevo a cucinare, svuotavo i sacchetti sul tavolo, tiravo fuori i sottopiatti, i bicchieri con il gambo, volevo che ogni sera fosse un brindisi.

Avevo trovato quel lavoro di redattrice in una piccola rivista scientifica che usciva una volta al mese. Eravamo solo in cinque, io facevo un po' di tutto, traducevo articoli dall'inglese, mi occupavo dell'impaginazione, dell'archivio, passavo ore al telefono per promuovere gli abbonamenti annuali, parlavo con insegnanti, presidi, operatori culturali, segretari di enti pubblici e di aziende private. Era un contratto volante, la rivista ogni mese rischiava di chiudere. Mi ammazzavo per due soldi e con poche prospettive per il futuro. Non me ne importava granché di medicina molecolare, di campi vettoriali radiali, di energie sottomarine e della teoria ondulatoria della luce, però non mi dispiaceva il piccolo mondo a parte di quella rivista minore. Mi piaceva la redazione, al centro, una sola stanza nei locali seminterrati di un palazzo storico, dove un tempo c'erano le stalle e dal cotto in terra usciva ancora il salnitro, mentre gli archi dei sotterranei avevano ancora gli affossamenti delle schiene dei cavalli. Mi piacevano gli scaffali di ferro con i raccoglitori, il bollitore per il tè in un angolo, il cestino con le bustine del tè, le chiacchiere in piedi con i colleghi e quelle tazze bollenti in mano.

Certe volte Diego veniva a prendermi. Bussava dai vetri di quelle finestre basse sull'asfalto. Scendeva le scalette, faceva capolino dalla porta con il suo viso vispo e pallido, quegli occhi prominenti e quel sorriso troppo grande che gli sbranava le guance magre. Era inverno, aveva ancora il suo zuccotto di lana. La sua testa, chiusa in quella calotta di lana scura, sembrava più piccola.

«Come sei bella...»

Io non ero bella, ero normale... avevo le occhiaie di quella giornata, il mio odorino stantio di ufficio, la voce rauca di ore trascorse al chiuso. Il mio corpo infilato nella città era un corpo qualunque, infagottato di abiti e pensieri. Ce ne andavamo verso casa abbracciati, tra le vetrine che spegnevano le luci e la gente che camminava veloce sui marciapiedi. Mi bastava stringermi alle sue ossa per sentirmi in pace.

Roma era gravida di negozi, di ristoranti sempre pieni, di macchine in doppia fila, di autisti che aspettavano davanti alle porte a ruota dei grandi alberghi del centro, turisti di lusso, politici, donne con lunghe pellicce in quel clima mite. Camminavamo accanto a quel benessere troppo esibito. Sembrava che ci fosse posto per tutti... ma era vero? La gente avanzava sulle sabbie mobili di quell'illusione. Certe volte pensavo a Gojko, alla sua giacca di pelle

125

dura come cartone, mi mancava Sarajevo, tutta quella gente umile, piena di dignità... il sapore della pita, l'odore dei caminetti dove bruciava la resina degli alberi.

Poi Gojko venne a trovarci. Gli piacque la casa, gli piacquero le due bottiglie che bevemmo. Diego aveva una cravatta magra, di lanetta ruvida. Gojko rise di quella cravatta. Forse gli sembrammo un po' polverosi, s'aspettava che facessimo una vita più scintillante, mi guardò mentre mi mettevo il grembiule per lavare i piatti. Anche lui sembrava cresciuto, lo trovammo più taciturno, più incollato alla palude della vita. Non commerciava più in yo-yo e in Levi's contraffatti. Commentava poesie alla radio, aveva una collaborazione fissa con una rivista culturale, e solo nei fine settimana continuava a fare la guida turistica. Dormì nell'unico letto in più che avevamo, quello che usciva fuori da una vecchia poltrona in una stanza senza altri mobili.

Una sera tirò fuori dal portafogli un ritaglio di giornale che aveva conservato con rabbia, come un chiodo. Ci tradusse qualche passaggio. Era un articolo scritto da un suo amico di Belgrado, poeta anche lui. Si riesumavano morti di sei secoli prima, battaglie contro i turchi, con uno spirito epico guerresco che tutto sommato faceva ridere.

Diego era rimasto a guardarlo. Il nostro mondo ormai era un ventre molle, senza più impronte, che si agitava in un ingordo presente. Ma lui era stato un ragazzo dello stadio Marassi e forse intuiva in quelle parole deliranti che farneticavano di etnie, di appartenenze, di ferite vive, il codice primitivo che appartiene a tutti gli ultras.

«Sei preoccupato?»

Gojko aveva scosso le spalle.

«No... stronzate, merda fascista.»

Aveva accartocciato l'articolo del suo amico e gli aveva dato fuoco, s'era acceso una sigaretta con quel piccolo incendio.

Diego divenne amico di un gallerista, e così finalmente riuscì a esporre le sue fotografie degli ultras. Anche sugli spalti dello stadio mi accorgevo che aveva sempre pescato la solitudine, di una nuca, di un paio di orecchie rosse, di una sciarpetta brandita come un'ascia. Le fotografie dello stadio erano tra le più belle che avesse mai fatto, in bianco e nero, sgranate... bocche che parevano buche, occhi che parevano pianeti, lune viste da vicino.

La mostra andò bene, dalla galleria fu spostata nelle aule di un liceo, poi di un altro. Diego riuscì anche a vendere qualche stampa.

Spese tutto. Tornò a casa con un tartufo bianco che mi grattugiò sul piatto come un cameriere.

Le immagini dei piedi in attesa della metropolitana invece non le volle nessuno. Diego era stato lì sotto per tre giorni, aveva scattato miriadi di fotografie di gente in attesa dei treni e poi le aveva montate l'una accanto all'altra. Era un campo di vita urbana, un lungo orto di solitudini. I piedi magri del mattino fino a quelli stanchi e impolverati della sera. Fu mia l'idea di appenderle in casa. Riempirono il nostro corridoio, girarono intorno al nostro soggiorno, raggiunsero la cucina... un lungo filare di scarpe di gente ignota che ci faceva compagnia.

Aveva il terrore che io potessi stancarmi della sua invadenza, del bisogno fisico che aveva di me, di toccarmi in continuazione come un bambino. Anche la notte dormiva incollato alla mia schiena, mi ritrovavo tutta sudata, la sua saliva nei capelli. Aspettavo il giorno in cui lui avrebbe cominciato a ritirarsi naturalmente nella sua parte di letto. Invece no, se si allontanava era per sbaglio o scacciato da me durante le notti di afa. Appena se ne accorgeva, anche nel sonno, tornava da me. Si metteva di traverso, la testa sulla mia pancia come un bambino nel letto dei genitori, felice di quel guanciale molle. Ogni tanto gli davo un calcio. Erano passati tre anni.

Vennero tempi duri. Diego si mise a cercare piccoli lavori occasionali. Per un periodo fece il banchista in un negozio di elettronica. Poi cominciò a mettersi in giro a fotografare i turisti a piazza di Spagna, a Fontana di Trevi, scattava e correva a sviluppare in un negozietto lì accanto. Spesso i turisti non lo aspettavano, se ne andavano prima che lui tornasse. Rientrava a casa con le tasche piene di fotografie di gente sconosciuta e sorridente. Le spargeva sul tavolo di cucina per farmele vedere, rideva, mi raccontava qualche sciocchezza che gli era capitata. Io mi chiedevo se in fondo a quella vitalità non cominciasse a ristagnare un po' di tristezza.

«Perché non parti?» gli dicevo. «Torna a fare uno dei tuoi viaggi.»

«Io sono l'uomo più felice della terra.»

Mio padre ogni tanto cercava di passarmi un po' di soldi, ma io rifiutavo, ostinatamente. S'era comprato anche lui una Nikon, chiedeva a Diego consigli sugli obiettivi, sulla luce. E Diego prese l'abitudine di portarselo con sé ogni tanto. Papà gli faceva da assistente, cambiava i rullini, numerava quelli usati. Nelle ore morte veniva a casa nostra. Non era mai invadente, si metteva in un angolo e non chiedeva nemmeno un bicchier d'acqua. Papà aiutò a fare un po' d'ordine. Buttò gli scarti, comprò delle cartelline e catalogò tutti i lavori di Diego, raccolse i negativi ammucchiati alla rinfusa e li portò a sviluppare in fogli di prova. Passò giorni e giorni con la lente d'ingrandimento per individuare gli scatti migliori.

Fu grazie a mio padre che Diego finalmente trovò un'agenzia. Si mise una bella giacca di tweed, prese il treno e scese a Milano con una cartella di fotografie sottobraccio. Convinse una donna più o meno della sua età, tutta vestita di nero e con i capelli cortissimi color ghiaccio, a occuparsi di Diego, a imbrigliare quel talento in uno straccio di contratto.

Diego non sembrava contento, leggeva e rileggeva le clausole del contratto cercando una scusa per non firmare. Poi prese la penna e scarabocchiò il suo nome, perché era un buon contratto, perché mio padre s'era messo con le braccia conserte come un commissario di polizia.

«Firma!»

E così accettò il suo primo vero lavoro, regolarmente retribuito. Fotografò una nuova linea di scarpe per uno showroom in centro. Sandali simili a coturni, con stringhe argentate tempestate di cristalli che Diego infilò ai piedi sofferti di una ballerina della scuola di Pina Bausch. La fece danzare completamente nuda con i sandali ai piedi in una fabbrica dismessa, tra vetri rotti ed erbacce, rotolò in terra accanto a quel corpo drammatico che gli volava sopra come un uccello moribondo. Il contrasto tra quella figura scheletrica, l'arco delle costole buttate all'indietro, una gamba piegata come una zampa, e quei sandali barocchi era spiazzante. Erano scatti all'apparenza imprecisi, fuori fuoco, deformati dal grandangolo, macchie in movimento, come se sulle immagini fosse stata buttata una secchiata d'acqua. L'oggetto pubblicizzato si vedeva a malapena, si scorgeva una stringa slacciata, una suola metallica. Eppure il lusso di quei sandali maltrattato, scaraventato nel sudicio di quell'hangar, nella nudità di quel corpo sofferto, aveva qualcosa di oltraggioso che piacque al giovane produttore di scarpe.

Le foto vennero esposte in una lunga galleria dello showroom, una dietro l'altra, come fotogrammi di un unico salto. Diego ricevette un bell'assegno e io un paio di quei sandali immettibili in regalo.

Mi invitò a cena in un ristorante con due stelle Michelin. Io indossavo il mio vestito nero. Lui s'era comprato al mercato dell'usato di via Sannio uno smoking americano anni Quaranta, di due taglie più grande. Aveva rigirato i polsini, gli usciva un pezzo di fodera. Ci sedemmo in quel ristorante come una coppia regale, mangiammo cacatine di lusso, budini salati, carne ripiena di gelato. Brindammo a tutto.

Cosa ricordo di quel giorno?

Cosa ricordo di quel giorno? Aveva piovuto tutta la notte, scrosci violenti avevano bersagliato i vetri delle finestre, i tuoni ci avevano svegliato più volte. Al mattino la città era macera d'acqua, il cielo una lastra grigia, incombente.

«Andrai a fotografare qualche pozzanghera?» avevo chiesto a Diego uscendo di casa. Aveva scosso la testa, doveva rinunciare a quella festa d'acqua, aveva un lavoro da consegnare, sarebbe rimasto quasi tutto il giorno chiuso in camera oscura. Papà era già arrivato, aveva portato dei kiwi, s'era messo a sbucciarli in cucina. Erano una novità recente, quei frutti pelosi come scimmie fuori e verdissimi dentro. Papà aveva detto che erano un concentrato di vitamina C e insisteva che ci avrebbero dato forza.

Il kiwi lo vomitai nel cestino della carta accanto alla mia postazione, un coagulo verde come fiele mi gonfiò la bocca.

In pausa uscii, mi sentivo meglio, la pioggia era cessata. Non avevo fame, entrai in un negozio di dischi, volevo fare un regalo a Diego, una vecchia compilation dei Doors che gli piaceva. Alla cassa mi accorsi che avevo nel portafogli solo i soldi giusti per l'album. Fu lì che decisi, e non so perché. Aspettavo che altra gente davanti a me pagasse, divenni inquieta, dal cappotto imbottito risalì una folata di calore che mi scottò le guance. Un gomito mi aveva toccato per sbaglio il seno... mi ero riparata con tutte e due le mani. Se avessi preso il disco dei Doors, non avrei potuto comprare altro. Ancora non sapevo esattamente cosa andavo farneticando, il pensiero si componeva in quel momento, una sensazione che risaliva dal profondo del corpo. Guardavo le gigantografie appese al muro sopra la cassa, quella di Joan Baez accanto a quella di Jimi Hendrix avvolto in una nube di fumo... mollai i Doors e uscii. Feci pochi passi e m'infilai in una farmacia. Aspettai che il cliente davanti a me si allontanasse e feci la mia richiesta in fretta, in un sussurro sporco di raucedine.

Un test di gravidanza, per favore.

La farmacista tornò con la sua crocetta rossa e oro attaccata al camice e una confezione oblunga, di colore azzurro chiaro. I soldi mi caddero a terra, mi chinai per riprenderli... sorrisi senza gioia, disperata.

Disperata che potesse non essere vero.

Camminai verso un McDonald's qualunque. Il più prossimo possibile. Feci il test nel cesso, spalle contro la porta. Lessi le istruzioni in quel buio che c'era. Infilai lo stick sotto il getto, rimasi in attesa.

Vidi l'urina che s'allargava nel talloncino al centro dello stick... c'era tutta quella pioggia fuori. Aveva piovuto per due giorni. Le fondamenta della città erano imbevute d'acqua.

La striscia di conferma comparve accanto all'altra, prima chiarissima, poi di un blu più netto. Ero incinta.

Facevamo l'amore senza nessuna precauzione da più di un anno e non era ancora successo. Avevo quasi trentaquattro anni. Ogni giorno scoprivo addosso a me piccoli detriti del tempo che passava. Mi tiravo su i capelli, mi truccavo, ero ancora bella, forse più che da ragazza, ma avanzavo in bilico, sfacciata e palpitante. Ed era quell'incertezza a rendermi più umana. Pochi mesi prima, in un giorno qualunque, nello specchio di un ascensore avevo visto i mille versi che le piccole rughe appena visibili avrebbero preso, come baffi, come riccioli capricciosi, rimaneggiando i miei lineamenti. E avevo capito che l'epicentro dell'esplosione è un cruccio che parte da dentro e da dentro ci caria. Da lì partono le crepe, come un vetro che si frantuma e resta in piedi. Non s'invecchia giorno dopo giorno, s'invecchia di colpo, di un nodo amaro. Una scintilla guasta che ci folgora, ci insudicia... sparge amarezza sul nostro viso.

Quel desiderio fermo, inconfessato, si sciolse guardando il trattino blu nella bacchetta bianca. Ora il tempo era libero di cadermi addosso, di invecchiarmi, perché l'epicentro da cui quella vecchiaia aveva avuto inizio non sarebbe stato un rammarico, ma anzi un dono... e allora tutto sarebbe stato gentile. Sarebbe stato un volto di madre, il mio, che gli anni avrebbero crepato nel verso buono della fecondità, dell'amore che passa, si annida in un testimone.

Rimisi il cappuccio alla bacchetta e me la infilai in tasca. Uscii allo scoperto e davvero guardai il cielo, era una pozzanghera tetra ancora piena di umido, di nuvole basse e scure come un fumo denso. Mi fermai a una cabina per telefonare a Diego.

«Cosa fai? Che cosa stai facendo?»

Mi disse che doveva uscire, aveva un appuntamento con un gallerista per un lavoro. Sentì il rumore del traffico, mi chiese come mai non fossi in redazione.

«Avevo voglia di fare due passi...»

«Piove ancora?»

«No...»

Decisi di non dire nulla, non al telefono... in mezzo a quel traffico che ronzava. Avrei aspettato il ritorno a casa, quando avremmo potuto stringerci e commuoverci in santa pace, al riparo da tutto. Tornai in redazione, non feci nulla, finsi di lavorare, rimasi lì a fissare lo schermo del computer. Non ero in grado di concentrarmi su nulla.

Diego era scalzo, suonava il piano. Girai la chiave e lo trovai lì, le lunghe mani fuori dal suo pullover sbrindellato.

Ecco la musica! Ecco quel piccolo concerto d'amore che sempre in quegli anni s'era rinnovato... note su note, incessanti, che si frantumavano addosso a quei muri, nella grancassa di quella casa mite. Sprofondai lentamente nella poltrona alle sue spalle e rimasi in ascolto finché lui si fermò per mettersi un dito nel naso, come un bambino.

Continuai la sinfonia io, fischiando, io che sono stonata. Si voltò.

«Amore... sei tornata...»

Eravamo stanchi. Erano mesi che eravamo stanchi, asse-diati dalle frattaglie quotidiane, da quell'uscire e rientrare da casa, in quella città sempre più dispotica.

M'avvicinai.

Rimase a guardarmi, forse percepì quel ricovero di pensieri densi.

Gli diedi la barretta del test.

Tieni, padre, ecco la prima fotografia di tuo figlio. E scusa se non sei stato tu a farla.

Si tolse il golf, se lo strappò dal corpo... strappava quel dolore remoto per riempirsi di gioia. Cominciò ad agitarsi per casa a torso nudo, a darsi le botte sul petto come uno scimpanzé che ha vinto. Divenne petulante come un marito... dovevo stare attenta, dovevo riguardarmi. Perché non gli avevo telefonato? Sarebbe venuto a prendermi, ero stata avventata a muovermi in motorino con tutte quelle buche! Andò in cucina, tornò con una bottiglia di vino scuro e due bicchieri. Io non avevo voglia di alcol, bevvi pochi sorsi. Rimasi a guardarlo mentre si ubriacava. Poi prese la bottiglia vuota e cominciò a cullarla come fosse un neonato.

«Pietro» disse. Pietro... Era il nome che avevamo sempre immaginato per un figlio.

«E se è femmina?»

«Pietra.»

Risi, stanca, spossata da quella gioia che illuminava tutto. Era una sera mite... una domestica sera di città in un appartamento, i termosifoni erano accesi, Diego puzzava di vino.

Gli dissi che volevo fare un bagno, aprì il rubinetto. Rimase a toccare quell'acqua che saliva nella vasca. Lo stick nell'altra mano.

«Sei sicura che questo coso funzioni?»

Chiamai la mia ginecologa. Mi disse di andare a fare un prelievo la mattina dopo per controllare la quantità di Beta Hcg presente nel sangue.

Diego s'infilò nella vasca insieme a me, fece traboccare l'acqua, rattrappì le gambe.

«Non mi vuoi?»

«Sì che ti voglio.»

Avevamo spento la luce, una candela gocciava sul bordo della vasca accanto alla saponetta. Restammo lì in quella schiumetta evanescente, in quella luce morbida che cancellava i contorni di quella vasca comune, di quelle piccole mattonelle diamantate... immersi in un benessere totale. La vita ci aveva dolcemente trascinati fin lì. Quella era la diga dove tutto confluiva, quella pozza calma, stagnante di noi, dei nostri piccoli movimenti sommersi. Ci cercammo le mani, incrociammo le dita con le dita dell'altro, come quelle cellule laggiù che si abbracciavano, si raggrumavano indifese.

«Lo amo già...»

Sprofondò nell'acqua, tornò su. I riccioli bagnati, incollati alla testa piccola, e quelle orecchie grandi e piatte come razze.

Ero certa che gli avrebbe somigliato.

Ci addormentammo così, caldi di quel bagno. Sprofondammo sotto le coperte, ancora mezzi bagnati. Mi svegliò la musica, era Diego al pianoforte.

Pensai alla galleria di fotografie appese alle pareti... tutti quei piedi ignoti. Adesso mi sembravano in marcia, camminavano verso di noi nel corridoio ancora sommerso dal buio. Immaginavo che buttassero via scarpe, stivali, tristezza e si mettessero a ballare dietro quelle note per festeggiare insieme a noi.

Arrivò l'odore del caffè. Diego era in cucina, raggiunsi la sua mano, il suo torace. Ci vestimmo e uscimmo, spinti dalla voglia di approfittare di quel silenzio, di quella notte che si dilatava come una lunga vigilia.

L'alba venne fuori dal buio con il suo blu, la notte si rattrappì. Il bar tirò su la saracinesca. La gente del mercato cominciò a muoversi intorno ai banchi. Mi sembrò una vacanza, una gita. Aspettavamo che il laboratorio di analisi aprisse, entrammo nel bar, attendemmo che la macchina del caffè si scaldasse un po'.

Mi sollevai la manica del golf, mi strinsero il laccio di

gomma sul braccio, spostai lo sguardo per non vedere la siringa che succhiava il sangue.

Le prime donne trafficavano tra i banchi del mercato con i loro carrelli della spesa. Noi camminavamo abbracciati con quel segreto che ci pascolava dentro.

«Compriamo qualcosa? Un po' di broccoli?»

Era una bella cassa verde, di ciuffi appena raccolti, spruzzati di rugiada.

«Massì, prendiamo i broccoletti...»

E poi qualche banana... e un mazzo di ravanelli. Ci chiudemmo in casa. A mezzogiorno Diego mise i broccoletti nella padella, li mangiammo direttamente da lì, una forchetta io e una lui, pucciando pezzi di pane che diventavano subito verdi.

Poi Diego tornò al laboratorio di analisi per prendere i risultati.

Lo aspettai alla finestra, in mutande con un suo golf addosso. Lui guardò su, sventagliò la busta con il risultato. Sorrise con la sua bocca piena di denti giovani.

Telefonai alla mia ginecologa. Mi disse che era tutto a posto, il livello di Hcg era ancora un po' basso, ma nella norma, visto che la gravidanza era appena iniziata.

Trascorsero giorni di pace sazia. Diego mi chiamava continuamente in redazione, voleva sapere come stavo, se avevo mangiato, se erano in troppi a fumare in quella stanza. Io resistevo nelle mie abitudini, giravo in motorino, mangiavo in piedi nei bar.

Diego posava l'orecchio sulla mia pancia. Solo l'orecchio, perché non voleva pesarmi con la testa. Se ne restava lì, in quella posizione reclinata, un po' scomoda, in ascolto, con una faccia trasognata, quasi ebete.

Quando lo dicemmo ai miei genitori, non riuscirono a pronunciare una sola parola. Vidi i loro occhi cambiare, farsi docili e molli... istintivamente mio padre cercò la mano di mia madre. Non vedevo quel gesto da anni. Poi mia madre disse: «Pensavamo che non li voleste... che tu, Gemma, non volessi...».

«E perché?»

«Perché io sono stata... così... troppo apprensiva.»

Mio padre smise di fumare, cominciò a fare jogging la mattina. Si presentava in tuta a raccogliere Diego, che lo seguiva fiacco, assonnato, con un paio di vecchie Superga senza nemmeno i lacci.

Mi sembrava davvero un miracolo... accogliere quella burrasca di cellule nella fermità del mio corpo. Era come aver ingoiato il mondo intero. Camminavo di colpo rallentata, immersa in una molle foresta lagunare, dove la vita ramificava sommersa come radici albine nel silenzio di un pantano. In redazione mi davano fastidio i rumori, lo squillo continuo dei telefoni, i colleghi che all'improvviso mi sembrava parlassero troppo forte, fossero tutti esagitati. Me ne stavo zitta nella mia postazione, sprofondata dietro una trincea di faldoni e scartoffie. Ferma nella cesura che s'era creata tra me e il mondo intorno, come una piccola talpa immersa nel suo solco sotterraneo. Quando Diego veniva a prendermi m'aggrappavo al suo corpo magro. Mi dava la mano, la teneva al caldo nella sua tasca. Ci fermavamo a guardare le vetrine di un negozio d'infanzia. Io ero curiosa, melensa e in affanno, scrutavo quel mondo a me ignoto di minutaglia. Però volevo andarmene, mi saliva una strana inquietudine. Diego mi portava davanti alla vetrina di una friggitoria carica di pomi di riso rosolati dall'olio...

«Ci mangiamo un arancino?»

Io davo due morsi e avevo già il voltastomaco, lui mangiava anche per me, la bocca gonfia di riso, di felicità.

Fu il tempo bianco dell'attesa, dei sogni che s'allungano in una lunga veglia. Se chiudevo gli occhi vedevo quei cerchi evanescenti che si vedono al sole, quando i raggi pesano sulle palpebre, e cala una stanchezza solenne, da ozio estivo.

Poi venne il serpente. Attraversò il bianco con il suo manto squamato, lasciandosi dietro l'alone unto di quel passaggio.

Un giorno entrammo in un parco. I piedi di Diego accanto ai miei sul fogliame rosso, in alto il cielo sporco di fronde, intorno quell'odore di vegetazione e di piscio di cani. Era una giornata magnifica. Il serpente lo vidi soltanto io, una innocua biscia di fiume, mi passò su una scarpa. Era davvero anomalo che fosse lì, in quel parco cittadino infestato di musi di cani. Fu un attimo, lasciò la terra del viottolo per infilarsi nel verde sotto i cespugli.

«Lo hai visto?»

No, lui non l'aveva visto. Si chinò sul cespuglio, raccolse un pezzo di legno e tramestò in quei ramoscelli, ma niente, la biscia non era più lì. Ce lo lasciammo indietro, quel serpente, io finsi di non pensarci.

Era la prima ecografia, eravamo al buio nella piccola stanza di quell'ambulatorio medico. Il gel sulla pancia faceva freddo, aveva la consistenza di una scia sgradevole. Il medico muoveva il suo strumento, facendolo scivolare in quel mollume. Pensai di nuovo al serpente. A quello schifoso esserino che mi era scivolato su un piede. Il volto del medico era immoto. Spingeva lo strumento in basso, proprio accanto ai miei peli. L'embrione c'era, un puntino nero nel magma dell'utero, ma il battito no... mancava quell'intermittenza bianca. Quel rumore come un cavallo al galoppo di cui parlava il libro. Il medico mi guardò, mi chiese se volevo fare un'ecografia vaginale. Annuii senza sapere a cosa esattamente acconsentivo. Volevo solo una cosa, volevo sentire il cuore. Diego era lì... i suoi occhi da stambecco in attesa, appesi al monitor, alla bocca stitica del medico. La sonda entrò nel mio corpo, scavò. Tornò fuori con il suo guantino di cellophane e il suo gel, tornò fuori come un mero strumento medico, di sfinimento, di tortura.

Il battito non c'era.

«Forse è ancora presto» disse il medico. «Forse vi siete sbagliati, l'avete concepito più tardi di quello che credete.» Riempì la scheda, ci disse di ripetere l'esame non prima d'una settimana, fece entrare l'altra donna in attesa... una donna con un ventre grosso di almeno sette mesi.

Riparammo in un bar. Ordinammo due tè, due talloncini di carta fuori da un bricco di metallo. C'era un odore di piastre sporche, di unto freddo. E una bolgia di ragazzi che festeggiavano qualcosa... Diego aveva un sorriso che era lì per consolarmi e invece non riusciva a consolare nemmeno lui stesso. Un lampo amaro gli attraversava gli occhi buoni. Mi teneva la mano sul tavolo sporco, la copriva con la sua, come una tenda, quasi volesse soffocare lì sotto tutti i miei pensieri.

«Il serpente» dissi. «Quel cazzo di serpente...»

Buttammo giù quel tè cattivo, fatto con l'acqua della macchina del caffè, con un retrogusto chimico di detersivo. Diego si alzò, tornò mordendo un occhio di bue, il mento sporco di zucchero a velo. Mi fece il solletico, mi infilò quella pasta in bocca, mi disse di mordere, di mangiare.

«È tutto a posto, vedrai.»

Ripetemmo l'esame dell'Hcg il giorno dopo. Mi bucarono il braccio. Guardai dall'altra parte, la parete, il barattolo dell'alcol sul carrello metallico accanto ai ciuffetti di cotone. Uscimmo dall'ambulatorio. Gente litigava, povera gente che puzzava di autobus gremiti, gente con il ticket del numero in mano, bocche piene di amarezza. Ci infilammo in un bar migliore. Facemmo colazione in piedi accanto al bancone. Un tizio entrò, robusto, ciarliero. Conosceva Diego, era un pubblicitario, uno di quelli che gli dava lavoro. Lo abbracciò, cominciò a parlargli fitto di un progetto. Era un po' invadente, un tipo rumoroso, gracidante di vita. Noi sembravamo due lemuri... due poveri fantasmi appoggiati sulla terra per sbaglio. Vidi Diego ridere eccessivamente per farsi coraggio. Mi presentò, allungai la mia manina ossuta. Tornammo a casa. Più tardi Diego scese a prendere i risultati delle analisi. Dalla finestra lo vidi tornare... attraversava la strada del mercato tra i banchi che smontavano. Il volto teso, quella busta in mano. L'aprimmo insieme sul divano. Chiamai la ginecologa. Il livello di Hcg era troppo basso.

Persi il bambino due giorni dopo. Ero in redazione,

sentii quel fiotto tra le gambe, mi alzai piena di spavento. Mi tirai giù i collant e il resto, in quel cesso minuscolo con le mensole stipate di risme di carta e di scatole di penne. C'era quel piccolo pantano di sangue e coaguli che continuava a colare... mi tamponai con le salviette di carta per le mani... mi tenni in piedi... allucinata, sghemba. Intanto mi guardavo in quel mozzicone di specchio appeso alla parete, vedevo un viso alterato. Ero spaventata e lucida come un assassino appena battezzato tale da un raptus improvviso, da una circostanza sfortunata... tentavo di ripulire le prove, acqua rosa scorreva nel lavandino, nel bidet.

Mi misi un malloppo di carta da mani tra le gambe, mi appoggiai alla porta in attesa che l'emorragia si fermasse. Il sangue attraversò la carta in un attimo, sfilai via quel pacco molle di un rosso incredibilmente acceso e misi altra carta. Non avevo mai visto tanto sangue in vita mia.

«Vienimi a prendere.»

«È successo qualcosa?»

«Vienimi a prendere...»

Lo aspettai fuori, seduta sul gradino al posto di quel barbone che stazionava sempre lì e che adesso se n'era già andato. Diego arrivò correndo, sentii i suoi passi come schiaffi sul selciato. Mi buttai addosso a lui con la bocca aperta. Affogai nella sua giacca...

L'ho perso. L'ho perso. L'ho perso.

All'ospedale trovammo un clima tranquillo, infermieri che fumavano incollati a una radio che trasmetteva una partita di coppa, una luce calda... un palazzo antico del centro. Larghe scale di marmo scure di passi. Mancava poco a Natale, la gente era in giro per regali, anche l'ospedale sembrava semideserto. Non piangevo più, gocciavo come un cielo stanco.

Mi visitarono, mi fecero un'ecografia. Mi passarono un lungo pezzo di carta per pulirmi la pancia dal gel. Il medico di turno sorrise. Era un uomo robusto, con una voce accesa da venditore ambulante.

Mi disse che ero stata fortunata, che l'emorragia mi aveva salvato da un raschiamento. In quanto al resto... non si trattava nemmeno di un vero e proprio aborto.

«Sono ovuli ciechi» disse, «il corpo se ne libera naturalmente.»

Ero giovane, avrei potuto ritentare una nuova gravidanza quasi subito.

«Sono episodi molto frequenti.»

Ce ne tornammo a casa così, a mani vuote, a pancia vuota... confortati dalle parole di quel medico esperto. Non c'era da fare drammi, solo da andare avanti. Accendemmo le luci di casa e andammo incontro a quella serataccia. Diego aprì l'ennesima bottiglia di vino, la più buona che avevamo in casa. Voleva scacciare via quel fango. Si portò il turacciolo al naso, lo odorò, disse *cazzo che vino*. Ci consolammo così, con un bicchiere di vino rosso cupo. Era andata così, pazienza. Il vino era buono davvero, mosto che scaldava. Non era niente quel bambino, se n'era andato tra i coaguli, senza un corpo visibile... solo un misero spurgo. Una morte senza bara, senza funerale. Un lutto che non avremmo dovuto avere.

Prendemmo il libro dell'attesa e cercammo nel piccolo dizionario in fondo *ovulo cieco*. Non c'era. Richiudemmo il libro, lo scaraventammo in un angolo. Diego cercò di farmi ridere. Tornò con una benda sugli occhi, mi si strofinò addosso cercandomi a tentoni.

«Eccomi, sono io... sono il tuo ovulo cieco.» Però la luce della lampada illuminava la sua tristezza.

«Vuol dire che non era lui nostro figlio. I figli che devono venire vengono, stai tranquilla.»

Non ne parlammo più. Mi iscrissi in palestra. Lì, il mio corpo asciutto era un privilegio, una condizione necessaria. Non ero affatto sicura di volerci riprovare.

Fummo tristi per un po', poi ci abituammo, riprendemmo i nostri ritmi. Il fumo dei brutti pensieri si diradò. I giorni passavano in quella casa. Passavano sulle scale di marmo, sul pianoforte chiuso, sulla mia sciarpa appesa all'ingresso accanto al suo giubbotto da motociclista. Era di nuovo quella vita docile, fatta di piccole cose. Ma anche di miracoli. Come quel giorno quando lo incontrai per caso.

Passo sul Lungotevere con il motorino, mi fermo a un semaforo con il solito volto teso nel traffico, nel bailamme della vita ordinaria, e lo vedo. Cammina, attraversa la strada con la sua borsa troppo pesante che gli sta rovinando una spalla. Gli suono, si volta ma non mi vede, affretta il passo sulle strisce. Allora accosto, lascio passare il fiume delle macchine. Lo seguo per un po' a passo d'uomo, al suo passo. Poi lo chiamo.

«Diego...»

Si volta, mi riconosce, molla la borsa per venirmi ad abbracciare.

«Ti stavo pensando!» urla. «Ti stavo pensando e tu arrivi...»

Mi stringe, ci siamo lasciati poche ore fa al mattino, ma è come se non ci vedessimo da mesi... è una sorpresa, un regalo.

Camminiamo un po' sul Lungotevere, mano nella mano come due turisti. Non sono stati giorni buoni gli ultimi, le sue cure non mi sono bastate. Ho una ruga di perplessità sulla fronte che non mi lascia più. Il mio lavoro non mi soddisfa, il mio carattere è sempre quello, un tiepido aguzzino. Galleggio nel mondo senza ottimismo, con gli occhi pieni di domande. Quel bambino perso è lontano da me, scacciato in fretta... però forse è lì, su quella ruga.

È bello incontrarsi per caso in un giorno qualunque. Stringo le sue mani e non voglio più lasciarle. I suoi occhi mi risarciscono di tutto.

«Dove andavi?» gli chiedo.

«Da nessuna parte. Tornavo a casa, da te.»

«Amore mio.»

«Amore mio.»

«Non devi mai essere triste...»

«Io vivo solo per te.»

Una macchina passa, sbanda, ci sfiora... potrebbe finire così, per sbaglio, in un attimo.

Scendiamo sul lungofiume, laggiù in quella riva lurida che ci piace tanto, che ci ha visto piccoli e stupidi. Ci ha visto ballare nudi abbracciati, con i Rem che ci cullavano.

Dove sarà la nostra chiatta? Dove sono quelle piccole rondini ritardatarie che si fermavano a bere? Quaggiù si cammina incuranti di tutto, la città è in cima al grande muro di mattoni neri, quaggiù c'è solo il solco poderoso di quest'acqua greve che porta via.

Facciamo l'amore, quella notte... il tramonto sul fiume lo abbiamo lasciato laggiù, insieme a quell'odore di marana e di ricordi. Siamo risaliti in città. È lì che viviamo ormai, nella metropoli che certe volte ci deruba, ci scarnifica, riduce le nostre vite a fili fragili. Risaliamo abbracciati... potevamo far l'amore lì sotto. Buttarci in quel fango, o in quel cesso. Ma io non ho quel coraggio, ho freddo, forse comincio a invecchiare.

Tu ancora ami il mio cuore?

Sempre. Sempre te per sempre.

Non pensi che sono cambiata, che sono peggiore? Pavida, gretta, stretta ai miei golfini, ai miei passi rachitici.

Penso che profumi di un odore che mi piacerà sempre.

Facciamo l'amore nel nostro letto. Ed è la prima volta dopo mesi che la speranza torna in mezzo a noi, con il suo piccolo languore, la sua lingua guizzante. Lecca e ripulisce.

Il bambino lo vedo più volte... sempre lui, sempre lo stesso. Eppure il suo volto non lo ricordo, non mi appare mai per intero. Sta lì fermo in fondo a una stazione, le gambe piccole che dondolano oltre le grate di legno di una vecchia panchina. Il bambino è laggiù, come un piccolo ferroviere con la sua lanterna nella nebbia che dice ai treni di partire, di far presto.

Partimmo anche noi, andammo a Parigi. Al Centre National de la Photographie c'era una mostra di Joseph Koudelka che Diego voleva vedere. Guardammo l'uccello capovolto appeso al filo, l'angelo sul somaro. Uscimmo tramortiti, silenziosi. Ci fermammo a mangiare oeuf à la neige seduti all'aperto davanti al Beaubourg, fissando il grande orologio digitale che scandiva i secondi che ci dividevano dal Capodanno del Duemila. Quella mostra di zingari in cammino, quel vento ci avevano fatto venire voglia di mollare tutto, di lasciare Roma e di metterci in viaggio. Era un pensiero che ogni tanto ci friggeva nel cuore. Che senso aveva vivere a Roma, una città dove non avevamo veri amici, dove per sentirci noi stessi dovevamo scendere in basso e camminare accanto a quel fiume sporco, che ci sembrava l'unico muscolo ancora vivo?

Comprai il test di gravidanza al ritorno, all'aeroporto. Non dissi nulla a Diego, mi allontanai e tornai con un pacchetto di gomme e un tubetto di aspirine francesi. Maltrattai quel pensiero. Aprii la valigia, misi in lavatrice le cose sporche. Lasciai il test nella borsa fino a sera, fino a dimenticarmene per davvero.

Attesi il silenzio notturno della casa, le strade che si svuotavano. Voci lontane di persone uscite da un ristorante, rimaste a chiacchierare accanto a una macchina parcheggiata. Andai in bagno, misi lo stick sotto il getto dell'urina. Richiusi il cappuccio, lasciai lo stick sul bordo della vasca. Attesi senza guardare. Mi struccai, mi lavai i denti. Mi voltai a guardare. Ero di nuovo incinta.

Fu una gioia fredda. Ora ero un'esperta, conoscevo le analisi da fare, i valori dei livelli ormonali, ora potevo guardare al mio stato con occhio scientifico. Non volevo sprofondare dentro di me. La voce di quel bisogno cominciava a essere troppo forte.

Non lo dicemmo a nessuno. Camminammo per giorni con quell'attesa ferma nel nodo delle nostre mani. Fingemmo di vivere.

Il primo dosaggio ormonale andò bene.

Aspettammo a fare l'ecografia. Poi un giorno andammo. Il battito non c'era. La sonda lo cercò inutilmente, pigiando sulla mia carne con forza. La stanza rimase buia, senza nessun cuore.

Il medico accese il faretto sullo scrittoio, prese i suoi fogli, la sua penna.

«Forse è ancora presto... forse vi siete sbagliati sulla data del concepimento.»

Non c'eravamo sbagliati, non avevamo più fatto l'amore per non disturbare quelle cellule.

Tornai a casa inerte. Mi buttai a letto, mi tirai su le coperte fin sopra la testa, mi rinchiusi nel buio...

Voglio dormire, lasciami dormire.

Buttai le scarpe, mi strappai i vestiti... vaffanculo, vaffanculo a tutti e a tutto. Un altro ovulo cieco, un altro embrione appassito, un altro ragno senza cuore. Guardavo i tagli del vecchio parquet... dov'era rintanata quella disgrazia?

Stavolta mi toccò il raschiamento.

Diego mi seguì fino alla porta di vetro opaco, camminò appresso alla lettiga, senza mai lasciarmi la mano.

Ero più serena, avevo accettato quel torto. Diego era pallido, parlava a voce troppo alta, scherzava con l'infermiere che mi trasportava.

«Ti aspetto, piccina... sono qui, non mi muovo... sono qui.»

Mi carezzò i capelli con una mano pesante e ferma. Mi guardò con troppa intensità. Gli occhi di un colore diverso, più scuri... le pupille dilatate si erano divorate il resto.

Poi mi disse che si era fatto uno spinello. Mentre aspettava scese a piano terra, s'infilò nella cappella dell'ospedale e si sedette sotto la luce al neon davanti al corpo di una Madonna di plastica. Lui e una suora soltanto, seduti vicino per un po'. Non si ricordava nemmeno una preghiera e la suora lo aveva aiutato con un'*Ave Maria*.

Uscii con gli occhi aperti.

«Io non voglio più vederti soffrire, amore mio.»

Passarono mesi, uno accanto all'altro, inutili come vagoni morti.

Mi comprai nuovi vestiti. Un paio di stivali aderenti come guanti e un cappotto a redingote con una cinta alta stretta sulla vita troppo magra. La mia testa sembrava più piccola. Mi ero tagliata i capelli, volevo sentirmi il cranio. I miei occhi s'affacciavano da tutto quell'ammasso di tessuti scuri e pesanti, come quelli di un animale... la ferita nascosta nel pelo luccicante.

Diego mi guardò quasi impaurito, gli piacevano così tanto i miei capelli. Disse che ero sempre bella, che i lineamenti risaltavano di più. Si ritrovò accanto un'altra donna, una piccola volpe dal viso ossuto e lunghi occhi fermi, imperscrutabili.

Non volevo parlarne.

Intanto il lavoro di Diego andava. Adesso di mattina insegnava in un'accademia privata di fotografia. Usciva prima di me per arrivare in tempo alla lezione delle otto e trenta. I suoi studenti lo idolatravano, gli brancolavano dietro come adepti. Se la luce era giusta, li portava a fotografare all'aperto, lontano dagli studi di posa che detestava. Gruppi di motorini si spostavano per la città, dai parchi del centro fino alle bilance dei pescatori alla foce del Tevere. Gli studenti lo imitavano, si buttavano in terra insieme a lui e catturavano immagini capovolte, sbieche. Le studentesse gli facevano il filo, molte erano carine, di un'eccentricità un po' ostentata. Qualche volta nella pausa di pranzo prendevo il motorino e lo aspettavo per mangiare un panino insieme. Lo vedevo attardarsi, sorridere... Mi avvicinavo con il mio muso da volpe.

«Carina quella...»

Annuiva senza convinzione, senza interesse. Era uno che non guardava le donne. Anche seduti in quel bar, con le studentesse che mangiavano accanto a noi, che si rollavano una canna, lui guardava i cani che passavano. Gli piacevano quelli da caccia, con le orecchie larghe, i musi sottili e quei manti maculati a pelo raso.

Ma io non volevo prendere un cane, accampavo scuse, quelle canoniche, che bisognava portarlo fuori, che non saremmo più stati liberi di partire, di uscire e tornare senza orari come eravamo abituati a fare. In realtà non volevo cedere all'idea che insieme cominciavamo a essere un po' tristi, che avevamo bisogno di un altro essere vivente che invadesse il silenzio della casa, dei pensieri che io facevo da sola... che lui faceva da solo. Il pensiero di quel figlio che non era venuto.

La coda di quel 1989 la ricordo bene. Successero tre cose. Cadde il Muro di Berlino, morì Samuel Beckett, magro come cartone, e lo stesso giorno se ne andò anche Annamaria Alfani, mia madre. Una morte incerta come tutta la sua vita. Una mattina cominciò a riempirsi di ematomi. Diventò pallida come una candela, mentre sulle gambe e sulla pancia le affioravano delle chiazze scure.

Non fu una lunga malattia, non riuscii a fare per lei praticamente nulla. L'unica cosa che mi chiedeva era lo stracchino, ne aveva voglia. Così all'ora di pranzo uscivo dalla redazione, passavo in quella gastronomia preziosa e correvo da lei. La imboccavo con un cucchiaino, le pulivo la bocca. Mi toglievo le scarpe e guardavo un po' la televisione stesa accanto a lei, sul letto. C'era il quiz dei fagioli, bisognava indovinare quanti ce n'erano nel barattolo di vetro. Un giorno mia madre disse tremilasettecentoventitré e indovinò. Guardò la sua fine con gli stessi occhi con cui guardava lo schermo del televisore. Senza un vero interesse, pensando a qualcos'altro. Fu un esempio.

Si staccò serenamente, si portò le mani sul corpo, le congiunse da sola. Era una delle sue posizioni preferite, stava spesso così, con le mani una sull'altra.

Mio padre dimagrì, raggiunse le ossa. Lo invitavo a cena, ma lui non voleva venire. Così andavo io a cucinargli, provavo a fare le polpettine fritte di Annamaria. Armando si piazzava davanti alle mattonelle della cucina e restava lì senza toccare quasi nulla.

Gojko si tira la giacca sulla testa, piove di nuovo. Attraversa la strada per comprarsi le sigarette. Ne accende una sotto l'acqua, la fuma anche se è bagnata, la butta a metà perché s'è spenta. Si gira verso di me, vedo il suo viso con i capelli incollati sulla fronte e quella giacca sopra la testa come un manto, sembra una donna, sembra sua madre.

Siamo usciti dalla galleria d'arte. Stiamo camminando verso il ristorante, insieme a un piccolo gruppo di persone. Ho paura del mio cuore, della mano del dolore, ferma lì.

Vorrei che Gojko non si voltasse più a cercarmi, che mi lasciasse scomparire. Mi fermo accanto a una vetrina di piccoli gioielli. Guardo una spilla a forma di rosa in filigrana d'argento...

«Ti piace?»

Non m'ero accorta che Pietro fosse dietro di me. È qui, mi respira vicino, il suo fiato macchia il vetro della vetrina. Ha il cappuccio della felpa in testa, azzurro come i suoi occhi che stasera sembrano neri. Indica con il dito, al centro della vetrina, quella rosa posata su un misero cuscinetto di velluto.

«Ti piace?»

«Cosa, amore?»

«La spilla, lì... la rosa.»

Annuisco. «È bella, sì.»

Resto a respirare contro il vetro, contro quella rosa. Diego mi fece la stessa domanda, indicando una vetrina non lontana da questa, nello stesso mercato turco, una rosa in filigrana d'argento. Me l'appuntò sulla camicetta nel sottoscala di una birreria...

Pietro mi guarda... guarda che oscillo, come un'ubriaca.

«Sei stanca, ma'?»

«No... no...»

«È per le foto... vero?»

Mi volto verso mio figlio, verso il suo viso lungo e ossuto come quello di suo padre.

«Ti sono piaciute?»

Non risponde subito, dondola la testa, si morde un labbro.

«Fanno male, ma'...»

È la prima volta che mi sembra sincero dopo mesi, la prima volta che non c'è quella risatina ineffabile appostata dietro il viso teso.

Gli cerco la mano, gliela prendo, è fredda.

«Mi dispiace, Pietro.»

Vedo che inghiotte qualcosa, che la sua gola si muove nel buio.

«Era bravo Diego, era un grande.»

Guarda la vetrina, quella rosa nel suo cuscinetto.

«Io non gli somiglio, vero?»
«Sei uguale.»

«Ohi, piccina...», entra nella stanza e mi sorride.
È la sala d'aspetto di uno studio medico privato. Un acquario glaciale. Davanti a me c'è un divano vuoto, identico a quello dove sono seduta, di pelle color perla. Le finestre hanno infissi di ferro, da archeologia industriale, un grande quadro astratto occupa l'intera parete... macchie rosse, bolle di luce e sangue che navigano in un fondo scuro.

Diego è entrato, per fortuna. Non ho fatto altro che guardare verso la porta, leggermente piegata in avanti, le mani congiunte nelle gambe, tra la filanca delle calze. E adesso finalmente è arrivato, i capelli acciaccati, il suo viso magro che mi rincuora sempre.

«Sono in ritardo?»
Scuoto la testa... «No, anch'io sono arrivata da poco.»
Scende da me sul divano, mi bacia la guancia, ha il casco in mano, odora di lui, della città che ha attraversato in motocicletta.

Mi bacia, si toglie i guanti da moto. Sorrido di un piccolo sorriso racchio, teso. Lui mi strofina le spalle, mi scuote.

«Dovrò farmi un'altra sega?» ride.
Cerco di ridere anch'io.

Quando il genetista ha letto i risultati delle analisi di Diego, ha annuito soddisfatto, *fortunatamente suo marito ha una qualità spermatica eccellente, così dobbiamo concentrarci solo su di lei.*

Mi metto a piangere. Le solite lacrime, sul solito viso immoto, composto. Lui non dice niente, è abituato a quel pianto, è un copione che si ripete ogni volta, più o meno uguale.

«Vuoi che ce ne andiamo?»
Diego non fa che ripetermelo, *se deve diventare una tortura lasciamo perdere.* Sono io che insisto, io che prendo quegli appuntamenti.

«Da dove vieni?» gli chiedo.
«Dallo studio.»
«Devi tornarci?»
«Non ti preoccupare, aspettano.»

Ormai fa soltanto fotografie pubblicitarie. Asseconda il gusto dei committenti, non sporca più le immagini, fa quello che gli chiedono di fare, fotografie limpide come cristallo. Non è un lavoro creativo, per questo gli piace. Dice che mette il pilota automatico.

Abbiamo avuto bisogno di molti soldi per le cure. È passato un altro anno. Il più atroce della mia vita. L'anno dello sventramento, del castigo. Delle gambe larghe, dei divaricatori, degli aghi dentro.

Mi hanno iniettato ormoni per stimolare l'ovulazione, poi hanno succhiato gli ovuli per analizzarli. Sono imperfetti nella forma, gli acidi nucleici non sono messi nella giusta successione. Formo coaguli dove non dovrei. Ho fatto iniezioni di cortisone, di anticoagulanti, poi di nuovo stimolazioni ovariche. I miei ovuli sono migliorati. Ne hanno visto qualcuno decente, alla fine. Hanno centrifugato gli spermatozoi di Diego e abbiamo fatto la prima inseminazione autologa. Abbiamo fatto anche la seconda. La gravidanza è iniziata, il battito c'era. Dopo quindici giorni non c'era più. Una settimana più tardi sono caduta dal motorino, mi hanno messo cinque punti sotto il mento. Il genetista ha detto *c'è qualcosa che non mi convince.*

Allora mi hanno fatto una isteroscopia. Il genetista mi ha sorriso.

«Lei ha un setto nell'utero, lo sapeva?»

«Che cos'è?»

«È un pezzo di membrana che divide la cavità dell'utero e non permette l'annidamento dell'ovulo fecondato.»

Sono andata da, come si dice, il migliore. Era a Milano. Abbiamo preso il treno, l'albergo. Mi sono messa la tunica verde in una clinica privata. Mi hanno tolto il setto. Diego mi ha aiutato a camminare in quel corridoio laccato mentre zoppicavo con una mano in basso. Ci siamo affacciati alla nursery, abbiamo visto quell'orto bianco di testine nere. Eravamo al di qua del vetro, dell'acquario. Ci siamo stretti. Sono stata un panzer. Ho detto *voglio farcela e ce la farò.*

Ho ricominciato con le stimolazioni ovariche, con il Profasi 500 e il Pergonal 150. Mi sono gonfiata, ho cambiato umore, la mia libido si è infilata nell'Antartico. Ho seguito regole ferree, non ho più toccato una sigaretta. Ora sono qui in attesa del via per un'altra inseminazione.

Entriamo finalmente nella stanza, la larga stanza con lo scrittoio immenso di vetro brunito, il quadro che sembra di Burri, una delle sue ferite.

Il genetista è gentile, ha i suoi baffi, la sua carne da uomo di una volta... muove le mani. Gli guardo la fede, i ciuffi di peli neri sulle dita.

Mi avvio dietro la tenda, mi sollevo la gonna, apro le gambe. Lui accende il monitor, infila la cannula, scava. Aspetto.

È un uomo onesto, alla fine. Si tocca il cranio, apre una mano. Siamo di nuovo alla scrivania, io ho di nuovo il mio viso piccolo di volpe moribonda. Ci guarda, sposta i suoi occhi da Diego a me, scuote la testa, gli dispiace, dice, davvero, ma non è il caso di riprovare.

Nonostante gli ormoni, i miei ovuli sono pochissimi, meno della volta precedente. Ha tirato fuori una voce più acuta del solito, forse è la voce che fa quando è in difficoltà. Non posso rientrare in nessun programma di maternità assistita, non posso nemmeno pensare all'eventualità di ricevere un ovulo da una donatrice esterna, perché il mio utero è poco sviluppato, poco elastico... *è un utero invecchiato*, l'asportazione del setto ha lasciato una cicatrice esuberante. Succede, purtroppo, sono zone oscure, tessuti molli.

La voce troppo acuta dice: «Lei è incompatibile alla vita, ha una sterilità del novantasette per cento... una sterilità totale, secondo i nostri parametri».

Io annuisco, le mani strette in una piccola rosa di ossa, di pelle gialla.

Diego si alza, si strofina le mani sui jeans, poi si risiede.

«E quel tre per cento?»

Il professore stira la bocca...

«Miracoli...» sorride, «siamo in Italia, si lascia sempre una possibilità per i miracoli, non costa niente.»

Ci accompagna oltre la porta... fin dove non ci ha accompagnato mai, oltre la stanza delle segretarie, fino al portone d'ingresso. Dispiace anche a lui, è come un prete che scaccia due fedeli da una chiesa.

«Grazie...»

Non ha voluto una lira, questa volta, ci ha trascinato via, lontano dalle segretarie.

Scendiamo le scale, tocco la vernice lucida del corrimano. È un palazzo così bello, anni Quaranta, bianco e levigato come una nave.

Io non soffro più. Ho già sofferto. Forse mi sento addirittura sollevata. Non sarò mai una madre. Resterò per sempre una ragazza. Invecchierò così, asciutta e sola. Il mio corpo non si sformerà, non si moltiplicherà. Non ci sarà Dio. Non ci sarà raccolto. Non ci sarà Natale. Bisogna cercare nel mondo, nella sua aridità, nelle sue strettoie il senso della vita... in questi negozi, in questo traffico. Invecchierò così. Morta, ecco come mi sento. Serena, in pace, perché trapassata.

Il guado della vita è qui, in questa strada che attraverso con le mie gambe di sempre. C'è un cartello attaccato al mio petto, come al collo dei poveri, come le targhette dei cani. DONNA STERILE.

Spalanco le finestre. La casa mi sembra buia, forse i muri sono sporchi, anneriti dalla polvere che sale dalla strada. C'è una stanza vuota, in fondo. Ci stendiamo i panni nelle giornate di brutto tempo, è rimasta così, inutilizzata dai tempi dei lavori. Era la stanza destinata al bambino.

Anche il corridoio è lungo. Adatto a una palla, a un triciclo.

Cammino con il mio basco e il mio cappotto da gendarme sulle strade di sempre.

In redazione sono diventata più diffidente. Con le donne. Sanno che ho avuto delle difficoltà, ma non il resto.

Mentre aspettiamo che il caffè scenda nel bicchierino di plastica Viola mi dice che è incinta e io l'abbraccio. Sono abbastanza sincera. Quando il suo ventre tocca il mio ci diamo la scossa. Sorrido, forse è colpa dei vestiti, delle porcherie sintetiche con cui li fanno. Lei annuisce, s'accende una sigaretta. Ha già abortito due volte, stavolta vuole tenerselo. Ormai ha trentasette anni.

«Poi arriva la scadenza, come per lo yogurt.»

Più tardi, quando lei non può vedermi, guardo la sua pancia. Le voglio bene. È una di quelle persone un po' disastrate che si fanno voler bene per forza. Eppure adesso mi dà fastidio averla nella mia stessa stanza, mi sembra sciatta, stupida.

Traduco dall'inglese un articolo sull'impotenza maschile. Un uomo intervistato dice: «Se sei cieco puoi chiedere alla tua donna di farti vedere con i suoi occhi... se sei impotente, non puoi chiederle di farti fare l'amore...». Piango.

Ora il mondo è diviso in due. Io faccio parte della metà livida. Come le foreste bruciate, i mari soffocati dalle alghe, le donne di Chernobyl.

Diego viene a prendermi. Infilo il mio braccio sotto il suo, rigida, incerta. Questa città mi sembra all'improvviso piena di donne incinte. Prima non ci facevo caso, adesso mi paiono un esercito. Un impavido battaglione che marcia contro di me. Non le guardo quando mi passano accanto. Le scovo già da lontano con il fiuto di un cane. Con la coda dell'occhio spio Diego.

Vado dal parrucchiere, porgo le mani all'estetista. La guardo mentre mi leviga le unghie, mi toglie le pellicine. È un piacere fermo al mio corpo, sterile come il resto. La ragazza proletaria curva accanto a me in quel salone di bellezza ha un seno florido e un ventre fertile, scopa con il suo ragazzo, sta attenta a non restare incinta, butta figli nei preservativi... di sicuro è più felice di me. Le lascio una buona mancia, mi sorride con le sue labbra grosse, la sua pelle forte, i suoi occhi audaci. Forse la odio. Odio la fertilità dei poveri. Odio la donna somala che pulisce le scale del palazzo... certe volte porta con sé sua figlia. La bambina si mette in un angolo, segue la madre sui gradini, legge un giornaletto, oppure gioca in silenzio. Passo e sorrido a quel bacherozzo.

È Natale. Non ci va di restare a Roma, in questa cagnara di negozi e presepi. Andiamo in montagna, in un albergo che sembra fatto di marzapane. Facciamo le cure termali, ci copriamo di fango verde, ci avvolgiamo nel lusso di accappatoi bianchi. L'albergo ha vetrate di luce gialla che si affacciano sulla neve. Dopo cena restiamo a guardare quell'incanto... quella noia. Chiediamo la chiave della camera, saliamo. Il letto è grande, il cioccolatino è sul cuscino. Il rubinetto è aperto, guardo l'acqua che esce e si spreca. Se avessi un figlio chiuderei il rubinetto, mi preoccuperei del mondo, della sua sete. Questa luna di miele protratta non mi piace più, mi sembra guasta, sciagurata.

La sera dopo andiamo al bowling. È stato Diego a insistere, per divertirci un po'. C'è un clima da telefilm americano, ragazzini che giocano. Calosce sporche di neve all'ingresso. Succhiamo una cioccolata calda con la cannuccia da bicchieri enormi, mangiamo hot dog. Tiriamo le palle nere, corrono sulla pista laccata, si schiantano sui birilli in fondo in un fracasso infernale. Mi piace questo rumore, per parlare bisogna urlare. Urlare mi piace. Ridiamo come ragazzini. Abbiamo fatto un passo indietro nella vita, questo non è male. Per non soffrire bisogna diventare un po' stupidi. Ho le guance rosse, la febbre negli occhi. Diego si appiccica a me, mi bacia sul collo. Mi aiuta a bilanciare il peso, a tirare.

Guardo i birilli schierati in fondo. Penso ai bambini. A quell'esercito d'infanti che capitano a casaccio, spesso dove non dovrebbero, dove nessuno ha bisogno di loro. Prendo lo slancio, ruoto il braccio, tiro la palla con tutta la rabbia che ho.

In camera Diego mangia il cioccolatino. Si volta.

«Perché non adottiamo un bambino?»

È un ragazzo fertile, può permettersi di essere magnanimo. Vorrei dargli un pugno. Sorrido, aspetto. Che il fuoco vada su e giù.

Ho paura dei figli degli altri. Ho paura della mappa genetica, del corredo dell'origine. Per affidarsi alla ruota bisogna avere un po' d'aria dentro. Sono al chiuso del mio corpo piombato. Il mondo si tenesse i suoi figli, io mi tengo la mia incompatibilità alla vita.

Lo guardo, sorrido.

«Non siamo sposati. Possiamo adottare un bambino a distanza.»

A distanza.

È una chiesa

È una chiesa del centro, piena di ori barocchi, di volte unte, di lumi riflessi su affreschi, di cupe allegorie.

È tempo di pentimenti, di calvario. Di Quaresima che s'avvicina. Mi siedo su una piccola sedia dorata sotto una volta laterale, nel fondo buio solo un paio di vecchie zitelle, donne che non hanno avuto bisogno di far fruttare i loro miseri corpi.

Mi vergogno di credere. Di abbandonarmi a questo medioevo. Ho studiato l'origine scientifica della vita, dei microrganismi piovuti nei mari, il pensiero degli agnostici, le riflessioni dei mistici più liberi... ho fatto l'amore, mi sono sposata e separata, ho viaggiato, mi sono nutrita di spregiudicatezza. Cosa ci faccio qui dentro, insieme a queste beghine? È un mercoledì pomeriggio. I negozi grondano di uova di cioccolato... i bambini aspettano le sorprese e Lui il suo calvario.

Non mi sento a mio agio su questa sediola, mi sento inopportuna, una che ruba, come quei turisti che entrano senza fede, solo per sbirciare gli affreschi con le loro macchine fotografiche, le loro bocche sporche di panini. Voglio andarmene subito e invece resto, piango.

Ho sempre creduto di poter dominare tutto, di poter controllare ogni mio passo. Per anni ho preso la pillola. Che beffa.

Non sono stata ammessa al banchetto della vita. Forse devo soltanto chinare la testa. Non tutti devono avere figli, lo so.

Me ne sto con le mani inchiodate al manico della borsa, il mio portafogli panciuto di carte di credito, i miei documenti, le mie generalità: occhi azzurri, capelli castani, sesso femminile. Pancia morta.

Sono una donna graffiata dall'intelligenza, tutto quello che sembrava aiutarmi adesso mi lascia.

Della fede non ho il coraggio. E neanche l'innocenza.

Dio è solo un complice remoto delle menomazioni degli uomini.

Però quel genetista ha parlato di un miracolo, di una residua possibilità affidata all'inafferrabile. Sono entrata per quel miracolo, è questa la verità. Ho fatto questo grottesco tentativo e adesso me ne vado con la coda tra le gambe, scoraggiata da questa fede fioca che non mi lascia sperare in nessun premio.

Sto per alzarmi, ma qualcosa mi tiene giù, mi fa chinare la testa. È una mano che mi spinge in basso, mi guida all'umiltà.

Forse io non credo in Te, ma forse Tu sei così prodigo da credere in me...

Adesso ho imparato a pregare.

... dammi la possibilità di leggere un segno migliore in questo destino... solo questo Ti chiedo.

Mi tocco con l'acqua santa. L'arcangelo Gabriele è lì accanto, in una annunciazione colma di spavento. La Madonna è piccola, misera, schiacciata da quella visione. Da quel compito.

In palestra passo molto tempo a levigarmi di creme. Quando faccio l'amore mi affanno, ho paura di tornare alla luce. Mi concentro cercando nel fondo di me stessa un piacere fermo, compresso in una solitudine lontana. Tutto mi disturba, ogni minimo rumore. Diego mi cade affianco. Siamo due corpi separati.

Lui guarda la mia schiena. Mi dice che non abbiamo bisogno di fare l'amore, possiamo anche starcene così, abbracciati...

Guardo il suo corpo nudo, i suoi testicoli fertili.

Lo aggredisco, pretendo una violenza che lui non ha.

Se scopiamo siamo salvi, siamo una coppia. Altrimenti cosa siamo... cosa saremo?

Ho un ventre duro di muscoli. Gli piacevo più prima, quando la mia pancia era una sacca calda, piena di rumori benigni, di ragnatele bianche. So che mi guarda con nostalgia. Non m'importa. Questa durezza mi difende. Non ho più il ventre di una madre, è bene che si abitui, sarò un'amante tutta la vita. Una creatura adatta a un sesso senza conseguenze.

Mi danno fastidio i suoi occhi, la sua nostalgia. Mi danno fastidio quelle fotografie sul muro. Certe volte mi sembra che tutti quei piedi, tutte quelle pozzanghere che mi spiano si prendano gioco di me, della mia incompletezza. Qualcosa annidato in questa casa ci ha portato sfortuna.

Anche i precedenti inquilini non hanno avuto figli.

Però si sono voluti molto bene, mi ha detto il portiere. Dovrò sperare nella stessa fortuna. Penso alla vita che ci aspetta... alla vecchiaia, alle nostre quattro gambe sole.

La ragazza proletaria che mi fa le mani mi chiede perché non ho figli.

Vorrei dirle di farsi i cazzi suoi, sfoglio una rivista, non alzo gli occhi.

«Il mio compagno non li vuole» dico.

La ragazza è contenta della risposta, dice che dai sondaggi viene fuori che molti uomini non vogliono figli, hanno paura di essere trascurati dalle loro donne.

Vattene, ragazzo. Vattene, Diego.

Ogni tanto penso che dovrebbe trovarsi un'altra, una delle sue studentesse. Una con le ovaie piene, con l'utero senza cicatrici.

Se non mi amasse sarebbe più facile.

Vado fuori dallo studio fotografico. Immagino di vederlo uscire con qualcuna, di beccarlo mentre si sbaciucchia al buio di un muro, mentre fa le lingue con un'altra, e si sbavano come ci siamo sbavati noi. Tremo, eppure da qualche parte lo spero. Per uscire da questo limbo, per prenderlo a calci in mezzo alla strada, per sputargli in faccia che ho ragione io...

Invece eccolo lì, solo o accompagnato è lo stesso. È sempre lui, lo zuccotto di lana, il viso magro. Il suo corpo lungo, sghembo. Saluta, cammina verso la motocicletta. La tracolla della borsa gli taglia in diagonale la schiena un po' ingobbita.

Ci sediamo a tavola. Ecco i nostri quattro gomiti... vicini, come ogni sera. È un tavolo grande, il nostro, dove ci starebbero almeno due mocciosi. Invece nessuno sporca niente. Siamo benestanti, sterili, organizzati. Dopo cena in un attimo non c'è più sporco, più rumore. Mettiamo i nostri due piatti nella nostra piccola lavastoviglie. Siamo diventati troppo educati, troppo premurosi l'uno verso l'altro. Chiudo la lavastoviglie, s'accende la spia rossa, comincia quel rumorino di cose che si puliscono nel buio...

«Vedrai che prima o poi ti trovi un'altra... e ci fai un figlio.»

Glielo dico di spalle, chiusa nel mio corpo magro, nel mio cachemire nero.

«Io ti capirei, ti voglio troppo bene...» sorrido, mi tocco la testa, il mio nuovo taglio da pulcino bagnato.

Lui mi acchiappa per la nuca, mi gira con forza verso di sé.

«Io non ti voglio bene, stronza. Io ti amo.»

Tutti i nostri amici cominciano ad avere dei figli, le loro case odorano di lavatrici stese in casa, di semolino e infusi di finocchio... invento delle scuse per non andare a trovarli. Mi convinco che sono noiosi, che puzzano di soffritto, di stagno domestico. Mi compro un nuovo vestito. Spendere soldi mi regala piccole raffiche di sazietà. La magrezza nei camerini dei negozi è una virtù, i tessuti aderiscono sul mio ventre piatto... mi fa piacere calpestare le cose che provo e scarto.

Forse sono più sexy. Mentre mi sto truccando certe volte immagino che qualcuno mi dia un colpo in faccia, un grosso guantone da boxe che mi spappola il naso, mi affoga gli occhi nel nero.

Andiamo al cinema, ai concerti, nei ristoranti dei gay e degli artisti, della gente che pensa a se stessa. Lascio il mio cappotto Armani al guardaroba, cammino con i miei tacchi verso il tavolo.

Abbiamo appena ordinato un buon vino, una buona cena. Immagino una strage, un terrorista che entra dalla porta girevole e si mette a sparare raffiche di mitra a casaccio... sui tavoli, su quella parete di bottiglie di classe. Schizzi di vino e sangue. Mi alzo per morire. La pancia bucata dalle raffiche. Muoio ridendo come Joker di *Batman*.

Decido di andare in analisi.

Parlo con un uomo, non ho voglia di una donna. Ho paura che sia fertile.

L'uomo dice poche cose, bastano a farmi capire che non potrà capirmi mai. Non credo nell'intelligenza. Ci ho creduto, ma adesso non più. Credo nella natura, nei suoi cicli. L'uomo parla, con compostezza professionale, non vuole essere invadente, vuole semplicemente darmi degli strumenti. Non mi servono i suoi strumenti. Capisco tutto il percorso. Capisco che è una formula, una regola applicata che di solito funziona. Non con me. Io sto pensando ai melograni, a quei grani rossi... sto pensando a una cagna che partorisce, allargo le gambe leggermente per far passare quel parto.

Libere associazioni di cui dovrei parlargli. Ma non ne ho voglia.

Mi alzo, vado e non torno.

Non ho bisogno di quell'uomo.

Certe volte mi avvicino ai secchioni dell'immondizia, alle cassette capovolte dopo il mercato. Magari trovo un neonato abbandonato. Rido tra me, stretta al mio cappotto nero. Sto diventando un po' matta. Non mi dispiace.

Mi passerà, un giorno smetterò di pensarci. Molta gente non ha figli, non li vuole. I supermercati sono pieni di prodotti per single, vaschette monouso, cibi precotti.

Ma noi non siamo così. Siamo due che portano da mangiare ai gatti in cortile. Un piccione sta covando sul nostro balcone, fa il suo garrito incessante, sporca con le sue piume. Dovrei scacciarlo con la scopa, buttare quelle uova. Escono un paio di bestiole nere, fradice, dai gusci puzzolenti. Diego si affanna a mettere le barriere di cartone, perché ha paura che cadano di sotto, ha paura dei gatti. Alla fine i piccioni nuovi se ne vanno, verso le gronde in alto con gli altri della famiglia, resta un tappeto di cacca bianca e nera che mi tocca raschiare.

Una sera entriamo in un negozio di animali, per caso lo troviamo lungo la strada. La vetrina è piena di cuccioli, ansimano nelle gabbie, le piccole lingue rosa fuori dalle bocche. Diego tira su un cucciolo di bassotto, si fa leccare la faccia da quel verme nero, lucido come una scarpa di vernice. Ride. È la prima volta che lo vedo ridere così dopo tanto tempo. Tocco le gabbie, un povero pappagallo con i suoi ciuffi verdi e gialli... Sento quel puzzo polveroso di segatura sporca, di mangimi, non è quello l'odore della mia vita. Diego mi tocca la spalla, ha posato il cane, lo ha restituito al padrone del negozio, alla sua gabbia mugolante di fratelli.
«Andiamo, dai.»
«Non lo prendi?»
«Ci pensiamo.»

Chiamo gli operai, faccio imbiancare la casa, cambio la vasca, ne faccio mettere una con l'idromassaggio, tolgo le mattonelle in cucina, scelgo degli smalti dai colori accesi. Vado su e giù per le scale del palazzo, con i campioni di prova delle vernici, i talloncini dei tessuti per le tende, per la testiera del letto. Sono agile come una mosca, mi sento addosso una nuova vitalità.
«Ti piacciono i divani nuovi?»
Diego annuisce, li prova. Per lui andava bene anche quello vecchio, era più comodo, gli piacevano quei cuscini mosci, quei braccioli sporchi... ma lui non cambierebbe mai niente. Ha trentun anni, il suo muso da ragazzino. Però è

più lento, più titubante. Attaccata al petto ha una tosse secca che gli esce a scatti, quando è nervoso.

Si perde le cose, come sempre, gli occhiali, i rullini... però
adesso s'incaponisce a cercarle. Si sfianca in quelle ricerche in giro per casa.

Anche papà ci aiuta in questa caccia al tesoro domestica,
si curva sotto i mobili, scruta i nostri scaffali con circospezio-
ne... non vorrebbe ficcare il naso, vorrebbe solo aiutarci.

Ha trovato il rullino, lo restituisce a Diego, ma un attimo
dopo mancano le chiavi della macchina.

Papà ci scherza, dice a Diego che s'è rincoglionito, che
sta invecchiando. Sente la nostra fatica. La sera in cui gli
ho detto che non potrò mai avere dei figli mi ha messo una
mano sulla bocca, per impedirmi di parlare, di soffrire. Si è
avvicinato con il viso e ha baciato la sua mano ferma sulla
mia bocca. Ha baciato il mio destino, il nostro sangue che
finiva lì. Ha baciato la ferita. Come da bambina, quando
cadevo dalla bicicletta e lui baciava le mie ginocchia sbuc-
ciate per guarirmi.

È passato, amore, è passato.

La tosse di Diego mi preoccupa, lo accompagno a fare
una lastra. Non ha niente, nemmeno una bronchite. Però
ha la voce più bassa perché a furia di tossire le corde vocali si sono infiammate. Adesso ha una voce gnaulante da
bambino che mi fa impressione.

Gli compro una grossa sciarpa, gli preparo l'aerosol, come
una madre troppo apprensiva. Di quelle che ammalano i
figli per tenerseli vicini.

Lui si sniffa l'aerosol, mi sorride.

Sono un catorcio, dice.

Sembra felice di esserlo, mi guarda in attesa di un sorriso, di una benedizione.

L'albero di Natale è morto, non ha resistito sul terrazzo. Prendo quella zolla di terra secca e la scaravento nei
secchioni.

La stanza in fondo adesso è una palestra, è stata un'idea
dell'architetto. Attaccati ai muri ci sono grandi specchi e
una spalliera, al centro un tapis roulant. Corro sul nastro

al buio, sola con le luci della strada. È notte e sudo. Il sudore mi cola in bocca... ha un sapore amaro, di tossine, di rabbia, sembra lo spurgo di un animale millenario, estinto. Nello specchio buio c'è la sagoma del mio corpo che si agita solo, questa era la stanza destinata al futuro. Giù in strada qualcuno ride... il nastro è più veloce dei miei passi, quando me ne accorgo sono già caduta.

Con il polso slogato e una piccola fasciatura bianca sotto la manica vado a trovare Viola che ha partorito. Se ne sta lì nel letto, una vestaglia gualcita e la sua faccia di sempre, quella che ha al lavoro o quando andiamo al bar. Ha solo quel ventre un po' rilasciato, una flebo incollata al polso con l'adesivo bianco. Se ne sta lì, tranquilla in quella camerata d'ospedale, nel letto accanto una donna di colore con una radiolina incollata a un orecchio.

Ha una gamba alzata, piegata nel letto, quel colorito giallognolo, i capelli in disordine. Quando mi vede s'illumina.

«Ehi, sei venuta...»

Mi guardo intorno, mi chiedo perché non s'è scelta un posto migliore di quello. Ma Viola è una creatura sprovveduta, le si sono rotte le acque, ha chiamato un'ambulanza, l'hanno portata nell'ospedale dove c'era un posto.

«Ci fumiamo una sigaretta?»

«Ma tu puoi fumare?»

«Ma chi se li incula...»

Ci incolliamo contro una balaustra sporca di smog all'aperto di una specie di balcone non più largo di uno zerbino... sotto ci sono le griglie di una mensa, c'è odore di spurgo di cucina.

Viola fuma, tira il cannello bianco della sua sigaretta, guarda giù il pascolo dell'ospedale, la gente malata, i visitatori che arrivano.

«Sei contenta?»

«Sì...»

La sua faccia sfibrata nel vento.

Durante la gravidanza si è lasciata con il suo ragazzo, un imbecille coperto di tatuaggi. È andata avanti da sola, con il suo carattere così così. Nessuna poesia su quella pancia, nessun film d'amore. Solo sbrigativo realismo. Eppure è una ragazza con una sua dolcezza.

L'aiuto a pulirsi il collo con le salviette detergenti, le sistemo un po' il cassetto del comodino di metallo, un succo di frutta rovesciato, una rivista appiccicata. Viola mi ringrazia con quella testa che fa sì. Scendo di sotto, le compro un pacchetto di sigarette, un gelato. Mi sembra strano che non ci sia nessuno con una ragazza che ha appena partorito.

«Ma tua madre dov'è?»

«Al campeggio.»

Tutto quello che vedo cozza con l'idea di maternità, con quel miele stucchevole che credevo di dover ingoiare come una punizione. Viola è così inerte e sola che mi rasserena. Non sembra una che ha partorito, sembra una che è caduta dal motorino e s'è rotta una gamba.

Portano il bambino. Viola me lo dà subito, me lo passa come se mi passasse un faldone o un panino.

«Com'è?» chiede lei a me.

È un cosetto piccolo, nero, con un naso schiacciato e un'espressione adulta. Non sembra nemmeno italiano, sembra un afghano, somiglia al padre.

«Gli manca solo la cravatta, sembra già un uomo... questo torna a casa con le gambe sue.»

Viola ride, dice che ho ragione, dice per fortuna. L'afghano non piange, sta lì buono, sereno.

«Speriamo che dorma...»

«Il latte ce l'hai?»

Ha un seno ancora piccolo, prende il bambino e se lo avvicina al capezzolo, sbuffa perché l'infermiera le ha detto di farlo, perché *se il bambino non succhia, il latte non viene...*

Viola annuisce mentre la manda a quel paese, lei e le sue bretelle bianche.

L'aiuto io. Io che non so fare niente... mi avvicino a lei sul cuscino, sostengo la testina del piccolo, lo pizzico sotto il mento per fargli aprire la bocca...

Viola mi guarda, mi dice che sono più brava dell'infermiera. Rido, divento rossa.

Abbraccio la mia amica, sento il suo odore di sudore, di fatica. Prima che io me ne vada piange. E piangendo sorride.

«Sono gli ormoni che calano...»

Seguo l'infermiera che riporta il bambino alla nursery. Resto lì a guardare oltre il vetro, quelle culle di metallo, quella piantagione di teste. Semi che spuntano dalla neve. Sul giornale qualche giorno fa ho letto la storia di una donna che ha rubato un bambino da una nursery... non è andata lontano, s'è fermata su una panchina a pochi isolati dall'ospedale. Quando i poliziotti si sono avvicinati è stata felice di restituirlo, il neonato piangeva e lei non sapeva come consolarlo, non aveva pensato che potesse piangere così, che potesse aver fame. Non aveva pensato a niente, allo shock della madre, alle conseguenze. Aveva agito d'istinto, come un cane, aveva preso l'osso che le mancava. Una volta non facevo caso a queste notizie, le saltavo, non mi interessavano. Adesso sono attratta, penso agli occhi di quella donna che non riesce a domare i brandelli della sua psiche.

Scendo le scale dell'ospedale, salgo in macchina. Viola forse non sarà una buona madre, è troppo bisognosa per esserlo, troppo sciagurata. Ma poi chi lo sa, non è detto. Devo arrendermi all'idea che i figli nascono come l'erba, dove capita, dove il vento spinge i semi.

Dalla Romania arrivano le lettere dei due bambini che abbiamo adottato a distanza, io non le leggo nemmeno, non m'interessa stabilire con loro alcun contatto. Compilo il bollettino di conto corrente postale, mando i soldi e tanto mi basta.

Diego segna con il lapis rosso le fotografie da spedire a Milano. La modella è magrissima, vestita di stracci di stoffa mimetica, il cappello con la visiera, gli scarponi militari, il volto sporco di nero come un soldato che striscia nella foresta.

La televisione è accesa, c'è il mattatoio del Ruanda. Nessuno ascolta, solo papà. Forme nere affollano un fiume di fango rosso... mi avvicino.

«Ma cosa sono?» gli chiedo.

«Morti.»

Guardo quei corpi sventrati a colpi di machete, le teste lontane dai corpi. Fratelli che da un giorno all'altro hanno cominciato ad accopparsi tra loro. Quando spengo il televisore mi resta un brivido addosso. Che dura poco. Ho preso il numero del conto corrente che correva in sovrimpressione sullo schermo, manderò dei soldi anche a quel fiume di orfani negri.

Mio padre beve un whisky, Diego dorme. Aveva la voce giù stasera, la sua voce da castrato.

Mio padre di punto in bianco dice: «Senti, Gemma... perché non adottate un bambino?».

Gli rispondo senza emozioni. Gli dico che abbiamo due bambini adottati a distanza, che va bene così.

Lui annuisce, ma è inquieto.

«Siete due ragazzi giovani, buoni...»

«Non siamo sposati, papà...»

Annuisce con la testa china che gli pesa sul collo, dice che non ci aveva pensato. Se ne va verso il corridoio, verso il cappotto. Poi torna a suonare alla porta.

«Che c'è, pa', ti sei scordato qualcosa?»

«Ma perché non vi sposate?»

«Buonanotte, papà.»

Ci sposammo. Cerimonia civile. Noi, pochi parenti e i testimoni. Duccio, il nuovo manager di Diego, con le bretelle rosse e un completo gessato, Viola con il piccolo afghano in braccio. Era un giorno qualunque, un giovedì, anonimo, piuttosto triste. Non c'erano stati preparativi, tutto si era svolto in fretta, con una certa brutalità da parte mia. Avevamo atteso i giorni canonici delle pubblicazioni e poi, quando ci avevano comunicato l'orario e la data, ci eravamo presentati in quella sala con due armature di bronzo all'ingresso accanto a un tricolore floscio. Insieme a noi, in attesa, una coppia sulla cinquantina, divorziati che si risposavano. Indossavo un tailleur grigio, un po' troppo rigido. All'ultimo minuto m'ero stretta intorno al collo un foulard a fiori stampati, per rianimare un po' quell'abito ingessato. Somigliavo a mia madre. Diego aveva la sua giacca di velluto, quella che non s'era tolto per tutto l'inverno. Unico indizio di cerimonia, un papillon color senape. Una farfalla sbilenca appoggiata su una camicia sportiva.

All'uscita, Viola tirò fuori dalla borsa una confezione di riso ancora sottovuoto. Restammo lì ad aspettare che lei tagliasse la plastica con i denti, che facesse il giro delle mani. Istanti ridicoli, irritanti. Infine, senza sorpresa, ci arrivò sui visi contratti quella sassaiola di chicchi tirati da troppo vicino.

Diego fece le fotografie, lasciò la macchina su una colonnina di marmo e corse verso di me e i presenti per un autoscatto. Non ricordo se vedemmo mai quelle fotografie.

Poi in pochi riparammo in un ristorante vicino al Campidoglio, gremito di turisti tedeschi. Non ricordo granché di quella giornata. Il mio cattivo umore l'aveva avvelenata. Diego alzò il bicchiere verso la tavolata dei turisti accanto e brindò con loro. Fischi e auguri tedeschi ci festeggiarono. Gli Stati Uniti bombardavano l'Iraq. La notte prima eravamo rimasti incollati al televisore a guardare i B52 e i Wild Weasels che sganciavano i loro missili intelligenti al laser...

«... dicono che colpiscono solo obiettivi strategici... poi tirano giù un ospedale, un pullman... si scusano davanti a una bottiglia d'acqua minerale...»

Mio padre agitava le braccia.

«Sai cosa c'è scritto sui missili? I ragazzi del battaglione Apache si divertono... ci scrivono QUESTO È PER IL TUO CULO, SADDAM, e su un altro scrivono E QUESTO È PER IL CULO DI TUA MOGLIE.»

Aveva bevuto un po' troppo, era rimasto lì intristito a rimuginare insieme alla bocca che masticava lenta. Da qualche tempo il mondo gli piaceva sempre meno. Era mia madre che equilibrava il suo umore, che lo riportava alle piccole cose, banali. Morta lei, Armando s'era fatto più ribelle, va gava nei suoi pensieri sbrigliato.

Avevo una fede nuova di zecca infilata al dito e un visetto molesto. Non ero contenta. Mi ero sposata per poter adottare un bambino. I nostri nomi adesso avrebbero viaggiato in coppia nei tunnel infiniti della burocrazia italiana. Temevo che quella deposizione legale del nostro amore ci depredasse di qualcosa. Mentre firmavo accanto a Diego su quel registro non avevo provato nessuna allegria, solo il gusto acre di una sconfitta. Quel matrimonio sanciva in maniera definitiva la mia menomazione.

Sbriciolavo pane sul tavolo. Ogni tanto Diego appoggiava la testa alla mia. Papà alzò il bicchiere, prese la forchetta e si mise a battere sul vetro per richiamare l'attenzione. Pensava che in certe occasioni bisognasse dire le cose a voce alta. Rimase muto per un po', appeso alla sua bocca aperta... finché la pausa si fece troppo lunga, quasi patetica. Si guardò intorno in quella tavolata misera, pochi amici moderni e scoglionati. Strinse gli occhi, come faceva lui, per chiamare a sé le sopracciglia folte, i pensieri. Poi cavò fuori quelle poche parole.

«Auguro agli sposi la salute, la pace, il piatto pieno e... e quello che verrà...»

Ci guardò, me e Diego, come un unico corpo. Un groppo gli chiuse la gola, fece finta che fosse un rutto. Si portò il tovagliolo sul viso, *pardon*.

«Mi manca Annamaria...» bofonchiò.

Viola si lamentò che la carne era dura.

«Ordina qualcos'altro» le risposi seccata.

Duccio non aspettò nemmeno il dolce, tornava dalle sue modelle.

Il papillon di Diego rimase nella tasca della sua giacca di velluto, lo trovai qualche giorno dopo.

Non facemmo l'amore quella sera. Diego aprì la bottiglia di champagne che aveva lasciato in frigorifero, venne da me per un brindisi. Inanellammo le braccia, ci bagnammo il collo, i vestiti. Diventammo ilari e loquaci. Avevamo paura del silenzio... paura di ritrovarci nudi e sconfitti.

Il telefono ci svegliò. Era Gojko, fischiava nella cornetta la marcia nuziale. Avrebbe dovuto essere uno dei testimoni, ma ci volevano documenti, passaggi in ambasciata, ed eravamo tutti e tre indolenti, refrattari alla burocrazia, così non se n'era fatto niente.

«In ogni caso sei tu il vero testimone, l'unico...» gli dissi.

«Lo so» rispose, «... purtroppo sono solo un testimone» sghignazzò. «Avrei preferito essere l'assassino.»

Ci chiese della luna di miele, a modo suo.

«Sotto quale cielo ricco andrete a fottere?»

Diego sorrise, si strofinò la testa, mi guardò.

«Restiamo a Roma a lavorare.»

«Sei matto, coglione? Dopo sposati si parte, si prende la propria donna in braccio e si va...»

Chissà cosa immaginava... uno di quei matrimoni loro pieni di furore, e quelle spose cariche di ricami in mezzo a un campo di uomini ciucchi di šljivovica. Non pensava certo a quella compostezza, la casa spenta e noi due fermi nelle pieghe del letto, assonnati, uggiosi.

«Prendi tua moglie e portala in albergo!»

Diego sorrise.

«Ci proverò.»

Mise giù il telefono, mi guardò, spense la luce.

«Andiamo al Grand Hotel, prendiamo una suite...»

Bofonchiai una frase da moglie sciatta e pensierosa...

«Che senso ha buttare i soldi...»

Lui si rigirò più volte, poi si alzò. Lo trovai al mattino sul divano, il televisore acceso su un ciccione con i baffi che vendeva quadri naïf... il torso nudo, un braccio che cadeva sul tappeto, la bottiglia di champagne finita. Raccolsi una ciabatta, un cuscino. Andai in cucina, guardai fuori dalla finestra le macchine che passavano, i banchi del mercato. Rimasi lì, appiccicata al vetro, assente, mescolando le cose che vedevo in un'unica poltiglia di colori sporchi, melmosi.

Due giorni dopo presentammo la nostra domanda di adozione al Tribunale dei Minori. Cominciò la trafila delle certificazioni, degli uffici pubblici. L'attesa divenne quella della carta bollata, dei questionari, degli stati di famiglia, degli estratti di nascita. Non mi dispiaceva quella gravidanza extracorporea, di muffe burocratiche. Era tempo che passava.

Il problema si era spostato dal mio corpo alle scartoffie di cancelleria, ai casellari ministeriali. Mi muovevo con il motorino, tiravo il cavalletto, correvo lungo le scale, divenni amica di uscieri e di impiegate tracagnotte e altezzose.

Mio padre andò dal notaio per sottoscrivere il suo consenso per l'asse ereditario, Diego andò a Genova. Nel casellario giudiziario c'era quel segno, quel reato minore con gli ultras di Marassi per il quale aveva subito un processo ed era stato condannato.

Fummo convocati in Questura. Ci trovammo di fronte a un giovane uomo grassoccio con un naso camuso. Un tizio inespressivo, supponente. La faccia schiacciata e albina, di uno di quei pesci che vivono sotto la sabbia.

Ricordo solo l'accendino, un tronchetto d'oro che non smise mai di rigirarsi nelle mani. Parlava a voce bassa, guardandoci poco. Si leccava continuamente le labbra.

Diego era entrato sorridente, scanzonato. Erano storie che appartenevano a un'altra vita. Aveva lo zuccotto di lana in testa, il tizio alzò il mento.

«Si tolga il copricapo, per favore.»

Diego se lo tolse, si scusò.

A un certo punto il poliziotto gli disse: «La smetta di muoversi».

Diego dondolava un po' con il corpo, gli occhi luccicanti, stava facendo uno sforzo per ricordare quegli anni...

S'immobilizzò, cambiò espressione. Rispose alle domande alterato. Un lampo che non gli avevo mai visto gli scuriva lo sguardo. Il ragazzo in divisa era sempre più insinuante. La luce cambiò. Si leccò di nuovo le labbra. Dal suo pallore adesso affiorava uno sbiadito sadismo. D'improvviso ci sentimmo due criminali. Sapeva tutto di noi, dei viaggi a Sarajevo e del resto, cominciai a balbettare, a giustificarmi per il mio matrimonio durato pochi mesi. Il tizio mi fotografava con quello sguardo lagunare, a un certo punto si fermò sul mio seno. Mi sistemai la camicetta. Diego si alzò. Il poliziotto disse che non aveva finito. Diego disse: «Cosa vuole fare? Vuole trattenerci?».

Da quel giorno ci sentimmo spiati. Una macchina della polizia ogni tanto passava sotto casa nostra, rallentava.

Lo psicologo della Asl fu gentile e menefreghista. Camminammo fino a quell'ufficio periferico, un centro d'igiene mentale. Una bella palazzina anni Venti decrepita, circondata da un giardino inselvatichito. Un deserto di stanze, di camici seduti sulle finestre a fumare, di tossici al pascolo. Accanto a noi una donna sfocata con il portafogli chiuso in un sacchetto stropicciato della Upim.

Entrammo, lo psicologo della Asl ci sorrise, era al telefono, non riattaccò. Poi ci fece le domande, riempì il questionario. Senza quasi guardarci diede un ottimo giudizio su di noi.

Alla fine ci sediamo per il primo colloquio. La psicologa che seguirà il nostro caso è una donna robusta, si attarda sulla porta con l'assistente sociale, una ragazza slavata vestita come un uomo, con il gilet e la cravatta. Poi si avvicina a noi, ci guarda senza guardarci posando il nostro fascicolo sul tavolo, ha capelli folti, piccoli occhi bistrati d'ombretto e una manciata di collane rumorose. Dev'essere stata una bella donna... guardo le labbra carnose, i denti bianchi che scopre di continuo, una bocca con una sua sensualità, una sua volgarità. Solleva gli occhi, e capisco che mi odierà. Ci sono delle donne che mi odiano, semplicemente. Ho imparato a riconoscerle al primo battito di ciglia. Ho imparato a difendermi. Cerco di non pensarci, di non lasciarmi influenzare da quella percezione, rispondo alle sue domande. Ha una voce robusta come la sua mole, risuona sorda in quella stanza piena di manifesti di bambini, di mani che s'incontrano. Mi sorride, mi dice di andare avanti. Ma in realtà mi sembra che faccia di tutto per scoraggiarmi. I suoi occhi corrono da me a Diego come biglie. Mi sento fragile, incerta. Sta soppesando le nostre imperfezioni. Diego è più giovane di me, si vede. Ho la schiena curva, mi stringo le braccia, ripiegata sul mio corpo, come una che ha mal di pancia. Si capisce che sono io quella sterile. Parlo di cose inutili, scanso le domande. Non posso dire la verità. La verità è che io volevo un figlio con gli occhi e le spalle del ragazzo che amo. La verità è quella che questa donna mi legge addosso, sono qui per ripiego. Questa è la mia ultima spiaggia. Perché se avessi potuto fare un figlio mio certo non sarei qui, di fronte a questa donna rumorosa come le sue collane che mi sbugiarda. Nessuna bontà mi spinge. Ho solo paura che Diego se ne vada, voglio agganciarlo a me. È questo che voglio. Voglio un lucchetto di carne. Mi mostro sicura, squittisco. Ma intanto vorrei afflosciarmi, e piangere abbracciata a questo tavolo pieno di cartelline... documenti di gente che ha sofferto, come noi. Speravo che fosse la psicologa a convincermi. Credevo che funzionasse così, come dal prete, che una mano esperta ti prendesse per mano. Invece questa donna fa il suo mestiere di scrutatrice di genitori. Mi dice la verità, che è un percorso lungo, doloroso. Un calvario della psiche e dell'anima.

«Anche le coppie più affiatate, più motivate, ricevono contraccolpi tremendi.»

Sento un odore, ho le ascelle bagnate di un sudore nervoso, acido, dolore che cola.

A casa mi ribello: «Questa troia! Questa grossa stronza!».

Mi sento ferita, spogliata. Sento una mano che m'è entrata dentro per raschiare nelle parti più intime, per portarmi via gli ultimi coaguli.

Diego si chiude in camera oscura, lontano da me. Che ci resti. Mi è passato accanto con il suo golf, avevo voglia di strapparglielo, di tirargli i capelli. Non mi ha difesa, mi ha lasciato sprofondare. Mentre parlavo la psicologa si è rivolta a lui, a schiaffo: «Le sembra sincera, sua moglie?».

Diego è rimasto con la bocca chiusa, senza dire nulla. Poi ha annuito... ma come quei cani finti dietro le macchine di una volta, per automatismo, per inerzia.

Salto il colloquio successivo. Ho un problema in redazione. Una scusa ridicola. In realtà non ho voglia di andare, mi sento messa alla gogna.

Speravamo che fosse più facile. Ci eravamo sognati un bambino già pronto per noi. Invece adesso sappiamo che dovremo aspettare a lungo, passare chilometri di ore di indagini. Sappiamo che non potremmo avere un bambino appena nato, non li danno alle coppie senza esperienza.

Forse anche Diego ha paura.

Sul libro della maternità c'è scritto che i primi due anni sono quelli che contano. È su quel ferro malleabile che batte il martello. Dopo devi lavorare su un materiale duro.

Un pubblicitario che Diego ha conosciuto in agenzia ci invita a cena. Lui e sua moglie hanno adottato una bambina. Questa Ludmina è carina, bionda, evanescente, sembra Campanellino di *Peter Pan*. La casa è moderna, telegenica. Piatti scuri, cucina con il bancone alto al centro. La madre è una donna inglese, bionda come la figlia adottata. Che davvero sembra la loro. Forse l'hanno scelta per questo, è un pensiero meschino, ma intanto l'ho fatto. Perché so che è la verità. Sono diventata molto attenta, una scrutatrice di fondali. È tutto molto piacevole, il vino rosso nei bicchieri da enoteca, lo sformato di cavoli bianchi e besciamella. La coppia sembra in sintonia, sono gentili tra loro. Il padre apre il forno con il guantone, la madre imbocca la bimba, che ha quasi sei anni ma si fa ancora aiutare. Più tardi la porta a letto. Ludmina saluta gli ospiti con il suo pupazzo attaccato al braccio come una prolunga. La madre torna, s'accende una sigaretta. Tira fuori le ciotoline di crema cotta a bagnomaria. Dopo un po' torna anche la bambina, vuole l'acqua, lo dice in russo. Quando è stanca parla la sua lingua. La madre spegne la sigaretta, le dà l'acqua e la riporta di là. La bambina torna di nuovo, ha ancora sete. Poi va il padre, la bambina torna sempre. Adesso ha cambiato faccia. È meno evanescente. Si percepisce quel micidiale imbarazzo che già da un po' aleggia su questo tavolo alla moda.. senza frontiere. Un uomo italiano, una donna inglese, una bambina russa. Poco per volta il castello telegenico frana. La bambina sembrava morta di sonno, invece adesso non ha nessuna intenzione di andarsene. I genitori si guardano, forse stanno per discutere. Il pubblicitario adesso ha le guance rosse di uno che vorrebbe urlare ma non può, perché ha un tappo in bocca. La madre fuma un'altra sigaretta, le cade un po' di brace sul golfino, la scaccia, guarda il buchetto. Ci siamo noi. Si scusano, sorridono. Lasciano la bambina libera di fare quello che vuole. Comincia a tirare cuscini, a saltare, ha acceso un atroce giocattolo parlante. In un attimo sputtana quell'intimità, quel clima caldo, da spot pubblicitario. Il padre si alza, le parla piano all'orecchio. La madre le va vicino e la bambina le dà un calcio. Sul tavolo si serve un Porto insieme a quel piccolo guasto. Poi la bambina crolla per terra davanti ai cartoni, *Tom e Jerry*. Li guardiamo anche noi per un po', le teste torte sul tavolo. Il volume è troppo alto per non essere risucchiati. La madre toglie la cassetta dal videoregistratore, parla. Mi racconta un mucchio di stupidaggini poetiche, il viaggio, l'incontro con Ludmina nella stanza dell'orfanotrofio. Poi affiora un po' di verità. La bambina la rifiuta, ha memoria di una madre, perciò quando si arrabbia le dice *tu non sei mia madre*. Con il padre va meglio, però è molto aggressiva. È bene che lo sia, perché vuol dire che sputa dolore, quella rabbia che ha dentro, quella dell'orfanotrofio con i lettini dalle sbarre alte come quelle di un carcere. «Non sai come li tengono... non si può dire.» Si commuove. Poi dice una frase autentica e terribile.

«Amo Ludmina... però se tornassi indietro, non lo so. Ci siamo presi addosso tanto dolore che non ci apparteneva.»

Mi guarda con questa faccia bionda, gentile, ignara. Forse invecchiata negli ultimi due anni.

Non è vero che ne adotti uno. Tu adotti il dolore del mondo. È una cartina di tornasole delle tue incapacità.

Il quinto colloquio va meglio. Ho imparato a essere sincera. Piango, non parlo. La psicologa dice che va bene piangere.

Dopo una settimana parlo. Di mia madre, dico che non l'ho mai vista nuda, che mi metteva il deodorante nelle scarpe da ginnastica e mi faceva mangiare con i piatti di plastica per fare prima. Piango sul nulla. Su quei piatti di plastica, su quella sterilità.

Dopo due mesi confesso apertamente che l'adozione per me è un ripiego. E che non sono sicura di poter volere bene a chiunque. Ho preso gusto alla verità, ha un sapore migliore. Più oltraggioso. Dico che ho paura. Di perdere Diego. Perché lui è più giovane di me, perché sono io quella sterile e lui invece *ha una qualità spermatica eccellente*. Racconto il calvario degli aghi, degli ovuli neri. Non piango più, guardo me stessa.

Oggi è Diego quello che piange. Trema, tossisce quella tosse aspra.

La psicologa ci lascia soli a ricomporci. Quando torna ci offre una caramella. Mastichiamo quelle sfere di liquirizia gommosa che ci fanno bene.

La mano di Diego è nella mia. Siamo due bambini. Di quelli piccoli, quelli che s'incontrano all'asilo e si amano di un amore molto più grande di loro.

Guardo Diego e dico: «Io voglio un figlio con i suoi occhi, con la sua nuca».

Guardo la psicologa e dico: «Secondo lei c'è?».

La psicologa annuisce, con il suo corpo robusto e diligente.

Dice: «Sì, c'è».

L'abbraccio. Oggi lei è mia madre. Quella vera, quella che mi ha adottato.

La volta dopo Diego parla di suo padre. Racconta di una sala macchine, di un pontile sporco di segatura.

Nell'ultimo colloquio la psicologa ci dice *in questi figli si trova qualcosa in più, perché si scavano di più. E tu, Gemma, troverai la nuca di Diego. E tu Diego troverai tuo padre.* Ci dice che abbiamo imparato a scavare.

Cammino stretta a Diego. Non so dove andiamo. Andiamo nei vecchi posti, sulla chiatta che adesso è un bar alla moda e non c'è più niente. Non c'è più il divano in similpelle con le scritte oscene dove abbiamo fatto l'amore tante volte. C'è un parquet a listoni bianchi. Mangiamo bresaola. Piangiamo d'amore su quella carne secca, scura. La nostra carne è viva e rossa. Guardo il fiume fuori. È sempre lo stesso, giallo e arrabbiato. Non sono più sterile. Le mie mani sono morbide. Diego dice: *abbiamo tutta la vita davanti*.

Torniamo verso casa. C'è una nuca davanti a noi. Il bambino è così vicino che possiamo toccarlo.

La psicologa adesso si fida di noi, ci rassicura. Non è un salto nel buio. C'è un margine di scelta, si fanno dei colloqui orientativi. Diego dice *nessuna scelta*. Il primo bambino che entra in quella stanza, il primo che ci guarda, è lui. I figli non si scelgono, non sono pesche al mercato.

Siamo un padre, una madre. Siamo pronti.

Il commiato è in pizzeria. La pizza più sporca della nostra vita, la più infangata, mozzarella e merda. Piangiamo tutti e tre. La psicologa dice: «Non ho mai conosciuto due ragazzi buoni come voi, così onesti».

La nostra domanda è stata rifiutata. Siamo inadatti all'adozione. La fedina penale di Diego è sporca. Quello sbirro glabro e molle ha scavato indietro, quel flaccido essere ottuso ha galleggiato verso di noi.

Papà ha portato nespole, il frutto preferito di Diego. Le lava, le spacca in due, dice: «Cambiamo Paese. Andiamo a vivere in Islanda».

Diego è alla finestra. Gli guardo la nuca.

Sono cresciuta. È assurdo ma da qualche parte sento che qualcosa cammina verso di noi, ed è davvero assurda, stasera, questa fiducia.

Gojko oggi è di cattivo umore. Sembra più vecchio di quello che è, indugia in quel modo di camminare già senile, strascicando i piedi con le braccia disgiunte dal corpo, le grandi mani aperte. Cosa sembra? Un vecchio mulino di quelli abbandonati lungo le rive della Drina. Un corpo tozzo di mattoni scuri e pale rotte, cadenti... eppure ancora in attesa del cielo, del vento.

«Non pensavo si potesse tornare così indietro nel male, che la mia generazione si fosse messa a inseguire il male a ritroso, a spalare i morti della Seconda guerra, e quelli delle battaglie con i turchi... solo per rotolarsi nell'odio... non ci posso credere, avevamo davanti la vita... un concerto degli U2, una ragazza che ci amava e che ci avrebbe ascoltati... cosa ci mancava? Perché abbiamo scelto il seme sporco, i pozzi avvelenati, le carcasse putrefatte?»

Siamo seduti alla fermata dell'autobus, sotto una pensilina di plastica opaca, allineati su una panchina come tre turisti stanchi che si sono persi, ma non gli importa perché non hanno fretta. Alle nostre spalle il disco metallico di una piscina coperta con la sua armatura di tubi neri sembra la carcassa di una bestia preistorica. La strada davanti è larga e nuda, appena infangata dalla pioggia cessata da un po'. Passa una macchina, una vecchia Opel che lascia una scia nera. Pietro si mette una mano sulla bocca.

Gojko sorride, guarda Pietro.

«Si vive bene a Roma, eh?»

«Sì...» borbotta Pietro, «abbastanza...»

La voce di Gojko ha una raucedine che s'incolla alle parole, le rende minacciose, mi sembra che la collera avanzi sul suo viso.

«E qui invece ti sembra tutto un po' triste, un po' scolorito...»

Pietro scuote le spalle, guarda la strada davanti, questo viale spopolato, l'albero spelacchiato con il tronco magro, piegato come una canna da pesca...

«No... la piazza degli scacchi mi è piaciuta...»

«La piazza degli scacchi è un ritrovo di vecchi patetici, di profughi, avresti fatto meglio a restartene a piazza Navona, in quel bar davanti alla fontana di Bernini... hai la fortuna di essere italiano.»

Gli metto una mano sulla gamba, una mano che vorrebbe consolarlo, invece è una mano spaventata. Gli sto stringendo la carne. Ho paura che Gojko possa dire qualcosa a Pietro. Forse ho sbagliato a fidarmi di lui... è un uomo che ha subito troppo, la sua calma di colpo mi sembra rancore in attesa.

«Chiedi a tua madre com'era questa città, prima della guerra...»

«Era bellissima» mi sbrigo a dire.

Mi volto verso Gojko, è molesto, irriconoscibile.

«È qui che ha incontrato tuo padre, lo sai, no?» Pietro annuisce, stavolta a testa china.

«Era molto simpatico... tua madre invece era un po' superba, ma era così bella che poteva permetterselo...»

Pietro si graffia i jeans con le unghie lunghe che gli servono a suonare la chitarra. È nervoso anche lui.

«Piantala!» dico. «Mi dai fastidio.»

Non si ribella. Smette di graffiarsi.

Due ragazzi con povere felpe acriliche con la scritta OLIMPIK SARAJEVO sulla schiena giocano a pallone nello spiazzo davanti al disco metallico. Gojko rimanda indietro il pallone che gli è arrivato addosso. Si alza, si mette a giocare... è ancora agile, riesce a tenere la palla incollata al piede.

«Voglio partire, ma'... voglio tornare a casa.»

«*Italijan!*» Gojko urla indicando Pietro. «Ehi, Del Piero!»

I ragazzi si avvicinano a Pietro, Gojko gli ha detto di chiamarlo. Si somigliano, hanno gli stessi occhi, le stesse chiazze rosse sulle guance. Sembrano fratelli.

Pietro sorride, scuote la testa... non gli è mai piaciuto il calcio, non è il suo sport. Borbotta che non ha le scarpe giuste, poi però non si fa pregare.

Lo guardo accanto a Gojko, mentre si litigano il pallone. Pietro è più mite, Gojko fa sul serio, ha quella frenesia un po' patetica dei vecchi quando si mettono a competere con i ragazzi.

Uno dei ragazzi sarajeviti atterra Pietro, gli soffia il pallone. Pietro si tira su, si scrolla la terra dai jeans, resta indietro, saltella da solo. S'è messo il cappuccio della felpa sulla testa. Lo fa quando vuole difendersi.

Uno gli va di nuovo sotto, lo aggira, gli scodinzola intorno. Pietro stavolta riesce a rubargli il pallone, lo scaraventa contro il muro, urla che è goal. I ragazzi fischiano con le dita nella bocca, dicono che invece è fuori. Gojko allarga le braccia, c'è qualcosa che lo unisce a quei due ragazzi, una sorta di crudeltà. Giocano senza grazia, per far male. Pietro zoppica, sotto il cappuccio ha il viso teso, gli occhi bassi che scrutano il pallone come un nemico. Già, come un nemico. Sono in quattro, ognuno gioca per sé... eppure è come se fossero tutti contro di lui. Mi accorgo che Pietro è solo in un campo di avversari. Lo guardo, è longilineo, elegante nei gesti, indossa jeans e scarpe che costano... è bello, è pieno di luce. Ha una natura gentile, e poi è stato educato così. Giuliano lo ha portato a judo, da un maestro di vecchia scuola, di vecchio garbo, a pallanuoto, a tennis. È abituato a battersi con lealtà, non è uno che molla, però è incapace di fare del male. Lo guardo con gli occhi di chi lo guarda la prima volta, di quei ragazzi che adesso mi sembrano brutti e opachi, con le loro tute di acrilico, le loro guance chiazzate, i loro occhi fermi che tracimano invidia, che forse lo odiano. Sono tutti figli della guerra, l'età è quella, madri malate di cancro, padri disoccupati, alcolisti. Hanno corpi tozzi, giocano rozzamente, tirano calci sugli stinchi sottili di mio figlio.

Non si può aver pietà di chiunque... Non mi piacciono questi ragazzi, non mi piacciono i loro visi sudati che paiono fatti di un materiale minore, scadente... di una carne senza luce, di detriti e polvere.

Mio figlio è salvo. È fuori da questo Lager. Toglietegli le mani di dosso, cinghiali, rottami.

Da questa collina gli sniper sparavano, giocavano con le loro vittime, colpivano una mano, un piede... Alcuni miravano ai testicoli, a una tetta, avevano tutto il tempo di uccidere, così prima si divertivano un po'.

Per me era come sparare sui conigli, disse uno di loro in un'intervista. Non si sentiva colpevole, non capiva nemmeno perché ci fosse tutto quell'interesse intorno a lui, non era pazzo o sadico o altro. Aveva semplicemente perso il senso della vita.

La pietà muore insieme al primo che uccidi.

Era morto anche lui, per questo sorrideva.

Sulla via del ritorno chiamo Giuliano. Cammino incollata al cellulare con un dito nell'altro orecchio, perché adesso c'è traffico, puzza, rumore.

«Amore.»

«Amore.»

Gli chiedo di aiutarmi dall'Italia ad anticipare il volo, dice che ci proverà.

«Ma non dovevate andare verso il mare?»

«È brutto tempo, si mangia male, Pietro si lamenta.»

Sono piccole scuse, modeste come il mio cuore, come i miei timori. Giuliano lo sente. Mi lascia un po' in silenzio.

«Giuliano?» dico.

«Sono qui» dice.

Aspetta ancora un po', sta pensando, lo sento. Vedo il suo viso, i suoi occhi che diventano più piccoli... conosco l'espressione che ha quando pensa a me.

«Dove sei?»

«Per strada.»

«Cosa c'è lì davanti... davanti a te?»

Non capisco cosa mi sta chiedendo.

«C'è una strada, brutta, piena di traffico, un negozio di telefonini, uno di pane... una targa piena di nomi di gente morta...»

«Non scappare.»

Davanti all'albergo saluto Gojko senza guardarlo negli occhi. Sente che sono distante, chiusa nella mia giacca, nei miei occhiali.

«Buonanotte.»

«Buonanotte.»

«Domani?»

«Domani dormiamo un po'.»

Mi volto e sento nella schiena i suoi occhi bastardi che mi tengono in pugno.

Pietro apre la bottiglia dell'acqua, si attacca al collo, beve a lungo. Poi sospira. Fa un piccolo rutto, chiede scusa.

Proviamo ad accendere il televisore. Il canale che si prende meglio è tedesco, c'è un gioco che si vede anche in Italia, uno di quei programmi che chiamano format. Roba esportabile adatta a tutto il mondo, pulsanti, scatole piene di soldi.

Restiamo inerti sul letto a guardare quel quadrato fosforescente dove si muove gente che ride, tra monete che passano sullo schermo come cadute da un forziere, monete finte, grosse e luccicanti come quelle dei bottini dei pirati.

Non vedo mai questa roba. Eppure adesso la lascio pascolare senza difendermi, sento che mi fa bene, mi rilassa. Mi tira via dallo stagno, mi restituisce un po' di stupidità.

Una volta chiesi a Diego cosa aveva provato da ragazzo quando si era fatto di eroina.

Una faccia di merda pareva decente, lo stadio Marassi sembrava il Maracanà, il mio Vespino filava via come un'Harley Davidson... Sopportavo meglio il mondo, tutto qui.

Guardo lo schermo, quelle immagini che mi entrano dentro e non si fermano... così dopo un po' non penso più a niente. Mi svuoto di tutto, mi resta una bocca ebete che sonnecchia incollata al viso.

Pietro tira giù la schiena dal muro, guadagna il suo cuscino.

Spengo la tv, m'infilo nel buio della stanza. Un piede di Pietro mi tocca, e non se ne va subito. Resta lì accanto al mio. Cos'ha stasera sto figlio?, Mi sembra più buono, meno rabbioso.

«Cosa pensi?»

«Niente, ma'.»

Eppure ha la voce sveglia di uno ancora presente nel mondo.

Non toglie il piede, lo lascia lì, incollato al mio. Gli guardo i capelli nel buio, allungo una mano e gli carezzo la testa. A casa mi avrebbe scacciato, con uno dei suoi gesti sgarbati, con un grugnito. Invece stanotte a Sarajevo accetta la mia carezza, rimane. Anzi, si avvicina impercettibilmente, mi si accoccola contro il seno, contro la pancia chiuso come un feto. Lo stringo. Stringo mio figlio come non facevo da tempo. Forse è ferito. Da questa strana giornata, da questa città dov'è nato, per caso, crede, perché suo padre era un fotografo e girava il mondo. Adesso respira con più forza, forse sta dormendo.

Pochi giorni prima di morire mia madre mi disse di avermi sognata ancora dentro di lei, un sogno così presente che al mattino era ancora sperduta. Era lì in quel letto, vicinissima alla morte e si toccava il ventre, incredula di trovarlo vuoto. Era sicura che io fossi tornata dentro di lei.

«Che scemenza» le dissi, ferendola.

E poi era accaduto anche a me. Pietro era piccolo, aveva avuto un'otite purulenta, il pus era colato da un orecchio, la febbre saliva.

Quella notte me l'ero tenuto vicino, minuscolo e bollente. Mi ero assopita per pochi minuti. Allora avevo sognato di aprire le gambe e di dargli la vita. Non c'era dolore, né sangue. Mi ero svegliata con un urlo, un lungo vagito.

Giuliano aveva acceso la luce, spaventato, gli occhi abbacinati.

«Che c'è?»

Pietro dormiva, la febbre stava scendendo.

«Un sogno» l'avevo rassicurato.

«Brutto?»

«Domani te lo racconto.»

Stanotte mio figlio mi dorme addosso, incollato come un grosso feto. Stanotte, in quest'albergo, nella luce pallida che sale dalla strada, ho paura che Sarajevo abbia una voce sottile, che canti e racconti. Ascolto il respiro di Pietro.

«Forse un giorno glielo dirò» avevo sussurrato quella volta a Giuliano.

«Gli dirò che non sono sua madre.»

181

A Dubrovnik il sole galleggiava

A Dubrovnik il sole galleggiava in ogni particella di cielo, come se si fosse sciolto e colasse... sui tetti rossi della città vecchia, sulla costola chiara della cinta muraria. Ci incantammo a guardare quell'approdo. Finalmente, dopo tanto tempo, una vera vacanza.

Scendemmo nella stiva del traghetto a riprenderci la macchina, il portellone si aprì e una puzza micidiale di carburante ci investì, portata da quel fumo nero. Gojko era lì. Pantaloni bianchi, occhiali scuri, già cotto di sole. Un piede posato su una delle grosse cime che ancoravano la nave a terra, aiutava le macchine a scendere, faceva cenno di raddrizzare i pneumatici, intanto parlava con un ufficiale in divisa bianca accanto a lui.

Diego tirò fuori la testa dal finestrino, s'infilò due dita in bocca e cacciò uno dei suoi fischi da carruggio.

Gojko si voltò verso di noi, ci vide, un sorriso largo di tutti i suoi denti storti gli aprì il viso, uno spacco su un frutto maturo. Eravamo ancora indietro, ci raggiunse di corsa, scavalcando i cofani delle macchine in fila con balzi felini. Si strinse al petto la testa di Diego, urlando di felicità. Lo baciò, lo guardò, lo baciò di nuovo. E di nuovo urlò.

«Dobro došli, Diego! Dobro došli!»

Poi venne dalla mia parte. Tentai di difendermi dal suo assalto, mi tirò letteralmente fuori dall'abitacolo, sollevandomi come un fuscello.

«Dobro došli u Hrvatsku, bella donna!»

Si mise lui al volante e scendemmo sul molo. Poi, ci infilammo abbracciati in quelle viuzze levigate dal mare, stretti come due fratelli. Insistette per regalarmi un cappello con lo stemma rosso e bianco della Croazia. Me lo misi, mi guardai in un boccone di specchio, e quel cappello mi sembrò bellissimo... la mia faccia lì sotto sembrava quella di una volta.

Diego era rimasto indietro. Fotografava il porto dall'alto sporgendosi oltre la murata. Gojko gli lanciò un'occhiata oltre la mia testa.

«Ti ha fatto soffrire?» mi chiese.

Aveva i suoi occhi da uomo dei Balcani, fondi, minacciosi, pieni di antico onore.

«No... lui non c'entra.»

Non chiese di più.

«Abbiamo tempo» disse.

Si voltò e fece un urlo a Diego.

«Ehi, artista, fammi una fotografia con tua moglie!»

Ce l'ho ancora, quella fotografia... Gojko ha la sua faccia da martire sbruffone, io ho quel cappello croato, le gambe magrissime fuori dagli short. Non ho il viso, perché una macchia d'olio caduta a Pietro quand'era piccolo me lo cancella.

Ci sedemmo in una locanda dietro lo Stradun, sotto un pergolato di ibisco, davanti a una bottiglia di vino e a un piatto di piccole olive nere. Facemmo la gara dei noccioli, chi di noi tre li sputava più lontano. Vinse Diego. Vinceva sempre. Aveva una forza incredibile in quelle guance magre.

Gojko chiese a Diego di dargli una scarpa. Diego rise, gli tirò una ciabatta. Gojko la osservò a lungo con una faccia schifata, poi gliela restituì. Si chinò trionfante su uno dei mocassini che portava ai piedi, se lo sfilò e ci fece vedere la scritta Dior all'interno. Annuimmo, costernati. Gojko si accese una sigaretta, fumò sotto gli occhiali neri.

«Dove le hai rubate?»

Disse che non avrebbe accettato provocazioni, ma ci avrebbe offerto un altro giro alcolico.

Il sole era uscito oltre la tettoia, il mare in basso era fermo, turchino. Eravamo quasi ubriachi.

Gojko si era rimesso la scarpa a metà, schiacciandola dietro a pantofola, era stretta, forse, e non gli entrava più nel piede sudato. Due tank militari erano fermi al porto.

«Come mai sono qui?» chiesi a Gojko.

«Sono quelli dell'Armija, ogni tanto li spediscono a fare un giro di ricognizione.» Guardava il mare attraverso i suoi occhiali americani. C'erano stati disordini in Krajina, i morti di Borovo Selo. Uno dei quattordici cadaveri era stato restituito privo di occhi, un altro senza una mano. Diego chiese qualcosa.

Gojko sorrise. «Risse tra vicini, stronzate.»

Tirò fuori un gadget di cui andava fiero, una signorina di gomma molto formosa e seminuda con una molletta al posto della testa. Ci spiegò che era un portafotografie, che ognuno poteva mettere su quel collo la testa che più gli piaceva.

Si frugò nelle tasche e tirò fuori una piccola fotografia formato tessera, la infilò nel gancio. La riconobbi, era la mia fotografia dell'accredito per il Palazzo dello sport durante le Olimpiadi.

Posò la pupattola sexy con la mia testa sul tavolo.

«Sei stata con me tutto l'inverno...»

Diego gli tirò un cazzotto.

L'isola di Korčula era ricamata di vigneti che arrivavano a ridosso delle tortuose insenature della costa. Dormivamo in un albergo di poche camere, in stile veneziano. Non tornavamo per il pranzo. Camminavamo tra cespugli di gariga e rocce chiare per raggiungere una piccola spiaggia che divenne subito la nostra. Restavamo in acqua tutto il giorno. Io scrutavo il fondo per ore, i piccoli pesci che si avvicinavano al mio corpo in quel mare trasparente come vetro. I ciottoli della spiaggia cambiavano colore a ogni ora del giorno. Attraevano la luce e parevano muoversi, assestarsi di continuo in un loro ordine segreto. Al mattino presto sembrava di camminare in un'immensa covatura di piccole uova prossime a schiudersi. Al tramonto i ciottoli diventavano di un azzurro marezzato e vibrante, parevano dorsi d'insetti in cammino. Di notte, il faro bianco della luna rendeva evanescenti le rocce. I ciottoli guadagnavano un riverbero metallico di carbone morente.

Gojko aveva rimediato da un gommista una camera d'aria, bighellonava nell'acqua infilato lì dentro, i gomiti poggiati sulla gomma nera, leggendo un libro. Ogni tanto smetteva di leggere e cantava a squarciagola.

«*Kakvo je vrijeme... Vrijeme je lijepo... sunce sija...*»

Sulla fronte aveva una grossa escoriazione dovuta al sole, che proteggeva appiccicandoci sopra un pezzo di giornale bagnato. Quando era stanco lasciava la sua postazione acquatica e camminava a torso nudo sotto il sole fino a un lontanissimo chiosco di bibite da cui tornava, madido di sudore, con birre fresche e spiedini di pesce per tutti. Diego fotografava pozze saline che sembravano visi, maschere funebri di antichi guerrieri. Aveva trentun anni, il tempo lo aveva migliorato. Era ascetico e carnale nello stesso volto. Aveva quel mento bucato, da bambino, e una mestizia in più nello sguardo incassato. Io avevo trentasei anni, il corpo era ancora giovane, ma il viso risentiva della mia magrezza. L'abbronzatura evidenziava i piccoli segni d'espressione. La luce nella toilette dell'albergo era un neon troppo violento, evitavo di accenderla, mi truccavo nella penombra della stanza, seduta sul letto, uno spicchio di viso affacciato nello specchietto del fard. Cenavamo nei piccoli ristoranti accanto al porto turistico, crostacei, cozze alla buzara, con aglio e pangrattato, e quel formaggio saporito fatto con il latte delle capre che brucano gli arbusti sulle rocce. E caraffe di vino locale. Mi accorgevo di alcune ragazze che passarono davanti al nostro tavolo più d'una volta, cameriere stagionali, isolane contagiate dall'euforia dei turisti. Lanciavano furtive occhiate a Diego, al suo volto che, abbronzato, sembrava scolpito in un legno scuro e levigato. In fin dei conti eravamo una triade, e io forse sembravo la moglie di Gojko. Mi avvicinavo a Diego e lo baciavo, per allontanare quelle piccole avventuriere croate.

C'era quella guerra già lì... ma quell'estate ancora non lo sapevo, non ci pensavo. Gojko se ne stava tutto il giorno a galleggiare nella sua ciambella di gomma nera, a scribacchiare poesie, a vendere cianfrusaglie a tempo perso. Dopo cena scompariva, il grosso corpo buttato a sudare contro un corpo occasionale... eppure, se ci penso oggi, c'era già nei suoi occhi quella guerra, in quella sua voglia di strafare, di arraffare. Forse lo faceva solo per noi, voleva che i suoi due cuori italiani godessero di quel mare, di quelle cozze, di quel vino. L'ultimo bottino prima delle tenebre. Ora so che la frenesia di Gojko era la figlia allegra, zoccola, di quel presagio cupo.

«A Zagabria tutti i serbi sono diventati cetnici, a Belgrado tutti i croati sono ustascia...» sputava semi d'uva in mare. «La propaganda... la televisione... prima viene la propaganda e poi la storia...» rideva, parlava di quei capi, di cui sentivamo i nomi per la prima volta, come di un grappolo di imbecilli, gente che si gonfiava i capelli con il fon, si impiastrava la faccia di cerone per andare in tv. Milošević s'era messo a portare in giro le spoglie del principe Lazar come un becchino impazzito e Tudjman voleva cambiare i menu dei ristoranti, la segnaletica stradale. Non si riusciva a fare un discorso serio, Gojko scuoteva le spalle, disegnava una vignetta... Tudjman che presenta sua moglie a un amico, con una scritta nella nuvoletta: NON È SERBA, NON È EBREA, NON È TURCA, PURTROPPO È UNA DONNA. Non comprava nemmeno i giornali: «Tanto ognuno parla a se stesso... gli basta fare una scoreggia, sentirsi acclamati dal proprio culo!». Il suo umorismo ci metteva al riparo, accanto a lui ci sentivamo in salvo.

Era troppo su di giri, certe volte la sua irrequietezza m'infastidiva. Somigliava a quel mare, Gojko, quell'estate, andava su con l'alta marea, sbatteva contro le rocce, turbinava. Poi certe sere, quando la marea risucchiava l'acqua e la spiaggia si snudava, lui somigliava a quei piccoli granchi rimasti all'asciutto che si affannavano sugli scogli, come bambini rimasti senza coperta.

Una notte, seccata da quelle sue risate che risuonavano

troppo forti e grevi nei viottoli deserti che ci riportavano in albergo, gli dissi, senza pensarci, *sei uno stupido*.

Più tardi, in mano l'ultimo bicchiere di travarica, nella hall deserta dell'albergo entrò con i suoi mocassini Dior in quella fontana mogia al centro, ricoperta di piastrelle come un bagno turco, e si mise a urlare.

«È vero, sono uno stupido! I poeti sono stupidi come mosche contro un vetro! Sbattono contro l'invisibile per arraffare un po' di cielo!»

Nella camera accanto alla nostra era arrivata una coppia di tedeschi con un paio di quei marmocchi biondi che sembrano angeli rubati al paradiso. Li avevamo incontrati in corridoio, tornando in ciabatte dal mare. La madre mi camminava davanti, con le gambe gonfie abbronzate a chiazze, attraversate da piccole vene filamentose e scure. Una donna giovane già sfatta, senza nessuna sensualità. Il padre aveva i sandali da roccia e il ventre dilatato dalla birra. Ci avevano sorriso, io avevo sorriso a loro, a quei due bambini meravigliosi.

«Da grandi saranno brutti come i loro genitori» avevo detto ridendo, mentre entravamo in camera.

Diego mi aveva guardato, colpito da quel commento caustico. Era una famiglia discreta, non davano noia, parlavano sottovoce. Però adesso c'erano quei costumini stesi sulle grate del balcone confinante con il nostro. Il vento ne aveva fatto cadere uno, quello a fiorellini azzurri della bimba. Ero rimasta a guardare le mutandine sprofondate nel silenzio di quel cortile marino dove un inserviente trascinava un sacco di spazzatura.

C'è una porta chiusa a chiave, dipinta di bianco come il muro che comunica con l'altra stanza... è da lì che arrivano i rumori. È notte fonda, i bambini dormono. La madre gli ha sciacquato i piedi, li ha messi a letto. Noi torniamo sempre tardi, quando nella stanza accanto c'è silenzio. Ma stanotte i tedeschi hanno voglia di fare l'amore, di unire quei due corpi sgraziati, che pure si cercano. Ascolto quei rumori... il rumore inconfondibile degli approcci sessuali. Dal ventre mi sale un reflusso acido che mi corrode la gola. Il brodet di pesce stasera era troppo speziato. Mi sale la nausea per quel cibo, per il vino troppo alcolico, per quei due corpi brutti, goffi, che nella stanza accanto si strofinano. Mi prende uno schifo per tutto il sesso del mondo, per quel ficcare e ficcare fino alla morte, per quel cercare buchi. Immagino quell'uomo, quel panzone nudo, lui e la sua borsa di grasso sul ventre... e la donna, il sesso grande e sfatto come le gambe, come il resto del suo corpo. Rimango a sentire quel rumore di letto, di vecchie molle che cigolano. È la loro vacanza, hanno i marchi, ai tedeschi conviene venire in vacanza su queste coste. Ci sarà la guerra? Forse sì, forse no... è giugno. È il mese delle madri e dei bambini. Stanotte si fotte. Si sfonda questo letto già sfondato. I tedeschi hanno mangiato, camminato mano nella mano per i viottoli di pietre levigate, comprato una girandola per i figli. Sono tornati in albergo di buonumore, hanno messo a letto i marmocchi, quei due cherubini che ora dormono con i loro boccoli biondi sulle fronti sudate. Hanno ammazzato qualche zanzara. Poi sono scivolati verso il loro letto. Sono una coppia affiatata, sanno come trarre piacere uno dall'altro senza far buriana. I rumori sono solo quelli minimi, del vecchio letto, dei fiati... non ci sono grida né parole oscene. Voglio alzarmi perché fa caldo, perché non ho digerito, perché Diego dorme e non sente nulla. Poi sento un urlo improvviso, l'urlo degli uccelli marini quando sfidano l'acqua, quando riaffiorano con il capo bagnato dopo aver attraversato per un attimo la lastra del mare.

È uno dei bambini a urlare. Ora singhiozza. Sento la voce della madre, i suoi muggiti amorosi. Non scopa più, quel cesso di donna. Ha sfilato le sue chiappe dall'arnese del panzone ed è scesa dal letto, per chinarsi sul marmocchio e rassicurarlo con il suo fiato, che adesso è quello caldo di una mucca.

Quindi è così che si fa l'amore quando si hanno dei figli. Si lascia la foia e in fretta e furia, ciancicati di umori,

ci si china sul proprio piccolo per consolarlo, per assister-
lo nei suoi incubi. La tedesca è una buona madre. Ora canta una ninna nanna. È una donna poco attraente, giovane
ma sfatta come una donna di mezza età. Non c'è niente di
bello in lei ma suo figlio la ama, come uno scudo di carne, una torre di amore. Suo figlio la crede bellissima, affonda il naso in quel profumo greve di capelli, di cute che
ha sudato e riconosce l'odore del ventre, del fango avorio
della nascita.

Sono fuori sul balcone, non dormo più, c'è l'alba. L'aria
è ferma e fresca, di un cobalto intenso. Sono stata aggredita da un odio, prima singhiozzante e indeciso, poi sempre
più consapevole. Ho odiato quel bambino gnaulante, quella donna. Ho odiato soprattutto me stessa, e questo sentimento mi ha consolata.

Il mattino dopo, Diego mangiava una di quelle frittelle
dolci imbevute di miele e formaggio, era già in costume.

«Non ho voglia di venire al mare» gli dico.

C'è sempre una crisi in mezzo a una vacanza, dopo la voracità dei primi giorni c'è il calo. Diego sorride, dice che anche lui è un po' stanco, che resterà a farmi compagnia.

«Stanotte uno dei bambini dei tedeschi ha pianto, non
sono riuscita a dormire.»

«Cambiamo camera.»

«Sì... cambiamo camera.»

In corridoio incontro la donna tedesca, il suo viso è gonfio di un rossore che affiora adesso, forse ha timore che io
possa aver sentito anche il resto. Mentre se ne va le chiedo:
«*What was the matter with the child last night?*».

Mi spiega che la bimba ha perso il suo costumino, per
quello piangeva. Aveva già pianto in spiaggia e di notte nel
sonno doveva essersi ricordata di quella perdita.

«*It was old, but she liked it so much...*»

Penso a quel costume, sprofondato nel cortile, all'inserviente che lo tirava su e lo buttava nel grosso bidone delle immondizie. Volevo urlargli di non buttarlo, sapevo che
era caduto dalle grate del balcone della camera dei tede-

schi. Invece l'avevo lasciato fare, piena di amarezza... quasi mi aveva fatto piacere veder scomparire quelle braghette stinte.

In fondo eravamo tutti e tre un po' tristi, per questo ci fingevamo allegri. Quella natura ci bucava, ci restituiva a noi stessi. I giorni passavano, il mare drenava il mio corpo. Il vento salato mi restituiva forza. Serpenti si risvegliavano sotto la pelle squamata dal sole. Diego ormai si bagnava poco, il sale gli aggrediva gli occhi, preferiva la roccia. Mi accodavo a lui col mio cappello croato, scalzi sotto il cielo cocente ci arrampicavamo fino alla cima. Sentivo il respiro di Diego, guardavo i suoi piedi che si erano fatti prensili come zampe palmate. Uccelli marini facevano il nido nelle rocce, se ne stavano lì acquattati in quelle culle minerarie, scrutavano il vento. Di colpo si staccavano, planavano in basso per catturare un pesce. Diego fotografava quell'attimo, il pesce che affiora sul pelo dell'acqua e il becco che s'immerge e lo cattura. Lo sboffo del mare e in mezzo quel corpo rapace che rischia d'affogare perché ha sfidato un altro elemento. Poi quella lotta d'argento nel cielo. La vita dell'uccello e la morte del pesce. In un attimo.

Diego mi prende la mano, è una giornata limpida, laccata. Le cose sembrano finte. Una copia lucente del reale. Le isole sono letteralmente posate sull'acqua.

«Mi piacerebbe vivere qui... un giorno ci torniamo, molliamo tutto.»

Oggi si vede anche l'Italia. Oltre il ricamo delle isole, c'è una linea scura all'orizzonte.

«Siamo così vicini...»

Gojko mi tiene d'occhio... sotto gli occhiali da sole sento il suo sguardo che s'allunga su di me. Sprofondo in lunghi silenzi. Ripeto un gesto, raccolgo quella sabbia granulosa e la lascio scivolare lentamente nella clessidra del mio pugno chiuso.

Arrivano verso le due del pomeriggio, nell'ora più calda. Sono un gruppo di ragazzini dell'isola, escono dalla vegetazione correndo, si precipitano verso il mare. Sembrano piccoli cinghiali fuggiti dalla macchia. Hanno fisici rachitici, costumi consumati dal sale.

Uno di loro, il più piccolo, ogni tanto si stacca dal gruppo, cammina nella nostra direzione e si ferma, si accovaccia in terra e resta lì fermo, dondolandosi appena sulle gambe piegate. Sembra un uovo.

Vorrà dei soldi, come quei ragazzini al porto, quelli che si tuffano quando arrivano i traghetti da Dubrovnik. Quanti anni avrà? Sette, otto al massimo. Ha i capelli crespi rappresi di sale, che sembrano ciuffi di capra. Mi sembra che oggi si sia avvicinato più del solito. I suoi occhi ci guardano, sono neri e fermi come grossi bottoni lucenti. Mi appisolo, mi sveglio. Il moccioso è ancora lì. Ho le gambe leggermente dischiuse... guarda il triangolo del bikini, quel rigonfio tra le ossa del pube. Chiudo le gambe, sistemo il tessuto. Chi è questo bambino?

Ora è immerso fino alla vita. Guarda l'acqua intorno al suo corpo, immobile. Non capisco cosa fa. Poi di colpo affonda una mano, sta cercando d'acchiappare pesci. Diego si spinge verso gli scogli. Il bambino solleva lo sguardo dall'acqua.

Gli altri ragazzini sono interessati alla macchina fotografica, sono troppi, hanno troppe mani. «Stai attento» ho detto a Diego, «magari te la rubano, ti buttano un obiettivo sulla sabbia per farti dispetto.» Ma lui si lascia toccare, non ha paura, anche se un paio di loro sono grandi, hanno corpi tarchiati e molesti, muscoli già segnati. Uno ha una macchia rossa sul viso, come uno schizzo di sugo, l'altro è l'unico del gruppo che possiede un paio di pinne. Nere e gialle, identiche a quelle di un turista francese che le ha cercate a lungo prima di ripartire. Non se le toglie dai piedi, non ci nuota, ci cammina sui ciottoli come un ridicolo pinguino.

Diego fotografa il gruppo di ragazzini contro gli scogli, li vedo lì, a ciuffi, che si mettono in posa e sghignazzano. Il bambino più piccolo non sembra nemmeno far parte del gruppo, nessuno gli presta attenzione. È ancora nell'acqua, fermo come un palo. Ora sono tutti intorno a Diego. Lo guardo accovacciato sulla spiaggia, circondato da quel nugolo di miseri discepoli... ha smontato l'obiettivo, sta spiegando qualcosa, non so in che lingua. La macchina fotografica è passata al collo del ragazzo con la voglia rossa sul viso, è lui che scatta adesso. Diego ride.

Torna verso di me, il viso abbronzato ancora pieno di quel sorriso. Sistema la macchina fotografica nella custodia di cuoio.

«Non mi mollavano più.»

«Hai fatto delle belle fotografie?»

«Non lo so.»

Non sa mai se le sue fotografie saranno buone, se ci sarà qualcosa da salvare. Un'immagine, una sola che vale caterve di rullini buttati. Lui, mentre fotografa, vede cose sbagliate, capolavori che invece saranno cagate. L'immagine si rivela tra gli errori. Bellezza che spunta a casaccio, come sempre nel mondo.

Il giorno dopo, al tramonto, il bambino è di nuovo lì. Diego sta prendendo l'ultimo sole, è quello che ci piace di più, perché è rosso, perché è docile come tutte le cose che stanno per andarsene. Si è tolto gli occhiali scuri, il suo volto è invaso da quella luce meravigliosa. Scivola silenzioso come un serpente, apre la custodia, prende la macchina fotografica, se la incolla all'occhio.

Il bambino è lì, di spalle... accucciato come sempre, come un uovo. Non so quando è arrivato, poco fa non c'era. È arrivato con questa luce docile. È uscito fuori dai cespugli, come una capra che s'è persa. Diego gli si è avvicinato a pancia sotto. Striscia sui gomiti qualche metro più giù. Il bambino adesso è in acqua, fa il suo lavoro. Tenta di prendere pesci con le mani, infila una mano come un becco, come quegli uccelli affamati. Diego scatta... è un attimo. Il bambino ha preso un pesce, per un attimo l'ha preso. Vedo la fotografia, un bambino gabbiano e un pesciolino in volo contro il sole che va. Forse è questa l'immagine, la bellezza a casaccio.

È stato un attimo, perché subito dopo il pesce era perso

e il bambino scappato. E anche il sole era andato, lasciando un cielo opaco e uniforme dove sembrava che un sole così non ci fosse mai stato.

Vedo Diego che cade supino, respira stanchissimo, stringendo la sua Leica. Allora penso che c'è un angelo che ogni tanto si posa perché ha pena di noi, di tutte le cose che ci sfuggono dalle mani, che non resteranno nei nostri occhi.

Un giorno ancora a venire, con gli occhi imbevuti di tutto, guardando questa fotografia Gojko avrebbe detto: «Ora so cos'è l'arte...» e, attraversandomi con quello sguardo unto, ebete di intelligenza, «è Dio che ha nostalgia degli uomini.»

Gojko non è con noi, sono giorni che latita, scende a mare solo il pomeriggio. Dice che ha degli affari da sbrigare nella città vecchia, che il sole gli dà alla testa, che gli è venuta in mente una poesia. Forse è stanco di noi. Forse siamo più noiosi di una volta. I suoi mocassini di Dior ormai sono ciabatte, i pantaloni bianchi sono scuri davanti, pieni di patacche. La vacanza sta finendo.

Abbiamo cominciato a riprendere confidenza con il mondo che ci aspetta. Diego è chiuso nella cabina telefonica dell'albergo, parla con Duccio, per la prossima settimana ha già due servizi fotografici. Io ho iniziato a riporre le cose nella valigia. Gojko di punto in bianco mi dice: «Perché non avete ancora figli, voi due?».

Il vento porta un suono, le note di un violino. Gojko si alza e cammina verso quelle note. Torna più tardi, canta ondeggiando sulle gambe. S'è fatto qualche bicchierino in compagnia di amici. Sono un gruppo di ragazzi dell'accademia di musica di Sarajevo, alloggiano a ridosso della spiaggia in quella che un tempo era la caserma della guardia forestale, una grande casa grigia, malridotta, circondata da un ammattonato di pietre scure come la roccia.

Quando cambia il vento, da lassù, dalla casa grigia, arrivano i suoni degli strumenti che si accordano tra loro. Stanno provando un concerto, ci ha detto Gojko.

È stato il bambino a cercare noi, come avesse annusato la

nostra mancanza. Arriva mescolato agli altri, ai loro schiamazzi. Come di consueto ci scruta da lontano, dietro lo scudo della sua selvatichezza.

C'è vento. Verso le due io e Diego camminiamo fino a quel primo casotto dove è possibile mangiare qualcosa sotto una tenda di plastica, ordiniamo formaggio di Pag e cetrioli. La tenda si agita, i lembi sbattono. S'è alzato il vento. Il mare ha cominciato a sollevarsi, a ricadere sulla spiaggia in onde alte, compatte come balle di fieno.

Torniamo a riprenderci le cose, gli asciugamani sono volati sugli scogli, vola via anche il cappello croato. Ce ne andiamo.

Potevamo non udirlo, quel grido, c'era il rumore assordante del vento, come una mandria in fuga. Sollevava la terra chiara del sentiero. Ancora pochi metri e avremmo superato il costone, si sarebbero cominciate a vedere le prime case del paese, i cespugli di gerani selvatici, il muro giallo della pescheria. Ancora pochi passi e non avremmo mai udito quel grido: «Ante! Ante!».

Vediamo, più in basso, quei ragazzini che si agitano nella lingua fosca della spiaggia urlando quel nome. È un attimo, uno strappo. Diego non è più accanto a me. Ruzzola giù dagli scogli, a piedi nudi. Divora i passi che abbiamo appena percorso, le scorciatoie, dove le rocce precipitano.

Ora i suoi talloni corrono sui ciottoli, senza fermarsi butta lo zaino e la macchina fotografica.

«Aspetta!»

Quando arrivo sulla spiaggia è già tardi. Diego è una piccola testa di uccello che scavalca le onde. I ragazzini intorno a me sono muti e sperduti come stupide capre. Sono muta anch'io. Il bambino non è lì. Quel maledetto uovo non è seduto sui suoi talloni a dondolarsi, lo cerco con gli occhi e già so che non lo troverò.

Acchiappo quelle pinne gialle e nere, troppo grosse per i miei piedi, mi butto in acqua, cerco di superare il muro dove s'infrangono le onde come ha fatto Diego... ma quel muro mi ricaccia indietro. Bevo, affogo. E mentre bevo penso che fin dall'inizio di questa strana vacanza uno di noi tre, a turno, ha voglia di morire.

Fradicia e sconfitta guardo il mare, oltre il serraglio delle schiume. Il tempo passa. Il tempo è fermo. Intorno a me i ragazzi sono candele spente, hanno riflessi grigi. Mi è sembrato di vedere la testa di Diego ancora una volta, affacciata su un'onda e poi sommersa nel suo declivio. Ho pensato a quegli uccelli che planano sull'acqua, che rischiano la vita per catturare un pesce.

Sono arrivati anche i musicisti, scesi dalla loro casa grigia. Il ragazzo con il polpo rosso in faccia è corso a dare l'allarme, e adesso c'è un capannello di persone sulle spiaggia. Gojko arriva con la lampo dei pantaloni giù, la camicia spalancata. Di sicuro stava scopando con una di quelle musiciste che puzzano di acciughe salate e cosmetici scadenti. Ha i capelli arruffati e un viso tetro, attonito, da attore drammatico.

Guarda l'insenatura, le rocce che salgono dove finiscono i ciottoli. S'arrampica, scompare dietro le rocce.

Riappare dopo poco, stanco come un naufrago, in compagnia di Diego che si tiene il ragazzino stretto addosso, un braccio penzola. Si avvicina con quel piccolo trofeo di carne. Corro, li raggiungo.

Diego mi sorride in mezzo al fiatone. La corrente li ha spinti nella piccola insenatura accanto, è da lì che sono risaliti. Ante è livido, rintronato d'acqua. Diego gli strofina la schiena, Gojko gli svuota un bicchierino di grappa in gola. I ragazzini gli sono tutti troppo intorno, lo seppelliscono, scrutano quel tremore esagerato, i denti che sbattono come un martello contro un chiodo. Ridono delle sue mani raggrinzite, divorate dall'acqua, delle sue labbra viola. Lo guardano come un pesce anomalo rimasto impigliato in una rete. Il bambino sputa un po' di mare, si tira su e scappa via, scompare nella macchia.

I ragazzi si toccano la testa, ci fanno capire che quel moccioso è un po' strano, un po' svitato... che gli manca qualcosa.

Torniamo in albergo. Stasera fa freddo. Il vento se n'è

andato ma ha lasciato un'aria più rigida. Ci stringiamo nel letto sporchi di sale come siamo.

Ante non viene più sulla spiaggia. I ragazzini ci dicono che la madre lo ha punito, gliele ha date con un pezzo di corda, quella con cui lega le capre ai ganci della stalla di notte. Il mare è calmo come vetro. Il ragazzo con il polpo in faccia schiaffeggia l'acqua con le pinne gialle e nere rubate al turista francese. Diego è a pancia sotto, guarda verso la macchia, verso gli scogli. Gli manca quel maledetto uovo... lo sta cercando. Perché il bambino ogni tanto si affaccia dagli arbusti, spia la spiaggia senza il coraggio di oltrepassare il muro della macchia. Gli altri gli lanciano pietre, gli dicono che l'hanno visto, spernacchiano.

Diego si alza e s'allontana con la macchina fotografica al collo. Va a vedere se le uova dei gabbiani si sono schiuse, va a fare le ultime fotografie dall'alto.

Lo lascio andare, ma poi lo seguo. Mi graffio le gambe tra gli arbusti per non perderlo. Avanza veloce come se anche lui inseguisse qualcuno. Oltrepassa la casa dei musicisti, i loro strumenti abbandonati sotto il grande gelso che sembra addormentato, affannato dal caldo, dal peso delle fronde. I musicisti bivaccano sulle loro brande. Mi fermo, da una finestra sbircio Gojko, che ha gli occhi chiusi, il braccio posato sulla schiena nuda di una donna. Poi li vedo, Diego e Ante. Il bambino si è lasciato avvicinare e Diego lo sta fotografando.

Li seguo fino in cima, sul ciglio di un dirupo, dove la macchia si dirada, c'è una casa di pietre. Lì fuori è seduta una donna, magra, logora, gli occhi chiari scavati nelle ossa, inerti come quelli di un cieco. Guarda Diego e gli fa un piccolo inchino. Li vedo entrare nella casa.

La sera ci scoliamo una bottiglia di Lombarda sul balcone insieme a un po' di formaggio, siamo stanchi di ristoranti. Dico a Diego che quel bambino ha qualcosa di lui... le gambe, forse, il modo di fuggire.

Il giorno dopo compro due magliette e un paio di scarpe da ginnastica per Ante e le porto lassù da sua madre. Ha un'altra creatura attaccata al seno floscio come quello di una mucca malata. Mi fa capire a gesti che la neonata non sta bene, che il latte le ristagna nella gola. Torno con una busta carica di viveri, prima di andarmene le lascio sotto una bottiglia di birra vuota tutti i soldi che ho in tasca. Sorride con un sorriso mesto, il ghigno ingrato di certi cani randagi, quelli che ti ringhiano dopo che gli hai dato da mangiare. Non parla italiano, ma lo capisce. È una profuga della Krajina, è tornata in quel posto perché lì è nata e lì ha quella catapecchia e sua madre, che è una vecchia vestita di nero che abbiamo incontrato tante volte sugli scogli, quella che fa la guardia alle capre, il viso arcigno e un fortore di alcol incollato ai vestiti.

Ante oggi dà la mano a Diego. Torniamo in spiaggia insieme a lui, la madre adesso ce lo affida.

«Gracie tante» ha detto il bambino, quando la donna gli ha dato una sberla davanti a noi per farlo parlare.

Così abbiamo sentito per la prima volta la sua voce. È il sussurro rauco di un gabbiano.

Ora è nostro. Per queste giornate che restano è nostro. Diego gli dà la mano, gli mette la macchina fotografica al collo. All'ora di pranzo io vado a comprare i calamari infilzati negli stecchini, li mangiamo sulla spiaggia. Il bambino ha fame. Ora parla tanto, non sta mai zitto... la sua voce guizza, s'impenna, perde il fiato. Quando ride il tessuto misero del suo viso avvizzisce di gratitudine. Non capiamo tutto quello che dice, ma capiamo che è felice. Ora è lui che insegna a Diego ad acchiappare pesci a mani nude. Si piazzano in acqua come due pali. Sì, gli somiglia, l'ho pensato fin dalla prima volta... quando ho visto quel corpo piccolo chiuso come un uovo che dondolava sulla spiaggia.

Gojko ci vede passare con quel bambino, mentre lo riportiamo verso casa. Passiamo davanti al gelso, davanti alla caserma della forestale, i musicisti provano, un flauto si accorda a una viola. Gojko ci presenta la sua ragazza estiva.

«Lei è Ana.»

Ha i capelli neri, tagliati a strappi, alla moda, su un viso in carne. La pelle bianca di una che non è mai uscita alla luce.

Gojko guarda il bambino, scrolla le spalle, sa che è figlio

di quella donna un po' balorda e non capisce perché ce lo tiriamo dietro.

Poi una sera rispondo alla sua domanda. Siamo seduti davanti a una chiesa, su larghi gradini bagnati dall'ultimo sole. Diego è entrato nella porticina bianca dell'agenzia di viaggi, sull'altro lato della piazza, abbiamo deciso di fermarci qualche giorno in più. Da Roma l'ufficio stampa del cliente ha reclamato, Duccio ha urlato. Abbiamo smesso di telefonare.

«Sono sterile, Gojko. Non posso avere figli.»

Ci resta male. Ha sempre qualcosa da dire in gola, invece adesso si guarda intorno ferito... stringe la bocca, si schiaccia il naso con il pollice. Tira fuori un foglietto stropicciato e mi legge qualche suo verso.

> *... e la vita ride di noi*
> *come una vecchia puttana sdentata*
> *mentre ce la scopiamo a occhi chiusi*
> *sognando il culo di un giglio...*

Ha gli occhi fessi e fermi.

«Siamo una generazione senza fortuna, Gemma.»

Mi sbatacchia, mi stringe. Resto a tenergli la mano, a guardargli le unghie sottili in quelle dita gonfie.

«Ci siamo affezionati a quel bambino.»

Adesso sono una diga rotta contro la sua camicia.

«Aiutami... parla con la madre, cerca un avvocato qui del posto, qualcuno. Forse possiamo adottarlo... prenderlo in affido... possiamo dare dei soldi alla madre...»

Diego torna con i biglietti cambiati e un sorriso. Mi trova con quella faccia decrepita. Mi alzo in piedi.

«Gliel'ho detto.»

Ci abbracciamo tutti e tre in mezzo a quella piazza bianca.

Così Gojko andò a parlare con la madre, salì con una bottiglia di kruškovača tra le mani, si sedette sotto il patio di plastica, in quel puzzo di capre. La madre fece un ghigno, il solito. Disse che ci avrebbe pensato.

«Cosa le hai detto?»

Avevamo preso una barca a nolo quel giorno, per raggiungere l'isola di Mljet. Navigammo attraverso il lago salato fino al monastero benedettino. Ante era con noi, Diego lo prese sulle spalle. Sembravano davvero un padre e un figlio. Io e Gojko camminavamo qualche passo indietro.

«Le ho detto la verità, che non puoi avere figli, che vi occuperete del bambino, lo farete studiare...»

«Le hai detto che possiamo darle dei soldi?»

Abbassò quella testa di pelo rossastro, se la grattò malamente.

«Vuoi comprarlo?»

«Voglio fare tutto.»

Rimase a guardarmi... a scrutare il mio sguardo affamato e fermo.

«Anche i poveri hanno diritto a tenersi i loro figli.»

«Quella donna non merita quel bambino, non lo ama, lo batte.»

Corsi verso Ante, gli sollevai la maglietta per fargli vedere quei cordoli di croste che cominciavano a cadere.

Gojko scosse la testa.

«È Dio che decide.»

Gli dissi che era un maledetto baciapile croato, e lo mandai a quel paese.

Tornammo il giorno dopo e quello dopo ancora. La donna sorrideva, accettava i nostri regali, alzava le spalle.

«*Patre...*» diceva, è il padre che decide.

Così cominciò la trafila delle telefonate, dalla cabina del nostro albergo. Il marito rimasto in Krajina non si trovava mai, solo parenti. Ante saliva nella nostra camera, restava in mezzo a noi sul letto. Avevo cominciato a insegnargli qualche parola d'italiano, gli facevo la doccia nella vasca.

Montarono le macchinette a scontro nella piazza di polvere accanto al molo vecchio. Ci passammo una nottata intera, finché non rimanemmo solo noi tre a scontrarci, a ridere. Quando Diego gli andava addosso Ante gridava *belin* come un ragazzino di via Pré.

Quella sera quando ci salutammo pianse.

Il giorno dopo rintracciammo il padre al telefono. La madre chiamò Gojko dentro la cabina. Lo spiavo dal vetro, lo vidi afflosciarsi, parlare, tacere e poi parlare di nuovo a lungo.

Uscì sfinito. Ante entrò nella cabina. Il padre voleva parlargli.

Non disse nemmeno una parola, una sola volta vedemmo che annuiva. Uscì con un volto diverso, più largo, mi sembrò. I grandi occhi limpidi tesi verso di noi.

«*Moram ići za ocem*» disse con la sua voce da gabbiano.

Gojko tradusse.

«Devo andare con mio padre.»

Il bambino a settembre sarebbe tornato con lui in Krajina. Era un soldato della guardia territoriale croata. Non rinunciava a suo figlio. Malediceva la moglie, piuttosto che lasciarlo con quella disgraziata lo avrebbe portato con sé a combattere.

Ante ci salutò senza lacrime, ci offrì in silenzio la sua piccola mano rugosa.

«È questo il Dio che decide?» chiesi a Gojko. «È questo vento cattivo?»

Buttai dentro i nostri stracci. Ci stendemmo sul letto accanto alla valigia chiusa. Domani un nuovo inquilino sarebbe entrato in quella stanza, avrebbe scacciato il nostro odore. Uscimmo, camminammo nelle piccole strade del centro, sprofondammo verso il porto. Gojko era seduto a un tavolo in quel restaurant sul mare dove i suoi amici suonavano, schierati su una specie di palafitta, una sinfonia di Haydn.

«Haydn è stato fortemente influenzato dalla musica croata...» mi sussurrò.

E chissenefrega, pensai.

La sua conquista, Ana, era l'unica che non suonava niente, voltava le pagine al violoncellista, un vecchio con una barba lunga, girata all'insù come una lingua. Il vento muoveva gli abiti dei musicisti, i loro capelli... la musica correva sull'acqua e per un attimo sembrò poterci consolare. Tanto ormai eravamo ubriachi, c'eravamo scolati l'ultima bottiglia di Lombarda e vaffanculo. A un certo punto cominciai a non sentirmi bene. Non so esattamente cosa dissi. Diego mi toccò un braccio e io lo scacciai, *lasciami sfogare*.

Il concerto era in pausa. Ana, la brunetta di Gojko, aveva la faccia appoggiata a una mano, mi osservava come da una finestra. Io guardavo lo smalto sulle sue unghie, quei pezzettini rossi che ballavano. M'ero messa a raccontarle il mio calvario, così, dal fondo di quel vino, di quella nausea. A Roma non avevo mai parlato con nessuno e adesso mi svuotavo con questa sconosciuta. Era il suo smalto, forse... pesciolini che galleggiavano verso di me. Lei si accese una sigaretta.

Disse qualcosa in un italiano squinternato: «Puoi appoggiare a altra donna».

E mentre faceva anelli con il fumo, mi raccontò che conosceva una donna austriaca senza utero ma con un ristorante a Belgrado, che s'era fatta prestare la pancia da una kossovara.

Guardai la bocca di Ana, piccola e appuntita, rossa come le unghie, su quel viso largo, privo di zigomi. Ero indecisa se fosse una fata o una strega. Mi allontanai e vomitai dietro gli scogli.

Il giorno dopo al mattino presto eravamo all'imbarcadero. Gli occhiali da sole, le magliette pulite. Due tranquilli turisti che rientrano. Arrivammo in anticipo, ci piazzammo al bar del porto a bere un'aranciata. Ante non si vedeva in giro. Lo stavamo aspettando, senza avere il coraggio di dircelo. Eravamo inquieti, avevamo nella schiena la sensazione che si fosse appostato da un pezzo dietro uno di quei muri rosa, e che ci stesse spiando. Restammo fino all'ultimo sul molo, Gojko arrivò a torso nudo, sentimmo da lontano il rumore dei suoi mocassini Dior ridotti a ciabatte. Fu uno strano commiato. E strani furono i versi che ci dedicò.

> *Basterà il filo bianco dell'aurora*
> *a separarci dalla notte?*
> *Ci rivedremo?*

Salimmo sul traghetto. Ci appoggiammo a quella sponda di tubi bianchi come due uccelli. Ante comparve sulla banchina solo quando la nave si staccò. Lo vedemmo avanzare sul molo. Ma lì si fermò perché dopo c'era il mare, e lui non sapeva nuotare. Era poco più alto di una di quelle bitte di ferro. Agitava un braccio, un unico braccio nero, che mi rimase negli occhi come un'unghia.

Solo quando non lo vedemmo più entrammo all'interno. C'era quell'odore di nave, di moquette umida e carburante, di salsedine attaccata alla ruggine. Un televisore andava, senza segnale, uno schermo confuso, un rumore.

Diego si alzò: «Devo andare in bagno». Lo trovai dietro una scialuppa appesa. Era chiuso su se stesso e si dondolava sui talloni, come un uovo. Guardai il mare, e immaginai di prendere Diego per mano e di fare un salto, laggiù, oltre la schiuma. Chissà se sotto tutto quel mare avremmo ritrovato un'altra vita. *Pesci*, pensai, *non siamo altro che pesci... branchie che si gonfiano e si chiudono... poi viene un gabbiano che dall'alto ci prende e mentre ci smembra ci fa volare, forse questo è l'amore.*

Un boato ruppe il silenzio, insaccai d'istinto la testa nella nuca, mi portai le mani sulle orecchie. Erano aerei militari, sorvolavano il mare a bassa quota... ci passavano addosso radenti, spazzando le onde. Per un lungo attimo ebbi la sensazione che ci avrebbero colpiti. Alcuni marinai si affacciarono. Vidi le loro facce terree. Erano aerei partiti dalla base militare di Dubrovnik, mentre altre squadriglie contemporaneamente si sollevavano da Spalato, da Fiume, da Pola: lo sapemmo più tardi, quando il televisore davanti al bancone del bar prese a funzionare. Diego se ne stava sbracato su una poltrona, una gamba sollevata sullo schienale di quella davanti, gli occhiali da sole. Turisti in ciabatte, con i marsupi intorno alla vita e tazze di caffè in mano, si assiepavano davanti al televisore, a quelle immagini che andavano e venivano. I marinai erano tutti lì intorno, anche il capitano aveva gli occhi posati su quello schermo disturbato, mentre scolava una birra dal collo della bottiglia.

«Chi cazzo la sta pilotando sta nave?» chiesi a Diego.

Gli strappai un sorriso, mi tirò a sé.

Ci mettemmo a parlare in inglese con un norvegese. Era un reporter, aveva filmato i tank dell'Armata Federale piazzati lungo le linee di confine e poi, naturalmente, aveva approfittato della trasferta per visitare le isole. Aveva una caccola di capelli biondi legati dietro, strizzava continuamente gli occhi e parlava troppo in fretta. Era scettico, pessimista. Aveva intervistato Milošević, che gli aveva ripetuto più di una volta che *ogni spicchio di terra dove c'è una tomba serba, quella è Serbia...*

«La Croazia è piena di tombe di serbi...» bofonchiò il norvegese.

Gli aerei militari se n'erano andati. Diego guardava il mare oltre il vetro sporco di salsedine, un raggio di sole gli entrava nella bocca.

Andò in fretta

Andò in fretta. Vedemmo in televisione i bombardamenti di Zagabria, Zara e poi Dubrovnik... dove avevamo passato quella giornata. Ogni tanto mi sembrava di riconoscere uno scorcio, un muro accanto al quale ero passata in ciabatte, succhiando uno stucchevole cremino aromatizzato alla banana. Eravamo seduti sul nostro nuovo divano. Fuori c'era la quiete flaccida di Roma, e quell'ottobre come sempre generoso di luce. Mi portavo le mani in bocca, mi divoravo le unghie. Ripercorrevo quella giornata, le cose che avevamo visto a Dubrovnik.

Porta Pile, poi il lungo viale pedonale della Placa... la Fontana di Onofrio. Giù, fino alla torre dell'Orologio, alla colonna di Orlando.

Diego non aveva scattato nemmeno una fotografia della città, solo pezzi di persone in movimento, sedie da bar. Le vedemmo per terra in un servizio al telegiornale, quelle stesse sedie.

Così cominciò la guerra per noi. Con quelle sedie capovolte, tra le macerie di un bar... il bar dov'eravamo stati pochi mesi prima, dove Gojko aveva tirato fuori i suoi gingilli, e quella pupattola formosa con una mia fotografia infilata nel gancio che le usciva dal collo. Adesso gli telefonavamo spesso. Ci tranquillizzava. Aveva dei parenti a Zagabria che avevano dovuto lasciare le loro abitazioni.

«Sono in vacanza in Austria...»

Non so se per orgoglio o che altro, ma adesso faceva fatica a parlare del suo Paese che stava esplodendo, un pezzo dietro l'altro, come una padella di popcorn.

Anche in redazione mi accorgo che nessuno ha voglia di stare dietro più di tanto a questa guerra, d'altronde la nostra è una rivista scientifica. Al bar, mentre sceglie un panino, Viola dice: «I Balcani... non ci capisce un cazzo nessuno, dei Balcani».

Morde il panino, dice che è moscio, che il tonno è vecchio, ha sbagliato, doveva prendere quello con gli spinaci. «E a nessuno gliene frega un cazzo... giustamente.»

«Perché *giustamente*?»

«Ma chi se li incula...»

Ha la solita faccia scocciata e buona. Scuote le spalle, indica il tostapane dietro il bancone, dice che mi stanno bruciando il panino, protesta lei per me.

«Il bambino come sta?»

«Sta al nido.»

La vediamo in televisione ogni sera, la guerra, questa è la vera novità. È vicina perché è a poche miglia di mare, è lontana perché ronza nello schermo tv.

È il diciotto novembre, lo so perché è il compleanno di papà. Abbiamo fatto la torta, ci siamo salutati sulla porta, come mi saluta lui ultimamente, quasi non dovessimo vederci più. Forse è un po' depresso. Al mattino presto passa da noi. Suona al citofono, dice che sale con i manghi. Adesso ha la passione dei manghi, li pulisce, li affetta. I resti della torta sono sul tavolo, li lecco tirandoli su con il dito dal loro cartone argentato. Infilo un dito anche nella bocca di Diego. Lui spinge il telecomando.

La voce dice: *Dopo ottantasei giorni di assedio la città di Vukovar si è arresa alle truppe irregolari serbe.*

Un uomo di spalle corre stringendo un bambino. Il cameraman segue quella corsa. Il bambino è arreso, le gambe molli come quelle di un pupazzo. Forse è ferito e il padre sta correndo verso un ospedale. L'uomo ha un pezzo di sedere di fuori... è quello che guardo. Non ha la cinta ai pantaloni, forse stava dormendo e si è vestito in fretta. Guardo quel dettaglio, i pantaloni che scivolano e la mano che cerca di tenerli su alla meglio.

Quando spengiamo il televisore e restiamo a fissare lo schermo nero che ancora racchiude un po' di luminescenza, quell'immagine mi resta negli occhi. Mi sembra che la tragedia di questa guerra sia tutta lì, in quest'uomo che cerca di salvare suo figlio e contemporaneamente di non restare con il culo nudo.

Del bambino di Korčula non parliamo più. Siamo tornati con quel dolore, poi se n'è andato. Dolcemente. S'è posato come un pesce su uno specchio. Però Ante è rimasto con noi. Credo che quando trovi un figlio nel mondo, comunque vadano le cose, lui rimane. C'è gente che li perde e continua a trovarli ogni giorno, nelle fotografie, nell'armadio dei vestiti. E così noi continuammo a trovarlo. In un quadro, alla galleria d'arte moderna. In una lepre che si ferma davanti ai fari della nostra auto e ci guarda per un bel po', come se dovesse dirci qualcosa. Nella nuca di Diego. Perché lì è rimasto, come un amore sfiorato. Quando lo spio seduto sulla tazza del cesso troppo a lungo, i jeans arrotolati in terra, la testa poggiata contro le piastrelle come se dormisse.

«Cosa pensi?» gli chiedo.

Sì, sta pensando a quel moccioso, a quelle macchinette a scontro.

L'inverno cammina, trascina le sue giornate di freddo. I gas che escono dalle macchine, che inceneriscono l'aria, s'appiccicano ai panni stesi sui balconi di quelle case affacciate sulla tangenziale. Ci passo ogni giorno per andare al lavoro. Corro intabarrata sul mio motorino. In redazione fa freddo, ho una piccola stufa personale e post-it che mi lascia il direttore. La parola che leggo di più è URGENTE. Stacco quei talloncini gialli e li arrotolo, ci gioco. Come può essere urgente un articolo sull'effetto magnetico di una nuova fibra sintetica che rivoluzionerà il modo di pulire le nostre case? Ormai questa rivista non è altro che un catalogo di pubblicità camuffato da informazione scientifica. Doveva essere un lavoro transitorio, qualche mese e via, invece mi hanno promosso caporedattore. Mi alzo per prendere il caffè dalla macchinetta, tutti i giorni alla stessa ora. Aspetto che il liquido scenda nel bicchierino marrone... e intanto penso che non andrò più via. Sono brava nel mio lavoro, sono svelta. Perché non ho alcun interesse per quello che faccio. Va bene così. La passione mi taglia le gambe, mi rende goffa. Fatico a misurarmi con ciò che mi sta troppo a cuore. Divento ansiosa, comincio a grattarmi, come se il sangue all'improvviso corresse troppo veloce sotto la pelle e bruciasse. Qualche giorno fa ho ritrovato gli appunti della mia tesi di ricerca. E mi sono sembrati così lontani, quei giorni, quando credevo che avrei continuato a studiare tutta la vita. Ho pensato ad Andrić, a quella solitudine patologica che lo rendeva scostante, paranoico. Nelle ultime interviste appariva irritato dalle domande e stufo della sua opera... come se avesse svelato troppo di se stesso e ne fosse pentito. E m'è sembrato di capire qualcosa che non avevo mai capito prima. Invecchiando si può di colpo diventare avari di se stessi, aridi con il mondo, perché niente ci ha davvero ricompensati.

«Chissà com'è a quest'ora Sarajevo...»
È Diego che parla, appoggiato a una balaustra del Pincio.
Ci vediamo alle sette di sera, ci diamo un bacio e camminiamo abbracciati verso una vineria dove ormai siamo di casa, che ci accoglie come un ventre unto. Mangiamo qualche pezzo di pane abbrustolito ricoperto di salsette, beviamo piccoli bicchieri di rosso. C'è una panca e una finestra che dà sulla strada. Le persone s'affrettano sul marciapiede... le guardiamo passare come figure di cenere.
Ci diamo la mano sul tavolo. Facciamo un sorriso al ragazzo che serve. Non parliamo più nemmeno di lavoro. Diego non ne ha voglia, ormai non porta più i rullini a casa, ha un'assistente che fa tutto. E anche quando ha tempo non

esce più con la macchina fotografica al collo a caccia di pozzanghere, resta in casa, s'addormenta sul divano. Il pianoforte è chiuso da mesi.

Non siamo veramente tristi, siamo come tronchi nella corrente, galleggiamo placidi verso valle, infischiandocene. Siamo più indifferenti. Non frequentiamo quasi nessuno, troviamo scuse. Ci piace stare soli. Ci amiamo più che mai, dopo quella vacanza strana. È un amore diverso. Una coppia si è buttata da un cavalcavia. L'ho letto sul giornale. Il proprietario di uno di quei camper che vendono panini è stato l'ultimo a vederli. Erano tranquilli, persino allegri. Avevano mangiato pane e porchetta e bevuto una birra. C'erano nubi nel cielo, si ammassavano dietro i monti. L'uomo del camper gli aveva detto che nel pomeriggio sarebbe venuto a piovere, e quei due avevano sorriso guardando il cielo, quella pioggia che non li avrebbe mai raggiunti. Ce ne stiamo seduti in questa vineria molli, compenetrati l'uno nell'altra, come se non avessimo più nulla da perdere, nulla da pretendere. Come se dovessimo alzarci e buttarci da un cavalcavia.

Forse questo è l'amore quando raggiunge la sua vetta. Ebbro come uno scalatore che s'è arrampicato e poi è arrivato, e più su di così non può andare, perché comincia il cielo. Così noi guardiamo fuori dal vetro, quel paesaggio rarefatto, il mondo dal quale ci siamo mossi per cominciare la salita, che adesso ci sembra così lontano. Siamo in alto e soli, sulla vetta che abbiamo raggiunto.

La mano di Diego è sul tavolo, il suo polso è bianco.

Ha visto le greggi di profughi, cordoli umani nelle strade di terra... quel vecchio disperato davanti a una stalla di bestie morte, quella donna con un solo orecchino e un solo orecchio, i quaranta bambini ciechi di Vukovar che non vedono la guerra ma la sentono con i loro occhi di albume. Forse è lì, tra quella gente, che vorrebbe stare, con la sua macchina fotografica, le sue vecchie scarpe da montagna.

Posiamo i piedi sull'asfalto e torniamo. Rasentiamo i muri. Il vino è sceso nelle gambe, nelle mani che pencolano unite.

Adesso è più facile tornare verso casa, accendere la luce, ritrovare quel mucchio di stanze, di cose nostre che sono rimaste sole tutto il giorno e ora puzzano di silenzio.

Accendiamo il televisore. Aspettiamo la notte, i servizi più lunghi. Quando i bambini dormono fanno vedere i cadaveri, lividi, inutili, uomini che premono grilletti, che armano obici, che distruggono il lavoro di altri uomini. Che brivido può dare afflosciare in un attimo cose edificate nei secoli, disperdere le tracce della buona volontà umana? Così è la guerra. Ridurre tutto allo stesso niente, un cesso pubblico e un convento nello stesso ammasso di calcinacci, un uomo morto accanto a un gatto morto.

Ogni tanto lo speaker tace. Il cameraman filma. Allora sentiamo la voce della guerra. È un rumore riconoscibile come l'acciottolio dei piatti nell'acquaio. È un silenzio rotto qua e là, tessuto sforbiciato da un sarto nervoso. I passi di uno che scappa, sassi sordi che affondano nel fango. Una raffica, nemmeno così terribile, come una collana che si rompe. Poi il botto duro di un obice. La telecamera che trema. L'obiettivo imbrattato da uno schizzo. Parlottio, come di ragazzi fuori da una scuola. Una testa si affaccia da una macchina carbonizzata, piccola e vispa come quella di un pulcino che ha appena rotto il guscio.

Noi intanto ci spostiamo per la casa, facciamo le nostre cose, io mi metto la crema da notte. Diego apre la finestra, guarda la strada, il traffico notturno e ordinato, di luci rosse e bianche, di scie opalescenti.

Prendere la linea di notte è più facile. Componiamo il prefisso, il numero. Aspettiamo il vuoto, quel salto di nazione, di chilometri di terra e di mare... invece non passa, la comunicazione s'interrompe, e sembra davvero un elastico che si spezza e torna indietro. Riproviamo ancora e ancora, e infine arriva quel segnale di libero, fondo, lontano. Lo immaginiamo come una miccia che corre lungo quei cavi che attraversano foreste, pianure di pioppi, campi di girasole, fiumi che precipitano da rocce minerarie, dai monti Zelengora, Visočica, Bjelašnica... e infine Sarajevo, la miccia l'attraversa, raggiunge quel palazzo rosato, quel telefono grigio, ministeriale, posato sulla credenza intarsiata di piccoli rombi di specchio, sotto il ritratto di Tito.

Gojko risponde con una voce presente, come se fosse nella cabina telefonica che si vede dalla finestra del nostro bagno. Urla a sua madre di abbassare il televisore. È Diego che parla, tiene lui la cornetta. Io sono lì accanto con la testa incollata alla sua, come un cane. Gli chiede come stanno, se hanno bisogno di qualcosa. Gojko risponde che non gli dispiacerebbe una cassa di Brunello di Montalcino.

«Non scherzare. Ti serve qualcosa? Te la spedisco, te la porto.»

«Tranquillo.»

«Come sta tua madre? Come sta Sebina? Forse almeno lei è il caso che venga via.»

«Non c'è la guerra da noi.»

«Ci sarà?»

Gojko dice che non ci sarà. Nessuno toccherà Sarajevo.

Prendo un pezzo di parmigiano, una pera, porto il piatto dov'è Diego. Mangiamo così, dove capita, un boccone per uno. Io gli metto il cibo in bocca.

Ci sono troppe cose in questa casa, dovremmo buttare quasi tutto. Lasciare solo il divano, forse nemmeno quello, giusto il pianoforte e sederci in terra spalle al muro come una volta, pochi anni fa, quando eravamo giovani.

Lui è nudo, fotografa il televisore. Di notte folgora di scatti quel blu, quella guerra che vediamo nella scatola. Fotografa così i morti dell'ospedale di Vukovar, quelle bocche di cera, sbranate dall'ultimo respiro.

Intorno il nitore della casa, i soprammobili, le tende chiare, le chiavi della macchina, la normalità spalmata di burro e scontentezza. Diego scatta, è accucciato in terra, usa il grandangolo, fotografa di traverso, ruba le cose ai margini. Stamperà fotografie blu, lunghe e oblique come cinemascope, il televisore che galleggia in quello spazio laccato e notturno, roba nera intorno, solo quella luce, quel blu che illumina la morte.

«Basta, vieni a letto.» Il suo culo è scavato come quello di un cane.

Facciamo l'amore. Il suo corpo è un mantello d'ossa.

Sudato, ricade accanto a me. Tossisce, una tosse cupa, corta.

Mi sorride, graspi di rughe sul viso di un bimbo.

Torna a guardare il televisore. La pubblicità di una macchina. E poi la ragazza impiccata con il golf rosso e le gambe aperte, tozze come la mucca della sua stalla.

È successo dal parrucchiere. In quella bolla calda di fon, di odori buoni di shampoo, di tinture. Mi piaceva andarci, appoggiare la testa indietro su uno di quei lavandini piantati nel parquet. La ragazza friziona, si porta via lo sporco di città e quello dei miei pensieri... e per un attimo sembra che tutto possa andarsene in quello scolo alle mie spalle. Tiro su la testa, mi danno il piccolo asciugamano nero... cammino verso gli specchi in questo grande salone del centro che sembra un loft newyorkese. Niente pubblicità burine di balsami e acconciature alle pareti, solo grandi quadri grigiastri, sfuggenti marine che incoraggiano a sperare in un futuro confortante, quando le persone normali saranno estinte e resteranno solo gli stylist.

Con i miei ciuffi bagnati aspetto Vanni, il capo di questo ricovero per capelli maltrattati dallo smog e dalle piccole infelicità. È l'ora di pranzo, c'è un po' di confusione. Galline ricche sotto i caschi, avvocatesse, commercialiste e monumentali battone in attesa di qualche politico, perché il Parlamento è a due passi. Uno dei ragazzi vestiti di nero mi mette davanti un pacco di riviste.

«Vuole leggere qualcosa?»

Avrei il mio libro. Ma non mi va di concentrarmi, mi va di galleggiare in questo limbo, in questo acquario glamour. Sfoglio, pubblicità di vestiti, di rossetti, un articolo sulla ricostruzione dell'imene, pubblicità di reggiseni, il reportage di un viaggio per mercatini a Londra, lettere di donne deluse dagli uomini. Mi fermo. Guardo la fotografia di una donna con un bambino in braccio. Il titolo rosso dice LA CICOGNA ARRIVA DA LONTANO.

Leggo l'intervista a questa donna francese, sterile dopo le cure per un cancro. La sorella le ha donato un ovulo che è stato fecondato in vitro e poi impiantato nell'utero di una terza donna, una ragazza ungherese, *la cicogna* appunto. Leggo il nome tecnico di quella possibilità: *maternità surrogata*. Penso a mia madre, al surrogato per il brodo che comprava in farmacia.

Vanni si avvicina, mi bacia sulla guancia, mastica una gomma americana, è un gay robusto ma atletico, cammina scalzo in quel tappeto di capelli, come un armatore sul suo panfilo. Mi tira su i ciuffi, si guarda nello specchio insieme a me. Trattiene il fiato, sforbicia... tocca i capelli come un artista tocca la materia. Mi friziona con la sua mano esperta, e il taglio si materializza.

«Ti piace?»

«Mi piace.»

Butta un occhio alla rivista, si prende un posacenere, resta a fumare accanto a me, fuma e mastica la gomma americana. Ne parliamo, lui dice: «Anche la Madonna, se ci pensi, ha affittato l'utero a Dio...».

Piove. Una goccia più grande delle altre cola sul vetro della finestra, la seguo. Un lungo taglio d'acqua che divide la notte. Il respiro del naso adesso sembra il battito della terra, e quella goccia una lacrima preistorica che divide il nostro mondo dal loro.

Papà stamattina ha portato i mandarini. Prima di salire da noi passa al mercato qui sotto. Gironzola, annusa. *È la parte buona della città*, dice, *l'ultimo avanzo di una umanità che ancora vive insieme. Il resto è solitudine.* Ha un cane adesso, una specie di bracco dal pelo sfilacciato. È un buon motivo per uscire, per camminare. Posa il sacchetto di carta marrone, riempie la casa di quell'odore fresco. *Un po' di vitamine*, dice.

Ci sediamo tutti e tre in cucina. Sbucciamo mandarini. Poi Diego mangia anche le bucce, gli piacciono.

Le valigie sono lì, ancora aperte. Diego ha tirato giù dal soppalco il suo zaino, ha voluto quello. S'è arrampicato sulla scala, stava per cadere. Ha lanciato lo zaino sul pavimento. Quando lo ha raccolto, l'ha annusato. Ha riconosciuto l'odore dei viaggi, delle notti negli aeroporti, dei sogni e delle ferite.

È la mia vecchia pelle, ha detto.

Il cane di mio padre gironzola attorno allo zaino, annusa anche lui.

«Non è che sto cane ci piscia, sui bagagli, papà?»

«Vieni qui, Pane, cuccia.»

«Che nome è Pane?»

«Mangiavo un panino per strada, gli ho tirato un pezzo di pane, non se n'è andato più, m'è rimasto dietro.» Carezza quel cane che gli va subito vicino, allunga il muso come un orfano mellifluo. I mandarini sono finiti. Papà guarda le valigie. Non ha mai smesso di guardarle. «Che tempo trovate, piove?»

Intanto toglie il sacchetto pieno della pattumiera.

«E dai, papà, che fai, ci butti l'immondizia?»

«Che mi costa?»

«Lascia.»

È più forte di me, più ostinato. Trattiene quel sacchetto con rabbia.

«E fammi fare qualcosa, Cristo!»

Il mattino dopo insiste per accompagnarci lui all'aeroporto. Sarebbe più comodo un taxi, più veloce. Invece ci tocca quest'uomo che è mio padre, che si sveglia all'alba e ci aspetta in macchina, troppo in anticipo come un autista solerte. Citofona.

«Sono qui sotto, fate con comodo.»

Gli piace quell'alba, è felice come se andasse a pescare. Ha la barba fatta e s'è messo pure la cravatta, come un vero autista. Odora del suo dopobarba, e del caffè che s'è preso al bar.

Così sono dietro a questa nuca, grigia e famigliare. Come

da piccola, quando mi accompagnava a scuola. Non ero brava in matematica, soffrivo. *Copia, mettiti vicino a qualcuno che ti fa copiare.* Io diventavo rossa, non mi sembrava un consiglio adatto al mio orgoglio. *Tu non capisci niente, papà.* Invece capiva tutto. *Impara solo quello che ti piace, Gemma, il resto lascialo agli altri, non ti accanire.*

Guida concentrato, facendo attenzione a tutto. Ed è come se volesse darci un segno, dirci di stare attenti anche noi. Non ha incertezze. Sa dove andare, quale rampa salire all'aeroporto per lasciarci davanti all'ingresso giusto, sembra che abbia studiato il percorso. Apre il bagagliaio, corre dentro a cercare il carrello. Ci saluta in fretta, non vuole pesare. Vuole essere un professionista, stamattina, di quelli che portano la gente a destinazione e se ne vanno perché hanno altri impegni. Lui non ha impegni ma fa finta di sì. Risale in macchina, annuisce. Le mascelle tese nel vetro. Ha detto una sola parola: *telefonate.*

Forse si ferma a Fiumicino, fa una passeggiata sulla spiaggia, aspetta l'ora di pranzo, la mezza. Gli piacciono i merluzzi fritti. Lo immagino che ne divora un bel piatto, sono sicura che prenderà anche il vino, una bottiglia fresca, se la scolerà, si farà le guance rosse. Da solo sbracherà, lo conosco. Tutta la vita a cercare di essere un buon esempio, per me che sono sempre stata un po' ottusa, e capirò il privilegio di un padre così solo quando se ne sarà andato, come le mosche e il vento, come sempre tutto.

Le mosche sono sul cestino del pane, uno di quei cestini di plastica che danno al mare, ai ristoranti degli stabilimenti. Mio padre mangia e beve, si gode il sale, la vista blu del mare. Da lì può vedere gli aerei che si alzano e fanno quel cerchio prima di trovare la rotta.

Ci siamo noi su uno di quegli aerei, ci ha accompagnato con gli occhi, ha alzato il mento. Appena poco fa eravamo vicini e grandi, corpi e odori, e adesso siamo destini messi in cielo. Mio padre guarda la distanza tra il niente e il tutto, tra quella scoreggia di fumo bianco in mezzo alle nuvole e questo amore quaggiù, stretto nel cuore che comincia a essere anziano.

«Cosa pensi?» mi chiede Diego mentre l'ala dell'aereo segue la scia riflessa del sole nell'oblò.

«No, a niente...»

C'è papà sull'ala dell'aereo che sembra fermo.

C'è qualcosa che non mi dici, vero Gemmina?

Cosa, papà?

Non me lo dire, non importa.

Siamo seduti in business

Siamo seduti in business, sedili grandi, bicchieri di vetro e tovaglioli veri. Non avevo voglia di viaggiare in economica, non su questi aerei scalcinati... non avevo voglia di sedili stretti, di hostess che non ti danno retta. Ho voglia di allungare le gambe. Non è un viaggio di piacere. È un ricovero. È come quando si è malati, se te lo puoi permettere scegli una clinica, una stanza tua, un'infermiera che può sembrare una cameriera d'hotel e una tenda da tirare per tener lontano il mondo. Credevo di trovare un aereo vuoto. Chi vuoi che abbia voglia di sorvolare una guerra? Invece di gente ce n'è. Uomini che andranno in quei locali di luci opalescenti e di ragazze bianche come burro che hanno appena cominciato a sporcarsi. La svendita è agli inizi, fa gola arrivare per primi ad arraffare la purezza. Uomini che poi rientreranno a casa con qualche scatola di caviale, qualche icona. E poi russi che tornano a destinazione. Come i due accanto a noi, con la valigetta ventiquattrore, nera, rigida, che non hanno messo nelle cappelliere ma sotto il sedile, controllata dai piedi, da scarpe nere e lucide. Scarpe italiane per due uomini d'affari dell'ex Unione Sovietica. Cosa saranno venuti a vendere? Pezzi del loro Paese in via di smobilitazione... oleodotti, palazzi, miniere, testate nucleari. Per un attimo immagino che nelle valigette abbiano penne che uccidono, fiale di cianuro, come le spie venute dal freddo dei film americani. Ma la guerra fredda s'è sciolta come il resto, questi due al massimo si saranno riportati qualche pezzo di parmigiano.

La tendina che ci separa dall'economica è tirata. I russi hanno bevuto molte coppe di champagne senza cambiare espressione né tono di voce.

La hostess che si occupa di noi ha una faccia grassoccia e il naso corto, la bustina che porta in testa, troppo piccola per i capelli cotonati, è sul punto di cadere. Sembra una barchetta sulle onde. Ci versa da bere con un certo charme, allungando il braccio grasso con grazia, senza versare una goccia.

«*More, please.*»

Ho atteso tanto questo momento e adesso non so più perché. Ho fatto di tutto per salire su questo aereo, e adesso penso che se qualcuno aprisse il portellone, un pazzo, un dirottatore, scenderei anch'io, nel bianco farinoso delle nubi, nel freddo dell'altitudine.

È stata una decisione improvvisa, ho fatto io i biglietti, ho controllato che i passaporti non fossero scaduti. Andiamo a vedere, a capire... cosa ci costa?

È stata una scelta d'amore, diceva la donna in quell'articolo letto dal parrucchiere, *ho aiutato un'altra donna come me, non sono stata un'incubatrice, sono stata una cicogna.* Bevo champagne. *More, please.* E nel mollume del bere e dell'altitudine mi flagello un po'. Se è una scelta d'amore perché stiamo andando in un Paese impoverito e allo sbando? I romani, di là, parlano a voce alta, che differenza c'è tra me e quel gruppo di puttanieri? Anch'io sono in cerca di una donna, di un ventre.

«Ascolta...»

Diego si stacca un auricolare e me lo mette nell'orecchio. Sono i Rem. Ascoltiamo insieme un po' di *Losing my religion*.

... That's me in the corner... that's me in the spotlight...

«Stai tranquilla.»

Poi lui dorme. Gli guardo la mano. Che cos'è una mano? Chi ci ha tagliato così?

Una donna si alza, apre la cappelliera, tira giù una sac-

217

ca. Sta per cadermi addosso, perché adesso c'è un po' di turbolenza.

«Mi scusi.»

Ha una faccia simpatica. Anche suo marito dorme. Un cranio con pochi capelli grigi, la bocca aperta contro il cuscino che ci hanno dato all'inizio del volo.

È seduta dietro di me, dopo un po' mi tocca la spalla.

«Ha paura di volare, lei?»

«No, ho paura della terra.»

«Come dice?»

Che cazzo dico? Non lo so. È lo champagne...

«Ho paura dell'atterraggio» mi correggo.

La donna è di quelle che hanno voglia di parlare.

«A me l'atterraggio non fa paura, perché si vedono già le case.»

C'è un posto vuoto nella fila accanto alla nostra, la donna si alza e si trasferisce lì. Non è giovane, non è vecchia, è nella terra di mezzo. Ha un bel sorriso. Ha aperto la borsa, ha tirato fuori qualcosa. Prima un burro di cacao, *perché le labbra in aereo si seccano, ci ha fatto caso?*, e poi una scatola che adesso apre. Tira fuori un paio di scarpe da ginnastica con un bordo rosa, da bambina.

«Le piacciono?»

Annuisco.

«Le ha prese mio marito a New York, lui ci va spesso per lavoro.»

La donna se le porta al naso, le annusa, le carezza.

«Guardi, c'è una sorpresa...»

Sorride, penso che forse ha qualche problema, è di quelle che prendono psicofarmaci, che si rintronano.

«S'illuminano... vede?»

Infila le mani nelle scarpe, si china fino alla moquette e muove le mani, simula passi. In effetti le scarpe hanno piccole luci che s'accendono nella suola di gomma trasparente.

«In Italia non ci sono ancora...»

«Sono per sua figlia?»

Risponde dopo un po', annusa ancora quelle scarpe, forse hanno un profumo di fragola.

«Non è ancora una figlia...»

Credo che non aspettasse altro. È una di quelle che nei viaggi si guardano intorno e cercano l'imbuto dove infilare la loro voce. Stamattina ha trovato me. Il marito dorme, ha imparato a difendersi, a lasciar morire la testa in un cuscino. Mi sciroppo la storia. Lei e il marito hanno preso per due estati consecutive una bambina di Chernobyl, quelle che vengono a ripulirsi dalle radiazioni, è un'orfana. L'orfanotrofio aveva bisogno di un frigorifero e di un proiettore, loro glieli hanno regalati. Sono entrati in amicizia con la direttrice. Adesso vanno a trovare la bambina, Annuška, e lei le porta quelle scarpe in regalo. Sono troppo vecchi, non possono averla in adozione, ma sperano in un affido.

«Il nostro avvocato ha parlato con un avvocato ucraino.» Muove le dita, fa scivolare il pollice sotto l'indice e il medio: «Soldi, è solo una questione di soldi. Lì con i soldi fai tutto.»

Questa Annuška ha sette anni e loro possono adottare solo un bambino dai nove anni in su. Adesso tira fuori altre due dita, le brandisce come piccoli coltelli, la voce è un sussurro querulo.

«Due anni... cosa sono due anni?»

Muove ancora quelle scarpe, scuote la testa due volte, con uno scatto nervoso che sembra un tic, sta scacciando qualcosa, un pensiero ricorrente che deve scacciare spesso... è un gesto che riconosco. C'è un codice comune a ogni madre mancata.

«Due anni... Ho cercato anche di contraffare i miei documenti, non mi vergogno a dirlo... ti costringono ad andare contro la legge...»

Adesso mi sembra una brutta copia di me stessa.

Chiedo ancora champagne. Intanto mi domando se su questo aereo ho incontrato la donna che diventerò, se la vita è quella che sembra o è un percorso di segni luminosi come queste scarpe del cazzo, come la lucetta che indica l'uscita.

La donna parla, parla...

«... Annuška, quando è arrivata, non aveva mai visto un armadio, e si è spaventata, si è nascosta sotto il letto. Abbiamo smontato l'armadio, le abbiamo fatto piegare i vestiti sulla sedia com'era abituata a fare. Quest'estate ha rivoluto l'armadio, lo abbiamo tirato su dalla cantina, lo abbiamo rimontato. Mio marito ha sudato come un maiale, *crepa*, ho pensato. È stata la giornata più bella della nostra vita. Annuška rideva, non aveva più paura, voleva entrare nell'armadio, bussare e vedere noi che aprivamo, che la liberavamo...»

La donna si curva e muove di nuovo quelle scarpe sulla moquette, quelle suole che si accendono con il movimento. E mi sembra per un attimo di conoscerla, questa Annuška che non conosco. La vedo che corre con le sue scarpe americane. Buone per la notte, per non perdersi. Mi ricordo di quel giorno, quando accompagnai Diego che andava a fotografare i bambini appena arrivati da Chernobyl in quella colonia di Ostia... mi parvero fosforescenti.

«E lei?» chiede la donna.

Tocco il bracciolo del sedile, il buco nero di una bruciatura di sigaretta.

«Lei ha figli?»

Spingo il dito in quella vecchia imbottitura.

«Non ancora.»

Sorride, sospira...

«Siete giovani, avete tempo.»

Diego ha riaperto gli occhi, controlla che ore sono, tira su le braccia, si stiracchia.

«Suo marito sembra un ragazzino...»

Diego sorride.

Sente la donna che dice:

«E dove andate di bello?»

È lui che risponde sulla mia nuca china.

«In vacanza.»

Ci pensa ancora un po', sorride

«Sul Mar Nero.»

All'aeroporto di Kiev incontriamo la nostra interprete, Oxana, una ragazza magra e alta. Sta lì, rigida in mezzo alla folla degli arrivi, stringe il cartello con il nostro cognome

scritto a penna. Ha un'espressione seria e la postura iera-
tica di un milite. Quando ci vede si rilassa, le andiamo incontro, le diamo la mano. Ci sorride appena, abbassando un
po' la schiena, accennando un inchino. Ha capelli legati, un
cappotto azzurro con le maniche corte sui polsi nudi, una
borsa di corda a tracolla. Ci chiede come è andato il viaggio. Parla un buon italiano, con quell'accento che a noi fa
un po' ridere. Camminiamo appresso alla sua coda tra un
anaconda fluttuante di persone malmesse che non hanno
l'aria di dover partire, sono lì a prendersi il caldo che fuo-
riesce dalle griglie dei caloriferi. Chiedo a Oxana cosa c'è
in quei pacchi abbandonati accanto all'uscita.

«Posta...»

«E non la consegnano?»

«Sì, prima o poi lo faranno...»

Un uomo con i baffi s'affaccia da un vecchio pullmino Fiat,
fa retromarcia, ci apre lo sportello, ci prende i bagagli. Ci sediamo tra tutti quei sedili vuoti. Oxana apre lo sportellino di
vetro che ci separa dall'autista, gli dice qualcosa a bassa voce,
poi si siede davanti a noi, in direzione contraria al viaggio.

«Avete dollari?»

«Sì.»

«Dollari vanno bene.»

«E le lire?»

Sorride, non vuole offenderci.

«Meglio dollari.»

Ci guarda in attesa di qualche nostra domanda. Ha la
grazia un po' rigida di certe danzatrici classiche.

«Quanti chilometri sono?»

«Un po' più di cento.»

Le chiedo soltanto quando potremo incontrare il dottore.

«Già oggi.»

Guardo Diego: «Passiamo in albergo, lasciamo le cose e
andiamo...».

«Sì.»

Sta guardando anche lui Oxana, quel viso serio, proteso
verso di noi, quella fronte alta, limpida.

Furgoni, trattori, pullman ci sfiorano su una strada che taglia campi albini, poi sterminate pianure di spighe ancora verdi.

«È grano?»

«Sì. Cecenia è il nostro petrolio, Ucraina è il nostro grano» sorride, «lo diceva Stalin.»

Diego le chiede di Gorbačëv, del dopo, lei scuote la testa.

«Macello... tanto macello.»

Diego dice che è naturale, che quel passaggio ha bisogno di tempo. «Ci vorranno forse vent'anni...»

Oxana annuisce, la testa dondola sul piedistallo del collo.

«Vent'anni... come me.»

«Hai solo vent'anni?»

Annuisce. Io pensavo ne avesse trenta. Forse perché è così magra, così seria.

I campi sono finiti da un pezzo, ora non incontriamo altro che fabbriche dall'aspetto fatiscente. La città sembra non avere un centro, solo periferia. Oxana scende prima di noi, ci accompagna, parla con il concierge.

La stanza è avvolta da una tappezzeria celeste di un raso luccicante e rigido che sembra plastica. È tutto uguale, la tenda, la testiera del letto. Lasciamo i bagagli, ci laviamo le mani, sbattiamo la porta.

L'ambulatorio era a pochi isolati dall'albergo, una costruzione massiccia e scarna in perfetto stile sovietico. Prendemmo l'ascensore, salimmo al secondo piano. Restammo per un po' in attesa in una stanza, i piedi posati su un pavimento foderato di linoleum bianco. Sulle pareti alcuni attestati sotto vetro e due grandi stampe plastificate, come quelle che una volta si trovavano nelle aule di medicina all'università. Riproducevano l'apparato genitale maschile e quello femminile. C'erano le sacche rosa dello scroto e delle ovaie, i canali seminali, le tube, e un'infinità di filamenti rossi e blu per le arterie e i corpi venosi. Guardai quell'immenso pene in sezione, molle come una proboscide abbandonata, quella vagina arancione che pareva l'interno di una cozza. La tristezza mi salì dalla pancia, si fermò nella nuca. Sbirciai Diego. Sorrideva da solo, stupido come uno studente.

Venne a chiamarci una donna con un camice strizzato su un corpo formoso ma tozzo. Il medico era seduto dietro una scrivania ministeriale ricoperta da un vetro verdognolo, troppo grande per la stanza che invece era di dimensioni modeste, alle spalle due tende a balze e varie onorificenze in cornice.

Si alzò, ci diede la mano, ci fece segno di sederci.

«Prego» disse in italiano.

Oxana si sedette accanto a me, ci tradusse che il dottor Tymošenko si scusava di non parlare italiano, conosceva solo alcune parole, però era intenzionato a studiarlo, perché adesso cominciavano a venire molti italiani.

«Siamo un Paese all'avanguardia... in questo campo.»

Oxana traduceva, senza incertezze e con il viso immoto. Ebbi l'impressione che conoscesse a memoria quel discorsetto che continuava sullo stesso tono. Sui due lati della stanza c'erano alcune immagini di bambini sorridenti in braccio a madri sorridenti... doveva essere un percorso simile a quello degli alberghi termali, dove si passa dal gelo al caldo, dai sassi agli oli. Quella sala d'attesa deprimente con quegli organi riproduttivi fiacchi e poi questa stanza rasserenante, con le tendine ricamate come una baita e queste madri felici. Ero tesa, cercavo di indovinare dov'era l'imbroglio...

Il camice del dottor Tymošenko era lindo ma leggermente ingrigito, gli zigomi mongoli, i capelli brizzolati unti di brillantina. Ci disse che se volevamo fumare eravamo liberi di farlo.

«Non fumiamo.»

S'accese una sigaretta, attese.

Parlai io. Raccontai la nostra storia. Ogni tanto Oxana mi metteva una mano sul braccio per fermarmi e poter tradurre. La guardavo cercando di indovinare se facesse bene il suo mestiere. Feci un gesto brusco verso Diego per dirgli di darmi le cartelline... quell'immenso pacco di ecografie, di analisi, di soldi buttati, feci vedere al dottore la fotografia del mio utero e il resto.

«Inesploso...» dissi. «Un utero inesploso...»

Aspettai che l'interprete traducesse quella parola. Il dottore aprì la cartellina, guardò l'ecografia, annuì. Storsi la bocca. C'era una finestra che dava su un campo sportivo, una grande laguna con un vecchio canestro senza rete... guardai quell'occhio di ferro, piangevo.

Mi lasciò piangere senza scomporsi, doveva essere abituato anche a quello. Singhiozzi duri, pietre.

Mi alzai e mi avvicinai alla finestra, Diego mi raggiunse, ci abbracciammo di spalle a quelle due persone che non conoscevamo. Guardammo quel campo sportivo e la teoria di case che si vedevano sul fondo, senza tetto, tutte uguali, sembravano cabine di uno stabilimento balneare abbandonato.

Tornai a sedermi. Ero calma. Il fango era andato, come la renella nei reni che quando passa fa tanto dolore ma poi è finita davvero, sei solo un po' stanco. Una donna enorme entrò con un samovar fumante e bevemmo tè. Scoprimmo che il dottore parlava francese e quindi per un po' andammo avanti da soli, senza l'aiuto di Oxana. Poi tornò al russo. Aprì un cassetto, tirò fuori dei fogli.

Adesso ero attenta e lucida.

Tracciò tre cerchi A, B, C, e sopra ai cerchi un triangolo con una X. Puntò il lapis sulla X.

«Questo è suo marito» guardò Diego, sorrise.

La madre A era la donatrice dell'ovulo, che veniva fecondato con il liquido seminale del triangolo X e immesso nella madre surrogata B. Ogni volta con il lapis faceva un trattino di congiunzione tra un cerchio e l'altro fino ad arrivare a me, al cerchio C.

Troppi cerchi, pensai, *troppe madri*.

«Vorrei che fosse solo una... un'altra donna soltanto.»

Lui disse che non c'era nessun problema, si poteva fare tutto con la stessa donna. Ma era più caro.

«Una madre locatrice con un figlio che geneticamente non le appartiene non può rivendicare alcun diritto, la madre naturale invece...»

Sapevo di correre un rischio maggiore, ma volevo vedere in faccia la donna, vederla sorridere... stabilire una relazione.

Oxana traduceva ma io guardavo solo il dottore. Quelle mani grandi, la bocca mentre parlava, gli occhi piccoli di un azzurro profondo... mi chiedevo se potevo fidarmi. Se c'era un segno buono in quell'uomo.

Lo seguimmo per un breve giro nell'ambulatorio, entrammo in una stanza con un lettino, un mobile di ferro, uno scaffale carico di ampolle e di medicinali, un secchio pieno d'ovatta, un altro per i divaricatori, vidi un vecchio contenitore di plastica con il manico, forse era lì che conservava gli ovuli, il liquido seminale... sembrava uno di quei refrigeratori da spiaggia di una volta.

Il medico si sedette sul lettino e con disinvoltura cominciò a parlare di soldi. Voleva essere pagato in valuta straniera, dollari o marchi tedeschi. Non c'erano spese di agenzia, né per il sostentamento della madre surrogata durante la gestazione né per un avvocato del posto. Pensavano a tutto loro.

«E se la madre ci ripensa?»

Oxana tradusse: «Non ci ripensano. Sono donne che si offrono spontaneamente...».

Per un lungo attimo pensai che non ci fosse nessuna verità nello sguardo di quell'uomo, e in niente di ciò che aveva detto.

Tornammo a piedi verso l'albergo. Pioveva. Oxana aveva un ombrello e insisteva per coprirci le teste da dietro. Le dicemmo che poteva lasciarci e andarsene. Invece ci perdemmo. Le indicazioni erano in cirillico e nessuno parlava una parola di niente. Molti negozi erano chiusi, le scritte PRADUKTI scolorite, le vetrine semivuote. Ci affacciammo in un panificio. Qualche pagnotta isolata su uno scaffale di legno, come pietre su una tomba. Le poche persone che passavano si voltavano a guardarci.

Diego fotografò una vecchia ferma sotto un casotto di cemento riflessa in una grande pozza d'acqua. Non si mosse, non cambiò mai espressione davanti a quel ragazzo che s'inginocchiava e fotografava quell'acqua sporca al margine della strada. Poi Diego si alzò con le ginocchia bagnate, si cercò nelle tasche una banconota da dieci dollari. La vecchia aveva un volto giallognolo che pareva fatto di un tessuto spugnoso, di un muscolo arido, malato. Si buttò in terra per baciare le mani di Diego. Lui cercò di tenerla ferma, di frenare quella reazione esagerata. Le diede un bacio su quella testa, su quel foulard.

Riprendemmo a camminare.

L'albergo lo trovammo, venne fuori dal cemento in quel pomeriggio di luce fosca e vapore di pioggia.

Feci una doccia fiacca sotto una cipolla con i buchi otturati che spruzzava qua e là, contro la tenda di plastica, lontano dal mio corpo. I letti erano piccoli e separati, li avvicinammo, e il rumore del ferro contro il pavimento raschiò nelle nostre orecchie. Le lenzuola erano chiuse a sacco intorno ai piumini, sembravano una camicia di forza. Diego non si lamentò della doccia, si avvicinò alla finestra, fotografò quello che si vedeva in basso: un lungo muro grigio con una spirale di filo spinato in alto, come quello di una caserma.

Scendemmo a mangiare. Un po' di vita c'era, una donna che cantava con un vestito a squame di paillette rosse, molti uomini soli e qualche coppia. Un cameriere bianco e nero con il ventre gonfio e grandi piedi lenti, davvero simile a un pinguino. Ci sedemmo a un tavolino, ci portarono un grande menu, con una traduzione in francese e una in inglese. Leggemmo, chiamammo il cameriere. Fu una piccola farsa. Ogni volta che indicavamo un piatto, il pinguino scuoteva la testa, apriva le braccia, *niet...*

C'era il borsch, ordinammo quello. Poi l'uomo tornò da noi e tirò fuori dalla giacca una scatoletta che ci mostrò sotto il tavolo, fingendo di non volersi far vedere dal maître. Era caviale, costava dieci dollari, da dare a lui, cash. Prendemmo il caviale, la banconota scivolò via. Con la seconda banconota ci arrivò anche una bottiglia di vodka speciale.

Adesso anche il maître sorrideva con un piccolo inchino quando passava accanto al nostro tavolo mentre andava in-

contro ai clienti. Donne cotonate in minigonna e stivali ap-
puntiti, uomini con giacche lucide. Il caviale era buonissimo, servito con blinis e panna acida... Diego aveva una di
quelle piccole uova nere sulla punta del naso, sorrisi, mi
avvicinai a lui, lo pulii con un dito. Guardò nella scollatu-
ra della mia camicetta di seta come un fidanzatino, e per
un po' ci sentimmo una coppia in vacanza. Restammo su
quelle panche imbottite anche dopo, finita la cena. Diego
alzò il bicchiere di vodka verso la cantante, e quella donna
un po' sfatta, con il vestito da sirena rossa e gli occhi imbevuti di ombretto verde, intonò per noi *Volare, oh oh oh oh*.
Ridemmo, applaudimmo.

In camera facciamo l'amore su quei letti che fanno un ru-
more infernale. È una cosa sessuale, uno sfogo. Non ci di-
spiace, almeno siamo vivi.
«Anche se non succede niente, chissenefrega» sospirai.
«Ci siamo fatti un viaggio, abbiamo fatto l'amore...»
Diego, alla finestra, punta l'obiettivo sul buio.
«Cosa fotografi?»
«Una luce.»
Dev'essere quel faro bianco della caserma di fronte.

Il mattino dopo scendemmo nella sala delle colazioni,
c'erano due grossi contenitori d'acqua bollente, qualche
uovo, un po' di dolciumi. E quell'odore ricorrente, di rista-
gno di cucina, di carne lasciata a macerare nel brodo. Oxana
ci raggiunse lì, lo stesso elastico nei capelli, lo stesso pallore. Le infilammo una tazza di tè nelle mani rosse. Ci disse che dovevamo aspettare, che il dottore stava cercando
la persona giusta per noi e che nel pomeriggio ci avrebbe
fatto sapere qualcosa.
Facemmo una passeggiata. Diego fotografò una vecchia
chiesa di legno e la statua dei cosacchi accanto alla fiamma
di gas metano azzurra ed eterna. Anche in centro regnava
una miseria assoluta, e uno strano silenzio.
Oxana tornò nel pomeriggio. Prendemmo un taxi per
raggiungere l'ambulatorio, una Skoda color prugna, senza

paraurti. Il medico aveva identificato una donna che forse poteva andare bene.

«Chi è?» le chiesi.

Oxana s'era seduta accanto all'autista, gli aveva detto la strada. Si voltò verso di noi, disse che la donna era una persona fidata.

«L'ha già fatto.»

Pensai a quella donna che mi aspettava da qualche parte, che dava via i suoi figli... per denaro. Una professionista, mi sforzai di pensare, cosa c'era di meglio che una professionista. Guardai la mano di Diego chiusa a pugno sul sedile. Era immobile eppure non era una mano serena, stringeva la sua pelle come stringesse un chiodo.

Prima di partire io e Diego avevamo discusso a lungo sul confine morale segnato da quel viaggio. Diego aveva detto *esiste solo una legge, quella della nostra coscienza. Dobbiamo continuare a sentirci onesti, a sentirci noi. Altrimenti torniamo indietro e non ne parliamo mai più.*

L'avevo trascinato io in quell'avventura, dopo una notte di pianti, di disperazione. Adesso mi infastidiva il suo viso serio, lo sguardo pensoso.

Entrammo nella stanza, la donna era di spalle, seduta. Il dottore ci venne incontro, lei non si mosse. La sfiorai con uno sguardo zoppo, senza guardarla veramente. Ci sedemmo e solo dopo un po', mentre il dottore continuava a parlare, la guardai davvero. La tirai fuori dal resto, e di nascosto la ingoiai. Vidi una mano, un orecchio, capelli corti da maschio. Era una donna semplice, vestita con umiltà, ma dignitosa. Il volto lungo e scavato, il naso regolare. Stringeva una borsa con il manico rigido di finta pelle. Le guardai le caviglie ossute, le scarpe comode, allacciate davanti come quelle di certe donne di chiesa. Annuiva alle parole del medico. Oxana traduceva.

Sentivo un odore di erba, e di cenere. Le chiesi se era di lì, di quella città. Era solo la prima domanda che mi era venuta in mente.

Fece un sorrisetto nella mia direzione, poi rispose guardando Oxana. Abitava in campagna, a una ventina di chilometri dalla città. Ci dicemmo poche altre cose banali. Entrò la grassona con il samovar, servì il tè. La donna bevve chinando il volto verso la tazza, preoccupata di fare rumore e attenta a non sporcare il piattino.

Poi si alzò e fece un piccolo inchino. Oxana tradusse che la signora doveva andarsene perché aveva paura di perdere l'autobus che doveva riportarla a casa. Mi diede la mano, era fredda e talmente mite da sembrare incorporea.

«Grazie...» dissi.

Diego si alzò. Non aveva detto una sola parola. Le diede la mano anche lui e fece un inchino come se dovesse ricompensarla di qualcosa.

La donna fece un gesto gentile, di conforto, diede un colpetto sulla mano di Diego, brusca, come una madre con un figlio.

Se ne andò senza lasciare alcuna scia, portandosi dietro il suo odore di cenere e la sua borsa di plastica.

«È perfetta...» disse il dottore. «È una donna seria, molto riservata.»

Era stato un colloquio breve e informale, così doveva essere, era la prassi. Non avevamo parlato di niente.

«Ci sarà tempo» disse il medico.

«Dovete tornare in albergo, pensarci una notte.»

«Quanti anni ha?» chiesi.

«Trentadue.»

«Ha già dei figli suoi?»

«Ne ha tre.»

«Ha un marito?»

Il dottore scoppiò a ridere.

«Certo che ha un marito.»

«Come possiamo essere certi che...» mi fermai per pudore.

Il medico capì, sembrava rispondere a un questionario al quale aveva già risposto molte volte.

La voce di Oxana tradusse che dopo l'inseminazione la

signora si sarebbe fermata per qualche giorno nella clinica, dove il dottore avrebbe monitorato l'avvenuta fecondazione, e solo allora avrebbe fatto ritorno a casa.

Sorrise. «I vostri interessi sono i nostri.»

Si toccò la testa, quella brillantina che imprigionava i capelli, e tirò fuori una voce più aspra.

«Le nostre donne sono umili e generose, si considerano creature neutre. Non darebbero mai via un figlio del proprio marito. Perciò può stare tranquilla.»

Mangiammo il caviale con meno voracità della sera precedente. Distratti da infiniti pensieri. Una parola ogni tanto cadeva sul tavolo. La cantante aveva lo stesso vestito rosso, gli stessi occhi vellutati, la stessa voce roca. Io pensavo a quell'incontro, a quella donna. Aveva un'aria dimessa e pulita, una leggera peluria sul volto, le sopracciglia in disordine, non usava nemmeno le pinzette. Aveva scarpe e capelli da suora. Era perfetta, aveva ragione il dottore. Alcuni bicchierini di vodka erano scesi, s'erano infilati laggiù nel corpo, avevano fatto un nido luccicante...

«Allora...? Cosa pensi?»

«Mi sembra una brava persona.»

«Quindi è lei...»

«Balliamo?»

Ballammo tra dorsi di uomini goffi e donne con le natiche robuste e profumi troppo dolci... ballammo abbracciati e sperduti.

Il medico passò a prenderci subito dopo l'ora di pranzo. Salimmo su una berlina blu con i sedili di pelle che odoravano del detergente con il quale erano stati puliti da poco. Le strade erano tranquille, forse troppo, deserte anche nei centri abitati, case chiare con lividi tetti montani, affacciate su quella infinita pianura. La radio era accesa su un notiziario interrotto da brevi pause musicali. Capimmo che si parlava della guerra, chiedemmo a Oxana di tradurci quello che dicevano. Si voltò verso di noi.

«Hanno firmato un accordo per il cessate il fuoco in Croazia...»

Il medico rise.

«È la cosa che gli piace di più, firmare e non rispettare gli accordi.»

Passammo accanto a una zona recintata con cilindri di ferro che avanzavano per centinaia di metri nella campagna, all'interno si vedevano dei fabbricati massicci disposti a semicerchio.

«Cos'è?» domandò Diego.

Oxana si voltò: «Sono miniere di...».

Il medico le aveva dato un'occhiata nello specchio. Si girò lui verso di noi, parlò con il suo francese balordo.

«Sono vecchie miniere abbandonate...»

Ci infilammo in una sterrata, la macchina avanzò lentamente. Era una casa di campagna in un piccolo borgo rurale. C'era fango di pioggia appena passata. Vidi una rete da materasso addossata a una baracca e una bicicletta da bambino.

Ci venne incontro un uomo, tarchiato, con il volto scuro e un golf a losanghe rosse e avana. Non doveva avere superato i quarant'anni, ma ne dimostrava parecchi di più. La donna ci aspettava dentro. Ci salutò, ci invitò a sederci con un gesto asciutto. Posò sul tavolo un vassoio di bicchieri con una bottiglia colma di un liquido rossastro, era succo di ciliegie, si toccò il petto per farci capire che l'aveva preparato lei. Sentimmo piangere. Andò di là e tornò con un bambino piccolo in braccio, che poteva avere al massimo un anno. Gli diede un cucchiaino per farlo giocare e si sedette. Il marito parlava, muovendo le mani a coltello sul tavolo, come se stesse tagliando qualcosa. Parlavano in russo lui e il medico, più di una volta sentii la parola *dollars*. Oxana tradusse per Diego: «La prima rata all'inizio della gestazione, la seconda al quinto mese, la terza alla consegna...».

Aveva studiato l'italiano per corrispondenza e usava termini aspri, burocratici, senza rendersi conto di quanto ci ferissero. Diego deglutì.

«Va bene... questo va bene.»

Il bambino era pallido come la madre e aveva gli occhi dello stesso marrone spento, indossava una tutina di pannolenci di un colore indefinito. La madre ora mi guardava.

«Voglio sapere se è contenta di farlo... se lo fa con amore, per noi è molto importante.»

Rispose il marito, con il suo russo, con la sua gola arrugginita di nicotina.

Oxana tradusse che erano molto contenti, che la donna era felice di aiutarci.

Si alzò, ci fece fare un giro della casa, poche stanze ordinate con lo stesso pavimento di ceramica color vino, tendine alle finestre, lampadari di merletto inamidato e pochi mobili massicci di legno chiaro. L'uomo spalancava le porte, noi infilavamo il naso. Era tutto miserevole, tutto con lo stesso odore, ma pulito.

Chiesi se era possibile restare un po' sola con la donna. Era timida e mi sfuggiva, e c'era quel marito troppo invadente che ci controllava.

Lei mi portò fuori, mentre prendeva la legna. L'esterno era più disordinato, c'erano masserizie accatastate ovunque accanto a mucchi di materiali da costruzione. Oxana camminava alle nostre spalle. Domandai alla donna come si chiamava. Parlammo della campagna, di quella stagione ancora rigida. Disse che aveva studiato per diventare ingegnere, ma poi aveva dovuto lasciar perdere. Guardava quasi sempre in terra, e solo ogni tanto alzava lo sguardo su Oxana che doveva tradurre. Quel tramite costante mi metteva a disagio, toglieva intimità a quella conversazione.

«Ascolta, Tereza, voglio solo sapere se è una scelta... se non è tuo marito che...»

Scosse la testa. Ripeté che era felice di farlo, che lo avrebbe fatto anche senza soldi, ma che i soldi le servivano per i suoi figli, per farli studiare. Disse che le piaceva essere incinta, le gravidanze non le davano nessuna noia, anzi gli ormoni della vita la mettevano di buonumore.

«E cosa dirai ai tuoi figli dopo?»

Rise, un piccolo sorriso che scoprì due denti rotti, scheggiati proprio davanti.

«Loro non se ne accorgono, sono molto magra... e mi vesto sempre così...»

Si toccò il vestito un po' largo che le ballava sullo scheletro. Feci la domanda che dovevo farle.

«E per te? Non sarà difficile staccarti dal bambino?»

Indossava un paio di calosce di gomma, le strofinava nel fango. Mi sembrò che non volesse rispondere.

Mi rivolsi a Oxana: «Ha capito cosa ho detto?».

Mi era scappato un tono autoritario, quello che si usa con i bambini e con i vecchi... con le creature che dipendono da noi.

«No» tradusse Oxana, «per lei è naturale... sa che il bambino non le appartiene.»

Finalmente mi guardò.

«*Ja eto dom.*»

«Io sono la casa.»

Era piegata, le guardai il ventre molle sotto i vestiti, sciupato dalle gravidanze. Infilò una mano sotto la paglia del gallinaio e tirò fuori due uova ancora calde. Insistette per regalarmele, erano buone da bere... scossi la testa, poi me le infilai nella tasca del cappotto. E rimasi con una mano lì, su quelle uova calde.

Dopo un po' disse: «Non devi pensare che sono una donna cattiva».

Il marito si affacciò a cercarci, fece uno strano sibilo, come se richiamasse le galline. Tereza si avviò in fretta verso casa. Rimasi alle sue spalle, le guardai le natiche, i fianchi, come si guarda un animale. Non era fatta male, aveva muscoli lunghi, caviglie sottili. Non aveva nessun difetto fisico, nessuna anomalia. Era neutra... ecco cos'era. Non era allegra e non era triste, non era bella ma nemmeno brutta, non aveva un grande calore umano ma non era scostante... era una di quelle creature indefinite che non lasciano segno, un'agnella nel gregge. Era scomparsa da tre secondi e già non conservavo alcun ricordo di lei. Andava bene... anzi, forse era perfetta perché non era nessuno. Era la signora nessuno. Il cerchio disegnato sulla carta.

Mi aggirai ancora un po', da sola, nello spiazzo davanti

alla casa. Annusavo, buttavo gli occhi qua e là, controllavo il territorio, i metri di terra dove Tereza sarebbe vissuta con nostro figlio in grembo. Mi chinai a scansare uno spuntone di ferro arrugginito, come una madre previdente...

Tornai dentro. Diego s'era messo a fotografare il bambino, che ora se ne stava aggrappato al bordo di un box sgangherato, la bocca incollata alla plastica. Guardava l'obiettivo della macchina fotografica senza alcun interesse. Era incolore e inerte come sua madre. Non aveva guizzi infantili. Stava lì, imprigionato nell'opacità come un fossile nella resina... e la sua miseria aveva qualcosa di eterno... inutile carne che si riproduce nei secoli, che germoglia e scompare senza lasciare traccia. Diego lo fotografava, e forse era proprio questo a piacergli, a commuoverlo, l'immota fissità del destino umano.

«Andiamo...»

Mi dava fastidio che fotografasse quel bambino. Certe volte mi dava persino fastidio vederlo fotografare... s'avviluppava alla macchina fotografica come a un cuore, come a qualcosa che gli era uscito dal petto e pulsava, che tratteneva a sé per vivere ancora qualche istante.

«Andiamo...»

Mi dava fastidio quella sua aria, quella faccia scavata da missionario. C'era troppa sconfitta in quel modo d'amare. Un giorno tutto questo sarebbe finito. Un giorno lui avrebbe fotografato solo il nostro bambino per ore e ore... e tutti gli altri, tutti gli Ante del mondo sarebbero scivolati in uno stagno inferiore.

Diego non parlò per tutto il viaggio, sonnecchiò contro il vetro.

«Cosa succede adesso?»

Oxana tradusse. Già l'indomani Tereza si sarebbe recata nell'ambulatorio per i prelievi del sangue. Il dottore avrebbe monitorato l'attività follicolare, l'ovulazione era prossima, forse era questione di ore. Non ci sarebbe stato bisogno di alcuna sollecitazione ovarica visto che la donna era estremamente feconda.

Il dottore si voltò: «A meno che non vogliate due o tre gemelli...».

Risi, mi sganasciai dalle risate. Era tempo che non ridevo così. Adesso mi piaceva quell'uomo diretto, ruvido. Un vero cosacco asservito alla causa della sterilità umana! Diego non rideva. Gli presi la mano.

Non avevo intenzione di star dietro al suo malumore, ai suoi scrupoli... Adesso ero preoccupata per la donna, per *moi malenchii dom*, la mia piccola casa. Le avrei lasciato dei soldi in più, certo... le avrei spedito vitamine e sali minerali, magnesio, ferro. La fecondazione adesso mi sembrava un dettaglio. Qualcosa che sarebbe avvenuto in fretta, nel giro di una manciata di minuti in quell'ambulatorio con le tendine ricamate.

Il dottore era loquace e rilassato durante quel viaggio di ritorno, rispondeva a ogni domanda, smussava ogni inquietudine. La donna sarebbe stata seguita con controlli costanti, noi avremmo ricevuto in Italia le ecografie e i risultati di tutti gli esami prenatali e avremmo potuto decidere in ogni momento di farle visita. Suggeriva, almeno a me, di restare in Ucraina per gli ultimi mesi della gravidanza.

«Così non dovrà dare spiegazioni, se vorrà potrà semplicemente dire di aver partorito all'estero. Sarà importante per lei partecipare, tenere la mano sulla pancia della madre surrogata, sentire i movimenti del feto. Questo l'aiuterà. Sta per andare incontro a grandi emozioni, dovrà fare attenzione al suo stato di salute, spesso è la madre affittuaria che si ammala... si sentirà debole e al momento del parto avvertirà delle vere contrazioni...»

Pensai che ero a un passo dalla vita.

Diego ascoltava guardando oltre il vetro, ogni tanto fotografava qualcosa, un trattore che tagliava i campi, un uomo in bicicletta. Non aveva fotografato per mesi e adesso fotografava questo nulla, questi campi brutti, questo cielo polveroso...

Passammo di nuovo accanto alla lunga inferriata di lance e filo spinato che circondava la miniera, con quei cartelli che dicevano chissà cosa. Diego alzò la macchina fotografica e fece uno scatto attraverso il vetro. Chiese di nuovo che cosa estraessero in quella specie di bunker, Oxana non si voltò, scosse appena le spalle.

La cantante quella sera aveva cambiato vestito, era tutta in bianco, come una grossa nuvola, il maître ci aveva portato il caviale, aveva avuto la sua mancia. Poi la vodka scese e portò le parole.

«Ha i denti rotti... quella donna ha i denti rotti.»

Provai a sorridere. «E allora?»

«Davvero non te ne sei accorta, amore?»

«Di che cosa non mi sono accorta?»

Si portò una mano in faccia, la fermò sullo zigomo...

«Aveva qualcosa, un segno... un livido...»

Sì, l'avevo visto quell'occhio cerchiato, quando si era voltata verso di me per dirmi *io sono la casa*.

«Sarà stato il figlio, le avrà infilato qualcosa nell'occhio... oppure si sarà graffiata nei campi...»

Diego annuì.

«Forse, sì...»

Più tardi nel buio non riuscivo a dormire... c'era quell'odore sgradevole nella stanza. Avevo messo il cappotto ad asciugare sul calorifero. Quelle due uova del cazzo alla fine mi si erano rotte in tasca, me le ero dimenticate. Avevo buttato i gusci nel water, avevo rovesciato la tasca e l'avevo lavata alla meglio. Adesso, dal calorifero, arrivava quell'odore di uovo che s'asciuga, che puzza.

«Il marito la mena... è questo che pensi?»

Non dormiva neanche lui.

«Non mi piace quell'uomo, anche il bambino è molto triste.»

Il giorno dopo uscimmo presto. Oxana venne a prenderci in albergo, la invitammo a fare colazione con noi. Appiccicò il suo viso bianco alla tazza di tè caldo, se la premette contro la guancia. Era venuta a piedi, infreddolita e più stanca dei giorni precedenti. Quando Diego si alzò per andare in

camera a caricare la macchina fotografica, le chiesi a bruciapelo: «Gli uomini picchiano le donne, qui da voi?».

Aveva meno voglia di sorridere, quella mattina. Disse che per strada al mattino presto le donne si scrutano, si
contano.

«Non c'è più lavoro, gli uomini bevono per cadere.»

Aveva la voce velata, continuava a strofinarsi il naso rosso, le labbra livide non riuscivano a ritrovare il loro colore naturale...

«Mio fratello lavorava su una nave, ha perso il lavoro,
ora quando gli apro la porta di casa fa due passi e cade. Si
è ridotto così...»

Le presi la mano, la chiamai.

«Oxana...»

Sembrava distante, tutta quella giovane fierezza sgreto-
lata di colpo.

«Kasimir, il mio vicino di casa, un vecchio di ottant'anni, si è buttato dalla finestra... questo è successo... non aveva più da mangiare.»

Pianse un po', senza cambiare espressione del viso. Poi
rise.

«Mio cugino Epifan lavora in una fabbrica, lo pagano con
i rotoli di carta igienica, montagne di rotoli di carta igienica... è l'unica cosa che non manca in casa nostra.»

Volevo aiutarla ma non ferirla, toccai la borsa accanto a
me, mi fulminò con lo sguardo, alzò la mano.

«*Niet!*»

Mentii, le dissi che cercavo il burro di cacao per le labbra.

Al pomeriggio tornammo in ambulatorio. Tereza era lì,
aveva fatto le analisi e si stava rivestendo. Senza chiedere
se potevo, mi affacciai a quella porta, era curva sul lettino.
Per un attimo le vidi la schiena. Le scapole magre come ali
di un pollo spiumato. C'era un segno anche lì, una macchia
azzurrognola che colava dal collo. Le sorrisi. Il marito era in
un angolo della stanza, ci venne incontro. Mi voltai. Guardai attentamente l'occhio di Tereza, era più scuro e gonfio
del giorno prima. Il medico disse che l'attività follicolare

era iniziata. Il marito si strofinò le mani contro la stoffa dei pantaloni. Mi sembrò il rumore più brutto della Terra.

«*Niet*» dissi.

Il dottore si fermò nei miei occhi. S'ingobbì.

«Questa persona non va bene per noi. Ci scusi.»

C'è un grande fusto d'olio che frigge in mezzo alla strada. È sabato, giorno di mercato. Una ragazzina con le trecce bagnate divora una ciambella scura. Sotto una tettoia gocciolante una vecchia vende piccoli bicchieri spaiati e un candelabro d'ottone. È sceso il freddo, stanotte. Ai margini della strada l'erba è bianca e rigida. Il vento ghiacciato ferisce il viso. Nel nevischio che soffia un'altra vecchia vende qualche calzino, rigido e pesante, un'altra offre un ciuffo di barbabietole e un pupazzo di gomma, un coniglio. Stanno lì immobili, come il ghiaccio aggrappato ai tetti in lunghe gocce rigide. Diego non fotografa, stamattina. Compra tutto, butta tutto nel suo zaino. Tira fuori manciate di quei loro karbovanets, che non valgono più niente, manda quelle vecchie a casa, davanti a una stufa.

Ancora caviale. È sabato, la cantante ha mollato la stecca e stasera si porta il microfono in giro, fluttua tra i tavoli... si avvicina al nostro, forse si accorge che ho pianto. Mi sfiora i capelli, resta un po' in mezzo a noi. Da vicino è più vecchia.

Diego vuole solo partire, ma io insisto per restare. «Ancora un giorno» dico. Guardo le donne per strada, la sguattera della pompa di benzina, l'operaia che dipinge un muro. Le rovisto con gli occhi, mi attardo sui loro corpi, strofino il muso contro ciò che mi manca.

«Non va bene così...» dice Diego.

«Lasciami in pace» rispondo.

Oxana ci viene dietro, col suo cappotto azzurro, il suo collo bianco da statua. Le chiedo: «Ma tu lo faresti?».

Oxana non risponde... fa finta di non aver capito.

Diego mi gira il polso di una mano, mi fa male

Il dottore non ci lascia andare. Ha fissato un altro appuntamento. Diego ha la faccia strana, stamattina sembra più brutto, ha lineamenti storti. Stanotte ha dormito lontano da me, su quel letto bianco tirato come una camicia di forza.

La donna è lì sulla stessa sedia, al posto dell'altra. È più giovane, più formosa. Si alza, sorride. Ha denti intatti e una bocca robusta. È più alta di Diego. E se l'altra non aveva odore, questa sembra uscita da una fabbrica di colonie scadenti. Un puzzo dolciastro invade l'aria. Ha una camicetta bianca tenuta da un cammeo sul seno e una gonna scura, da collegiale. Deve essersi vestita così per quel colloquio, e adesso spia la nostra reazione. Gli occhi, svelti, fuggono da tutte le parti, come la voce. Le controllo la pelle, sembra a posto. Ha i capelli decolorati, più neri sulla testa. La faccia è strana, come quella di un clown senza trucco. Poi mi accorgo che non ha sopracciglia, nemmeno una, al loro posto c'è un gonfiore d'ossa e basta. Sembra un dipinto incompleto.

Cerco gli occhi di Diego, sta guardando fuori, quel campo sportivo, quel canestro senza rete.

Camminiamo per strada. Chiedo a Diego cosa ne pensa.

«Vuoi saperlo?»

«Certo che voglio saperlo.»

Non si volta, continua a toccare con la mano ognuna delle colonne di cemento che incontriamo, come se le stesse contando.

«Per me è una prostituta.»

Si ferma, dondola un po', sorride.

«Penso che facciamo schifo, amore.»

Sul pullmino che va all'aeroporto Oxana ci dice finalmente la verità su quella miniera. È una miniera di uranio, e la piccola città lì accanto fino a qualche anno prima non era segnata su nessuna mappa, non esisteva.

«Una mia amica ha perso un figlio piccolo, però mia nonna ha quasi novant'anni e non si è mai mossa da lì. Ha l'orto, dice che l'uranio fa bene alla verza.»

All'aeroporto i pacchi di posta sono ancora lì, più logori. Tengo stretto il viso di Oxana, prima di salutarla affondo il mento nel suo cappottino azzurro. Diego le dà tutti i dollari che ci sono rimasti e lei stavolta li prende, li infila in quella borsa di corda.

L'aereo faceva scalo a Belgrado, c'erano un paio di ore tra un volo e un altro. Ci appoggiammo al bancone di una caffetteria, ordinammo un tè. Restammo lì, davanti a quelle tazze nere. Accanto a noi, un uomo mangiava una salsiccia, rossa e lunga, che colava grasso. Diego mise da parte il tè, chiese una di quelle salsicce e un boccale di birra.

Lo guardai ingoiare quell'orrore senza dire una parola. Non mangiava, sbranava. Gli dissi *anaiamo a fare un giro*, rispose *vai tu*. Muovevo la gamba, facevo tremare anche lo sgabello dov'era seduto lui. Fluttuavo tra la cenere, come dopo un incendio.

«Stai ferma.»

Continuai ad agitare quella gamba.

«Per favore.»

Aveva il mento unto, mi guardava con uno sguardo fondo, caduto chissà da dove, pulsante e lontano in quella prossimità.

«Forse dobbiamo lasciarci.»

Si alzò.

«Dove vai?»

«A pisciare.»

Invece nel bagno non c'era. Girai intorno tra la gente in attesa dei voli, m'infilai in quei garage illuminati, tra gli scaffali di bottiglie e di stecche di sigarette. Poi smisi di cercarlo. Pensai indietro. Mi chiesi dove, in quale marcio istante avevamo cominciato a perderci. Andai di nuovo in bagno, mi sciacquai la faccia, camminai fino all'imbarco per Roma. C'era già una hostess di terra che contava pezzi di carta.

Rimasi seduta fino all'ultimo su quelle sedie aggrappate le une alle altre. Mi voltai, qualcuno mi aveva messo una mano sulla spalla. La donna che avevo incontrato sull'aereo all'andata mi sorrideva. Aveva un foulard russo in testa, legato a fascia, tra la grossa frangia e il resto dei capelli.

La bambina che sperava di poter avere in affido era stata data in adozione a un'altra famiglia.

«Francesi...»

«Mi dispiace...»

«Hanno preso anche il fratello più piccolo, di tre anni... sono insieme, adesso. Per i bambini è una fortuna. Noi non avremmo mai potuto averli tutti e due... i francesi sono giovani...»

La strinsi. Sentii il suo corpo che tremava, il suo seno compresso in un reggipetto rigido.

Diego arriva correndo nel deserto della gente appena sfollata. Si siede accanto a me.

«Non volevi lasciarmi?»

«Sono tornato.»

«Il volo è partito.»

«Di chi sono queste scarpe?»

«Di quella signora che abbiamo incontrato all'andata. Me le ha regalate.»

«Come mai?»

«Non lo so. S'illuminano.»

Infilo le mani dentro quelle scarpe piccole e mi metto a gattonare tra le panche e i tubi, spingo per fare illuminare le suole. Diego segue con lo sguardo quelle piccole luci. Ha i capelli in disordine, la barba spelacchiata, gli occhi stanchi ma ancora vivi. Prende la sua Leica, scatta... sorrido con le mani infilate nelle scarpe.

«Allora è vero...» sussurra.

«Cosa?»

«Che la vita parla con la luce come la fotografia...»

Mi aiuta a tirarmi su, s'appoggia a me.

«Sai a chi le portiamo queste scarpe?»

È un colpo dentro, come una scopa che passa e mentre pulisce graffia.

«C'è un volo per Sarajevo, ero venuto a dirtelo.»

241

L'aeroporto è semideserto, popolato solo da chi ci lavora e da pochi viaggiatori locali. Il nastro dei bagagli è fermo, quando si riaccende non trasporta che poche valigie isolate, roba che gira per un po', che nessuno raccoglie. Un operatore australiano con una telecamera a spalla filma un uomo che parla. È un tassista appoggiato allo sportello della sua auto, una di quelle facce scavate che incontri spesso a Sarajevo, ossa che affiorano dalla pelle livida di nicotina. Gojko è lì, sta facendo da interprete. Ci vede, diventa rosso, impaziente, ci fa segno di aspettare, allarga le braccia per farci capire che è stato tirato dentro per caso. Non gli deve piacere quello che traduce.

... hanno detto che ci lasceranno un po' di terra, quella che basta per le tombe. Questo hanno detto... nel nostro Parlamento...

«Nichilista del cazzo...» dice, mentre con un gesto manda a quel paese il tassista e quel coglione di australiano. Ci bacia. Ci stringe nel solito modo, strozzandoci il petto con quelle braccia lunghe e inerti, che di colpo diventano forti, sono una morsa.

«... bella donna, fotografo magro...»

Nessuno di noi tre credeva che ci saremmo rivisti così presto, è una mattina di marzo. Sono passati nove mesi dal viaggio in Croazia, il tempo di una gravidanza, di una guerra.

Ci tiene a sé. Appoggia la fronte contro le nostre, ci chiede se c'è voluto molto coraggio a venire.

«Stare lontani è stato più duro.»

Dice che siamo i suoi amici, ci abbraccia ancora. Vedo i suoi piccoli occhi color miele che s'ammuffiscono di lacrime.

«È il poeta che ogni tanto piscia...» dice. Fa davvero il gesto di pisciare, ride.

Diego respira, allarga le braccia e respira, l'aria è ancora fredda eppure la primavera è già lì.

Gojko ha una giacca a vento di Gore-tex, *è tedesca*, dice, ha fatto uno scambio con un giornalista della Reuter Deutschland, se la toglie lì sul piazzale dell'aeroporto. Sotto ha solo una maglietta di cotone, vuole che prendiamo la giacca a vento in mano, ci fa sentire quant'è leggera. Se la rimette mentre andiamo verso la macchina.

Dice che non sente più il freddo, che quella giacca gli ha risolto la vita, può star fuori tutta la notte anche con meno dieci. Parla del Gore-tex, della rivista letteraria su cui pubblica, della radio dove ogni tanto lavora, dove ci porterà, perché è un posto di gente con la testa che gira svelta, come pale di un elicottero. Io guardo quelle strade, quei tigli, quei palazzi color piombo. Respiro. Perché non siamo venuti prima? Questa città è una tasca per noi, è infilare le mani nel buio e sentire un calore che arriva dal fondo.

Andiamo verso la città. La voce di Gojko è fango caldo, ci racconta che adesso ci sono molti giornalisti in giro, c'è la Conferenza internazionale della Bosnia Erzegovina sotto l'egida della Comunità europea, lui ha ripreso a fare la guida come ai tempi delle Olimpiadi.

Diego gli chiede della guerra, che avanza.

Gojko butta la sigaretta dal finestrino.

«Abbiamo gli occhi del mondo addosso. Qui non succederà niente.»

Ci porta in una kafana, quella vicina al Markale, con le pareti imbottite e il blues bosniaco che esce dagli altoparlanti. Gojko fuma ancora, gli guardiamo la faccia, forse un po' più gonfia rispetto all'estate. Si abbassa con la bocca fino a una mia mano posata sul tavolo, la bacia. Tira su la macchina fotografica posata sulla panca di skai rosso, scuote la testa perché Diego ha ancora quella gloriosa Leica, quella dei suoi vecchi reportage.

La prima fotografia di Diego è in quel bar, su quella panca, io abbracciata a Gojko... lui tira fuori l'indice e il medio e fa la V di vittoria davanti ai nostri visi sorridenti.

«Vi amate ancora molto, voi due?» mi sussurra Gojko.

Risponde Diego: «Sì».

«Peccato.»

Usciamo, camminiamo nel freddo. La gente è immersa nella propria normalità. Le botteghe della Baščaršija sono tutte aperte, i mucchi delle spezie, gli utensili di rame, le tuniche bianche bordate d'oro.

Com'erano le facce degli ebrei quando guardavano,

senza riconoscerlo, il male che gli veniva incontro? Non dovevano essere diverse da queste. Da questo vecchio che incide il cuoio, da questa ragazza che esce dalla madrasa con i suoi librı stretti in un elastico, il suo velo e i suoi jeans.

Entrammo in quell'arena coperta, ci sedemmo sugli spalti. Era una palestra grande, di quelle costruite per le Olimpiadi. Sebina stava accanto a un cumulo di tappeti azzurri, di gomma. Restammo a spiarla per un po' prima che lei si accorgesse di noi. Non era cambiata granché, s'era semplicemente alzata di qualche palmo. Aveva le gambe nude, bianche come candele, un po' tozze, segnate di muscoli che uscivano dalla pelle come piccole salsicce, i piedi scalzi e uno scialletto di lana che usava come scaldamuscoli. La vidi toglierselo prima di fare un esercizio e rimetterselo subito dopo, come un'atleta consumata. C'era poca luce in quella palestra, giusto due barre di neon che galleggiavano in basso, le gradinate erano quasi in ombra.

Ci vide. Sollevò gli occhi e si fermò a guardarci. Rimasi sospesa. Mi riconosceva? Ci parlavamo per telefono, l'avevo vista crescere in fotografia. Ogni anno a Natale le mandavo un giocattolo e un po' di soldi e lei mi ricambiava con piccoli biglietti d'auguri, angeli ritagliati nella carta. Non si mosse, rimase lì al suo posto, nel gruppo delle altre, disciplinata. Però tutto quello che fece da quel momento in poi fu per me, per i miei occhi che la guardavano. La vidi alle parallele, alla trave, la vidi al cavallo, aggrapparsi a quelle maniglie e venire su dritta, la testa rovesciata, rivolta a noi. Nelle lettere mi aveva raccontato di quella passione, ma vederla fu un'altra cosa. Sbagliò una chiusura, cadde. Ma poi attraversò la sala con una serie di ruote, come una piccola fiamma, e atterrò con le gambe perfettamente aperte in spaccata.

Ci incontrammo lungo quel corridoio di linoleum, in fondo la luce degli spogliatoi. La chiamai, mi stava cercando. Si voltò verso di me e corse. Aveva la faccia schiacciata di quand'era nata, la stessa bocca, il labbro superiore prominente come una piccola bolla che sembrava ancora quella da latte. La sollevai, credo che la sollevammo insieme io e Diego. Ci litigammo quell'odore, quella pelle tenue e sudata.

«Anima mia... anima bella...»

«Gemma... Diego...»

«Sebina...»

Cos'è la gioia? È questa, questo corridoio isolato, rancido di odori buoni, questo corpo piccolo aggrappato.

Era minuscola... da vicino era molto più piccola.

«Però pesi» le dissi.

«*To su mišići*», sono i muscoli.

Gojko adesso viveva per conto suo, però andava a prendere Sebina quasi tutte le sere. L'aspettava davanti alle docce, certe volte l'aiutava ad asciugarsi i capelli, certe volte le infilava il cappello di pile e uscivano così. Quand'era in vena la portava a mangiare una di quelle frittelle farcite di mele e miele in un posto con le sedie alte dove si masticava guardando il muro e si usciva con la puzza di fritto addosso. Tra un boccone e l'altro parlavano, senza veramente guardarsi. Lui le chiedeva della giornata, della scuola, come un fratello maggiore, come quel padre che non c'era. Sebina parlava troppo in fretta e Gojko faticava a starle dietro. Della scuola le piacevano solo due cose, la finestra del corridoio affacciata sui giardinetti accanto alla Miljacka dove le coppiette si baciavano e gli esperimenti di chimica nel laboratorio. Lei voleva diventare una campionessa di ginnastica, ma cresceva poco.

«Sono la più bassa.»

Il fratello le puliva la bocca con la sua mano. «I bassi sono più attaccati alla terra.»

Se era triste le leggeva una delle sue poesie.

> *La bambina sedeva in terra*
> *davanti a una pira di corolle*
> *fiamme d'inverno parevano.*
> *Aiutami, sono stanca.*
> *Spellammo rose fino al tramonto*

nell'odore troppo dolce
stordente come droga.
Chi berrà tutta questa grappa?
le chiesi.
Tu, se tornerai.
Non ero certo di ritrovare la strada.
Mi salutò dalla finestra
il viso di gesso fuso
le mani insanguinate di petali.

A Sebina piacevano le poesie del fratello, però faceva troppe domande.

Lui le diceva: «Le poesie non si spiegano, se raggiungono il posto giusto le senti, ti grattano dentro».

«Qual è il posto giusto?»

«Cercalo.»

Sebina storceva la bocca, lo guardava scettica, con quella faccia da disgraziata. Si tastava la pancia, le gambe.

«Anche un piede va bene?»

«È un po' in basso.»

«Io sento che mi gratta lì, la tua poesia.»

Gojko se la metteva sulle spalle, saliva le scale della sua vecchia casa e la scaricava da Mirna.

Ci infilammo in un ristorante a mangiare pita ripiena di tutto, di carne, di patate, di zucca. Sebina cominciò a sbadigliare, gli occhi persi, pieni d'acqua, il sonno dei bambini. Non si lamentò. Piegò un braccio sul tavolo e si addormentò su quel braccio. Continuammo a star lì, a parlare. Diego sbriciolò una sigaretta di Gojko, aprì la sua scatoletta e preparò una canna. Gojko lo guardava... lo sfotteva.

«Da quando ti droghi?»

«Non è droga, è fumo.»

Gojko s'incollò alla canna, la bagnò con la sua bocca.

«E fumiamo, allora...»

«C'è la bambina» dissi

«La bambina dorme» rispose Gojko.

Fumarono loro due, mentre io carezzavo la nuca di Sebina. A un certo punto mi piegai e affondai il naso in quella fossa di carne. Ritrovai quell'odore, intatto negli anni, di latte e di foresta. E mi sembrò l'odore del futuro... era lì davanti a noi, come una volta. Guardai i nostri corpi nello specchio che fasciava la parete e mi sembrò che il tempo non ci avesse tolto niente. Diego piangeva, immobile. Forse nemmeno si era accorto di quelle lacrime che scorrevano tranquille come sudore. Gli toccai una spalla.

«Sto bene» disse, «sto da Dio.»

Tornammo a piedi nel buio, per quelle strade amiche. Sebina addormentata al collo del fratello, le braccia arrese catturavano la luce dei lampioni.

Faceva un freddo cane. Toccai le mani di Sebina, erano ghiacciate. Ci affrettammo verso l'albergo, un portoncino rosso, un ingresso piccolo come quello di una casa. Prendemmo la chiave, salimmo. Gojko non aveva voglia di lasciarci e anche noi non volevamo lasciarlo. Era riuscito a trovarci una stanza più grande delle altre, con il legno per terra e un grande tappeto di lana. Aveva anche provato il letto, disse. «Ho fatto un pisolino...» E in effetti c'era davvero un po' di conca in mezzo, il copriletto aggricciato.

«Fate ancora l'amore, voi due?»

Venivamo da quel viaggio desolante, e il freddo non ci aveva ripuliti della mollezza.

«Stanotte siamo morti.»

«È da morti che si fa bene l'amore, quando il corpo è vuoto, allora si vola.»

Più tardi Gojko accese il televisore. C'era Karadžić che parlava, i capelli gonfi di fon, il cerone rosa di una bambola, era una lunga intervista patinata. Parlava della sua attività di psichiatra e di poeta, accanto al suo volto scorrevano in sovrimpressione alcuni versi. Gojko leggeva, sghignazzava.

«Montenegrino psicopatico!»

Si grattava la testa, un braccio, come se fosse stato aggredito da un prurito terribile.

«Come si può credere a un coglione come questo?»

Diego s'era buttato sul letto.

«È dei coglioni che bisogna aver paura...»

Diego chiude gli occhi, un braccio aperto accanto a Sebina che non si è mai svegliata, è stata depositata sul letto e lì è rimasta.

«Non ti spogli?», ma lui già dorme.

Gojko s'accende una sigaretta. Gli dico di mettersi alla finestra e lui fuma lì nello spiraglio.

Guardo l'orologio, sono quasi le tre.

«Cosa ci facevate a Belgrado?»

Ci sediamo sulla sponda del letto... parlo a viso basso. Gli racconto di quel viaggio in Ucraina, di quelle donne. Gojko mi guarda serio, poi si mette a ridere.

«Sei matta, volevi fargli fare un figlio con una puttana?»

Il corpo di Diego è lì accanto, steso sul letto come un grande bambino...

«Non s'è tolto nemmeno il tovagliolo...»

È vero, gli è rimasto il tovagliolo del ristorante infilato nel girocollo del golf. Gojko si alza, glielo toglie, ci si soffia il naso. Finge di piangere, batte la testa contro il muro.

«Perché? Perché non avete bisogno di un uomo? Perché la vita è così ingiusta?!»

Mi abbraccia da dietro, mi fa il solletico. Lo scaccio fiacca.

«Sono mesi che soffro, non so più chi sono.»

Mi avvicino a Diego, gli tolgo gli stivali, quei vecchi camperos che non vengono via. Gojko segue quel gesto stanco, materno.

«Hai paura di perderlo, vero?»

«Ho trentasette anni.»

«Non ti lascerà mai.»

Butto per terra gli stivali, gli sfilo i calzini. Resto a guardargli quei piedi lunghi, bianchi, un po' rossi ai lati.

«Voglio un figlio con questi piedi qui.»

Gojko fa una smorfia...

«Che cosa hanno di bello questi piedi?»

«Sono i suoi.»

«Già...»

La finestra rimasta aperta vibra nel telaio di ferro, Gojko la chiude. È notte fonda. Si vedono le punte della cattedrale con le loro piccole croci che paiono fatte di vetro...

Quella notte dormimmo tutti e quattro nello stesso letto. Gojko era troppo stanco per caricarsi la sorella sulle spalle. Io non avevo intenzione di dormire davvero. Mi appoggiai all'estremità del letto e rimasi in bilico e rigida come la lama di un pattino sul ghiaccio. Aspettai l'alba, mi acquattai in un breve sonno diurno, finalmente protetta dalla luce. Quando riaprii gli occhi trovai il piccolo viso di Sebina piegato sul mio. Si era svegliata prima degli altri, si era già lavata la faccia e pettinata.

«Aspetta...»

Mi alzai, aprii la mia valigia e le diedi le scarpe.

«Quando cammini s'illuminano...»

Le venne il singhiozzo, il suo corpo reagì a quell'emozione frantumando il respiro. L'aiutai a mettersi le scarpe, tastai davanti dove battevano le dita, c'era spazio per almeno un anno di crescita. Fissava i suoi piedi, scossa da quei piccoli rutti che non si fermavano.

«Cammina, prova...» le scarpe si accesero.

Non sembrava felice, sembrava disperata. Compresi quella disperazione. Era la stessa che provavo io nei momenti di culmine... quando capivo di avere tutto, sentivo di colpo il ratto del nulla. Mi sembrò che stesse per svenire. Urlai per strapparle quel singhiozzo. Un muggito selvaggio, che non credevo di avere dentro.

Sebina saltò. Rimase a guardarmi con la bocca spalancata...

Non so perché, ma eravamo ferme davanti a qualcosa. E ci ribellavamo.

«Cammina, cosa aspetti?!»

Sorrise. Il singhiozzo era passato. Cominciò a camminare per la stanza guardandosi i talloni, quelle bolle di plastica che si accendevano all'interno. Tornò da me, mi diede un bacio sulla bocca, sentii la sostanza fresca delle sue labbra sulle mie.

Gojko era caduto a dormire sul tappeto. Adesso la sorella gli camminava addosso, sulla pancia, per svegliarlo. Gli metteva le scarpe davanti al muso. Gojko aprì un occhio, scrutò quelle suole luminose, si voltò verso di me come una biscia.

«Cazzo... dove le hai trovate? Le voglio importare.»

Sebina cominciò a strillare con quella voce stridula e acuta, a inveire contro il fratello. Voleva averle solo lei, quelle scarpe, a Sarajevo!

Anche Diego s'era svegliato, guardò quei passi luminosi, sorrise.

«Così ti troveremo sempre, anche al buio.»

Gojko si era trasferito in un antico palazzo fatiscente e senza ascensore, dalle parti della vecchia sinagoga. A parte qualche anziano inquilino, lo stabile non era abitato da famiglie, ma solo da giovani, studenti universitari, aspiranti artisti, intellettuali in erba. La nuova generazione di sarajeviti che popolava i concerti, i caffè letterari, i cineclub... quelli che si davano appuntamento alla Čeka e di notte si divertivano a gridare come gli U2 *I wanna run... I wanna tear down the walls that hold me inside* sotto le vecchie statue di Tito. Gojko stava all'ultimo piano, in un appartamento che divideva con altri, una di quelle case caotiche che i ragazzi abitano per un po' prima di infilarsi nella vita vera, una sorta di piccola comunità. Gojko con i suoi trentacinque anni era l'inquilino più vecchio. Eppure quella casa aperta gli corrispondeva... *Chi passa qui sotto e vede le finestre illuminate, se ne ha voglia sale.*

Ci aprì la porta e fummo investiti da un'onda greve di fumo e di spezie. Vicino alla finestra un ragazzo suonava un sassofono, si piegava sui tasti con le guance gonfie e gli occhi chiusi, la sua figura si rifletteva sui vetri sottili, soffiati e tagliati a mano come si faceva un tempo, che parevano muoversi come acqua.

Pensavamo di trovare un mondo depresso, di gente un po' alla deriva per quella guerra che avanzava, invece c'erano musica, chiacchiere e un paio di ragazze chiuse in cucina a girare una zuppa.

Tornammo quasi tutte le sere in quella casa sospesa in alto, nel serraglio della città vecchia. E forse lì trovammo quello che ci mancava, il calore umano di giovani visi che ci sorridevano, e il tempo... sì, il tempo, la vecchia abitudine bosniaca di fermare la vita per parlare, per stare. Ritrovammo quel tempo che si dilatava assecondando il respiro, il bisogno dei corpi e dello spirito. Ritrovammo Mladjo, il pittore, che adesso avvolgeva nel lino corpi di ogni età, imbrattati di colori puri, ed esponeva queste sindoni moderne in un capannone a Grbavica. Ritrovammo Zoran, l'avvocato con il viso coperto di acne, e Dragana che adesso recitava in teatro insieme a Bojan, il suo ragazzo.

Ana la incontrai qualche sera dopo, neanche lei aveva perso il suo sorriso. Se ne stava lì, appoggiata a una porta con un bicchiere vuoto in mano e un golf nero stretto sul seno florido. Le guardai il collo che si riempiva delle ombre di chi passava. La ricordavo seminuda, sull'isola di Korčula, il ventre adagiato sotto quel gelso. Mentre parlavamo mi accorsi che dondolava, si sporgeva in avanti lentamente e lentamente tornava indietro, come se fosse ferma su una soglia... e non si decidesse a entrare. Mi guardai intorno e sentii un gelo che mi penetrava nel corpo... Tutti quei ragazzi che parlavano, che sembravano vivi, tutti erano fermi sulla stessa soglia.

«Come fate a non aver paura?» le chiesi.

«Stiamo insieme... è importante stare insieme.»

Guardai il giovane sassofonista che si piegava sul suo strumento come su un corpo amato, come se stesse facendo l'amore per l'ultima volta.

Pietro si rigira nel letto

Pietro si rigira nel letto, si mette il cuscino sulla faccia, gli dà fastidio la luce.

«Alzati, è tardi.»

«Piove?» mi chiede da lì sotto.

«No.»

Si tira su di scatto: «Ma va'?».

S'avvicina alla finestra, resta un po' lì appiccicato al vetro, a guardare quel sole incerto soffocato sotto il cielo caliginoso.

Gojko stamattina lo porta a divertirsi al parco acquatico, quello pubblicizzato dal cartellone sul viale di Tito. Apre l'armadio, svuota la borsa sul letto. Si chiude in bagno. Sento l'acqua che scorre a vuoto.

«Chiudi il rubinetto, che il mondo muore di sete.»

È una delle mie frasi ricorrenti. Anche con Giuliano. Non sopporto quel rubinetto aperto inutilmente mentre si fa la barba. Ci sono cose che fanno parte di me, come la mia ombra. Quella donna morta sul selciato, accanto alla fabbrica di birra dove la gente si metteva in fila per l'acqua... le gambe piegate come se dormisse, la testa adagiata sulla macchia color prugna del suo sangue e accanto quella tanica che non era riuscita a riempire.

Pietro esce dal bagno con il suo costume da surfista, quello che si asciuga subito. Con loro andrà anche Dinka, la ragazzina del bar. Glielo ha chiesto ieri sera.

«Che dici, ma', la invito?»

Era un po' che ce l'aveva in testa, ma non aveva il coraggio di dirmelo.

«Invitala, certo.»

Ha fatto qualche passo, poi è tornato indietro. «Non fa niente.»

«Perché?»

«Che dico?»

«Quello che ti viene.»

S'è tirato su di nuovo, s'è accostato al bancone dove Dinka infila il ghiaccio nei bicchieri. E lo vedo per la prima volta avvicinarsi a una donna. Guardandolo penso che è un ragazzo seducente, malgrado la timidezza e quelle braccia lunghe. Per scaricare la tensione tamburella le mani sui jeans mentre si avvicina, si siede, solleva quegli occhi indaco, sorride. Torna a sedersi accanto a me.

«Cosa ha detto?»

Ha acchiappato dalla griglia un pacchetto di patatine bosniache, e adesso le sgranocchia. «Sì, pare che viene.»

Dinka è magra e altissima stamattina, arrampicata su un paio di sandali con la zeppa, i jeans attillati, un anellino argentato infilato nell'ombelico. Pietro lo nota al volo, quel piercing, luccica in mezzo a quella striscia pallida di pancia che deve piacergli, che lo intimidisce.

Guarda altrove, comincia a cazzeggiare. Le fa vedere l'asciugamano che s'è portato, uno di quelli dell'albergo. Dinka ride, dice che non si può, Pietro allora lo nasconde sotto la maglietta, batte le mani su quella pancia di spugna, ridono di nuovo.

Gojko arriva in giacca e camicia come ieri sera, ma con un paio di ciabatte infradito ai piedi. Ci prendiamo un caffè nel bar davanti all'albergo, un espresso italiano. C'è un uomo, accanto a noi, che legge un libro appoggiato al bancone, i capelli biancastri, lunghi come la barba. Sembra Karadžić quando l'hanno arrestato, travestito da santone, ha la stessa palandrana bianca, da guru indiano, lo stesso sguardo d'agnello. Di colpo penso a quanta gente così c'è ancora in giro, assassini che vanno a spasso tranquillamente. come Karadžić che andava allo stadio, che aveva ripreso la sua professione di medico. Chiedo a Gojko cos'ha provato quando l'hanno arrestato.

Spegne la sigaretta, spinge la cicca nel posacenere, fino a bruciarsi il dito. Dice che Karadžić non è stato arrestato, è stato venduto. Dice che non ha provato niente.

Le sue ciabatte hanno un fondo di erbetta sintetica, che gli massaggia i piedi, se ne leva una per farmela vedere meglio, rimane con un piede nudo sul marciapiede.

Si rimette la ciabatta e quasi mi casca addosso. È felice che non piova, che sia finalmente estate. Gli chiedo se gli scivoli dell'acqua park sono molto alti, se sono sicuri...

Salgono in macchina, sbattono gli sportelli.

«Quando tornate?»

«Quando chiude.»

Salgo in camera, preparo un piccolo zaino da tenere sulle spalle. Voglio avere le braccia libere, voglio camminare.

Nella piazza degli scacchi i vecchi sono già lì, insieme agli uccelli. Comincia una nuova battaglia. Gli scacchi sono schierati ai posti di partenza. Guardo quei due fronti, uno bianco e uno nero.

Passo accanto all'edificio circolare del mercato coperto. Cammino più svelta, guardando solo i miei passi. Mi fermo. C'è una banca che prima non c'era, davanti alle vetrate è parcheggiata una macchina bianca con una piccola scritta blu: FONDAZIONE HEINRICH BÖLL. Scuoto la testa, sorrido. È dello scrittore di Colonia il libro che ho nello zaino.

La scuola di musica è lì davanti. Un edificio angolare costeggiato da una strada ripida... È identico ad allora, solo l'intonaco è stato ripreso, è di un grigio pallido che sembra cielo. Nessuno fa caso a me. Salgo un piano. C'è odore di chiuso, di corpi stipati in piccole stanze... l'odore di ogni scuola. Dei luoghi nei quali si cresce, si suda. Scivolo lungo il corridoio su una moquette color corda tenuta da bande di ottone. Sotto ondeggia un vecchio pavimento sconnesso che forse dopo la guerra è stato semplicemente ricoperto. Giri di note, accordi mi piovono addosso mentre salgo... un violino che sta provando, un contrabbasso.

Mi lascio risucchiare da questo luogo di perseveranza, di solitudine. Il luogo delle mani, dei fiati, della follia, di una vecchia insegnante eccentrica, di un giovane talento autistico. Porte imbottite e rivestite di pelle... FLAUTA, GITARA, KLAVIR, VIOLA... Spingo una porta, due visi giovani e un'insegnante curva su una pianola, eterea come un lume che si sta spegnendo. Poi una macchinetta del caffè.

Chiedo al custode del piano se posso continuare la visita. Mi accompagna. Ha una faccia anziana e un grembiule corto, da chierichetto, zoppica. Saliamo ancora, il piano è invaso di ragazzi, forse in attesa di un'audizione. Un ragazzo accovacciato in terra muove le mani sui tasti di un clarinetto, lontano dalla bocca, senza emettere suoni. Il custode mi dice che nelle zone comuni è vietato suonare e parlare a voce alta.

Salgo appresso al rumore di quella scarpa nera con il doppiofondo che l'aiuta con la gamba più corta. Si ferma, apre una finestra e scaccia via alcuni piccioni che covano nell'intercapedine tra le inferriate. Siamo arrivati quasi in cima.

Sul muro ritrovo la vecchia scritta: TIŠINA, silenzio... però sotto c'è una grande voragine slabbrata creata da un'esplosione. Il custode mi dice che è stata lasciata così per ricordare che quel silenzio è stato violato. Si accende una sigaretta, si tocca la gamba rigida, magrissima. Annuisce da solo dietro a quel ricordo... Gli chiedo se posso fermarmi un po'. Se ne va portandosi dietro la sua gamba rigida, mi lascia a me stessa.

Mi siedo in terra davanti a questa parete bucata. Dall'altra parte, in fondo alla stanza, una donna corpulenta con una strana pettinatura di trecce arrotolate sta facendo una lezione di solfeggio a un gruppetto di ragazzi, agita una matita con enfasi, come un direttore d'orchestra.

Guardo questa scritta che suona ridicola e solenne insieme. SILENZIO! Penso all'impatto, a quella granata che svergina il silenzio di queste mura abituate a raccogliere note. Guardo la mia vita attraverso questo muro smembrato, questa voragine che nessuno ha mai chiuso.

C'era stato il referendum per l'indipendenza della Bosnia, le strade erano tappezzate di manifesti nazionalisti. Le madri dei soldati arruolati nell'esercito federale manifestavano con striscioni attaccati al corpo per riavere i loro figli a casa. Adesso arrivavano notizie allarmanti, qualcuno diceva addirittura che già durante la preparazione delle Olimpiadi invernali, mentre si livellavano le piste, si pensava alle trincee per la guerra che sarebbe arrivata...

Gojko diceva che era solo stupido allarmismo.

«La propaganda trova proseliti nelle campagne, è facile convincere un contadino che il tuo vicino è un turco che vuole rubarti la terra e tagliarti la gola... ma qui non ci sono turchi, né cetnici, né ustascia. Qui siamo solo sarajeviti...»

Ma Diego conosceva il linguaggio degli stadi. Karadžić era stato lo psicologo del Sarajevo calcio, Arkan era il capo degli ultras della Stella Rossa di Belgrado...

«Le guerre cominciano in tempo di pace nelle periferie delle città, mentre voi ve ne state nei vostri circoli culturali a discutere di poesia...»

Interminabili discussioni ci accompagnavano verso casa la sera.

Io e Diego avevamo lasciato l'albergo e ci eravamo trasferiti in una camera in affitto presso una coppia di anziani coniugi. Lui, Jovan, era un biologo, un signore canuto, silenzioso, che soffriva il freddo e portava camicie di fustagno chiuse fino all'ultimo bottone. Sua moglie Velida gli aveva fatto da assistente tutta la vita. Magrissima, vestita sempre di grigio come una suora, con occhi verdi e vispi. Ci scambiavamo piccoli favori. Io le davo i giornali esteri che Diego comprava una volta alla settimana e che costavano troppo cari per la loro pensione, e Velida quando cucinava qualcosa di buono ce ne lasciava un piatto davanti alla porta. Un piccolo ballatoio divideva la stanza dal resto della casa, così eravamo autonomi. Avevamo una nostra chiave e un nostro bagno, più un fornello per il caffè.

Quella sera Diego era uscito a fotografare dalle parti di Grbavica. Ero sola e squinternata. Era molto tardi, Gojko bussò alla porta, fece qualche passo nella stanza e si sbracò sul letto. Era stato tutto il giorno chiuso in Parlamento con un americano, a tradurre le discussioni dei politici che erano andate avanti fino a tardi. I membri del partito serbo-bosniaco avevano abbandonato l'aula. Era spossato e depresso.

«*Šteta*.»

Mi voltai. «È un peccato cosa?»

Scosse le spalle: «*Ništa*», niente.

«Davvero ve ne andate?»

Annuii.

Chiuse gli occhi, lo lasciai dormire per un po'. Russava troppo. Quando mi avvicinai per svegliarlo sentii che puzzava d'alcol, doveva aver fatto il pieno con l'americano. Mi guardò con strani occhi, quelli di un bambino che si è perso, che ha sofferto di un incubo e non distingue più la madre dall'orco.

Mi prende per il collo, mi carezza una guancia.

«Mio amore...»

«Sei ubriaco, vai a casa.»

Tira fuori dalla tasca della giacca il portafogli, fruga nello scomparto gonfio di foglietti. Mi legge una poesia.

> *Mia sorella dorme, peccato.*
> *Le sue mani crescono*
> *lontano da me*
> *mentre il giorno crepa.*
> *Domani la porterò a pattinare*
> *si fermerà sulla via Vase Miskina*
> *davanti a quella vetrina di computer*
> *che hanno appena acceso.*
> *Crede nel futuro, mia sorella,*
> *peccato.*

Sorrido, annuisco.

«Ti ha fatto schifo?»

Allargo le braccia, credesse quello che vuole. Ha un carattere impossibile, è giovane ma sta invecchiando male.

«Sebina vuole un computer?»

Gojko si volta.

«Ero venuto per invitarvi a un concerto.»

È il saggio di fine anno degli allievi della scuola di musica di Sarajevo, vuole farmi conoscere una ragazza.

«Le ho parlato di te...»

Sto mettendo il fon nella valigia. Mi immobilizzo.

«E cosa le hai detto?»

Fa un passo verso di me, mi mette una mano sulla pancia, in basso. Resta lì fermo... sento il calore di quella mano, ed è un fuoco amico che mi penetra dentro. Sudo. Non se ne va, resta lì con quella mano impudica appena sopra al mio inguine. Respiro, e non lo scaccio, e forse di colpo mi sembra di volerlo, perché c'è in lui qualcosa che mi appartiene, una sconfitta, una solitudine che non condivido più con Diego. Respiro e il respiro scivola giù nella pancia, sotto questa mano ferma e bollente che preme.

Diego torna con la sua faccia da gatto notturno.

«Che fate voi due?»

Gojko non si muove, sembra morto. Gli do un piccolo calcio.

«Sono ubriaco» dice, e se ne va.

Lo spio dalla finestra, mentre si allontana nella strada buia. Diego guarda la mia testa, la mia mano che trattiene la piccola tenda ricamata.

«Ti è saltato addosso?»

«No, ci ha invitato a un concerto.»

Così ci infiliamo in quella scuola di musica. È un pomeriggio di maltempo, l'acqua scorre nelle strade a torrente. In attesa che il concerto inizi appoggio a turno i piedi bagnati contro il calorifero di ghisa. Intorno a noi donne con calosce da campagna accanto ad altre con i sandali estivi e lunghi abiti da sera bagnati in fondo. Una signora robusta con un fischietto al collo organizza le sedie. È una piccola occasione culturale che deve contare molto per le persone presenti. Il vociare è timoroso, educato, e anche l'eccentricità miserabile di quei vestiti da festa ha un suo garbo. Penso a Roma... a quella gente promiscua che gremisce i cosiddetti *eventi*, donne vestite con stracci milionari, intellettuali da discoteca, politici, gente senza purezza... era questa *l'anima del nostro tempo* di cui parlavano i pubblicitari.

Molti restano in piedi ma non si lamentano, nemmeno si appoggiano al muro. Fa caldo nella stanza, mi sventolo con il libretto del programma. Sulla pedana di legno i musicisti si alternano, cambiano di continuo. Sono tutti giovani, i ragazzi con la cravatta a fiocco, le ragazze vestite di nero con abiti aggiustati per l'occasione. Ringraziano, si sollevano dietro ai loro strumenti e chinano la testa. Entra il secondo gruppo, poi il terzo. Non ne posso più. Gojko mi tocca il ginocchio, indica i fiati.

È la più alta del gruppo, ha un viso troppo bianco, un rossetto troppo scuro, i capelli rossi come ruggine. Non è ancora il suo turno, stringe il suo strumento, una tromba, come stringesse il proprio cuore. Indossa un vestito di ciniglia che le scivola sui fianchi magri, sul seno che, nonostante il nero, si nota. In un attimo divoro ogni dettaglio, come una donnetta curiosa di una creatura più bella. La scavo per trovarle un difetto. Solleva il mento... sono un po' troppo lontana, non vedo bene i lineamenti, avrei bisogno di uno di quei piccoli binocoli che usano le signore all'opera... Vedo la macchia del viso, il tracciato dell'espressività. Comincia a suonare circondata dai violini. Svuota le guance, serra le labbra, si piega su quella tromba, poi la solleva appresso alla musica che adesso è impeto. Non so se è brava, non me ne intendo, non m'interessa. Suona con gli occhi chiusi, si agita un po' troppo. Scuote la testa, quei capelli rossi, tagliati a ciocche imprecise. Sembra un uccello con troppe ali.

È il concerto per piano, tromba e archi di Šostakovič. La musica cambia, si fa più insistente, più cupa. I violini stordiscono con il loro vagito di corde dolenti, la tromba entra a strappi, la ragazza adesso sembra un'assetata. Le guance si caricano e sprofondano, si svuotano lentamente. Le dita sui pistoni adesso sono soldati su un campo di battaglia, si affrontano, arretrano... Anche il ragazzo biondissimo al pianoforte sembra impazzito, corre da una parte all'altra trascinandosi dietro le mani tutto il corpo, sbatte di qua e di là come una falena moribonda... la tromba adesso è il grido di una civetta che s'affaccia nella notte. Il petto della ragazza si solleva, poi si abbassa ferito, i capelli rossi sono una scia di sangue. Nessuno ha il coraggio di muoversi, sono tutti rapiti. Fuori non ha mai smesso di piovere, dai vetri non si vede niente... siamo chiusi in un carcere d'acqua e la musica sembra prigioniera di quest'acqua che non cessa di cadere. Fa caldo, mi sventolo, la donna accanto a me piange. Lacrime solitarie le rigano il viso immobile. Sembrano tutti reduci di un grande dolore ancora da venire, che la musica anticipa.

Metto una mano su quella di Diego, la accoglie senza farci caso, come si tiene un guanto usato. Nelle sere passate abbiamo cercato di fare l'amore, ci siamo avvicinati senza andare oltre. Abbiamo riso, capita agli amanti falliti, finiti. Un tempo ero la sua ragazza, adesso va a spasso con la sua macchina fotografica, fa l'amore così, con quello che gli capita nel mondo, come un prete. Poi torna dalla sua perpetua.

La ragazza suona, si agita appesa a quella tromba, ci muore dentro. Poi si riprende, come un'attrice consumata che muore in scena ogni sera, e adesso sorride scoreggiando una specie di marcetta.

Guardo Diego, ha gli occhi chiusi. Il concerto è finito.

La donna accanto a me si solleva per prima, il volto rosso, le mani che applaudono. La trombettista raggiunge gli altri, è alta come i maschi, incrocia le gambe, fa un inchino esagerato. Sono entrati anche i gruppi che si sono esibiti prima, si stringono sulla pedana, adesso è un concerto di schiamazzi. Il direttore d'orchestra butta la bacchetta in aria e tutti buttano qualcosa, un archetto, uno spartito, come laureandi con i cappellini neri. Diego ha aperto gli occhi, non si alza, batte le mani lentamente.

«Mi sono addormentato...» dice.

«Quella è l'amica di Gojko.»

Diego crede che sia la violinista grassottella con una treccia che le attraversa la testa come una specie di cresta... gli dico no, è quella con i capelli rossi che abbraccia il biondo che suonava il pianoforte. Diego la guarda... i capelli, le labbra nere.

«Cos'è, una punk?»

Gojko si alza in piedi, tira fuori un fischio di quelli che bucherebbero un bosco.

«Grandi, vero? Ti rovesciano le interiora, ci ballano sopra e poi te le rificcano al loro posto nella pancia...»

Per un attimo penso che sono tutti pazzi, sembrano felici come se la guerra ci fosse già stata e fosse finita, come se questa fosse una festa di riconciliazione.

Siamo lì contro il muro, io e Diego, nel carniccio di donne che sembrano piccoli paralumi ricamati, di questo cowboy bosniaco che mi passa davanti con la sua giacca di crosta da cui piovono frange. È la stanza attigua alla sala del concerto, la donna con il fischietto ha disposto su un tavolo qualche vassoio di dolci e di involtini salati preparati in casa. Adesso all'odore di pioggia, di panni bagnati che esalano il vapore caldo dei corpi, si mischia l'odore del cibo saraje-vita, di spezie, di grasso animale, di formaggio acido.

La ragazza si avvicina a noi... da vicino sembra molto più giovane, sembra una bambina truccata. I capelli suda-ti sembrano ruggine che cola. Si è cambiata, sotto il vestito di ciniglia spuntano un paio di jeans rotti. Ha una spilla da balia piantata nell'orecchio, la custodia del suo strumento a tracolla e una sacca di tela gonfia di roba sulla spalla. Le mani a conca colme di pasticcini.

«Lei è Aska, la mia amica.»

Guarda Gojko, sorride, inghiotte. Ci porge una mano unta.

«Sono Aska, l'amica di Gojko.»

Parla *abbastanza* italiano, ci dice, perché ha fatto un anno di conservatorio a Udine. Ha fame, prima di suonare non può mangiare *altrimenti vomita in testa agli altri*, così adesso è affamata. Non ha inflessioni nell'accento, separa le parole, le chiude. Ogni parola una sbarra, sembra una di quelle voci monocordi che escono dalle macchinette dei parcheggi *benvenuto, infilare il biglietto, attendere prego*.

«Aska, come la pecora del racconto di Andrić...» dico in un soffio.

«Sì, questo nome me lo sono dato da sola» ride.

Guardo la fronte alta che domina il viso, gli occhi allungati come foglie, di un verde fondo, stropicciati da quel trucco nero che le cola nel bianco.

Si inginocchia, posa i pasticcini sulla custodia del suo strumento. Si sta togliendo le scarpe con i tacchi per infilarsi un paio di scarponi di tipo militare, di un viola acceso.

Le facciamo i complimenti.

«La gente piangeva...»

Lei si tira su, ringrazia senza enfasi.

«La gente non ha ironia.»

Passa un vecchio signore con la kippà, un insegnante che le parla, le fascia il viso con le mani frementi. Lei lo ascolta seria, poi gli ruba una sigaretta dal pacchetto di Drina che s'affaccia dal taschino. Il vecchio sorride, le fa accendere. Adesso è Aska che parla al vecchio, guardandolo fisso, fumandogli negli occhi. Quando parla la sua lingua ha un'altra voce, più melodica, si affretta sulle parole come poco fa sulle note.

Dice che ha fretta, che ha mangiato e fumato, e adesso deve andare a suonare in un locale. Ha una motocicletta parcheggiata davanti alla scuola, un bolide vecchio che sembra uno di quelli dell'esercito. Si gira un foulard nero intorno alla testa, forse è musulmana, forse è soltanto per il freddo. S'è arricciata il vestito, ha fatto un nodo dietro come una coda, e adesso sale a gambe larghe con i suoi jeans, i suoi scarponi viola, la custodia della tromba a tracolla.

Diego vuole farle una foto, non ha il flash, forse basta il cono di luce del lampione, lui perlomeno ci prova.

«Mi ha fatto piacere conoscervi.»

Aska accende e buca la notte con quella carcassa di moto.

Più tardi Diego mi chiede di raccontargli la storia della pecora Aska nel racconto di Andrić.

«È la storia di una pecora ribelle, che vuole soltanto danzare e non ascolta le raccomandazioni di sua madre.

Così un giorno danzando si allontana dal gregge. Quando riapre gli occhi il lupo è lì. È affamato però può ancora aspettare, lo diverte quella stupida agnellina che balla. Lei sente gli occhi neri del lupo sul suo manto candido, sa che la sua vita sta per finire, sa che avrebbe dovuto dare retta a sua madre. È terrorizzata, però continua a danzare perché è l'unica cosa che può fare... e danzando indietreggia. Il lupo è sempre lì, gli basta allungare una zampa per prenderla, ma l'agnellina danza così bene che vuole gustarsela ancora un po'. Gli ricapiterà di sicuro qualche altro agnellino, ma non gli ricapiterà mai più un'agnellina che danza così...»

«Come finisce? Il lupo se la mangia o la lascia fuggire?»

Gli preparo l'infuso di erbe per gli occhi, gli strizzo le garze sulle palpebre.

Mi prende una mano nel buio degli occhi bendati.

«Cosa c'è?» mi chiede ancora.

«Gojko ha detto che Aska sarebbe disposta ad aiutarci.»

Scrutavo la faccia immota del vecchio Jovan sprofondato nella sua poltrona di logoro velluto verde, con un piccolo telo ricamato e candido sullo schienale che Velida cambiava quasi ogni giorno. Sentiva pochissimo, guardava il televisore senza più sforzarsi di catturare l'audio. Era un anziano modello in bianco e nero, con una piccola antenna che non prendeva bene il segnale. L'assenza di colori e il pallido velo granuloso che ammantava lo schermo facevano pensare a immagini di repertorio, a vecchi filmati della Seconda guerra mondiale. L'esercito serbo aveva superato il confine naturale della Drina e avanzava nella Bosnia. Mi tornò in mente la lunga notte dell'uomo sulla luna, quel segnale lontanissimo. Ero piccola, ero accanto a mio padre che guardava lo schermo come guardasse una porzione ultima di futuro, qualcosa che non avrebbe visto mai più. Di colpo sentiva di far parte di una generazione unica di uomini che, dalle ali di Icaro alle macchine volanti di Leonardo al primo *Flyer* dei fratelli Wright, ora lasciavano definitivamente la gravità della Terra per sedersi su quell'occhio diafano, lontano. E quel palombaro bianco, incerto come un neonato su quella crosta color piombo, era lui stesso.

Credeva nel futuro, mio padre, come Sebina. Credeva che gli uomini comuni si sarebbero messi a passeggiare nel cielo a tutta randa. Sullo schermo avanzavano lugubri carri armati, e l'unico segnale che arrivava era quello disturbato di questo anziano televisore.

Velida si alzò a liberare i due merli chiusi nella gabbia bianca in cucina. Non se ne andavano, volavano nelle stanze, al massimo attraversavano la strada, si fermavano sul ballatoio del palazzo di fronte e poi tornavano quando Velida li chiamava, mansueti come galline. Spense il televisore con un moto di stizza, quasi una sua piccola sfida personale, frugò nello scaffale carico di dischi di vinile e fece scivolare sul piatto del loro vecchio grammofono un po' di jazz. Poi preparò il caffè, con cura maniacale, senza versare nemmeno un po' di polvere.

Guardo la tranquillità di quelle stanze, annuso il profumo delle cose che sono lì da molti anni, che si sono accumulate... i libri d'arte, i tomi scientifici, il piccolo vasellame sugli scaffali della cucina, le fotografie di Velida e Jovan da giovani, l'orologio sul muro. Sembra che mai niente dovrà muoversi da questa casa. Un piccolo labirinto domestico dove i merli volano, si posano sul divano accanto al gatto che nemmeno li guarda. «Non è normale che un gatto non salti addosso a un uccello» le dico. Solleva il mestolo: «Gli ho insegnato a rispettarsi».

Siamo in cucina, la sto aiutando a preparare gli involtini. Abbiamo mischiato il riso alla carne, stendiamo le foglie di vite, le riempiamo e poi le arrotoliamo. I suoi gesti fanno pensare a un tempo eterno, a involtini che bolliranno, soddisferanno palati senza interruzione. Mi rilassa stare in cucina con questa anziana biologa, che spegne il televisore, allontana il nero del mondo tagliuzzando una cipolla.

«Perché non avete figli, tu e Jovan?»

Ha gli occhi rossi per la cipolla, ma sta sorridendo.

«Non ne abbiamo voluti. Jovan era troppo preso dalle sue ricerche e io ero troppo presa da Jovan. È andata così.»

«E non ti è mai mancato un figlio?»

Potrebbe mentirmi, è una donna abituata alla riservatezza, alla solitudine. Invece non mente.

«Sempre» dice. «Sempre» ripete.

Impila gli involtini in una pentola, frantuma il peperoncino. Sorride di nuovo.

Poco fa, davanti al televisore, le ho chiesto cosa contava di fare se la guerra li avesse raggiunti, travolti. Aveva scosso le spalle, era andata a liberare i merli. Adesso mi risponde. Versa un po' d'aceto nella pentola e dice che non si muoveranno dalla loro casa. Dice che ha avuto due volte il cancro ma che Dio non la vuole, la lascia lì a cucinare.

«È solo per i figli che si ha paura...»

Viene un buon odorino dalla pentola, le dico che Dio fa bene a lasciarla in quella cucina. Mi chiede perché io non ho figli.

Le dico la verità in un attimo, senza fatica. Mi guarda con i suoi occhi da biologa, scuote la testa. Mi racconta che il mio nome nel processo della gemmazione indica il primo abbozzo di un nuovo individuo.

Dissi a Gojko che volevo incontrare Aska da sola. L'appuntamento era in un bar dove non ero mai entrata, una specie di turbante di rame e vetro in mezzo a un parco, una buffa rivisitazione dello stile ottomano in salsa austroungarica. Dentro c'era l'eleganza decadente dei caffè viennesi d'inizio secolo e un odore di cetrioli sottaceto e di bosanska kafa. Aska era seminascosta da un siparietto di specchi, accanto a lei la custodia nera del suo strumento, parlava fitto con Gojko.

Mi avvicinai al tavolo. Le tesi una mano.

«Salve.»

Lei si alzò e mi abbracciò con calore. Indossava un golf nero pieno di tagli e i jeans del giorno prima. La spilla da balia era sempre infilata nel suo lobo, però lei non era truccata.

Mi avvicinai ai suoi capelli, alla carne del suo collo... respirai un odore di legno aromatico, di palissandro, di cedro.

Aska ordinò per me. Bavaresi austriache e dolci locali impastati con il miele.

Mentre mangia la scavo con gli occhi... è molto vicina a me, c'è la luce inclemente del giorno... cerco qualcosa di macero, un piccolo guasto nascosto. Invece è bella, ha un ovale perfetto, austero, e un gonfiore naturale sotto gli occhi, nella pelle trasparente come acqua. Una stanchezza che la rende sensuale, stropiccia quella bellezza. Anche lei mi guarda, guarda le briciole sulla mia bocca, l'anello che ho al dito. Parliamo un po'.

«Quanti anni hai?»

«Ventidue.»

Speravo che fosse un po' più grande. Mi guardo intorno... una donna di mezza età parla e fuma stringendo il pacchetto delle sigarette nella mano libera, come se stringesse il suo stesso respiro. In fondo c'è una porta, quella del bagno forse. Di colpo penso che dovrei andarmene adesso, alzarmi fingendo di andare in quel bagno e invece uscire, allontanarmi da questa pecora, da queste occhiaie che sembrano petali gonfi.

E adesso penso che ha qualcosa di me di qualche anno fa... l'espressione del viso, altera e un po' fessa insieme.

Gojko mi lancia occhiate maliziose, da sensale, da ruffiano.

Aska s'è tolta il golf, fa caldo qui dentro. Sotto ha una T-shirt bianca con una stampa grigia sopra, un viso giovane, non si capisce se di uomo o di donna.

C'è una bavarese rimasta, mi chiede se la voglio.

«È tua» le dico.

Sono sazia, in verità non ho mai avuto fame. Aska mangia la bavarese, si lecca le dita.

Ha questi occhi strani, nei quali riposa un fondo di tristezza... come piccoli scafi dimenticati su una riva.

Mi guarda seria, e anche quando ride non ha l'aria di una che si prende gioco delle persone. Gojko la tratta come una sorella minore, con la stessa ruvidezza con cui certe volte tratta Sebina. Le chiede chi è la tizia sulla maglietta.

Aska gli dice *sei vecchio, non sai niente*. La tizia è un tizio, un mito che si chiama Kurt Cobain.

E così scopro che le piacciono i Nirvana, che li ascolta al buio per tutta la notte, dice che la portano via.

«E dove ti portano?» la sfotte Gojko.

«In un posto dove tu non potrai mai arrivare.»

Lui s'accende una sigaretta, butta il pacchetto sul tavolo. Sghignazza, bofonchia che i Nirvana sono dei *lukavi*, dei furbi. «Sono dei nichilisti miliardari del cazzo!»

Si alza, dice che va a pisciare. Lo fa apposta a lasciarmi sola con Aska.

In fondo alla maglietta c'è una scritta in inglese, una frase di Cobain, NESSUNO CONOSCERÀ MAI LE MIE INTENZIONI.

Ho voglia di uscire da questo bar.

«E le tue intenzioni quali sono?» le chiedo a bruciapelo.

Mi dice che vuole semplicemente andarsene dal suo paese. Viene da Sokolac, a trenta chilometri da Sarajevo, si mantiene facendo qualche serata nei locali, dando lezioni private. Ha pochi minuti ancora, deve scappare, sta andando a casa del figlio di un gioielliere della Baščaršija.

Gonfia le guance per farmi capire che il bambino è grasso, non riesce nemmeno ad allargare le dita sui pistoni. Mi dice che tra i sarajeviti benestanti va di moda far prendere ai figli lezioni di musica.

Mi dice che non vuole invecchiare così, che è giovane.

Sorride, dice che uno dei tre dei Nirvana è un croato, se ce l'ha fatta lui ce la può fare anche lei. Vuole andare a Londra, ad Amsterdam, formare una band, i soldi le servono a quello.

«Cosa ti ha detto Gojko?»

«Che cercate una *roda*... una cicogna.»

«Già.»

Sul piatto è rimasta della panna accanto a dei granelli di glassa di zucchero, Aska col cucchiaio tira su quegli avanzi.

«Io sono pronta» dice.

Si guarda intorno, si pianta un pugno sotto il viso, s'avvicina a me con i suoi occhi verdi, sento l'odore della sua bocca.

È sfacciata e burocratica. Vuole essere pagata in marchi tedeschi e in contanti. Si rimette il golf, la sua testa scompare e poi riappare.

«Lo fai solo per denaro?»

Raccoglie la custodia del suo strumento.

Sorride, dice che le piace dire la verità, che posso fidarmi di lei, perché non ha paura della verità.

«Cosa dovrei dirti?» si tocca il lobo, uno di quegli orecchini kitsch. «Che lo faccio per amore?»

Mi dice che la musica è tutta la sua vita, che ha passato l'infanzia in campagna a pulire le gabbie dei conigli, a sgranare pannocchie, a suonarle, come flauti, come tastiere. Sarajevo per molti anni le è sembrata San Francisco, adesso le sega la schiena come un reggiseno troppo stretto. Mi dice che non si sposerà mai, non farà mai una famiglia.

Le chiedo se è musulmana.

Fa una smorfia, dice che non entra mai in una moschea, anche se ogni tanto legge il Corano.

«E cosa dice il Corano, puoi affittare il tuo utero?»

«Il Corano dice che bisogna aiutare gli altri.»

Non le dispiace l'idea di prestare la sua pancia a una donna mutilata. Dice proprio così, mutilata.

«Ognuno di noi deve restituire qualcosa...»

Si alza, s'infila una palandrana di plastica contro il vento della motocicletta. Scrolla le spalle. Mi chiede di farle sapere in fretta, deve organizzare il suo futuro.

Diego tace. Guardo la sua nuca scavata, la testa abbandonata sulle spalle. È stanco morto, ha i pantaloni infangati. È salito fino al cimitero ebraico e ha fotografato la città dall'alto, c'era nebbia in basso. I minareti e le cime dei palazzi sembravano uscire da una tazza di siero. Gli ho raccontato di Aska. Ha detto soltanto *non lo so*, ha sistemato i rullini, li ha numerati, li ha infilati nelle loro capsule nere.

Trovammo un medico, in periferia, sulla statale che portava a Hadžicí. Gojko passò a prenderci in macchina. Aska era seduta davanti, aveva i suoi capelli rossi rotti da forbiciate violente, le unghie smaltate di nero, occhiali scuri grandi come quelli di Kurt Cobain. Io sembravo la madre, con la mia gonna sotto il ginocchio, i miei occhiali da vista, lo chignon.

Il medico non ci fece troppe domande, era tarchiato e aveva un viso un po' ottuso, come certi contadini. Aveva un piccolo tic, si succhiava l'interstizio tra i denti davanti. Ricordo solo quella bocca che arricciava come un coniglio e quel rumore fastidioso.

Aska mise una mano su quella di Diego, disse che era il suo ragazzo, che volevano un figlio però lei non poteva avere rapporti sessuali.

«Ho degli spasmi muscolari che me lo impediscono.»

Gojko abbassò la testa quasi fino al pavimento, stava ridendo, quel bastardo. E anch'io sentii di nuovo il brivido della nostra giovinezza insieme, di quando eravamo folli e liberi. Il medico non era interessato alle nostre stravaganze. Le prescrisse tutte le analisi, si fece anticipare cento marchi tedeschi e ci diede appuntamento per la settimana successiva.

Aska uscì scodinzolando, prima di rimettersi gli occhiali da star mi fece l'occhiolino.

Andiamo ad aspettarla fuori dalla scuola di musica, in un bar nascosto perché lei non vuole farsi vedere dai suoi amici, muove la bocca come un becco, fa *qua qua*, dice *quelli parlano troppo* e lei invece non vuole dare spiegazioni a nessuno. Non sembra mai così contenta di vederci, ride, ci accusa di essere come due genitori troppo assillanti. Mi stringo le mani in quel bar, faccio crocchiare le piccole ossa... in realtà sono io quella ansiosa. Diego è tranquillo, fin troppo. Sembra un ospite.

«Abbiamo bisogno di conoscerti meglio.»

Aska sbuffa, dice *è una stupidaggine perché le persone non si conoscono mai davvero, neanche i mariti e le mogli si conoscono.*

Tutti hanno una vita segreta... a secret life...

«Voi due vi conoscete?»

Diego sorride, si guardano e mi sembra che siano vicini in un attimo.

La pecora ha questi occhi che viaggiano, sempre un po' stanchi, che si tirano su come ali bagnate, sbattono, e come ali bagnate ricadono... però quando ti sfiorano lasciano una scia, il dolore della bellezza. Le guardo le labbra screpolate dall'uso della tromba, che non smette mai di leccarsi, il seno, le braccia, quel poco del corpo che riesco a vedere sotto i panni da maschera, da sciagura moderna. Ridicolo punk rivisitato a Sarajevo. Non m'interessa che si conci così, non è mia figlia, e ha ragione lei, non sarà mai una mia amica. Si imbianca il viso come calce, si fa le labbra scure, cattive.

Andrà a Londra, non farà niente della sua vita, si consumerà tra le strade, tra il chiasso dei locali. Non m'interessa il suo destino, m'interessa il suo futuro immediato. M'interessa la sua carne. Sta scherzando con Diego, li lascio parlare di musica. È bella e, nonostante la calce, sprizza salute. Sorrido come una madre affabile.

«Quindi vuoi andartene?»

Sta masticando. Ogni volta che ci vediamo si abbuffa, ordina panini, dolci, ogni volta dice che non mangia dalla mattina. Dice che non si può suonare troppo a lungo se si suona davvero, perché la musica ti fa saltare addosso i topi, ti mangia...

Le fanno schifo Madonna e Michael Jackson.

Adesso parla di Janis Joplin. La sua faccia s'intristisce, muta di colpo. Non mangia più, guarda davanti a sé.

«Ogni tanto Dio punta qualcuno dal cielo e dice *tu, vieni con me*. Non puoi dire di no a Dio. Si piazza nel tuo corpo, ti squarcia l'anima. Per sopportare Dio Janis si drogava.»

Le chiedo se si droga, se si è mai drogata.

Mi guarda con odio. Mi dice di no, si alza, dice che la seduta è finita.

Stiamo attraversando il Ponte delle Capre.

Mi racconta di sua madre, morta da appena un mese perché non ha seguito la sua strada, dice, perché le persone si ammalano se non seguono la loro strada.

«Ieri sera mi sono addormentata con *Smells Like Teen Spirit* dei Nirvana.»

Ride, dice che è praticamente impossibile dormire con quella canzone, invece lei è sprofondata in un sonno di piombo. Ha sognato di camminare, nuda e incinta, sul viale di Tito, era molto stanca, la pancia le pesava e non capiva perché continuava a camminare invece di sedersi. Poi aveva visto i blindati che avanzavano verso di lei. Sapeva che l'avrebbero schiacciata, eppure continuava ad avanzare come fosse l'unica cosa possibile. Come il rivoltoso sconosciuto di piazza Tian'anmen. Era certa che li avrebbe fermati.

Guarda la Miljacka... le sue acque gentili.

«Ci sono troppi ponti a Sarajevo...»

Allarga le braccia al vento che c'è, se ne sta lì come un angelo con le ali aperte, quei capelli rossi, quel rachitico abito da grunge sarajevita, gli occhiali grandi e scuri, la spilla da balia nell'orecchio. Mi dice di allargare il petto, di respirare. Ce ne stiamo lì come due angeli scemi, io con il mio tailleur, lei con i suoi bracciali, infiniti cerchi di metallo che suonano come il campanaccio al collo di una pecora.

«Perché non puoi avere figli?»

Le racconto la mia storia.

«Non è la pancia soltanto, è la vita stessa che ti è negata ogni giorno, infinite volte.»

Mi stringe senza commuoversi. La spilla da balia mi sfiora la bocca... e adesso mi sembra che lì sia appeso il mio futuro.

Diego ci fotografa di spalle. Dice che gli piace vederci insieme, che Aska gli ricorda una ragazza di Genova. Una che lavorava in un magazzino di abiti militari vicino al porto, roba dura che puzzava di umido, vecchie divise dei marine.

«Ti piaceva quella ragazza?»

«Era lesbica.»

Aska mi chiede se io e Diego ci amiamo.

«Sì, molto.»

Annuisce, guarda l'acqua in basso, si china, raccoglie un sassolino e lo butta di sotto.

Diego ci inquadra, abbracciate su quel ponte. Poi Aska vuole infilare l'occhio nel mirino e fotografare lei, noi.

Diego è loquace, come con le sue studentesse: «Puoi fotografare semplicemente la realtà, o puoi cercare».

«Cosa?»

«Qualcosa che passa, che nemmeno si vede. Che appare dopo.»

Le spiega che lui ama fotografare l'acqua per questa ragione, perché si muove e inavvertitamente include qualcosa, un passaggio, un riverbero...

Aska scatta, restituisce la macchina a Diego, sorride.

«Chi lo sa... magari ho fotografato qualcosa che non si vede...»

Sorrido ed è di nuovo il mio stupido sorriso, perché di nuovo sento che il bambino è qui, ci scivola incontro su questo fiume. Mi volto a osservarli, camminano vicini sul marciapiede, senza guardarsi. E per un attimo penso che si somigliano. Sono alti uguali. Hanno lo stesso modo di camminare, ondeggiando sui fianchi, sbilenchi, rigidi, come se cercassero di schivare un pericolo, andandogli incontro sfrontati.

Intanto le abbiamo dato i primi cinquemila marchi. Li ha contati sul tavolino del solito bar.

«Non sarebbe più facile versarli in un conto in banca?»

Non si fida, la Jugoslavia sta perdendo pezzi e lei ha paura che i suoi soldi finiscano nelle tasche di qualcuno a Belgrado.

Prendiamo un taxi per tornare dal dottore, lei stringe la cartellina con le analisi che ha fatto. *Tutto regolare*, dice.

«Non ho l'Aids.»

Le sfioro una gamba, le calze bucate da cui spuntano bolle di carne bianchissima.

«Sono inquieta, Aska.»

«Perché?»

Chi può dirmi che non vorrà tenersi il bambino? Che quando lo sentirà muoversi non dirà che non può più staccarsene?

Mi rassicura. Si toglie gli occhiali, mi fa vedere i suoi occhi, struccati stamattina. Mi dice che mi ha dato la sua parola.

«Ma adesso non puoi saperlo...»

Dice che lo sa, che non vuole figli, che non saprebbe proprio cosa farsene.

«L'unica cosa che voglio è suonare.»

«Cosa dirai ai tuoi amici?»

Ci pensa un po'. «Gli ultimi mesi me ne andrò, farò così.»

«Dove andrai?»

«C'è un posto che mi piace, sulla costa, andrò lì...»

«E io verrò con te.»

Annuisce sotto i suoi occhiali.

E già mi sento rincuorata, la macchina procede e io immagino una casetta bianca, fuori stagione, con il suo odorino d'umido. Prendo la mano di Aska perché sto immaginando di camminare con lei su una spiaggia mano nella mano... lei con la sua pancia e io che le preparo il tè, l'accudisco, le metto uno dei miei scialli sulle spalle. Sarà bello, solo noi due, il mare d'inverno e una finestra piena di gocce fuori e di vapore dentro.

Siamo fermi davanti alla porta di quel piccolo ambulatorio.

«Suonerò sempre per il vostro bambino... così magari sarà un grande musicista...»

Di colpo si rattrista, le tiro una ciocca di quei capelli rossi e forti.

«Non gli far sentire i Nirvana, ti supplico...»

«Cosa vuoi che gli faccia sentire?»

«Mozart...»

«Scordatelo.»

«Chet Baker?»

«Lui sì.»

Il medico non c'era, la porta era sbarrata. Aska salì le scale, suonò agli altri campanelli, non era rimasta che una donna sulla sedia a rotelle.

Tornò da noi, le braccia stanche sui fianchi.

«Sono tutti andati via.»

«Via dove?»

«Non lo sa, non c'è più nessuno.»

Sentimmo delle voci e dopo un po' vedemmo due uomini in tuta mimetica affacciarsi da uno dei balconi. Stavano lì tranquilli come impiegati in pausa, fumavano, ci guardavano, sembravano ridere di noi. Ebbi paura, per la prima volta. Restammo un po' sotto quel portone, inebetiti, come galline rimaste chiuse fuori dal gallinaio al tramonto.

Il taxi se n'era andato, ci allontanammo a piedi. Aska camminava sull'altro lato della strada, pareva una che torna da una scampagnata. Canticchiava, cercava di raggiungere con una mano le fronde fiorite dei pruni. Eravamo sul ciglio della strada, passavano solo poche macchine, vecchie marmitte che lasciavano il loro afrore. Diego mi dava la mano, senza peso, assente. Gli si era graffiato un obiettivo poco prima, gli era caduto sulle scale di quel palazzo, era quello per lui il dolore del giorno. Era stufo di quei pellegrinaggi, si lasciava portare da me, per inerzia, per amore. Ma era come stare dietro a una moglie malata di un'ossessione solitaria.

Mi fermai a guardare il cielo, quel sole che si ritraeva scacciato dalla notte. Non c'era nemmeno una stella. Tornammo al buio, brancolando fino alle luci della città. Aska abitava in uno dei primi quartieri. L'accompagnammo fino al portone, ci chiese se volevamo salire da lei. Non aveva molto da offrirci.

«Non importa.»

Salimmo.

Adesso eravamo noi gli orfani, e lei nostra madre. Non era una vera e propria casa, sembrava una specie di residence. Appartamenti piccoli, uno accanto all'altro, come cabine.

«Erano gli alloggi degli atleti olimpionici.»

Dentro c'era un tavolo di legno chiaro incollato al pavimento e una panca angolare ricoperta dello stesso marrone della moquette. Una fila di bicchieri sul muro dietro una grata, sembrava l'interno di un camper. Feci qualche passo per andare in bagno, mi affacciai in camera da letto, anche quella piccola e scura. Sul muro c'era un manifesto di Janis Joplin con la sua faccia da vecchia barbona, i capelli crespi, lo spiraglio degli occhi, quello della bocca, il vento del delirio.

Sotto, una scritta: SUL PALCO FACCIO L'AMORE CON VENTIMILA PERSONE. POI LA SERA TORNO A CASA DA SOLA.

Restammo a parlare un po'. Aska prese i bicchieri dalla grata, ci versò un po' di latte e un cucchiaio di cioccolato in polvere ciascuno, mischiò. Si portò un dito sulla guancia per dirci che era una buona bevanda, che ci avrebbe consolati. Disse che lei si consolava sempre così, con i dolci, come i bambini. Ma non sembrava affatto triste. Si era tolta i suoi scarponi viola, camminava scalza, aveva lunghi piedi bianchi con lunghe dita sottili, mi tolsi una scarpa anch'io, avvicinai un piede al suo, ridemmo, perché i miei erano molto più piccoli e più larghi. Le dissi che avrebbe potuto giocare a pallacanestro. Scosse la testa rossa, e di nuovo disse che voleva soltanto suonare, che era nata con la tromba dentro.

«È uno strano strumento per una donna...»

«È il mio.»

«Perché?»

«Si prende tutto il fiato, tutta l'anima...»

Incollò le labbra al bocchino e si mise a suonare *Diane*, chiuse gli occhi, dondolò moribonda come Chet Baker.

Diego la guardava con la bocca leggermente aperta, come si guarda qualcuno che ci sta a cuore e che può sbagliare. La serata si scaldò così, con quella cioccolata, con quella musica. Diego aveva preparato una canna e adesso tamburellava sul tavolo con le dita. Io avevo le ginocchia tra le braccia e la testa contro il muro.

Stavo bene, avevo dato anch'io qualche boccata e adesso sentivo un po' di brividi tiepidi dentro, fili di paglia che si muovevano dolcemente.

Era andata così. Ci saremmo lasciati la piccola amica sarajevita alle spalle, e quei cinquemila marchi buttati valevano questa serata. Ormai ero abituata alle sconfitte, ai buchi nell'acqua... sempre gli stessi, nello stesso stagno. Era una sera dolce, vibrante. Un commiato di cui ormai conoscevo il gusto. Aska smise di suonare, scrollò la tromba, cadde un po' di saliva. Fece un altro giro di latte e cioccolato in polvere. Si tolse la spilla da balia dall'orecchio, cominciò a giocarci.

«Perché ti vesti così?»

«Ho cominciato per fare un dispetto a mio padre.»

E ci racconta che il padre dirige la preghiera nella moschea del suo paese, per anni hanno litigato, però da quando è morta la madre hanno fatto pace.

«Anche mia madre è morta.»

M'intristisco. Diego stasera porta quel golf che lei gli aveva regalato... penso a quel giorno, a quegli occhi timidi, indecisi su tutto, come sempre. Penso che le somiglio più di quanto non ho mai saputo.

Diego mi prende la mano e me la bacia.

«A cosa pensi, amore mio?»

«A niente, a mia madre.»

Già, penso a lei, una donnetta che ha avuto così poco dalla vita.

Aska mi chiede: «Era sterile anche lei?».

Rido, come non ho mai riso. Sgusciando i denti e tutta la mia infelicità.

«Io sono nata.»

Aska si diverte: «Ah già, che stupida...».

È il fumo che fa effetto. *Ma forse*, penso, *ha ragione lei, non sono nata mai. Sono l'ombra dei miei desideri.*

E di nuovo penso a quella favola, a quella pecora ballerina che balla per non morire.

Qualcuno dalle colline spara. Affacciamo la testa da una piccola finestra doppia, che Aska tiene su con la mano perché il gancio è rotto. L'aria è fredda, non riusciamo a capire esattamente da che parte arrivino gli spari.

Aska non sembra preoccupata.

«Succede quasi tutte le notti da un po' di tempo, sono idioti che si divertono, ragazzi.»

Andiamo in cucina io e lei, per scaldare un po' d'acqua. Me lo dice mentre cerca di tenere viva la fiamma azzurra del gas.

«Se vuoi possiamo farlo naturalmente.»

Mi dice che ha appena avuto la sua *menstruacija* e che tra una decina di giorni è pronta per l'accoppiamento. Usa proprio la parola *accoppiamento*. Rido... sta giocando con quella spilla da balia. Dice che per lei l'accoppiamento non è un problema. Penso ai conigli in campagna, a quei coiti rapidi. Ho il viso in fiamme... sono stordita di gioia, di un piccolo furore sguaiato.

«Potrebbe essere un problema per me...»

... ma intanto so che non è vero, che non lo è... guardo la sua ruggine e ho già saltato il fosso dell'ambiguità. È tutta la sera che qualcosa mi galleggia nella pancia. E anche prima, quando ho buttato l'occhio in quella stanza, su quel lettino... ho pensato *ma che ci vorrebbe, un altro spinello e... io resto di qua sulla panca e loro lì, sotto quel manifesto di Janis Joplin... torniamo tutti a casa da soli, Aska, tutti, nel fondo dei nostri piccoli corpi, nati per non durare.*

Parla ancora. Dice che il sesso non le interessa, lo trova inutile. Come tutte le cose troppo molli e bagnate. Mi dice che se voglio posso assistere.

«Come in un ambulatorio...» ride.

La ringrazio. «*Hvala.*»

Non coglie l'ironia. Mi risponde *prego*. Me lo dice ancora una volta: «*Za mene parenje nije problem*», per me l'accoppiamento non è un problema.

Lasciai che quella frase mi scivolasse nel petto, tornai a sedermi sulla panca, aspettai di sentirne l'effetto fino in fondo. Fino alla pancia.

Diego ci guardava... sentiva qualcosa, il mosto di una intimità.

«Cosa avete voi due?»

«*Ništa*», niente.

Gli dissi di preparare un altro spinello, avevo voglia di ridere e ridere, di sciogliere tutto in una lunga torpida risata. Sì, via da quegli ambulatori, da quelle siringhe, da quei prelievi di liquido seminale. Via da tutto ciò che m'aveva fatto soffrire. Non più polluzioni nel vetro, ma amplessi nella carne. In quella bianca e calda di Aska che adesso mi sembrava la mia. Sarebbe stato come fare l'amore noi tre... stare caldi insieme, come poco fa, quando ci eravamo stretti contro quel vetro... Noi e la nostra pecora.

Era la carne che faceva per noi, era giovane, e a Diego piaceva. A chiunque sarebbe piaciuto un bocconcino così, una fessacchiotta sarajevita bella come il sole, parzialmente imbruttita dalla moda, dalla stupidità verso se stessa.

Ci guardammo negli occhi, ancora per un po'. Non c'era imbarazzo, non li abbassava, quegli occhi, li teneva lì, arresi nei miei, e non c'era nemmeno malizia. Semplicemente era meno allegra di prima. Adesso si era appoggiata alla finestra. E io imparavo qualcosa di lei. Era una creatura leggermente scollata dalle cose, come se tra lei e il resto intorno ci fosse sempre un piccolo vuoto da attraversare, da violentare. Non c'erano ponti per lei, c'era un fiume che scorreva, e lei cercava un appoggio nell'acqua, una pietra affiorante, qualcosa. Ora l'aveva trovata, quella pietra, e poco importava che fosse il suo corpo.

Pensai che mi avesse atteso, che mi fosse venuta incontro per soccorrermi, che fosse nata per quello. Che quello fosse il suo destino. Era scivolata in mezzo a noi per caso, come un figlio quando si fa l'amore. E questa era una notte d'amore. C'erano quegli spari lontani che quasi ci tenevano compagnia, ci ammonivano, ci insegnavano che la vita ha un suo rischio, una sua scabrosità, e tanto valeva fottersene dei preamboli e rischiare una volta per tutte, fino in fondo. Guardai dai vetri della finestra i profili delle colline ritagliati nel chiarore lunare. Cos'eravamo noi, pecore o lupi?

«Aska vuole andare avanti comunque...»
Diego si mise a ridere, era accaldato...
«Cioè, io dovrei...»

Mi guardava e mi sfuggiva, come una farfalla contro una luce. Aveva la camicia aperta, i riccioli incollati sulla fronte, le labbra screpolate dal freddo... vidi le chiazze rosse di quando si vergogna assaltargli la pelle del viso all'improvviso, come un'allergia violenta. Ruzzolammo nella notte, storditi, mandati avanti a calci da quel gioco strano. Quando trovammo la strada di casa e poi il nostro letto, il mio umore era già più confuso, una gola sporca di catarro. Diego si tolse giusto i pantaloni, se ne stava lì sotto le coperte con la camicia e le gambe nude, puzzavamo di latte e cioccolata.

«Come finisce la favola di Andrić?»

«Bene. La pecora non smette mai di danzare... e il lupo ritarda il momento di mangiarla, così non si accorge che si sono avvicinati troppo al paese. A quel punto i contadini lo circondano e lo uccidono. La madre fa una bella rampognata alla pecora ballerina che giura di non allontanarsi mai più, però, visto che è così brava, la mandano all'accademia di danza.»

Mi aggrappai alle sue gambe magre. Ci baciammo a lungo. Erano mesi che non facevamo l'amore e adesso eravamo improvvisamente eccitati.

L'alba fioriva già, come uno stagno nella notte, il chiarore vicino, e lontano l'oscurità dei monti.

Il giorno dopo andai a cercare Gojko alla radio. Aspettai che finisse il suo programma, in piedi fuori dalla sala di registrazione. Era mattina inoltrata, ma lì dentro sembrava ancora notte. Gojko se ne stava lì con le cuffie sulle orecchie, sotto una lucetta gialla, la voce roca di sigarette frusciava fuori dal microfono, sensuale, morbida. Stava leggendo una poesia, mi vide, mi mandò un bacio soffiando sulla mano, mi dedicò i versi di Mak Dizdar:

> *Kako svom izvoru*
> *da se vratim?*
> (Come potrò tornare
> alla mia sorgente?)

Ci sedemmo all'ingresso, accanto alla porta, prendemmo un caffè alla macchinetta.

«Cosa vuoi che ti dica?»

«La verità. Quello che senti...»

Ogni tanto qualcuno entrava, portava dentro aria.

Ero venuta per un consiglio... Il caffè nel bicchierino di carta era troppo caldo, mi ero sporcata la camicetta.

«Quei due hanno voglia di fottere, è questo che sento.»

Scuoto la testa, gonfio le guance... vorrei dire qualcosa, faccio scendere il colpo. Guardiamo oltre i vetri il giardino interno, fronde punteggiate da piccoli fiori polverosi.

«Diego è cotto di te, direi che è lesso, ormai...» ride.

Si alza, va in bagno, torna con il fazzoletto che goccia acqua.

«Però è un uomo... e il cetriolo non segue la stessa strada del cuore, fugge in basso... negli ovili.»

Ride, dice che quella pecora è una mitomane furba, non gli sta simpatica, però di sicuro non si terrà il marmocchio...

«È giovane, vuole divertirsi... Posso?»

Mi strofina quel fazzoletto bagnato sulla macchia di caffè.

«Prendi quello che ti serve, piantala di soffrire. Fatti dare questo diavolo di bambino, che poi lo mandiamo in guerra...» ride ancora, eppure è sobrio.

Lo guardo, è bello stamattina, gli sta bene questa camicia blu, gli stanno bene gli occhiali. Forse è la persona migliore che conosco, la più sincera, la più sola.

«Ho paura.»

«Di una pecora?»

Gojko guarda la mia pelle che s'affaccia dalla seta bagnata.

«Che nostalgia...» sussurra.

«Perché sparavano, stanotte, sulle colline?»

«I coglioni vogliono far sapere che sono lì.»

Camminiamo un po' abbracciati sotto quel pulviscolo bianco che si stacca dagli alberi.

«Succederà qualcosa?»

«No, se ne andranno.»

Mi guarda, guarda di nuovo la mia pelle rosa sotto la camicia bagnata.

«Non si può dividere l'acqua.»

«Ti darò quello che desideri e scomparirò.»

«Magari verremo a vederti a Londra, o a Berlino... quando sarai una star del rock... verremo ad applaudirti...»

«Magari, sì...»

«Farai finta di non riconoscerci...»

«No, siete voi che non verrete.»

Ci vedemmo poche volte ancora, incontri rapidi, formali. Aska aveva sempre fretta di andarsene, se ne stava lì inquieta, aggrappata alla custodia del suo strumento come a uno scudo.

Di fatto qualcosa era cambiato...

Gli occhi di Diego erano più nervosi, le ciglia parevano zampette di insetti in fuga.

Non si guardavano quasi mai, ed era in quel girarsi alla larga che si annodavano i fili. Me n'ero accorta e stavo zitta.

Adesso non dovevo fare altro che aspettare. Erano loro che tiravano la slitta. Non correvo nessun rischio. Diego era mio come ogni goccia del mio sangue. E volevo che quel bambino nascesse dal piacere e non dalla tristezza. Ero stufa di fantasmi rachitici, di donne tristi, di bambini opachi. Mi piaceva il banchetto di quella giovinezza.

Aska era diventata più severa, più interiore.

Adesso pensavo che tutta quella disinvoltura era posticcia come il suo modo di vestirsi, di sforbiciarsi i capelli. Mi ricordava una di quelle bambole che da piccola rovinavo con il pennarello, con le forbici.

Durante quegli incontri Diego parlava pochissimo, ogni tanto annuiva, quando io dicevo qualcosa, per il resto sembrava quasi inerte.

«Non so se sarò capace» mi aveva detto.

Restava incollato a me come un figlio, come se avesse paura di perdermi. Eravamo d'accordo, solo un incontro. Se non fosse accaduto nulla saremmo ripartiti.

Non faceva che ripetermi: «Sei sicura?».

Volevo un figlio suo, era l'unica cosa di cui ero sicura. Chiudevo gli occhi e pensavo al bambino. Mi mostravo calma, parlavo soltanto di cose pratiche. Sembravo io il medico, adesso. Avevo imparato dai miei carnefici, usavo lo stesso tono pacato, lo stesso gergo burocratico. Il ciclo era regolare, tra una settimana la pecora sarebbe stata feconda.

C'erano stati dei disordini e un morto. Il padre di uno sposo ucciso sul sagrato della chiesa ortodossa.

Aska era fuori di sé.

«Sventolava la bandiera con le aquile cetniche nel cuore della Baščaršija!»

Presi la mano di Diego e la unii a quella di Aska abbandonata sul muretto del lungofiume, ci misi la mia sopra.

«Andrà tutto bene» dissi.

Fu una specie di rito. Rimasi a sentire il calore che si sprigionava da quel groviglio di mani, i piccoli giri dei nervi, i microscopici assestamenti, tutta la tensione che confluiva in quell'abbraccio... pensai ai segni delle nostre mani lì sotto, nel buio di quei palmi uno sull'altro. E ancora una volta mi chiesi se il destino ci avrebbe aiutati.

Aska cercò di sfilare la mano, ma io la trattenni, poi Diego provò a liberarsi e io e Aska spingemmo con tutto il peso del corpo.

«Dove credi di andare?»

Diego era turbato. Avevano quell'appuntamento carnale e non riuscivano più a guardarsi negli occhi. Più tardi si guardarono.

C'infilammo al giardino zoologico, passeggiammo un po' tra le gabbie e i recinti. C'era vento, s'alzava un terriccio chiaro che sporcava l'aria. Gli orsi erano nervosi, se ne stavano rintanati dentro una specie di vasca vuota, coperta qua e là di muschio. Da anni Aska non entrava in quello zoo, era stata lei a insistere... quel posto le ricordava la sua infanzia, comprò un involto di noccioline e diede da mangiare agli scimpanzé. Si mise a gironzolare per le gabbie facendo strani versi, un pavone le rispose. Mi allontanai per cercare una bottiglia d'acqua.

Quando tornai, Diego la stava fotografando. Non succedeva nulla, lei era entrata in una gabbia vuota e se ne stava lì aggrappata alle sbarre come una scimmia depressa, la testa rossa pencolava su una spalla. Sentii qualcosa, il peso di una intimità.

Diego non la fotografava più, aveva abbassato la Leica e la guardava con i suoi occhi nudi. Aska se n'era andata, camminava un po' più in là, facendo scorrere le dita sulle grate.

Nel cuore della notte chiamo mio padre, la sua voce è presente come se mi stesse aspettando.

«Papà...»

«Cuore mio.»

Non parla, respira, sento il fruscio dei suoi polmoni, della sua vita in questa cornetta grigia, ministeriale.

È tanto che non lo chiamo.

«Hai bisogno di qualcosa?»

«No.»

«Cos'è questo rumore?»

«Piove.»

«Quando tornate?»

Restiamo a parlare un po', mi racconta qualcosa del cane.

«Non cucino più, andiamo tutte le sere al ristorante messicano.»

Al cane piace la carne, a papà la tequila, dice che vanno d'accordo. Mi fa ridere. Resto lì a scherzare con lui, a sconfiggere quella pioggia che non la smette di intristirmi.

«Cos'è questo rumore?» chiede ancora.

Adesso sono io che respiro nella cornetta.

Un tuono, dico. Invece era una raffica. Sorda, insolente.

«State attenti.»

Gli dico che lui è lontano e non può capire.

«La gente qui è mischiata come l'acqua, una goccia dentro l'altra.»

Lui dice che i notiziari in Italia non sono confortanti.

«Uccellacci del malaugurio...» bofonchio, e rido perché ormai parlo come Gojko.

Riattacco il telefono, Diego dorme, una zampa bianca fuori dal letto, uno dei suoi piedi lunghi.

Era stata Aska a segnare la data sul calendario, tre giorni, i migliori, i più fecondi, quelli che cadevano proprio in mezzo alle sue regole. E invece di un cerchio aveva disegnato un cuore. Avevamo deciso per il secondo giorno, quello in mezzo al cuore. Avevamo messo ancora una volta le nostre sei mani una sull'altra per celebrare un piccolo rito propiziatorio.

Adesso pensavo a quel cuore. Il calendario era lì, appeso nella nostra camera, lo guardavo ogni notte, contavo le ore.

Qualche giorno prima scegliemmo il posto dell'incontro, una locanda che sembrava un rifugio, una casa isolata, in realtà confinava con la città, era una delle ultime costruzioni a ridosso del Trebević. Al piano di sopra c'erano poche stanze, un unico corridoio e una coppia di bagni in fondo. Eravamo entrati in una camera candida e profumata come quella di una clinica. C'era una finestra piccola che affacciava sul bosco, aveva le grate. *Per i ladri?*, Anela, la proprietaria, aveva riso. *No, per gli scoiattoli.* S'intrufolavano nelle stanze per raccogliere qualche avanzo. Mi ero stesa sul letto coperto di tela bianca ricamata a mano. E mi ero sentita audace e scanzonata come Gojko, come il terzo inquilino di un unico cuore. Aska e Diego erano rimasti in piedi contro il muro, come due piccoli scoiattoli timidi.

La donna della locanda

La donna della locanda ai piedi del Trebević continuò ad apparecchiare i tavoli per la colazione ogni mattina. Non c'era niente, nemmeno pane duro da dare alle galline, solo tazze sbreccate, vetri caduti dai telai. Ma lei continuò la sua normalità, per non dargliela vinta a quelli lassù. Continuò come le bestie, che finché sono in piedi non muoiono. Ogni mattina s'alzava presto, tirava su l'acqua dal pozzo, preparava il caffè. Ogni giorno Anela ha apparecchiato i tavoli per i suoi clienti in attesa della pace. Scrutava l'alba, il vecchio gallo di ferro sulla porta, tartassato dagli spari dei soldati ubriachi che giocavano al bersaglio. Quali clienti potevano arrivare, di quei tempi? Nessun turista, nessuna coppietta in fuga, nessun commesso viaggiatore da Dubrovnik, da Mostar. Eppure Anela ogni giorno dei giorni infiniti di quell'assedio apparecchiò quei tavoli di legno. I diavoli erano entrati, avevano già preso tutto ciò che c'era da prendere, non era rimasta nemmeno una ciliegia. Lei aveva raccolto le tazze, le aveva incollate, le aveva messe ogni mattina su quei tavoli nudi. Colombe stanche, ferme, in attesa della pace. Era il suo orgoglio, e il suo orgoglio fu la sua resistenza.

Ho il mio zaino sulle spalle, i miei occhiali da sole bombati che sembrano due uova nere conficcate nelle mie orbite. Il caldo mi sembra cresciuto, sudo nella camicia, sento la stoffa che si attacca dietro, sulla schiena. Mi arrampico verso Bistrik. Tracce di granate sui muri, nelle parti basse, nelle zoccolature di pietra annerite dallo smog. Piccole case ottomane con i loro bovindi di legno scuro. Mi fermo, la vecchia locanda sembra scivolarmi addosso. Riconosco la forma, quasi l'errore di un architetto distratto, la base più stretta e le mura che mentre salgono paiono allargarsi e pendere in avanti sbilenche. Fa pensare a uno degli antichi nišan del cimitero musulmano.

La donna è sul retro, in uno spiazzo di cemento dove ci sono le cassette di plastica gialla dei vuoti delle birre, le bombole del gas. Sta dando un po' di granturco a un paio di galline nane che le stanno attaccate ai piedi. La saluto, non mi riconosce, ma anch'io non l'avrei mai riconosciuta lontano da questo posto. So che è lei perché è qui, perché la stavo cercando. La prima cosa che penso è che è viva. È una vecchia vestita di nero, con le guance rosse e un sorriso sdentato. Anela non se n'è mai andata da qui.

Parliamo un po' con il mio poco bosniaco, le racconto che sono venuta in questa locanda prima dell'assedio. Si volta, indica i boschi, la linea del fuoco era lì, a un centinaio di metri. Usciva la mattina all'alba a prendere le uova, si chinava nelle gabbie di legno, rientrava sporca di piume e si metteva a friggere per i suoi clienti. Guardo le mani rosse, il viso screpolato da contadina. Ha ancora la stessa espressione quando le parli, finge di non capire e intanto pensa. Quindi è viva. È tornata in vita anche lei... l'avevo cacciata dalla mia mente come tutto ciò che è andato perso, una figura laterale, un guscio rotto. E invece adesso vorrei abbracciarla... la trascino per un braccio nel mondo, la rimetto al suo posto.

Anela non si ricorda di me, però mi guarda. E i suoi occhi sono paludi che trattengono a stento il pianto.

Dopo la guerra ha venduto, non aveva i soldi per rimettere a posto le stanze squassate dalle granate. Si fa capire a gesti e con qualche parola di tedesco e di italiano. Ha tenuto una stanza a pianterreno, il resto ora è tutto di proprietà di una tipografia. Nel salone delle colazioni adesso ci sono le macchine per la stampa. Si mette le mani sulle orecchie per farmi capire che quel rumore le toglie il sonno. Dice che alle granate si era abituata, però adesso è più vecchia e le scoccia tremare tutto il giorno insieme alle pareti della sua stanza.

«*Strpljenje*», pazienza, dice.

Non l'hanno cacciata, il proprietario è un uomo ricco, di quelli che hanno fatto i soldi con il tunnel scavato sotto l'aeroporto, col mercato nero, con le uova che entravano a Butmir a un marco e uscivano a Dobrinja che ne costavano dieci, però non è cattivo, l'ha lasciata lì come una specie di guardiana, le passa un piccolo mensile.

Le chiedo se posso dare un'occhiata alle stanze al primo piano. Mi dice che non c'è niente, magazzini.

«Ci venni con mio marito...»

Mi guarda, per un attimo penso che mi abbia riconosciuta.

«Era un fotografo.»

Annuisce, dice che sono passati tanti fotografi, si mette le mani sui fianchi per farmi capire come s'è messa in posa.

S'allontana, apre la porta di metallo della tipografia, torna con un mazzo di chiavi. Mi dice di sbrigarmi, di non toccare niente. Non può seguirmi perché le sue gambe non riescono più a fare le scale. Mi allontana con un gesto brusco, lo stesso con cui scacciava le galline.

Fu lei, Anela, a darci le chiavi quella notte, pagammo in anticipo, annuì come una madre. Prese il passaporto di Diego, glielo restituì senza registrare niente. Si girò verso la griglia dov'erano appese le chiavi di quelle poche camere.

Mano contro il muro. Mano. Una mia mano contro questo vecchio muro. Salgo, tastando il muro. Ho più di cinquant'anni, e sono qui senza una ragione. Il corridoio è questo, lo riconosco subito. Respiro, avanzo. Le stanze sono tutte sullo stesso lato. Quassù niente è davvero cambiato, è solo più scuro, più sporco. Si sente ancora l'odore della guerra, sguscia fuori dai muri, dalle fessure delle porte. Dev'essere ancora piena di posti così, questa città... palazzi all'apparenza rinnovati, rimessi in uso, e dentro anfratti abbandonati, sinistri come cadaveri insepolti. Qua e là sui muri ci sono chiazze granulose, dov'è stato ripreso lo stucco, dove sono state chiuse le ferite. Punti di sutura sui muri come su un corpo malato. C'è un caldo torpido, asfissiante, e un odore sgradevole di fognature. Spingo una porta. I bagni sono ancora lì, il muro è aggricciato di vecchio stucco. I cessi sono senza tavoletta, hanno un fondo nero, è da lì che viene il cattivo odore. Conto le porte e affronto la stanza. Quella a ridosso del bosco, degli uccelli, dei funghi, degli scoiattoli. Quella troppo vicina alla linea del fuoco. Sono dentro, chiudo la porta. Aspetto che il cuore torni a mettersi calmo. Scatole impolverate, risme di carta. La luce entra dalle piccole grate sul fondo. Mi lascio scivolare lo zainetto dalle spalle. Pochi minuti e me ne andrò. Basta pensare che è un luogo come un altro, una stanza consumata dal tempo, invasa da un pulviscolo luminoso. C'è ancora il lavandino aggrappato al muro, piccolo e solo come un fonte battesimale in una chiesa dimenticata dai vivi... e poi mucchi sparsi di non so cosa, faldoni, poltiglia cartacea... inviti per vecchi matrimoni ormai esausti, fasci di volantini anneriti dall'umido, accartocciati dal caldo. E poi vedo quelle zampe di ferro. È la branda di un letto. Di quel letto. Anche quella è affogata di pacchi pesanti avvolti da carta marrone, chiusi con lacci di spago, timbri municipali, come di vecchia posta mai spedita.

Inciampo, resisto. Diego è seduto davanti a me su questa rete... il materasso è senza lenzuola, è bruciato qua e là, chiazzato. È a torso nudo, suona la chitarra, i capelli lunghi tenuti da un elastico rubato a me. Ha i piedi sporchi di sangue, i piedi di un ragazzo che ha camminato sui vetri. Non mi guarda, canta... *Spring is here again... Tender age in bloom... Nevermind...* Aska è accanto a lui su quel materasso incendiato, trema. Le finestre sono rotte, entrano raffiche di gelo. Vorrei tirargli una giacca, una coperta... qualcosa. Coprirli. Sorrido, non hanno freddo, penso, perché sono morti. Sono anni che sono fermi su questo vecchio letto, prigionieri di questa stanza.

Quella sera scherzavamo, ci tenevamo abbracciati. Salimmo le stradine a piedi, ci lasciammo alle spalle la Fontana dei Viandanti, le sue bocche di ferro brunito ci salutarono.

Arrivammo scanzonati, seppure in preda al terrore. Ci fermammo, ci baciammo, succhiammo il sapore una dell'altro. Gli spari tacevano. Sembrava un gioco lontano, finito, di bambini ormai stanchi, già a nanna.

Gli do le ultime indicazioni, lo bacio ancora fino alla gola.

«Siamo pazzi» dice.

Abbiamo ritrovato la nostra giovinezza... e questa passeggiata notturna somiglia così tanto a quella che facemmo sotto la neve la prima volta che c'incontrammo. Siamo gatti randagi, la vita ci riporta indietro, siamo corpi che osano. Affanculo le buone maniere, i ripensamenti tardivi. Ecco il portone, ecco il pioppo sbilenco, solo come un vecchio, ecco il gallo di ferro e la scritta GOSTIONICA, locanda. Bussiamo, Anela ci apre, si lamenta, dice che è tardi perché lei al mattino è in piedi alle cinque e stava per andarsene a letto. Ci fa entrare, sorride. È una sera qualunque, prima delle tazze, prima della follia bianca. Ci dà le chiavi della stanza e del portone, ci dice di non fare rumore.

Torniamo ad aspettare Aska per strada, ci sediamo sul gradino della casa accanto. C'è una luna magra, un baffo bianco nel cielo nero. Le fronde del pioppo vibrano nel silenzio totale. Diego mi alita addosso, si strofina a me contro il muro. La pecora non si vede.

«Che facciamo?»

«Restiamo ancora un po'.»

Non fa freddo, è una mite sera di aprile. Se andassimo via adesso nulla di ciò che verrà sarebbe... ma la vita è come l'acqua, scompare, affonda e poi riaffiora dove può, dove deve.

Carezzavo i capelli di Diego, quei riccioli morbidi appena lavati. Aveva la testa posata sulle mie gambe, il tempo passava e l'attesa, da vibrante, s'era fatta sempre più incerta. Ci guardavamo intorno, una foschia perlacea avanzava nel buio.

La fan dei Nirvana ci aveva presi in giro, il suo coraggio era posticcio, come i suoi strappi, la sua cinta borchiata da guerriera del futuro. Ci aveva rubato un po' di soldi e via. Mi tornò in mente la copertina dell'album *Nevermind*, la teneva accanto al letto come una reliquia, la guardava ogni notte prima di addormentarsi. C'era quel neonato a braccia aperte nell'acqua blu che inseguiva una banconota da un dollaro. D'improvviso un colpo, poi un silenzio agitato. Alziamo gli occhi verso il Trebević, scrutiamo le sue abetaie immobili nel buio. Quaggiù c'è schiuma di mandorle, polvere bianca che avanza e divora i metri.

«Andiamocene.»

Sì, lasciamo questa notte e questa città che comincia a far male. E già pensiamo di consolarci con un giro sulla costa, tra quelle isole paradisiache, che adesso sono vuote perché i turisti le hanno abbandonate...

Invece Aska viene. Sentiamo prima il rumore della moto che si spegne, poi la sua figura avanza nella caligine che le divora i passi. È lì, ferma davanti al portone rosso, ci aspetta. La tromba a tracolla, chiusa nel suo scrigno nero.

La vedo e so di aver già visto questa scena notturna, questa cornice di nebbia che divora i contorni del suo corpo, come nelle immagini dei santi. È la nostra Madonna, ciuffi rossi scomposti, calze bucate, scarponi da guerriera.

La salutiamo con un fischio, con una mano. Lei dice *ciaociao*, in italiano. Le piace tanto dire *ciaociao*. Lo pronuncia in uno strano modo gutturale, sembra un richiamo uscito dal gozzo di un tacchino selvatico.

«Sono in ritardo.»

«Stavamo per andarcene.»

«C'era confusione...»

È vero, c'era confusione nelle strade, gente che tardava a ritirarsi.

Non attraversa, resta lì, in attesa di Diego. Vedo solo un gesto, una mano che si carezza una gamba. Un gesto lento e forse un po' triste... è come se carezzasse un corpo oltre il suo, il dorso di un cane, la testa di un bimbo.

Potevo entrare dietro di loro, aspettare sotto. Addormentarmi su quel divanetto accanto alla sala delle colazioni. Ma di colpo mi vergognai, mi sentivo ridicola.

Ci lasciammo in fretta, io e Diego, dopo tutto quel mollume ci rizzammo in piedi, vigili. No, non avevo voglia di star lì a far la guardia come un cane... non avrei sopportato quel dolore, quella pornografia. Ci stringemmo, Diego si voltò, vidi i suoi occhi riempirsi di paura e di eccitazione.

Aska non si avvicinò a me, e io non ebbi voglia di avvicinarmi a lei. Restammo una di qua, una di là, ai margini della strada. C'era quella nebbia che saliva, che cancellava.

Affrontai inerte la via del ritorno. Indossavo un cardigan che l'umido aveva reso un po' floscio, le mani scavavano le tasche. Mi ero pentita, dopo qualche passo mi ero già pentita. La notte trascinava fantasmi. Sentivo gli ansimi di quei due lassù, in quella stanza piccola e profumata. Mi sentivo striminzita, sperduta... mi tornava su una scontentezza dal gusto acre, la stessa dell'infanzia, quando per un piccolo screzio mi isolavo dalle mie amiche, ferita, mortalmente offesa. Mi era tornata addosso quella bambina scorbutica e adesso la stringevo insieme a quel moscio cardigan... era la mia parte più vera, la più disgraziata e sepolta, la gemma delle mie incapacità.

E di nuovo pensai a mia madre... *Gemma, Gemma.*

Dalla finestra entrano scoiattoli, per questo ci sono le grate... non riesco a staccarmi da quella stanza, forse uno scoiattolo li sta guardando al posto mio. Vedo le labbra di Diego posarsi su quegli occhi, su quella bocca senza più rossetto...

Sono saliti mano nella mano, pieni di imbarazzo, hanno parlato un po', hanno incrociato le gambe sul letto e si sono messi a suonare, piano perché gli altri dormono. Poi Diego ha preparato uno spinello, gli va di fumare, di stordirsi un po'. Si guardano con gli occhi liquorosi, nella poca luce che filtra da fuori, ridono, si avvicinano... Lui le carezza una mano ferma sul letto, un dito alla volta, poi lei avvicina la testa che è un po' pesante, adesso, posa la fronte contro quella di lui, le labbra si toccano, carne molle che si apre piano, piano. Ora sentono l'odore della pelle, del collo, delle orecchie... sentono l'odore uno della storia dell'altra, dell'infanzia e del resto, dei piccoli dolori, della polvere. Della morte che è così vicina. Lui le sfila quel vestito di ciniglia nera, da concertista. Lei alza le braccia per aiutarlo, lui infila la testa nel buco di un'ascella... il seno si avvicina a quel torso d'osso, ai capezzoli piccoli del ragazzo di Genova. Non hanno paura. Ora sentono il cuore, i battiti che vagano in quell'universo rosso, sommerso. Il fumo ha fatto effetto, tutto è profondo e vicino. Entrarsi dentro è buttare tutto dentro, è entrare nella vita, come un uomo e una donna, come un bambino che passa e attraversa il sepolcro dell'amore. Il buio ora è fosforescente. Le pupille di Aska si dilatano in quelle di Diego... è un pianeta lontano che si avvicina. Gli cade addosso. Più volte si cadono addosso. Pianeti che si oscurano, si ingoiano. La pecora geme persa nel bosco e danza per lui, per quel piccolo lupo senza zanne, che le lecca la nuca e sanguina...

Attraverso il Ponte Latino, mi siedo accanto alla Fontana dei Viandanti. Gojko mi mette una mano sulla spalla.

«Cosa ci fai qui?»

«Sono sceso a buttare la spazzatura.»

Butta il sacchetto, mi guarda.

«Ti stavo aspettando. Non potevo lasciarti sola.»

Gli piango sulle spalle, ringrazio la notte di questo corpo dolce e grande.

«Stanno fottendo, quei due?»

«Già.»

Parliamo del più e del meno, gli chiedo cosa ha fatto, è stato alla radio, poi al Parlamento. Tira fuori un pezzo di carta, vuole leggermi una sua poesia, gli dico di no, che non ne ho voglia. Che sono stanca di poesie. Non se la prende, gli dà fuoco con l'accendino, s'accende una sigaretta, ne prendo una anch'io.

Guardiamo quel pezzo di carta nero che si accartoccia nella notte, che danza moribondo.

«Peccato, era bella...»

Saluta la sua poesia.

«Ciao parole perse, incendiate da un cuore crudele...»

L'alba si sta infilando nei nostri passi. Si cominciano a vedere i colori delle macchine ferme, dell'edera aggrappata al muro dove ci siamo fermati. Gojko mi respira addosso... sto piangendo di nuovo, la mia bocca trema. Di colpo penso che questo è l'ultimo guizzo di vita, che non ci rivedremo più, ci succederà qualcosa. Lui si avvicina ancora, i suoi occhi sono seri e placidi. Non ha più voglia di scherzare, di sbeffeggiare la vita a colpi di gola, di risate. Mi alita in faccia.

«Puzzo?»

«No, profumi.»

Allora si avvicina. Ci baciamo come non ci siamo mai baciati, sento i suoi denti, la sua lingua ruvida da gatto... sento il suo peso che mi cade addosso, questo affanno fermo, sento il liquore del suo cuore, di tutte quelle poesie che ha scritto e che nessuno leggerà.

«Andiamo a casa mia...»

Abbassa la testa, torna su... i suoi occhi piccoli si dilatano. È la notte giusta.

«Andiamo a fare l'amore una volta, prima di morire...»

Fu un momento, un momento che passò, che bruciò come il pezzo di carta incenerito nella notte.

Eravamo una coppia acchiappaticcia, patetica... fessi satelliti di quei due pianeti giovani. Gli diedi un buffetto sulla guancia.

«Noi non moriremo, Gojko.»

A nanna, a nanna. Come due fratelli scemi.

Il letto è qui, davanti ai miei occhi. Quello che resta, una rete di ferro con le zampe arrugginite dalla pioggia. Troppo larga per passare dalle porte, così nessuno si è premurato di buttarla, l'hanno semplicemente ricoperta di robaccia, scarti di tipografia. Stagione dopo stagione questa branda mi ha atteso, è sopravvissuta alla guerra, ha galleggiato nei miei sogni con il suo incessante cigolio. Come una dondola in un giardino abbandonato, che a ogni colpo di vento continua a scricchiolare, a fare il suo vecchio mestiere.

Mi avvicino alla rete, spingo via qualche pacco, sono pesanti, cascano a terra come mattoni, sollevano la polvere. Mi basta poco, sono magra, una striscia sottile di questa maglia di ferro. Mi stendo, tiro su le ginocchia, i piedi con le scarpe.

Pietro è tornato, cammina gobbo nella stanza, trascinandosi appresso passi pesanti e puzza di cloro. Si lamenta che la schiena gli brucia, che Gojko gli è caduto addosso e pesava un quintale, che Dinka l'ha graffiato: ha le unghie troppo lunghe e troppa fifa.

Cammina con i suoi passi che fanno tremare il pavimento, e anch'io tremo, come un vetro vecchio in un telaio.

Sono rannicchiata sul letto, a occhi aperti nella penombra.

«Fai piano» gli dico, «piano...»

Pietro spalanca gli scuri, dice: «Che è sto buio?».

La luce mi investe con violenza.

«Che hai fatto, ma'?»

«Niente... ho camminato.»

Mi guarda i piedi.

«Non ti sei neanche tolta le scarpe...»

«Lasciami stare un po' tranquilla.»

«Sei stata tranquilla tutto il giorno, che hai?»

Gli dico che non mi sento bene, che voglio riposare un po'. Risponde *che palle*.

Mi pulisco gli occhi in fretta, con un pezzo di mano. Non voglio fargli vedere che ho pianto, ma lui mi spia con i suoi occhi da lince, così lontani dai miei.

Continua a lamentarsi, adesso ha allargato il campo. Bofonchia che i suoi amici ad agosto fanno i viaggi fichi, vanno in America a farsi il giro delle cascate, vanno a Dubai dove c'è quel campo di tennis sospeso nel cielo, quello dove ha giocato Federer. Invece noi siamo in questo schifo di città.

Non gli rispondo, dicesse quello che vuole.

Ho voglia di starmene accoccolata nel buio. Ho voglia di Diego, delle sue braccia che mi stringevano piano, come se fossi di vetro. Invece mi tocca questo brutto vocione.

Gira su se stesso, nei pochi metri di stanza, mi tartassa con i suoi passi. Urla che lui ha la schiena bruciata e io me ne sto lì, sul letto, moscia.

È abituato a vedermi saltare scodinzolando dietro i suoi bisogni. Si è tolto la maglietta, gira come una scimmia in gabbia.

«Mi fa male, mi brucia...»

«Fatti la doccia.»

«Non ce l'hai una crema?»

«Guarda in bagno.»

Sento che butta giù tutto, che rovescia la mia sacca. Torna con un tubetto.

«È questa?»

Annuisco. Lancia il tubetto sul letto.

«Me la metti?»

«Mettitela da solo, Pietro.»

Si volta, indispettito: «Perché?!».

«Perché non mi sento bene, te l'ho detto.»

S'arrampica sul davanzale, spinge i tasti del suo cellulare.

«Pronto, papà.»

Lasciami in pace, Pietro. Ti ho cucinato, ti ho piegato i vestiti, sono stata ore curva sui tuoi compiti. Hai tutta la vita davanti... io ho solo queste gambe prosciugate, queste ossa vuote come canne. Oggi sono patetica come questa città, sono un gatto malato che si strofina sui muri.

Lo sento mugugnare. Fa tutto schifo e io sono rimbambita.

«Ecco, te la passo...»

Non ho voglia di parlare con Giuliano, voglio stare zitta, ferma.

Pietro lancia il cellulare sul letto: «Tieni, è papà».

Dico poche cose con una voce d'oltretomba. «Ti richiamo» dico.

Forse ho la febbre.

Pietro scende dalla finestra, si avvicina.

«Perché non gli hai parlato?»

«Lo chiamo dopo.»

Mi dà una botta sulla schiena, sulle gambe.

«Che fai?»

«Sei piena di polvere, dove ti sei appoggiata?»

Tiro la gonna a me, come un gatto malato la sua coda.

È vero, sono sporca e sudata.

«Lasciami stare.»

Si riprende il telefono... gira intorno al letto.

«Perché tu... perché tu...»

Comincia così, senza sapere da dove cominciare, come al

solito. Solo che oggi la rabbia è più grande, è un'onda che gli chiude lo sguardo.

«Chi ti credi di essere, tu?!»

Dovrei arrabbiarmi, ma non ne ho la forza, ho il corpo rotto. Lo guardo da questa distanza. È un ragazzo brutto, adesso, sgraziato.

«Chi ti credi di essere, tu?! Perché tu ti sei sempre vergognata di papà...»

Dà un calcio alla sedia, fa cadere i vestiti.

«Perché papà c'ha la pancia, c'ha la divisa...»

«Che dici, Pietro?»

«... e tu non ci sei mai andata, alle feste dell'Arma, perché tu non ci vai con le mogli dei carabinieri... e anche all'anniversario di Salvo D'Acquisto ci sono andato io! Tu no! Tu c'avevi da fare!»

«Ma cosa stai dicendo?... Cosa c'entra...»

Ora lo guardo e ho paura, devo alzarmi dal letto, mettergli la crema, accudirlo. Spalmare frescura su questa rabbia.

«Tu sei un'egoista! Tu non sei tornata qui per me! Tu sei tornata per questo cazzo di Diego!»

Urla ancora, non lo ascolto. Guardo i suoi occhi blu che adesso sono rossi, infangati di rabbia. Gli tiro addosso la maglietta.

«Vattene, disgraziato.»

Si gira e per un attimo penso che voglia saltarmi addosso, mordermi. Ora è un puma. Un giovane puma con i denti di fuori. Mi punta una zampa contro.

«Abbassa la cresta, mamma! Tu non sei nessuno!»

Se ne va con la sua schiena bruciata.

Si ficcherà all'internet café, in quella grotta di schermi azzurri. Chatterà con i suoi amici, con quell'esercito di ominidi per i quali mi ha rinnegata nel giro di boa di quest'ultimo anno. Tornerà da me con gli occhi allucinati dallo schermo, mi guarderà come una parente lontana.

È vero, non sono nessuno.

Vado in bagno a sciacquarmi il viso. Però intanto continuo a piangere.

Mi arrampico sulla finestra. Chiamo Giuliano.

«Scusa, scusa...»

«Di cosa?»

«Che non sono venuta alla commemorazione di Salvo D'Acquisto...»

Lui ride, e intanto si commuove, perché è davvero una scemenza. E le scemenze ci commuovono sempre un po'. Per il resto siamo forti. Lui ha fatto il Libano, io ho fatto la Bosnia.

Gli racconto di Pietro, della sua rabbia. Mi dice: «Pietro è geloso, è normale...».

Sospira, e adesso ha la sua voce bella, luccicante come quella fiamma sul berretto.

«Sei circondata da uomini gelosi.»

Esco a cercare Pietro. Mi affaccio nell'internet café. Ragazzini curvi sugli schermi, biancore di sigarette. Frugo con gli occhi. Cammino fino alla via Titova. E mentre cammino mi svuoto, di tutto. Ho sempre paura di non rivederlo Quante volte ho aspettato appesa alla finestra di cucina il ritorno di quel motorino, di quel casco mozzo. E non ero più io, ero come adesso, una figura di carta in un foglio buio, in attesa della forbice che la ritagliasse. Giuliano è più placido di me, *sei troppo ansiosa*, dice, *ti rovini la vita*. È vero. Tutte le madri hanno paura. Ma il mio è una patema diverso, più fondo, più derelitto.

L'ho abbassata, la cresta. Cammino senza posarmi veramente in questa Sarajevo dove il passato pesa e fa rumore, come un barattolo al piede.

Poi lo trovo, è lì seduto accanto alla Fontana dei Viandanti, tra piccioni tardivi, gente notturna.

La stessa fontana, il Sebilj, dove io e Diego ci fermammo come viandanti stanchi del viaggio che iniziava appena. Diego prese un po' d'acqua con le mani... *Una storiella dice che se bevi un sorso di quest'acqua tornerai a Sarajevo almeno una volta nella vita.*

«Pietro...»

Non lo tocco, lo inseguo.

Mi cammina accanto a testa bassa, ha un pacchetto in mano, una cartata rossa che s'infila in tasca.

«Cos'è?»

Non risponde, guarda i suoi piedi, come un cercatore d'oro. Lo annuso... per un attimo ho paura che mi nasconda qualcosa in quella carta rossa. Molti suoi amici si fanno gli spinelli, si rincretiniscono fin dalla mattina presto. Non puzza di fumo, non mi sembra.

Mi siedo sul letto, svito il tappo della crema. Lui si avvicina, la maglietta alzata sulla testa, la schiena gobba. La pelle scottata si beve la frescura, le mie mani spalmano, si muovono su queste ali giovani. Non mi chiede scusa. È passato il tempo dello *scusa mamma*, però respira piano, come un agnello che ha ritrovato la sua pace.

C'era quella manifestazione fiume contro la guerra, indetta dalle forze di pace, di cui si parlava da giorni. Sarajevo era gremita di persone, molti erano arrivati da fuori, giovani soprattutto. Il parcheggio accanto alla stazione era invaso di pullman, i manifestanti si aggiravano per la città fin dalle prime luci del giorno, scandendo slogan, mangiando panini, come tifosi in trasferta. Mi svegliarono le urla che dalla strada rimbalzavano nella nostra stanza. Mi affacciai alla finestra e vidi il corteo che passava lì sotto. Più tardi andai da Velida, mangiammo mele cotogne e sorseggiammo caffè, cullate dal tumulto di quell'onda umana che sprigionava un'energia contagiosa.

Uscimmo sul ballatoio e passammo quasi tutto il resto della giornata lì, come due comari, a guardare i manifestanti in basso. Ogni tanto lei riconosceva qualche amico dell'università, sventolava il braccio. Sembrava una qualunque manifestazione di pace nel mondo. Uno sciame tranquillo di studenti, di donne e padri di famiglia con bambini sulle spalle, di minatori in tuta da lavoro. Sui corpi galleggiava un lungo striscione bianco con la scritta MI SMO ZA MIR, noi siamo per la pace.

L'ultima volta che avevo visto una folla simile era stato per l'apertura delle Olimpiadi allo stadio Koševo... ripensai al tedoforo con la fiaccola, mentre accendeva il braciere, alle majorette, a quello stupido Vučko, il lupetto portafortuna di Sarajevo '84... e tutto mi sembrò così lontano. Ora il lupo era un altro, era quello che di notte sparava colpi di avvertimento contro le stelle, come se volesse spegnerle tutte.

Più tardi, quando il corteo si spostò verso il Parlamento, accompagnai Velida a fare un po' di spesa. Nel negozio di generi alimentari c'era uno strano deserto. Molti scaffali erano ormai vuoti. Una donna trascinava un carrello pieno di scatolame. Velida scuoteva la piccola testa, il passo altero di certi uccellini pretenziosi.

«Cos'ha la gente per acchiappare tutto così... sono diventati matti.»

Le chiesi se voleva fare un po' di scorte anche lei, magari c'era un problema, una protesta dei fornitori, qualcosa di cui non eravamo stati informati.

Velida invece comprò meno del solito. C'era una forma di formaggio intera, la si poteva prendere. Ma lei si fece tagliare uno spicchio piccolo, giusto per la cena.

«Noi non abbiamo mai fatto le scorte! Non le faremo mai! Se vogliono ridurci a questo si sbagliano!»

Era ormai l'imbrunire. La gente camminava svelta, rasentando i muri, tutti sembravano avere fretta di tornare a casa. Frange isolate di manifestanti passavano sotto la nostra finestra correndo, come se fossero inseguiti. Mi tornarono in mente i cortei studenteschi del Settantasette, gli slogan, i tafferugli, le fughe improvvise.

Si fece buio di colpo, il sole scivolò dietro i monti e una luna filiforme apparve tra le nuvole fonde e lontane. Si vedeva ancora, ancora per poco. Urla bucavano il buio. Mi misi le scarpe, mi chiusi la giacca. Diego non era ancora tornato, volevo andare a cercarlo. Non ce la facevo più a stare lì, ad allungare lugubri ombre su quell'assenza.

Raggiunsi il viale. I lampioni erano spenti, non feci che pochi metri e un poliziotto mi fermò, provai a dirgli qualcosa... non mi ascoltava, frugava il buio con gli occhi sgranati, alzò un braccio, urlò: «*Natrag! Natrag!*», indietro... indietro. Se fossi davvero potuta tornare indietro!

Chiesi a Velida di lasciarmi il gatto per quella notte, non volevo dormire senza una vita accanto. M'infilai un golf di

Diego e mi stesi sul letto. All'alba gli spari. Diversi dagli altri, più vicini, più nervosi. Imparai in quell'istante a distinguere i colpi d'avvertimento, nel cielo, a vuoto, da quelli che finiscono sepolti nella carne, sparati per uccidere. Il gatto si era tirato su, il collo allungato, le orecchie vibranti come piccoli radar. Era stato lui a percepire per primo quel sibilo cattivo. Si nascose sotto il letto e cominciò a lamentarsi... miagolii fondi, sgraziati, che sembravano urla umane.

Non ci affacciammo più alle finestre. Velida e Jovan avevano già vissuto una guerra, io no, eppure per istinto sapevo cosa fare. Accostammo le persiane, serrammo gli scuri.

Restammo tutto il giorno chiusi in casa davanti alla tv, a guardare la gente che intanto era entrata nel Parlamento. La radio trasmetteva sempre la stessa canzone, *Sarajevo, amore mio*.

In serata arrivò Gojko. Aveva i capelli sollevati come il pelo del gatto, una lente degli occhiali rotta. Era rinchiuso da due giorni nel Parlamento insieme a una folla disumana, in un clima irreale... di entusiasmo, perché la Comunità europea aveva riconosciuto la Bosnia Erzegovina, e di prostrazione per le minacce di guerra. Il presidente Izetbegović era stato sbeffeggiato, gli uomini dei reparti speciali di polizia avevano ricevuto ovazioni.

Mi raccontò quello che era successo. Dalle finestre di uno degli ultimi piani dell'Holiday Inn, dove c'erano le stanze dei falchi del Partito democratico serbo, qualcuno si era messo a sparare. La gente radunata davanti al palazzo del Parlamento si era buttata a terra, avevano cercato di nascondersi uno sotto l'altro come un gregge spaventato. Molti si erano messi a correre per raggiungere l'altro lato della Miljacka, ma sparavano anche da lì... dal cimitero ebraico, forse... era quello che aveva sentito dire dalle voci per strada. Il quartiere di Grbavica era stato occupato dalle milizie serbe.

Poi la televisione ci portò la notizia, una ragazza era morta, colpita sul Ponte Vrbanja mentre tentava di fuggire. Pensai ad Aska... mi chiedevo se c'era un presagio in quel volto pallido come cera.

Adesso lo speaker della Jutel annunciava che le ragazze

morte in realtà erano due. Studentesse che manifestavano per la pace. Giovani gigli.

Gojko s'accese una sigaretta, non diede nemmeno un tiro. Si mise le mani sulla faccia e cominciò a singhiozzare forte, senza ritegno. Guardavo quella sigaretta che si consumava tra le dita chiuse e che a un certo punto cadde, morì in terra. Fu un pianto terribile, sgraziato come quello di una bestia. Con quelle mani incollate al viso sosteneva le macerie di quel futuro tragico che ormai lo aveva raggiunto. Se ci ripenso so che per me quel pianto fu l'inizio della guerra.

Si riprese, il fiume passò e gli lasciò un viso grigio da affogato. Sorrise. Si preoccupò di me, come sempre.

«Andiamo a cercare il fotografo...»

Gojko guidava a fari spenti, con quegli occhiali rotti sul naso. Barricate sorte in una notte dividevano la città. Attraversammo la Miljacka, ma non ci fu possibile raggiungere le ultime case a ridosso del Trebević. Uomini incappucciati sorvegliavano il buio. Il terrore mi paralizzava le gambe, s'infilava nella schiena come un lungo chiodo, una raffica ci colpì, una grandine di bossoli che s'incuneò nella fiancata. Tornammo indietro.

Non ricordo esattamente come fu... non ricordo esattamente il momento. Forse nessuno lo ricorda. Sebina sì, disse che stava guardando i *Simpson* in tv, quell'allegra famigliola di burloni. La trasmissione s'interruppe. Lei corse a cercare sua madre che stava correggendo i compiti dei suoi alunni, in cucina, sul tavolo dove mangiavano.

«Mamma, cosa succede?»

Mirna si tolse gli occhiali e guardò la figlia ferma sulla porta.

«Tranquilla.»

Boati arrivavano dalle montagne. Era la vita che se ne andava per lasciar posto alla follia. Ancora non lo sapevano, si strinsero. C'erano quei compiti da correggere, Mirna li toccava... galleggiavano già lontano, come quelle piccole vite che li avevano scritti, come quel tavolo, come loro due.

Durò poco, i *Simpson* ripresero a ciacolare con le loro vocine di cartoni animati, di piccoli uomini buffi disegnati.

No, non ricordo esattamente quando il filo della normalità s'interruppe, quando anche i cani fuggirono a nascondersi...

C'erano panni stesi, era primavera, la stagione delle pulizie, delle finestre aperte. Ogni tanto qualche corvo berciava per le vie, nessuno gli dava retta. Era una città pacifica, nessuno si chiedeva più di tanto di che etnia fosse l'altro, il vicino di casa o la moglie. Si volevano bene o si detestavano per simpatia, per odore, come in ogni posto del mondo.

C'era tutta quella gente per strada. C'era quella scritta trascinata da più braccia WIR SIND WALTER, noi siamo Walter... tutta la città stretta in un unico cuore eroico. Guardavano in alto come per uno spettacolo di acrobazie aeree. Controllavano le montagne. Chi s'era nascosto lassù?

Avevano cominciato a sparare addosso alle case. Le prime granate caddero lontano da noi, sentimmo quei boati che ci parvero registrati, come se provenissero dalle grate di plastica della radio.

Velida disse: «Chi può avere interesse a ucciderci?».

La granata cadde così vicina che sembrò entrarmi nella pancia, squassarmi. Sparavano sulla Baščaršija. Per un po' restammo morte a guardarci. Il piccolo viso di Velida rattrappito in una fissità ebete, come un volto già defunto.

Le tazzine tremavano, tremavano i libri... i merli si erano nascosti sotto un mucchietto di ovatta.

Velida urlò: «Jovan! Jovan!».

«Sono qui.»

Il vecchio biologo non s'era mosso dalla sua poltrona. Ciucciava una delle sue sigarette, le dita ingiallite come i capelli. Dagli scaffali cadde roba. I vetri erano ancora intatti, per il momento. Vibravano come i miei denti. A un certo punto mi serrai il mento con la mano, per far tacere quel rumore di tagliola. Raccolsi quello che c'era da raccogliere. Mi chiusi in camera, m'aggrappai a un cuscino. Non riuscivo a far zittire i denti, e avevo quel dolore tremendo al ventre... lo stesso degli aborti. Una mano che afferra e porta via tutto.

Diego tornò dopo tre giorni. Entrò nella stanza, tagliando il buio in silenzio come un animale. Restammo fermi in un lungo abbraccio, senza forze, immobili come sacchi. Mi sembrò pesantissimo. Aveva corso, era sudato, la mia guancia si bagnò del suo collo.

«Amore.»

Si teneva le mani sulle orecchie, dondolando un po' la testa. Una granata lo aveva assordato, e adesso aveva un soffio lacerante chiuso dentro, come un risucchio. Non guardò nulla intorno, si sedette sul letto. Si tolse gli stivali, li scacciò con l'ultima forza. S'afflosciò accanto a me. Lo lasciai dormire. Mi incollai alla sua schiena per respirare l'odore che aveva addosso... era quello suo, solito, solo un po' più forte, come quando aveva l'influenza e restava a letto a sfebbrare, e io trovavo quell'odore di uomo-cane sulle lenzuola, sul colletto del suo pigiama. Rimasi a occhi chiusi in quella penombra. Era tornato. Respirava con cruccio, come se il respiro fosse troppo, gli ingorgasse il naso.

All'alba lo trovai sveglio, sistemava rullini seduto sul letto.

«E Aska?»

«Cosa?»

Non sembrava nemmeno ricordarsi di lei, mi parlava da un pianeta lontano. Si portò di nuovo le mani sulle orecchie. Cominciò a scuotere la testa come un salvadanaio. Mi guardò.

«Non è successo niente...»

Si scusò quasi, disse: «Mi dispiace» con un sorriso mesto, «cause di forza maggiore».

Erano rimasti prigionieri di quella locanda, insieme ai pochi avventori, e avevano trascorso le ore più o meno come noi, come tutti a Sarajevo, inchiodati davanti al televisore in quella sala colazioni dove ormai non c'era più una tazza sana, perché gli obici erano piazzati a poche centinaia di metri.

Scuoteva la testa, per via di quel rumore che gli era rimasto dentro, e ancora non riusciva a crederci.

«È folle... è tutto folle...»

Lo strinsi, ci riprendemmo in fretta quelle ore terribili che avevamo trascorso lontani.

«Dicono che non durerà, che finirà subito...»

Più tardi mi feci il segno della croce. Non era successo niente, non c'era stato nessun accoppiamento. E adesso mi sentivo liberata. Proiettili rossi cadevano nella notte. Quel desiderio incarnito come un'unghia cattiva si staccava da me per sempre. In quei giorni terribili avevo temuto tutto, li avevo immaginati morti, sepolti dalle macerie su quel letto dove io li avevo spinti.

Gli presi la mano, la tenni stretta sul petto, gli feci sentire i miei battiti, Diego l'allargò, la premette sul mio cuore. Avevamo corso un rischio assurdo e adesso gli chiedevo perdono.

Era stata una lezione, la più dura della mia vita.

Lo guardavo, aveva il viso graffiato, i capelli bianchi di polvere.

«Hai fatto qualche fotografia?»

«No.»

Andò in bagno, riempì la vasca, s'immerse anche con la testa. Mi avvicinai, aveva gli occhi aperti. Ci guardammo attraverso quell'acqua, inquilini di due elementi diversi.

«Mi ami ancora?»

Riemerse, sputò un po' d'acqua.

«Sempre e per sempre.»

Volevamo andarcene subito, invece passarono i giorni. Gojko era stato in aeroporto. La gente assaltava gli aerei fermi sulla pista di Butmir, gli ultimi voli che lasciavano la città sembravano carri bestiame, persone ammassate nei corridoi, nelle toilette.

Restammo in casa davanti al televisore. Il presidente Izetbegović tranquillizzava la popolazione, la guerra in Croazia non si sarebbe spostata in Bosnia. Invitava a uscire tranquillamente nelle strade.

Invece la città era circondata. Su ogni altura cannoni, mortai, obici, kalashnikov, mitra, fucili di precisione.

L'Armija, il glorioso esercito jugoslavo che avrebbe dovuto proteggere la città, in realtà aveva svuotato le caserme. Per mesi, pezzo a pezzo, si erano portati via tutti gli armamenti per piazzarli sui monti intorno. Per difesa, era stato detto. Ormai era troppo tardi per chiedersi come mai le armi di Sarajevo fossero puntate contro Sarajevo.

Gojko continuava a sperare.

«Non durerà... pochi giorni e ne saremo fuori. Abbiamo gli occhi del mondo addosso...»

Accompagnava frotte di giornalisti in giro per la città, a filmare i buchi delle granate, le immagini di quella popolazione civile inerte, disarmata.

«L'importante è far sapere quello che sta succedendo.»

Le kafane erano ancora piene di ragazzi che dicevano la loro, birre, sigarette e voci una sull'altra. Voci libere, certe di essere udite, di scavalcare quei monti per rotolare sui tavoli dell'Europa, forti, incisive.

I ragazzi credevano ancora che il mondo avesse orecchie. Il vecchio Jovan no. Era un ebreo serbo, di Sarajevo. Si toglieva le scarpe quando entrava in casa, come i musulmani, per rispettare la moglie. Non leggeva più i giornali, non ascoltava più i notiziari. Restava ore a guardarsi i piedi chiusi nelle babbucce di lana.

Era maggio. Mese di primule e tarassachi fioriti, di piccole rondini sulla riva della Miljacka.

Tutti si illudevano che fosse solo un attacco, nervosismo che sarebbe finito presto. Come un sisma che torna al suo posto.

Intanto gli ufficiali dell'Onu se ne andavano dalla casa di riposo di Sarajevo, si trasferivano a Stojčevac.

Intanto bruciavano l'Ufficio Postale e la caserma Maresciallo Tito.

Intanto si scoprivano cecchini appostati ovunque nella città. Era cominciata la vivisezione quotidiana. Quei mirini sofisticati che inseguivano le persone fino a vedergli il colore degli occhi, il sudore sotto il naso.

Chi erano quelli lassù? *I cetnici, gli animali.* Gente venuta da fuori o gente sgusciata fuori dalla città? Ragazzi che hanno risalito i monti strisciando per unirsi al demonio, uccidere i loro compagni di corso all'università, i loro amici di sempre...

Velida si metteva le mani sugli occhi, la schiena ancora diritta.

«Non è vero, non può essere vero.»

Eravamo rimasti per far compagnia a quei due vecchi. La sera giocavamo a carte su un piccolo tavolo incappucciato di panno verde. Velida distribuiva grappa di mirtilli e dolcetti impastati con il miele. Sentivamo il suono sordo di quei colpi che si afflosciavano nella notte. Piovevano granate a Dobrinja, a Vojničko Polje. A Mojmilo... Pensavo ad Aska, a quella specie di camper di cemento dove viveva, proprio lì a Mojmilo, dove una volta c'erano gli alloggi degli atleti olimpionici.

Per me l'accoppiamento non è un problema...

Mi sembravano passati secoli.

Mi chiedevo se c'era già un destino in quello sguardo sempre un po' in viaggio, in quelle palpebre che si muovevano come ali. Ogni giorno scrutavo la lista dei morti, su "Oslobodjenje", con la paura di trovare il suo nome.

Un giorno Diego tornò con il primo morto in un rullino. Una donna accanto a un sacchetto da cui rotolano mele.

Si strappò il laccio dal collo, allontanò la macchina fotografica dal suo torace come se bruciasse, la buttò sul letto pieno di rabbia, quasi ce l'avesse con quell'occhio meccanico che lo costringeva a guardare... quel corpo che l'immagine avrebbe fissato così, per sempre insepolto. Mentre sfilava i rullini mi sembrò che le sue mani tremassero, li depositava nel buio di una scatola di latta.

«Mi sento un becchino, uno che seppellisce.»

La nostra kafana non c'era più. Polverizzata. Centrata in pieno da una granata. Non restava che un buco spettrale, metallo avviluppato, futurista. Per fortuna nessuno dei nostri amici era lì. L'esplosione era avvenuta al mattino presto, a rimetterci era stato solo un povero inserviente albanese che dormiva nel retro.

Caddero anche i vetri delle nostre finestre. Facemmo come tutti gli altri, inchiodammo teli di plastica ai telai. La luce filtrava appena da quei tendaggi opachi. La notte il buio arrivava presto. Non c'era più elettricità. Velida e Jovan ormai vivevano solo nella zona più interna della casa... la sera stavano lì, davanti a una candela, ad aspettare che la fiamma morisse nella cera. Non avevano intenzione di lasciare la loro città. Né di scendere nelle cantine, come ormai facevano in molti. «Andiamo incontro all'estate» diceva Velida, «d'estate il riscaldamento non serve, si può vivere come in campeggio.»

Ne avevano fatti tanti di campeggi, lei e Jovan, nei parchi naturali della Bosnia, sotto le cascate. Ore e ore curvi nelle pozze d'acqua a scrutare microrganismi.

Ci eravamo abituati alle sirene degli allarmi, ai sibili delle granate. Credevo che non avrei potuto dormire mai più, restavo sveglia, gli occhi sbarrati, la mano in quella di Diego. Pensavo alla nostra casa di Roma, al salotto, alla cucina, alle fotografie appese al muro in quella lunga teoria. Pensavo a quella strada tacita lì sotto, che di notte era attraversata solo da qualcuno che portava a spasso un cane. Papà aveva le chiavi, andava a innaffiare i fiori aggrappati ai davanzali, si sedeva in quel silenzio, si preparava il caffè, sciacquava la tazzina. Era una settimana che non lo sentivo. L'ultima volta non riusciva a parlare, sembrava ammutolito dal dolore.

Gli avevo detto poche cose. Ero riuscita a spedire qualche rullino di Diego tramite un amico di Gojko che tornava a Zagabria, avevo pregato papà di controllare che le fotografie uscissero con il nome di Diego e non con la sigla dell'agenzia.

Poi imparammo a dormire, a sprofondare nel sonno pur di uscire per qualche ora da quel Lager. Il giorno ci svegliavamo presto, approfittavamo della luce. Diego usciva e io lo stringevo forte. Adesso tutti si stringevano forte ogni volta che si incontravano, si salutavano come se non dovessero rivedersi.

L'istruttore di ginnastica di Sebina era morto, era morta anche la farmacista. Corpi che rimanevano per un pezzo soli... perché era troppo pericoloso avvicinarsi, lo sniper aspettava sul suo mirino. Venivano trascinati via solo di notte, e di notte venivano sepolti nel vecchio cimitero musulmano. Funerali silenziosi, gente lieve come farfalle notturne. Si sfidava la morte per seppellire la morte.

Imparammo tutto in quei giorni di maggio. Imparammo a riconoscere la gola roca dei kalashnikov, il sibilo delle granate. Il botto del mortaio e poi quel sibilo. Se dopo il botto lo sentivi sulla tua testa attraversare il cielo con il suo fischio, voleva dire che l'avevi scampata. Se non sentivi niente, aveva già fatto il suo arco e forse era in picchiata dalle tue parti. Imparammo che, il giorno dopo un carnevale di esplosioni, in genere la montagna taceva. Imparammo che a una certa ora gli sniper entravano in pausa pranzo... e che al tramonto la loro mira peggiorava perché erano cotti di rakija.

Imparammo a muoverci. A correre come lepri nelle zone scoperte: le fessure tra i palazzi, gli incroci da cui si vedevano le colline.

Volevo solo andarmene. Ma Diego non riusciva a staccarsi, faceva chilometri con la macchina fotografica al collo e lo zaino sulle spalle. Tornava con qualcosa da mangiare, con candele per la notte.

Io restavo quasi sempre in casa. Ogni tanto accompagnavo Velida al mercato. Non si trovava quasi niente, solo poche verdure degli orti di Sarajevo, e i prezzi si erano decuplicati. La fabbrica del pane funzionava ancora, ma bisognava fare file lunghissime.

Imparammo che le tregue erano finte, duravano poche ore e poi ricominciava la musica. Le strade cambiavano faccia ogni giorno, si sfaldavano e si ricomponevano miseramente. Ora blocchi di cemento, carcasse di tram, teli di plastica tirati tra un palazzo e l'altro tagliavano la visuale agli sniper. La città aveva cominciato a organizzarsi con armi di fortuna e volontari. Truppe regolari della Difesa territoriale bosniaca combattevano nelle trincee. E truppe di malviventi approfittavano della situazione, saccheggiavano le case dei sarajeviti serbi, professori, piccola borghesia. Era cominciato il commercio della guerra, degli espropri, del mercato nero. Ceffi stravaganti ti assediavano per venderti di tutto, per cambiare valuta. I blindati bianchi delle Nazioni Unite stazionavano inerti come polli intorpiditi dal sole.

Eppure di notte continuava la vita, si sopravviveva nelle cantine e nei locali a colpi di battute amare. La birra c'era ancora, la mitica Sarajevsko pivo, però aveva cambiato sapore, era aspra, strana, come quell'umorismo. C'era la speranza che tutto sarebbe finito prima dell'estate.

Avevamo trovato una nuova kafana, scendevi una scaletta e ti immergevi in un grottino denso di fumo. Ma almeno lì sotto eri al sicuro. La musica di radio Zid copriva i rutti del cielo, le sirene degli allarmi. Per andarci sfidavamo il coprifuoco. Le ragazze erano vestite alla moda, truccate. Ana e Dragana ballavano abbracciate. Mladjo il pittore adesso ritagliava nel compensato, dalle ante degli armadi, sagome umane, le colorava e poi le lasciava in mezzo alla strada, per sbeffeggiare gli sniper. Avevano tutti voglia di divertirsi, di non darla vinta agli animali dei monti.

Gojko ogni tanto portava con sé qualche giornalista appena più coraggioso degli altri che voleva annusare Sarajevo dietro le quinte dell'assedio. Gli faceva offrire da bere a tutti, lo alleggeriva di marchi. Restavamo con gli occhi sui bicchieri sporchi. Una sera Gojko si alzò e declamò una poesia per un amico morto:

> *Non hai lasciato niente*
> *nella tua vecchia casa,*
> *solo il letto gualcito*
> *e una sigaretta accesa.*
> *Non hai lasciato niente*
> *nella tua vecchia vita,*
> *solo il tuo cane Igor,*
> *la sua vescica piena*
> *in attesa del tuo ritorno.*

Di notte rasentiamo i muri. Insieme a noi altre ombre umane filano via silenziose come alghe nel mare. Ci muoviamo in un acquario nero. Non c'è luce, solo candele spente. Il buio è totale. La luna è la lanterna di un fantasma. La luce rossa di un proiettile al fosforo ci illumina per qualche secondo, poi cade, come una stella precipitante.

Siamo soli. Diego ha un odore di cane, l'acqua manca. Ci laviamo nella stessa bacinella.

Mirna si è messa gli occhiali e ha cominciato a preparare la lezione per i suoi alunni. La scuola è chiusa, ma lei e i suoi colleghi stanno pensando di organizzare piccole classi a domicilio. Chi può continua ad andare al lavoro a piedi, i più fortunati in bicicletta. I tram sono fermi e non c'è più benzina per le automobili.

Sebina ride, dice che il loro palazzo era nero di smog e che va meglio così, senza macchine.

Per uscire Mirna si mette i tacchi. Sorrido, non sono le scarpe più indicate. Lei è seria. Non ha intenzione di cambiare vita, di saltare tutto il giorno come una lepre. Anche il suo trench è in ordine. Stringe la cinta con un gesto deciso. È tornata alla sua taglia da ragazza, il trucco non basta a nascondere il pallore. Anche lei non ha intenzione di lasciare Sarajevo.

«Quelli che volevano andarsene lo hanno già fatto. Noi restiamo.»

Le dico che non appena troveremo posto su uno di quei convogli diretti a Zagabria o a Belgrado, partiremo. Le dico che vorrei portare Sebina con noi, in Italia.

«Per gli stranieri è tutto più facile» dico.

La mia figlioccia mi guarda, gonfia di odio bosniaco. Somiglia a quel bisonte di suo fratello. Risponde urlando che non ha nessuna intenzione di venire con me, vuole stare con sua madre.

«È solo una vacanza...» provo a dirle.

Ma la mia figlioccia è la bambina più furba di Sarajevo! Si calma, accavalla le gambe sulla sua poltroncina rosa da star e dice con la tranquillità di un capo di Stato che le vacanze si fanno in tempo di pace, loro invece sono in guerra. In ogni caso stanno meglio degli altri, perché Gojko lavora con i giornalisti stranieri. Hanno spostato l'acquario di Sebina nella cucina che si affaccia internamente, sul quadrilatero dei cortili. Gojko s'è procurato un piccolo generatore di corrente.

È sceso il buio, l'acquario è illuminato. È una bolla blu, fosforescente in quel diluvio nero. Ce ne stiamo lì come se fossimo intorno a un caminetto. Voci che galleggiano, come galleggiano i pesci, nasi appena visibili, azzurri. Sebina ha il mento affondato tra le ginocchia, sorride con la sua bocca magra. Gojko la canzona, la perseguita con il suo umorismo macabro, le dice di stare attenta perché con la fame che c'è in giro a qualcuno potrebbe saltare in testa di rubarle i pesci, di pescarli per mangiarseli.

Quando vengo a trovarla mi corre incontro con i pattini agganciati sulle scarpe luminose che le ho regalato. Gioca a fare come quelle ragazzine che ha visto in tv, quelle che servono nei fast food americani, con i pattini, la minigonna e una codina bianca. Si china su di me, mi mette davanti un piatto vuoto, un bicchiere. Ha un blocchetto per prendere l'ordine.

«Cosa desidera, signora?»

«*Uštipci*, *kolači* e torta di fragole.»

Mi mette davanti un libro, poi una presina da cucina, poi una tazza capovolta. Io mi abbuffo masticando aria. Lei ride. Dice: «Però... una bella torta di fragole non sarebbe male».

Mancano le uova, manca il burro, ma possiamo provare a farla con la marmellata di prugne, l'olio di semi e la farina scura. Viene fuori una cosa dura, cotta in padella sul gas da campeggio, punteggiata di pori, come un viso butterato di acne. Però ci lecchiamo i baffi. Stiamo lì a pigiare i polpastrelli contro il piatto per raccogliere le briciole. Poi quel colpo che resterà nelle orecchie a lungo. La granata dev'essere caduta molto vicina. Il boato ci raggiunge alle spalle, improvviso, ci tuona dentro. Tutto trema. Solo qualche istante più tardi ci accorgiamo di essere scampate per caso. Per quel caso che a Sarajevo ormai si chiama miracolo. Se fossimo rimaste dove eravamo poco fa, prima di metterci a fare quella torta...

La scheggia è lì, ha lacerato la plastica della finestra e si è conficcata nel muro. Un pezzo di metallo ritorto, appuntito come una vanga e lungo più di un braccio. Il muro intorno è crepato, fessure profonde che lasciano vedere quello che c'è dietro. Sembra una scultura, l'opera di un artista concettuale. Quel muro come terra aperta dalla siccità, quel tizzone di ferro, come una grossa vanga cattiva. L'immagine di Tito non è caduta, si è messa di traverso ma è rimasta appesa al suo chiodo. Penso che Diego farà una fotografia, che questa immagine ha bisogno di un testimone.

Il cuore, come una piccola pendola, fa avanti e indietro, conta i secondi. Nessun crollo. Aspettiamo con il fiato fermo in gola che la casa violata ritrovi un suo assetto. L'acquario dei pesci è ancora intatto. Sebina lo guarda... guarda quelle scaglie multicolori che fluttuano nell'acqua scossa. Guardiamo la vita che resiste. Quei pesci che tremano come i gigli sulla nuova bandiera della Bosnia. È un attimo, poi la crepa cammina sul vetro, invisibile. Una scossa sommersa rimasta imprigionata nell'acqua e che solo adesso esplode. L'acquario si apre in due, cade a terra in mille pezzi. I pesci si rovesciano nella polvere, saltano con i loro dorsi sporchi. Sebina urla, io le grido di non avvicinarsi, i solai potrebbero crollare. Ma lei si tuffa nella polvere. E allora la raggiungo carponi, ci aggiriamo in quel piccolo tugurio pericolante per cercare di salvare quelle creaturine che non valgono nulla. Eppure valgono. Anzi, adesso valgono più di tutto... come il simbolo, come i gigli. Prendo la tanica, svuoto un po' d'acqua in una pentola, buttiamo i pesci lì dentro. Più tardi Sebina ha gli occhi ristagnanti di lacrime che non sono mai uscite, guardiamo il moto dei pesci in quella pentola, in quell'acqua sudicia di polvere. Sono tutti vivi, tranne uno. Un affaretto che galleggia, come un mozzicone di sigaretta.

«È morto il piccolo...» sussurra Sebina, «il mio *Bijeli*.»

La consolo. È già un miracolo che gli altri siano vivi.

Poi Gojko le porterà un nuovo acquario, e Dio solo sa dove sbatterà la testa per trovarlo. Ma Sebina lo tormenterà per giorni e giorni, non può lasciare i pesci nella pentola. Gojko si è pentito di averglieli regalati. Perché il mangime non si trova neanche al mercato nero. *Perché le cose vive muoiono*. Sebina non è tranquilla, ormai bisogna scendere in cantina sempre più spesso e restarci molte ore. E lei non vuole lasciare i suoi pesci.

«Mi fa male il cuore» dice.

«Tutto ciò che ami ti fa soffrire, è una regola...»

Ci pensa un po'.

«È per questo che non vuoi bambini?»

Vorrei piangere, le do un pizzico, sorrido.

«Mi basti tu...»

«Io non sono tua figlia.»

«Un po' lo sei.»

Mi soppesa con quel muso dispettoso.

«Sì, un pochino...»

Fa il gesto con la mano, un pezzo d'amore racchiuso tra due dita piccole.

La gente camminava tranquilla, quella mattina, donne con i foulard, uomini con la cravatta. Bisognava mostrare il pugno chiuso con il medio fuori a quelli lassù, al club delle tre dita cetniche. È un messaggio per loro, *infilatevi nel culo i vostri fucili di precisione*. Quei foulard, quei passi ordinati, stavano lì a dire quello. A testimoniare che la vita continuava. La clinica ostetrica era stata colpita, l'edificio di "Oslobodjenje" era ormai un bersaglio per tiratori sfaccendati. Chi non aveva niente da fare gli sparava un colpo. La città pareva vuota, poi si rianimava, come un pascolo. Sul muro sotto casa era apparsa una scritta:

NON SIAMO MORTI STANOTTE.

La guardavo tutte le mattine dalla finestra, mi si chiudeva la gola.

C'era stata buriana il giorno prima, era bruciato lo stadio Zetra, nel villaggio olimpico, si era liquefatto quel cappello di metallo così caro a tutti. I pompieri e i volontari s'erano affannati per ore. Ormai la gente sapeva che dopo le grandinate peggiori la montagna taceva per un po'. Era stato ordinato il cessate il fuoco, senza più revoche, erano state messe sanzioni a quelli di Belgrado. Non si poteva non fare la fila. Per l'acqua, per il pane, per le medicine... si rischiava la ghirba a star lì tutti insieme come piccioni, ma quella era una giornata di fiducia, di donne che chiacchieravano sul marciapiede, di ragazzini che scappavano tra le gambe. C'era il sole. Era in via Vase Miskina, dove adesso c'è una delle rose più grandi. Anche la piccola porta c'è ancora, non vendono più il pane ma c'è.

I nomi sono scritti, piccoli, ordinati, accanto alla stella e alla luna musulmane, accanto a un versetto del Corano.

Erano donne, uomini, bambini che giocavano... E non sapevano che sarebbero stati incisi sul muro, fotografati dai cellulari dei turisti all'infinito. Era la fila per il pane, c'era un buon odore. Era una giornata di fiducia, di lepri che mettono la testa fuori. Era fine maggio, le rondini becchettavano le briciole di chi smozzicava il pane per strada. Qualche fortunato ci fu. Gente più svelta, più tempestiva, che s'era messa in fila presto, prima degli altri, e se n'era appena andata con il suo filone di pane o una di quelle pagnotte senza lievito e senza sale. Ma ci fu anche qualcuno che rimase per caso, che si mise a parlare, a scambiare due battute con un conoscente. Caddero tre granate, due per strada, una al mercato lì davanti. E tutti quelli che c'erano fecero un viaggio, schizzarono. La piazza divenne una scena teatrale, stracci rossi ovunque. Avrebbe fatto il giro del mondo, quello schifo rosso. Quel pane zuppo di sangue.

«Non credevo che un bambino avesse tanto cervello» disse un vecchio uomo aggrappato a un bastone. «Non finiva più di uscire, quel cervello.»

Una donna era seduta sul muretto, non piangeva. Stringeva due figli morti, uno di qua e uno di là, come fiori recisi. Un'altra cercava di riacchiapparsi la sua gamba, le andava dietro strisciando sui gomiti. Un uomo era più buffo degli altri. Riverso come uno di quei guanti che la gente trova per strada e appoggia a una transenna, perché magari chi lo ha perso ripassa di lì. Guanti spaiati, tristi, sporchi di fango. Ecco, lui se ne stava lì come un guanto appoggiato a uno di quei tubi di ferro che dividono le strade. Ma non aveva più la pancia. Solo un grosso buco circolare, un po' sfilacciato. Dietro si vedeva la gente in fuga, le barelle, e lui era lì come un effetto speciale.

Gojko quel giorno sembrava impazzito, era corso subito lì, urlava ai giornalisti di filmare...

«Così adesso si accorgeranno di noi!»

Raccolse una pagnotta, la spezzò, la mollica era intrisa di sangue rosso come sugo. La offrì ai giornalisti.

«Ecco, tenete e mangiatene tutti, questo è il nostro sangue...»

Poi schizzò via, disperato come Giuda che va a impiccarsi.

Più tardi la città taceva. Era stata una giornata di fiducia. Erano arrivati quei giovani con le tute mimetiche e i caschi azzurri come il cielo... la gente si era illusa che fossero angeli custodi, che fosse finita. Invece adesso l'ospedale era pieno di carne da ricucire. Anche la montagna taceva. Le televisioni del mondo non facevano che passare quel nastro truculento. E gli animali lassù s'erano rintanati a bere rakija per festeggiare la fama.

Partimmo due giorni dopo. Era tornata la corrente, tutte le lavatrici di Sarajevo si erano messe a funzionare nella notte. Mi sembrò un buon segno. Raggiungemmo Zagabria su un pullman che aveva addirittura l'aria condizionata, era uno di quelli che solitamente portavano i pellegrini a Medjugorje. Da lì riuscimmo a prendere tranquillamente un aereo. Volevo dire tante cose a Diego, gli dissi: «Un piatto di spaghetti, ci pensi?».

Diego sorrise.

I suoi occhi erano rossi, bisognava portarlo da un medico, era la prima cosa che contavo di fare. Adesso pensavo che Dio non ci avrebbe mai più lavato gli occhi.

Guardo il cielo fuori

Guardo il cielo fuori dall'oblò. Il cielo pulito degli uomini in pace, degli aerei da turismo, degli uccelli che migrano e che tornano. Scendiamo da quel volo breve, sotto l'ala bianca di questo cielo fortunato. Di quest'arietta di mare, di rondini tornate a bere.

C'è papà ad attenderci. Smagrato, con le alette scure calate sugli occhiali da vista e una delle sue camiciole di cotone da carcerato in libera uscita. Ci stringe con un sorriso largo, ottimista. Come se fossimo tornati da una vacanza. Abbassa subito la testa, mi prende la valigia, vorrebbe portare anche quella di Diego.

Assomiglia a una di quelle guide troppo solerti, quelle che mirano alla mancia. E noi sembriamo due turisti. Scarruffati, impolverati. Di ritorno da un safari.

Com'è andata la caccia? Avete riportato qualche trofeo? Qualche zanna, qualche codina...

Sì, una coda l'abbiamo riportata, sporca ci scivola dietro, ci si mette tra i passi. Una coda ferita. Bisogna darle il tempo, qualche giorno e poi cadrà... un lembo di carne che puzza e morirà. E torneremo a essere noi, quelli di prima. Culi lisci e aperitivi al sole.

Papà apre il bagagliaio, carica le nostre borse. Diego si lascia scivolare lo zaino dalle spalle. Ed è come se mollasse un pezzo di se stesso, il corpo di un figlio.

Si siede dietro, si stende sul sedile. Papà guarda la strada. Ha un sorriso spento fisso sulla bocca. Non chiede, aspetta che sia io a dire qualcosa.

Stamattina papà corre, è un autista intrepido. Di quelli che guidano le ambulanze. Ha con sé due feriti.

Guardo i cartelli stradali. Guardo le larghe corsie di asfalto levigato che portano a Roma. Le macchine omologate, con i tubi di scappamento in ordine, la tranquillità di quel traffico. Mi sembra un miracolo, un effetto speciale, questa normalità. Ho negli occhi quelle macchine incendiate, quelle carcasse in bilico. Mi volto verso Diego.

«Come vanno gli occhi?»

Ce li ha chiusi, due bolle rosa, gonfie, attraversate da piccole vene... sembrano ventri di uccelli appena nati. Papà riprende vita, chiamerà lui l'ospedale oftalmico, ha un amico lì, un primario.

«Gli occhi per un fotografo sono importanti, sono la mira e il mirino.»

Diego gli mette una mano sulla spalla, sorride.

Scorrono palazzi. Eleganti, umbertini, poi quelli del Ventennio, balconi geometrici come tolde di nave, quelli degli architetti degli anni Sessanta, quelli barocchi del centro, che si scolano il sole rosa dei tramonti romani.

Il ragno bianco del Vaticano e poi intorno l'ombra delle chiese, l'oro delle gallerie d'arte, il puzzo dei magazzini di tessuti, la voce rauca del ghetto e quella greve del potentato politico, le greggi dei turisti, un nobile ridotto a stracci seduto fuori dal baracchino delle grattachecche, accanto ai piccioni che scrutano il muscolo giallo del Tevere.

Sono anni che voglio andarmene e anni che resto. E oggi ringrazio Iddio per questo mio Occidente di pace sporca.

La gente fa le sue cose, esce dai negozi, dagli uffici, attraversa, va a mangiarsi un panino, corre in palestra.

Ho voglia di tutto. Di abbracciare ogni strada, di camminare per ore, lentamente e con la schiena dritta. Siamo fuori dal Lager.

A casa. L'odore del chiuso, dell'ultimo pensiero che lasciammo tra questa mura. Sul tavolo c'è ancora quel pacco di cartelline bianche, ecografie e referti medici, che spulciai, carponi sul tappeto, la notte prima di partire. Metto un piede dentro, cammino. Il rumore della sveglia appesa in cucina. La bocca scura del frigorifero spento, i buchi per le uova vuoti. L'odore del tappeto incollato al pavimento. Le fotografie di Diego, piedi in attesa della metropolitana.

Apro le persiane, le spingo sui davanzali sporchi. Un serpente di sole striscia sulle fotografie. Diego s'è seduto sul divano, ha fatto pochi passi e si è fermato lì, in quel fosso bianco. Dice che tutti quei piedi in fila sono una stronzata, dobbiamo toglierli dal muro.

Non rispondo. Ma ora so che non gli piaceranno mai più le sue fotografie di prima. Le guarda e dice che non gli sembra di averle fatte lui.

Spalanco tutto. Faccio entrare luce. A falcate lunghe mi riacciuffo i miei metri di parquet. Siamo in salvo, nel ventre del nostro appartamento. Papà se n'è andato, non è voluto salire. Ci ha aiutato a mettere i bagagli nell'ascensore e ha girato i tacchi.

«Dormite» ha detto, «chiudete le persiane e dormite, recuperate.»

Per fortuna c'è da fare. Passare la spugna sul tavolo in cucina, stendere le lenzuola pulite sul letto. Diego mi aiuta, si mette lui a lavare in terra. Strizza lo straccio come se stesse tirando il collo a qualcuno, lo lancia sul pavimento. È uno sfogo che ci capita per caso, una cura. Potremmo fregarcene, uscire, chiamare la donna di servizio. Invece ci va. Muoverci è un privilegio, stamattina, passare davanti alle finestre spalancate. Non c'è niente di meglio che pulire una casa... reagire a botte di corpo all'inanità, ai pensieri compressi. Facciamo un bustone di quelli grossi di immondizia, Diego butta via montagne di provini, di fotografie del cazzo, io butto tutte le mie analisi, le mie ecografie. Ho chiuso. Ci abbracciamo in mezzo al salone, sporchi di polvere di Roma, sudati. Ci voltiamo all'unisono verso la finestra come verso una fotografia. O verso un cecchino. Chissà che il notaio del palazzo di fronte non abbia infilato un fucile di precisione nel buco del condizionatore.

Più tardi scendiamo, ci perdiamo nel mercato, tra i banchi carichi di verdure di stagione, il rosso dei pomodorini, le cassette di ciliegie, i bacili di puntarelle immerse nell'acqua. Arraffiamo la vita, facciamo la spesa. Diego s'è messo i sandali, è andato a cercarli nello sgabuzzino e se li è incollati ai piedi, quei sandali da apostolo. Qualcuno ci saluta, ci chiedono dove siamo stati.

«All'estero» diciamo. All'estero.

Carichiamo il frigorifero di roba da mangiare, ci prepariamo un'insalata di tutti i colori. Ci abbuffiamo di vitamine. Mangiamo pane fresco, apriamo anche una bella bottiglia di vino bianco. Io ho messo i piedi sul tavolo. Diego me li carezza. Ha gli occhi chiusi e una canna in bocca.

Non parliamo. Sappiamo tutto. Non c'è bisogno di parlare. Bisogna lasciare questo tempo buono al corpo, siamo stati nell'altrove e siamo tornati.

È notte. Lo guardo accanto al vetro che ci separa dal mondo, dalle voci della strada, della gente che torna dai ristoranti. Cammina con la mano sul miracolo di un vetro intatto, incollato alla sua fessura nel legno. Abbiamo visto tutti quei teli di plastica sulle finestre come bende sugli occhi di un ferito. Mi chiedo quando riusciremo a scavalcare di nuovo il vetro per guardare oltre.

Riprendemmo la vita di prima, interrotta. E fu come caricarsi sulle spalle il corpo di un amante che non amiamo più, verso il quale proviamo una triste affezione, un senso del dovere che ci opprime. Le docce la mattina e poi fuori, incontro a quelle giornate che semplicemente non ci sembravano più le nostre. Diego si dava da fare, usciva come ai vecchi tempi, aveva ritrovato la sua motocicletta, le sue camicie bianche, sembrava lui. Io restavo accanto alla porta, le spalle contro il muro, a respirare. Il silenzio della casa mi inquietava, senza rendermene conto camminavo come a Sarajevo, sotto i muri maestri, come se temessi un crollo improvviso.

Sono in ufficio. Il direttore si è lamentato per la mia lunga assenza.

«Gemma, sei un caporedattore.»

Ho allargato le braccia: «Precario...».

Guardo i computer grigi, i visi dei colleghi... Viola mi porta il cappuccino dal bar, il cornetto. Non mi lascia in pace, appoggia il culo sulla mia scrivania e parla, parla. Penso che se fosse vissuta a Sarajevo non avrebbe avuto scampo, non è furba, è pigra, ha poca considerazione di se stessa... no, la sua bontà non l'avrebbe portata dall'altra parte della strada. Uno sniper si sarebbe incollato ai suoi passi, si sarebbe divertito. È la classica preda. In fin dei conti anch'io mi sono sempre approfittata di lei, ci ho soltanto scherzato, non l'ho mai ritenuta all'altezza di nessuna vera confidenza. Guardo i colleghi della redazione, ragazzi passati, come me, laureati in fretta e poi spiaggiati. Piccoli squali invecchiati in questo stagno per rospi. Immagino di colpirli, di bucargli la fronte, di vederli afflosciarsi nei loro miseri posti di comando. Quanti dei miei colleghi mi toglierei dai coglioni oggi... le loro minuscole idiosincrasie, le loro voci querule.

Chiamo Diego.

«Come va?»

«E tu?»

Siamo chiusi nella nostra omertà. Non parliamo. Facciamo tutti e due la stessa cosa, cerchiamo di prendere il largo. Di allontanarci da quei giorni mettendo in mezzo altri giorni, questi giorni che stentano a passare.

Scrivo un articolo sullo sterco. In India lo usano come combustibile, in Norvegia un uomo ci si è costruito una casa. Di merda, suppongo. Rido. C'è un pensiero che mi consola, che cullo come una bambola. Sono contenta di non avere figli. Ieri sera ho visto quel bambino morto in televisione, sua madre gli lavava il corpo per seppellirlo. Ero in cucina, tagliavo il pane, ho lasciato giù il coltello. Mi sono fatta il segno della croce. *Buon viaggio, inutile vita.* Ho spento il televisore, ho ripreso a tagliare il pane. *Non è tuo quel bambino, Gemma*, mi sono detta. *Tu non hai figli, sei fortunata.*

Andiamo a cena da amici. Siamo tornati alla normalità, ai panni in tintoria. È il compleanno di Duccio. Dopo l'inverno è stata riaperta la terrazza, sotto fluttua il Tevere indorato di luminarie di eventi estivi, presentazioni di libri, stronzate. C'è Castel Sant'Angelo, il suo angelo proteso nella notte. Mi sono messa i tacchi, ho le spalle nude. Diego indossa la sua giacca di lino a trama larga, ha i capelli sciolti, le basette lunghe. Siamo stufi marci d'intristirci, ci è piaciuto uscire mano nella mano, freschi di doccia, di cure. Stasera siamo belli come due attori. Un bicchiere di champagne subito, poi un secondo, agguantati dal vassoio d'argento del cameriere che non ha faccia, solo un braccio bianco proteso verso di noi. Coppe divine, opache di frescura. Due a testa, per cominciare a stare bene.

C'è gente dell'ambiente di Diego, mondanità tinteggiata di cultura. Un po' di tutto come nelle coppe del pinzimonio, un ciuffo verde e una carota, una striscia di peperone e un ravanello.

«Ciao, come stai?»

«Bene, e tu?»

Mangiamo qualcosa, una tartina all'aragosta, un grissino foderato di prosciutto.

Ci ritroviamo in un angolo del terrazzo, una mano sulla spalla, gli occhi polverosi... guardiamo il lento ruminare della festa. Poi Duccio si avvicina con un tizio, dice qualcosa di Sarajevo, dice che eravamo lì. Ci lascia questa faccia di cera molle, questa carpa con gli occhiali e un sigaro, nemmeno così odioso. Vuole sapere, vuole parlare. È un giornalista, di quelli che restano seduti in redazione e sui servizi esterni fanno spazio ai giovani.

Non abbiamo voglia di dire una sola parola, mugugniamo qualche sì e qualche no. Comunque la carpa parla da sola, sa già tutto dalla rassegna stampa. Dopo un po' c'è troppa gente intorno a noi. Ci hanno trascinati sul grosso divano di midollino. Sarajevo e quella guerra vanno di moda, sono il lutto dell'anno. Si può scuotere la testa, parlare male dell'America e dell'Europa. Tutti vogliono notizie fresche su quella città trasformata in un campo di lepri da impallinare. Mi sforzo di ricordare, per restituire dignità umana a quelle lepri. Ma come fai a raccontarlo l'odore di quelle case miti, migliori delle nostre, il coraggio delle donne di uscire, di truccarsi... come fai a raccontarla, quella mano senza più vita, un rastrello di carne, fermo nella polvere.

Il giornalista da poltrona adesso ha messo su il disco dell'odio etnico tra razze barbariche. Un uomo trendy e una donna intellettuale litigano, l'uomo dice che l'Europa ha paura dell'Islam, la donna dice che no, l'Europa ha paura della Germania, delle sue banche, delle sue fabbriche, come nella Seconda guerra mondiale.

Si fa sempre una gran bella figura a parlare di politica internazionale, non si dice niente di utile per il mondo e niente di vero su se stessi. Il bambino morto che la madre musulmana lavava è una scoreggia. Su questo terrazzo si gioca a Risiko.

«A cosa pensi?»

«A Gojko.»

Avrebbe lanciato bicchieri, lui, avrebbe scaraventato a terra i vassoi di tartine. O forse si sarebbe venduto il culo in cambio di una buona mancia, avrebbe tenuto banco, blaterato cazzate. *Tanto la verità è troppo evidente, troppo stupida, e tutti vogliono sentirsi intelligenti...*

Quella guerra così vicina e così violenta scatena una curiosità morbosa. La donna accanto a me è buona, si gratta una gamba già abbronzata, mi guarda con un viso sinceramente addolorato. Ha compilato un bollettino di conto corrente postale per la Caritas di Sarajevo. Provo a dire qualcosa di quelle persone civili e illuminate che conosco, di quella infinita dignità. Annuisce, ma non sembra interessata. L'Est ha il suo stereotipo, la sua puzza.

Diego non parla, non ha mai parlato. Ha una macchia di vino rosso sulla giacca di lino. Che manderemo in tintoria.

C'è una ragazzina, la figlia di qualcuno, capelli folti, seni piccoli come lupini. Adora il lavoro di Diego, adora le pozzanghere. Anche lei chiede di Sarajevo, della città di moda. Diego la prende sottobraccio, la porta accanto alla balaustra che dà sul Lungotevere, sul presepio romano della città santa, del ragno bianco. Tira fuori un braccio e comincia a sparare, tatatata, tatatata, tatatata...

La ragazzina non capisce, ride. Poi indietreggia.

Il fotografo ha bevuto, punta sui motorini che passano, sui fighetti fermi al baracchino che vende bibite colorate, urla: «*Enjoy Sarajevo...*».

Tutti si voltano verso di lui. Mi avvicino, fingo di ridere.

«Andiamo a casa, amore mio. È tardi.»

Duccio è sulla porta, bretelle rosse su maglietta nera.

«Che cazzo t'è preso?»

Diego gli prende le bretelle, le tira a sé, le molla. Duccio si becca quella scarica elastica, l'ultima raffica del fotografo scemo.

Una sera Diego grida. Sto cucinando uova, corro in soggiorno. C'è Gojko in tv. È sempre lui, è vivo, ha i capelli più lunghi. Parla in italiano, dice: «Questa guerra non è un problema umanitario, abbiamo bisogno di difenderci. Mandateci kalashnikov invece che scatole di maccheroni!».

Lo speaker sta tentando di riprendersi il microfono, lui lo trattiene. Adesso urla nella sua lingua, ce l'ha con Mitterrand che è andato a farsi una passeggiata a Sarajevo, ce l'ha con i caschi blu dell'Onu che stanno lì *come semafori rotti...*

«È ubriaco?»

«Completamente.»

Ci restano addosso per un pezzo gli occhi allucinati di Gojko, del nostro amico poeta che stasera sembra un reduce del Vietnam.

Le uova si sono bruciate. Mangiamo un pezzo di formaggio.

Aspettiamo che la guerra finisca. Intanto è caduta una granata sui grandi magazzini, una sulla via Titova, un'altra in piazza Rade Končar. Diego s'incazza con il televisore, litiga con l'inviato con il giubbotto antiproiettile e la pashmina estiva. Gli dice *togliti dal cazzo, fammi vedere cosa c'hai dietro le spalle*. Passa da un canale all'altro, alla ricerca di telegiornali. I servizi sono sempre gli stessi, ripetuti fino all'ultima edizione. Ma lui non si scolla dallo schermo. Rivede quelle immagini come se sperasse di trovare qualcosa che prima gli è sfuggito... come nelle pozzanghere, nelle fotografie.

Cerchiamo i nostri amici in quelle figure spaventate che attraversano lo schermo per pochi istanti nei servizi da Sarajevo. I morti non li guardiamo, facciamo un passo indietro.

Cerco il sorriso di Sebina, bucato davanti, dove le sono caduti i denti da latte. Che fine ha fatto la mia figlioccia? Le scrivo una lettera quasi ogni giorno, ma non ho mai ricevuto risposta. Mi chiedo se quel palazzo con le inferriate blu è ancora in piedi... scruto la tv, frugo lo schermo. Perché non fanno vedere quella strada a Novo Sarajevo? *Dove vai con quella telecamera?*

Mi sembra che inquadrino sempre le stesse strade, gli stessi palazzi. L'operatore fa pochi passi all'esterno, poi si infila di nuovo nella hall dell'Holiday Inn, sui divani della stampa internazionale.

Quasi ogni notte tentiamo di metterci in contatto con Gojko. Il telefono si riempie di voci sconosciute, incomprensibili, frequenze radio o chissà cosa... sembra il rumore di un ventre che digerisce male.

Anche stasera la cena brucia, si carbonizza nella pentola. C'è un servizio sullo zoo di Sarajevo... la pantera e i babbuini sono morti imprigionati nelle loro gabbie. Il custode non può più passare per nutrirli, dargli da bere. Guardo quei corpi coperti di pelo fermi nella polvere, ho il viso rigato di lacrime. Forse piango per gli animali perché non piango più per gli esseri umani. Piango perché mi ricordo di quel giorno con Aska allo zoo, s'era comprata una busta di noccioline, infilava la mano tra le sbarre, distribuiva il cibo... poi era entrata in quella gabbia vuota ed era rimasta lì, a dondolare la testa.

Anche stasera mangiamo formaggio. Diego gioca con le bucce, compone una lettera, una A. La vedo dopo, mentre pulisco i piatti.

Diego fa il suo lavoro, si alza, si veste, toglie il cavalletto alla moto, parte. Adesso va spesso a Milano, lavora tutto il giorno, poi si butta sull'ultimo aereo della sera.

«Com'è andata?»

«Bene.»

Quando torna provo a chiedergli qualcosa, ma sento che fatica a non innervosirsi.

«Non succede niente, lo sai...»

«Chi c'era?»

«Gli stessi. Chi cazzo vuoi che ci sia.»

Si avvicina con la testa, si strofina con il suo odore. Mi chiede scusa, gli occhi lo fanno impazzire, colpa dei teli neri che attirano la polvere, di quelle maledette luci. Si sciacqua sotto il getto dell'acqua fredda in cucina, si tira su con i capelli bagnati. L'acqua cola sulla sua camicia, si asciuga quasi subito. Dalla strada sale un vento caldo come un fon. Come faranno Gojko e gli altri senz'acqua?

Mangiamo seduti in cucina ai soliti posti, uno di fronte all'altra, su questo tavolo che esce dal muro sotto la finestra. Ci piace, è come mangiare in treno. Puoi guardare fuori, buttare un occhio alla strada, ai passanti. Diego mastica guardando un po' la notte. Poi mi prende la mano, mi allarga le dita sul tavolo, lentamente.

«Vuoi sapere cosa ho fatto oggi?»

Mi tocca le vene, s'insinua nelle fessure tra un dito e l'altro. Un gesto stanco come la sua voce. Biascica un po', stasera.

«Ho fotografato tutto il giorno una scatola di tonno.»

Prima chiusa, poi aperta. Ha passato ore a cercare la giusta luce per illuminare le venature del tonno, per far rilucere l'olio.

Ridiamo, mi dice che c'era anche una truccatrice per il tonno, che continuava a umettarlo d'olio, a cambiarlo appena si sciupava un po' sotto le luci, a portarlo in camerino come una modella stanca. Mi dice che hanno usato una montagna di tonno, che comunque non era destinato al commercio perché quello che finirà nelle scatolette, va da sé, è più scadente. Non è ventresca, è frattaglia.

«Quindi è un imbroglio.»

«Come tutto.»

«Il mondo va a puttane» dice, «e noi con lui.»

Ride, tira fuori tutti i suoi denti storti.

Non ha mangiato quasi niente.

Ci sono le ciliegie, abbracciate a due a due come gli innamorati. Ne ingoia qualcuna, senza nemmeno sputare i noccioli.

Dice ancora una volta: «Ho fotografato tutto il giorno una scatoletta di tonno.»

Si alza da tavola con due coppie di ciliegie sulle orecchie. Fa tre passi e vomita sul tappeto. Si scusa, dice che non ce l'ha fatta ad arrivare in bagno.

«Stai male?»

«Sto bene.»

La domenica si chiude in camera oscura. Passa la giornata lì, tra le bacinelle e i liquidi. L'occhio sull'ingranditore, a far scorrere i negativi su quel piano di luce. Gli piace starsene rinchiuso in quella prigione, l'unico buco veramente suo in questa casa nostra.

Non ha venduto nemmeno una fotografia di Sarajevo. Ha tirato fuori poche stampe e le ha tenute per sé, le ha buttate in un mucchietto grigio.

La donna di servizio somala viene a pulire casa nostra, qualche volta si porta dietro la bambina. A me non dà più fastidio, anzi mi fa piacere vederla seduta in un angolino della cucina. Sono serena quando c'è e sono serena quando se ne va. Non provo nulla.

La madre svuota il cestino di Diego, ci sono delle stampe strappate. Ne casca un pezzo. È in bianco e nero, quindi il rosso dei capelli non si vede, però sono di Aska quella ciocca e quel mezzo occhio chiaro. Quando me ne accorgo è già tardi, la donna ha già portato via il sacchetto della spazzatura. Non mi resta che quel pezzo, lo guardo, lo butto.

È agosto, dalla città se ne sono andati quasi tutti. Sono rimasti solo gli ostaggi, i vecchi, i derelitti, gli handicappati...

i terminali che non si possono scollare dalle lenzuola degli ospedali. La tv manda le immagini dall'alto delle autostrade piene di macchine in fila. Ha chiuso il bar, ha chiuso anche il ristorante, dalle finestre non sale più il profumo di bistecche e di carciofi fritti.

Abbiamo trovato un posticino che non vende alcolici, beviamo latte e orzata accanto a poveri avventori di quartiere, donne grosse con grembiali sbottonati fino alle cosce e ciabatte, anziani in canottiera. È un dopolavoro per dipendenti di non so cosa, ci fanno entrare perché è estate, d'inverno lì si balla, quei balli impettiti di una volta, da marionette. Ci sono un pergolato e un campo da bocce con una lampadina bianca da Lager, uomini anziani che giocano. Appeso al muro, uno di quegli arnesi micidiali con i cannelli luminosi azzurri che attraggono gli insetti notturni. Sta lì per le zanzare, ma ogni sera stende montagne di farfalline. I corpi carbonizzati cascano nella base di metallo che li raccoglie, che poi verrà svuotata. Sorseggiamo orzata e sentiamo quel rumore terribile, la scossa, le ali che friggono. È la colonna sonora della nostra estate.

Un tempo non sarei potuta sopravvivere nemmeno pochi minuti in un posto così. Invece adesso non mi importa, lascio che le farfalle cadano e crepino. Diego sembra un bambino, con questo bicchiere di latte che gli lascia i baffi. Si accende una canna, un vecchio sente l'odore strano, si volta. Diego solleva la canna.

«Droga» dice.

Il vecchio annuisce, tira la boccia, fa il punto.

È uno di quei posti dove la gente non rompe, si fa i cazzi suoi. È un quartiere di disperati, di clandestini, di allegri borderline. Abbiamo girato un po' con la moto per trovarlo, aggrappati in queste notti estive. E non è stato un caso. Perché in ogni città, a saper cercare, c'è un luogo che ricorda la guerra.

E Diego dice: «Voglio tornare lì».

Lo dice mentre l'arnese sfrigola. Ma non lo vedono, quelle stupide bestioline notturne, che fine fanno? Perché si mettono in fila per toccare quella luce, per morire? Ma che cazzo me ne frega. Sono ubriaca di orzata, ho le gambe un po' larghe sulla sedia di plastica, le parti molli sudate. Diego è grigio. Non ha preso nemmeno un giorno di sole, ha la maglietta di quando andava a correre, di un bianco vecchio, gli occhi sono quelli di un uccello conciato male.

«Ti sei messo le gocce negli occhi?»

«Voglio diventare cieco» ride.

Tanto è un pezzo che lo so, che lo sento. Non è mai davvero tornato. Non è questa la pace. E Aska è venuta con noi, ci ha seguiti in queste serate di finta tregua.

«Vuoi tornare da lei, vero?»

Non risponde, sorride, le sue labbra si arricciano appena. Non posso nemmeno arrabbiarmi. Come fai ad arrabbiarti con un figlio triste?

Sulle scale di casa lo prendo a calci, lo lascio andare avanti e poi mi avvento su quella maglietta da ragazzino, gli urlo che ho visto quel pezzo di fotografia, che ho visto la A che ha fatto con le bucce di formaggio.

Si volta, si ripara con i gomiti.

Entro in casa e butto giù tutto, non accendo nemmeno la luce, vado dritta in camera oscura, sbaracco tutto, gli rovescio le bottiglie dei liquidi, gli scaravento a terra l'esposimetro e gli obiettivi.

Diego non si muove, mi guarda dal divano, placido come un geco.

Più tardi dice: «Cazzo, a occhio e croce hai fatto cinque, sei milioni di danni...».

Sto raccogliendo i pezzi, carponi. Mi scuso, mi dispiace tanto perché sono io la formica, sono io la più tirchia. A lui non gliene frega un accidenti.

«Ci voleva un po' di rabbia» dice. E poi non gli dispiace scoprire che sono ancora un po' gelosa di lui.

Mi chiama, con la voce dei vecchi tempi: «Vieni qui...».

Mi bacia a lungo sulla bocca, poi si lecca le labbra, dice che sono il sapore della sua vita.

In bagno, mentre mi trascino via il trucco dagli occhi, mi guardo. Non mi piaccio. Vedo sempre e solo il buco mio. Come posso essere gelosa di quella povera ragazza che sta crepando insieme alla sua città? Di quella pecora punk che danza inseguita dal lupo?

Più tardi guardiamo la tv, stasera risate, un programma estivo di scherzi, di filmati amatoriali, gatti che leccano pappagalli, spose che restano senza gonna, bambini che inciampano cento volte.

Così ci diamo una smossa. Lasciamo il campo vuoto della città estiva e andiamo a trovare papà al mare, per fargli compagnia, per cambiare aria.

Partiamo in moto, mi stringo a Diego nel vento afoso dell'autostrada, dell'asfalto molle. La casa ha il suo odore di una volta, come se il tempo l'avesse tenuta in ostaggio. L'odore di mia nonna, di quello che cucinava, del suo sudore dopo la lunga passeggiata di ritorno dal mare. L'odore dei suoi sospiri, di rimprovero. A chi? A me? Ai pesci?

Papà la mattina presto esce a passeggiare con il cane lungo il bagnasciuga mentre i bagnini rastrellano la spiaggia, aprono gli ombrelloni degli stabilimenti.

È un mare da schifo, piatto, liquoroso.

Diego fa il bagno tristanzuolo.

«Non si vede niente» dice.

Ce ne andiamo prima che arrivino i racchettoni, le radio, le creme al cocco.

Dall'altra parte del mare c'è quella costa lacerata. Le isole dove fino alla scorsa estate si andava anche solo per un giorno con i motoscafi, i barconi da crociera. Nelle giornate di nitore appaiono i profili di quei massi abbandonati dai bagnanti, a cui nessuno guarda più, come se appartenessero a un altro mare.

Qui si fa il bagno, si mangiano i ghiaccioli, si comprano i bikini, le tuniche di garza, si contratta con gli ambulanti carichi come cammelli, si strappa il prezzo migliore sotto il solleone.

Qui mi ricordo di me, in quest'acqua bassa che non m'è mai piaciuta. Della volta che mi punse la tracina e sentii quella scossa che mi paralizzò la gamba, e venne quel ragazzo a curarmi con l'ammoniaca. Fu la prima volta che guardai un uomo.

Papà dice che ha scoperto che non gli dispiace, questa schifezza di posto. Anche lui non andava d'accordo con la madre, con quel corpo vibrante di ansia, di rimproveri mormorati. Però, a pensarci adesso, poveraccia anche lei, che prendeva il pullman da Roma per cambiare le lenzuola agli affittuari, per litigare per il danno al muro, alla vasca. Ne parliamo una sera, con Diego che ascolta. E papà a un certo punto mi chiede scusa per avermi lasciato qui tutte quelle estati.

«I bambini non vanno lasciati a intristirsi. Nemmeno i cani, figuriamoci i bambini...»

«Lavoravate, papà, non potevate fare altrimenti.»

Ci pensa.

«C'è sempre un altrimenti» dice.

Da quando mamma è morta è più arrabbiato con se stesso. Diego lo guarda. Gli è sempre mancato un padre, e stasera sento che è voluto venire qui per cercarlo.

Stiamo bene, stasera, mangiamo in cucina con la porta aperta sul piccolo balcone troppo stretto per metterci un tavolo. È un appartamento modesto, dalle pareti sottili, si sentono le voci degli altri villeggianti, dei televisori accesi. Non si vede il mare, solo cesti di antenne. Papà ha cucinato cozze con il sugo, ha fatto la frittura.

È la prima cena buona dopo tanto tempo, intingiamo il pane nel sugo delle cozze. Apriamo un'altra bottiglia di birra. Papà fuma, parla della mia infanzia, di quando ero una bambina antipatica, troppo introversa per piacere a qualcun altro, così lui non aveva che me e io non avevo che lui.

Diego coglie l'occasione, si fa raccontare com'ero. E papà si alza in piedi e mi fa il verso. Le braccia come le tenevo io, sempre conserte, sempre un po' spocchiosa. Mi viene tristezza a ricordarmi com'ero.

«*Madre Badessa*, la chiamava sua nonna...» ride.

Gli do un cazzotto sul braccio.

Diego ci guarda, è una serata dolce.

Non lo sappiamo ancora, ma è l'ultima che passeremo insieme. Però forse qualcuno in alto lo sa. C'è una strana luce addosso a noi, è Dio che illumina gli addii.

È l'ultima cena dell'apostolo giovane. Ha un codino di capelli bagnati perché s'è fatto il bagno in mare. Ha una canna in bocca, papà gli chiede un tiro.

«Che fai, papà?»

Scuote le spalle: «Massì...».

Papà andò a dormire ridendo, noi scendemmo a mangiare un gelato. C'era uno stabilimento acceso nella notte, avventori che ballavano sulla rotonda di cemento, ragazze scure come negre con grossi orecchini bianchi, frange sugli occhi come cani Schnauzer e ragazzi con capelli laccati e magliette a pelle, sgargianti... turismo locale tracimato dall'interno alla costa.

Poi Diego mi chiese di fare l'amore. Chiuse gli occhi. Riconobbi quel mendicare da cane cieco, appena nato, che cerca una mammella nel buio... eravamo lì sulla spiaggia come due adolescenti, si sentiva quel tuono martellante da discoteca e le voci che arrivavano dallo stabilimento...

«Andiamo a casa...»

Mi trascinò sulla sabbia, tra le sdraio. S'aggrappò a me come un remo al suo scalmo e si mise a lottare in quella quiete notturna come se dovesse portarmi in salvo attraverso una tempesta.

Il mattino dopo mi svegliai sola. Eravamo tornati a dormire nell'appartamento, il letto disfatto era sporco di sabbia. Pensai che Diego fosse andato in quel bar dove c'erano i cornetti di pasticceria, la griglia dei giornali. Si alzava affamato, la colazione era l'unico pasto di cui aveva bisogno. E per un po' lo immaginai sazio, seduto a uno di quei tavoli di plastica, a godersi il sole buono.

Scesi a fare un po' di spesa, vidi il garage aperto. Papà era lì, metteva in ordine gli scaffali, ripuliva una chiave inglese arrugginita con uno straccio imbevuto di acquaragia.

«Dov'è Diego?»

Avevo un mezzo cocomero in un sacchetto insieme ai pomodori, li lasciai cadere. Mi appoggiai al muro, era fresco.

Papà sollevò gli occhi dalla chiave inglese. Fece due passi verso di me. «Scusa.»

Parla lentamente, come quando parlava ai suoi studenti. Io lo ascolto in questo clima irreale, in questo garage che pare un hangar. Mi dice che Diego è venuto qui per questo, per andarsene, perché Ancona è a due passi. Lui ha tentato di dissuaderlo, però... Scuote la testa.

Lui, allora, è andato in un magazzino di roba militare e gli ha trovato un giubbotto antiproiettile.

«Di quelli buoni» dice, «con le placche... quelli che usano in Irlanda del Nord...»

Ha gli occhi lucidi di un folle. Lo guardo e penso che è impazzito.

Vedo questo povero vecchio mentre si prova quel giubbotto antiproiettile, lo tasta, lo colpisce a pugni, per sentire se resisterà. E poi lo deposita sulle spalle ossute di quel figlio che non ha mai avuto, di quel ragazzo che ama e che ha lasciato andare, come un figlio che va in guerra.

Si colpisce la testa con le nocche delle dita.

Adesso ha quella inutile faccia disperata e colpevole. Quasi mi chiede di aiutarlo.

Nell'hangar c'è la mia bicicletta da bambina con il suo cestello bianco. Insieme pedalavamo sotto i pini, io avanti, lui appresso. Odio tutta la mia vita... la mia infanzia, e questa età adulta senza frutti.

«Ecco, tieni...»

È un foglio di bloc-notes a quadrucci, ripiegato. Senza nemmeno la busta, come se non ci fosse più bisogno di pudore.

Una riga.

Amore mio, vado. Diego.

A Roma sognai quel viaggio quasi tutte le notti. La moto che arrancava lungo i sentieri braccati da milizie irregolari. Vedevo il viso del ragazzo, gli occhi affaticati che scavavano il buio di quella terra senza più luce.

Vivevo davanti al televisore. Così vidi il rogo della Biblioteca Nazionale. Lo speaker diceva *la città è avvolta da una pioggia di cenere.* Tutti quei libri custoditi lì da secoli, ridotti a uno sciame spesso di ali nere. Una terrea nevicata, in un giorno d'agosto, seppelliva la memoria degli uomini. Il simbolo di quella città aperta, di culture mescolate come l'acqua. Ora la Miljacka era nera di fuliggine, un lungo nastro funebre scorreva lungo il suo letto. Pensai che niente sarebbe rimasto. Mi ricordai della ragazza magrolina con gli occhiali che prelevava i libri dagli scaffali, li portava tra le braccia nel lungo corridoio in pile non più grandi di tre, quattro volumi al massimo. Camminava cauta, ossequiosa, con il timore di farli cadere come portasse un bambino piccolo, poi li depositava davanti agli studenti insieme al foglio con le regole e li invitava a voltare le pagine lentamente.

Adesso doveva essere lì, carponi, insanguinata di fuliggine, tra gli altri ragazzi di quel cordone di volontari che s'erano messi a scavare per cercare di salvare qualche pagina, qualche pezzo di sé in quel martirio. Mi parve di vedere Diego per un attimo, invece non era lui, era un altro.

Poi chiamò.

«Sono io.»

La sua voce metallica ma incredibilmente vicina.

«Dove? Dove sei?!»

Era all'Holiday Inn. Parlava dal telefono satellitare di un telereporter di un canale canadese. Si sentiva un rumore infernale, era nella hall e qualcuno accanto a lui urlava in inglese, si sentivano anche delle risate, più distanti, ma udibili.

«Come stai...? Parla più forte!»

«Bene, sto bene.»

Pareva incredibilmente tranquillo.

Gli chiesi del viaggio. Fece una pausa, sembrava essersene già dimenticato. Mi disse che era passato per Medjugorje, aveva ascoltato la messa... unico uomo, in mezzo a un branco di contadine in lacrime. Nelle enclave serbe i ragazzini lo avevano salutato alzando le tre dita. Era stato fermato da tutti, dai serbi, dai croati, dai Berretti Verdi musulmani, ma il tesserino-stampa e qualche centinaio di marchi erano bastati. L'ultimo tratto, il più insidioso, il valico dell'Igman, era stato protetto da tre mezzi blindati dell'Onu che scortavano alcuni camion di aiuti umanitari.

Volevo dirgli tante cose... Aspettavo quel momento da più di sei giorni, chiusa in casa senza mai staccarmi dal telefono, e adesso ero completamente impreparata.

Dissi una cretinata.

«Non ti hanno sparato?»

Fece una pausa, lo sentii tossire.

«Non ancora, no...»

Gli chiesi di Gojko e Sebina, di Velida e Jovan, di Ana e degli altri.

Erano tutti in vita.

«E Aska? L'hai vista?»

Rimasi con la cornetta in mano, abbandonata sulle gambe, che emetteva quel suono reiterato, senza decidermi a riagganciare, come se lui potesse tornare dalla distanza...

Era passato indenne attraverso tutti quei chilometri di villaggi incendiati, di mine, di ponti saltati, ed era tornato nella città da cui tutti cercavano di scappare. Aveva fatto il viaggio in direzione opposta a quella dei convogli carichi di profughi, di orfani in fuga dall'assedio. Ora era lì, in quella bara.

Chiamai papà.

«È arrivato.»

E lo sentii piangere, spurgare quella gola intasata.

«Ti ha detto dove dorme?»

«Non so niente, papà.»

Il mio fronte era questo. Questa città tranquilla. Questa casa pulita e vuota senza Diego. Non c'erano più i suoi jeans, le sue cicche in giro, i rullini che rotolavano sotto il divano.

Il disordine era tutto suo, e forse sua era la vita. Da sola non sporcavo, non esistevo. Ero neutra, inodore. Mangiavo e già toglievo il piatto. Il letto era sempre intatto. Restavo davanti al pianoforte. Mi sembrava una grande urna bianca che raccoglieva le ceneri delle nostre giornate migliori. Aspettavo la pace, le risoluzioni dell'Onu. Ascoltavo il papa che implorava di deporre le armi. Ma intanto a Ginevra i mandanti dell'orrore bevevano acqua minerale.

Lui era lì, sul fronte che si era scelto. Quello dei vetri esplosi.

In mezzo, questa terra di nessuno che era il mio corpo abbandonato, come la terra bruciata, arsa di mitragliate, tra due trincee. Dove uno scoiattolo passa per caso all'alba e si guarda intorno, sente la presenza umana ma non vede gli uomini nascosti dietro i sacchi di sabbia.

Così io mi aggiravo incredula, smarrita.

Continuavo a dare le briciole al nostro uccellino, dovevo lasciargliele sul davanzale, non si fidava. Era abituato alla mano di Diego, del ragazzo che apriva la finestra a torso nudo anche d'inverno.

Andavo quasi tutti i giorni al Ministero degli Esteri per avere notizie, aspettavo ore per parlare con un funzionario.

«Devo raggiungere mio marito.»

Volevo un'autorizzazione a volare su uno degli aerei militari diretti in Bosnia.

«È un rischio altissimo, le conviene aspettare.»

«Non ce la faccio ad aspettare.»

Ero decisa ad attraversare la terra di nessuno per raggiungere l'altro fronte. Poi una telefonata di Gojko. La sua voce rocciosa, sporca di sigarette. È un'alba di settembre. Diego sta bene, dorme da lui, nella casa comune. Telefonare è difficilissimo, quasi impossibile. Ha fretta, chiama dal bunker della televisione, è un telefono satellitare, un amico gli sta facendo un favore.

«Come va? Come state?»

«Resistiamo.»

I telegiornali dicono che la città è completamente distrutta, che quasi tutti gli edifici sono stati colpiti. Gojko risponde: «No, stiamo ancora in piedi».

Gli chiedo di Sebina. Mi dice che non può più allenarsi.

«Mandala in Italia.»

«È molto difficile uscire adesso.»

Torno al Ministero degli Esteri. Ho fatto amicizia con un funzionario, un ragazzo giovane con una cravatta grande, pimpante e ottimista come un agente immobiliare.

«Mi scriva nome e cognome di questa bambina.»

Mi fermo con la penna in mano. Ho la testa piena d'acqua, dove non galleggia più nulla.

«L'indirizzo se lo ricorda?»

«... È una strada larga, a Novo Sarajevo...»

Il ragazzo mi guarda piangere.

«Le va un caffè?»

È l'inizio di settembre, la televisione dice che alle porte di Sarajevo, sulle pendici del monte Zec, è caduto un aereo militare, un G222 dell'esercito italiano, in missione di pace. Trasportava un carico di coperte per l'inverno. È venuto giù con un'ala rotta, spezzata da un missile. Giovani mogli aspettano gli esiti delle ricerche, attonite davanti ai loro televisori. Gli eroi sono brandelli umani su quelle vette impervie alte più di duemila metri, ma loro sperano. Si stringono i figli. Bambini incuriositi da tutta quella gente, dai giornalisti che oggi vengono a bussare alla loro casa, dove non bussa mai nessuno, dove il padre è uscito con la sua divisa, solo come sempre.

La notte penso a queste vedove, a questi letti grandi, comprati a rate, vuoti a metà. Faranno come me, resteranno ferme nel buio. Si asciugheranno le lacrime per non sporcare le federe.

Penso a questi bambini, al braccio che non useranno mai più per fare quel gesto. Per sollevarlo e dare la mano al padre.

Alla base militare di Pisa sono rientrate le bare avvolte nel drappo tricolore della morte. Il ponte aereo è interrotto. La città martire è isolata dal resto del mondo, in balia dei suoi aguzzini.

La voce del funzionario al telefono è sbrigativa. Non ha tempo per me.

«I voli umanitari sono sospesi, signora.»

«Ma io devo andare.»

«È l'inferno, laggiù.»

«C'è mio marito, all'inferno.»

«Mi dispiace.»

La mia resistenza è fatta di bocconi piccoli, basta muoversi piano per non turbare l'equilibrio. Non spostare niente. Così magari il male si dimentica di noi, ci scavalca. Mi sveglio nel cuore della notte, sono seduta sul letto e sto correndo. Ho sognato il telefono che squillava, la voce del funzionario. *Signora, mi dispiace ma suo marito era un deficiente, certa gente se la va a cercare. Le va un caffè?*

Anche in ufficio guardo il telefono. *Adesso,* dico. *Adesso chiameranno dal Ministero degli Esteri per darmi la notizia.* Alzo la cornetta, controllo se c'è la linea. Poi mi consolo, Viola si avvicina con il suo sorriso inutile. Se fosse successo qualcosa lo avrei già saputo. È pieno di giornalisti e di volontari laggiù, gente che va e torna e non muore. Il fatto è che io conosco lui... il suo modo di andare, verso le periferie, verso le pozze d'acqua minori. È quel centro decentrato che lo attrae. Ho paura che sia allo scoperto.

Sullo schermo passano le immagini dei Lager di Bosnia, ne hanno trovati almeno cinque. Il più terribile è quello accanto alle vecchie miniere di ferro. Scheletri umani sdentati, mutilati, come non se ne vedevano da tempo.

Poi Diego telefona, e questa volta sembra avere più tempo. Sento una deflagrazione, gli chiedo cos'è, dice che è la musica di quella giornata. «Aspetta.»

Sento altri rumori, a chiazze, sfilacciati. Lo chiamo.

«Diego! Diego!»

Torna: «Hai sentito? Raffiche sparse di mitra. Obice. Granata. Spari contro un'ambulanza...».

«Sparano anche alle ambulanze?»

Ride. Mi chiedo se è impazzito o se è soltanto ubriaco.

Un'altra settimana di silenzio. Vado dal parrucchiere. Mi siedo in quella pianura di benessere, mi lascio limare anche le unghie dei piedi. Le donne intorno a me hanno borse eleganti e impegni che le aspettano in questa città che ha ripreso il suo giro dopo la pausa estiva. Io non ho nulla, solo il mio corpo abbandonato. Questa testa alla quale ho cercato di dare un ordine esteriore. Sono in ostaggio di questa terra di nessuno. Esco da lì che sembro una bambola, intrisa di profumi che non mi appartengono. Piove e non apro l'ombrello, mi lascio devastare con piacere.

Batterie, vitamine, lampade da campeggio

Batterie, vitamine, lampade da campeggio. Poi cos'altro? Tutto, serviva tutto, laggiù mancava tutto. Antibiotici, pillole per disinfettare l'acqua. Sigarette, latte in polvere, carne in scatola. Entravo nei negozi, tiravo fuori quel foglietto gualcito. Gojko mi aveva dettato la lista e adesso io gli ubbidivo. Dopo la paura, la spinta, non del coraggio, no, ma di uno scopo, sia pure minuscolo.

Avevo già fatto un pacco, glielo avevo spedito attraverso la Caritas, ma non era mai arrivato. Succedeva, i pacchi migliori venivano sventrati, saccheggiati. Ora partivo, il pacco veniva con me. Una valigia enorme con le ruote, di tessuto estensibile ma resistente.

La commessa nel negozio di valigie ha guardato esterrefatta questa donna magra, strana, che s'è seduta sulla valigia nera per vedere se il tessuto teneva.

«Cosa deve trasportarci?»

«Un cadavere.»

Ha riso alla battuta, nera come la valigia. Ho pagato, ho trascinato la valigia verso casa. La mia coda migliore.

C'è una donna asciutta, sciupata dal silenzio. Una donna sterile che trascina per le strade, su e giù dai marciapiedi, una grande valigia vuota, che si gonfierà di tutto. E riempire gradualmente quella valigia sarà lo scopo della sua vita per i giorni che verranno.

Gli strati, fatti e rifatti di notte. Prima la roba più dura, più ingombrante, poi gli oggetti piccoli, le cose più delicate, i flaconi di vetro. Sta lì, questa valigia, mi guarda. Ora non sono più sola.

Ogni pezzo che metto lì dentro è una speranza di vita.
Le donne non hanno più assorbenti, porta anche quelli.

In farmacia mi fermo, sfioro quei sacchetti rosa, violetti. Extra-slim, assorbenti resistenti ma ultrapiatti, quelli più cari, che non si vedono neanche sotto i pantaloni stretti. Quelli che occupano meno spazio. Spingo i pacchetti nella valigia, un grande strato di assorbenti. Bastano questi sottili. Che flusso vuoi che abbiano donne così affamate?

Anche papà porta cose. Lui davvero guarda questa valigia come una bara.

«Vado a riprendermelo» gli ho detto.

Non fiata, ubbidisce al mio dolore, alla mia furia.

È una valigia che prende tempo, ci occupa le giornate, ci fa litigare. *Non posso metterci cose ingombranti, te l'ho detto! Non c'entra più un cazzo, non lo vedi?!* E gli tiro addosso le coperte che ha portato.

Sembra che debba crescere nella notte, questa valigia, lievitare come una grossa pancia, come un container... sembra che debba salvare, sfamare, vestire tutta Sarajevo! Guardo la valigia e i miei occhi brillano. Mi alzo la notte, controllo la scadenza degli antibiotici, delle barrette energetiche. Tutto serve, tutto è utile... bacerei tutto. Guardo la valigia come una madre guarda il corredo da sposa di una figlia.

Quanta vita c'è in quella guerra?

Quanta morte c'è in questa pace?

La vita mi è tornata su dai piedi, dal sesso, dalla pancia.

In un grande magazzino, una Upim, compro una montagna di pennarelli, di album da disegno.

«È insegnante, signora?»

Lo dico: «Vado a Sarajevo».

Allora la donna, robusta, guastata dalla routine del suo lavoro di cassiera, cambia faccia. Diventa una grossa madre palpitante, l'umanità le viene fuori a chiazze, dal rosso sul viso. E adesso anche il ragazzo aiuta, il magazziniere con l'orecchino e i denti da tossico, e anche il direttore con la cravatta a righe. Tirano su roba dall'interrato, rimanenze di cancelleria, di abbigliamento.

«Prenda signora, prenda, glielo porti.»

Il magazziniere è il più arrabbiato, inghiotte.

«I coltelli che noi usiamo per snocciolare le olive quelle bestie li usano per snocciolare gli occhi...»

In Jugoslavia ci andava in vacanza, aveva pure una fidanzata di Spalato. *Un paradiso*, dice.

In palestra le ragazze sgambettano, c'è questo nuovo attrezzo, lo step, un gradino di plastica, vanno su e giù da quello, sudano.

Sono in fondo alla sala, guardo i culetti, i body a tanga. Scendo da quel gradino di plastica. Sono in forma, corro sul nastro. Bisogna essere in forma per tornare a Sarajevo, devi saper correre, avere fiato per saltare la morte, per lasciarla a qualcuno di più vecchio, meno in forma di te.

Negli spogliatoi le ragazze si mettono le creme, scodinzolano nude con i corpi scolpiti... chiacchierano di uomini, di diete, si truccano, si tirano su una calza.

Socchiudo gli occhi una, due volte, ho sonno in questo tepore caldo di docce, di fon. Addio ragazze, addio. Addio stronzette.

Papà è diventato più bravo di me, gironzola per i banchi di Porta Portese, compra piccole parure di chiavi inglesi, rocchetti di filo di rame, transistor, addirittura un visore notturno. Scoppierà, questa valigia. La guardo, è l'ultima notte. Finalmente posso partire, ho un posto su uno dei voli umanitari, finalmente.

Viola mi telefona. Le hanno trovato un nodulo al seno, piange per il suo seno, piange perché parto. «Sei la mia migliore amica.»

Non sono mai stata veramente amica di questa ragazza accidentata, ha fatto tutto da sola. Ma stasera penso che qualcosa ha fatto davvero, che certe persone ti entrano dentro come il cancro, non sai bene quando.

«Hai paura?» le chiedo.

«Ma chi se lo incula il nodulo...»

Adesso non capisco se piange o ride.

«E tu? Hai paura?»

Ho paura di tutto, dei camion sull'autostrada, della calca ai concerti. Ho paura persino dei lampi, figuriamoci di una guerra.

Papà porta una cassetta di pesche, ancora non troppo mature. Mi ribello, ma poi facciamo l'ultimo strato, prima delle cose di lana.

Si è seduto sulla valigia, ha spinto con il culo, Armando, e io gli ho girato intorno tirando la lampo. Ora la valigia è un grosso corpo chiuso.

Cammino per casa, trascinandola. Provo a sollevarla. Devo essere autonoma, nessuno mi aiuterà a scaricare il mio bagaglio umanitario.

Lo tengo accanto a me durante questo volo che mi sembra durare pochissimo, perché la paura è tornata tutta insieme, e adesso se solo potessi me ne andrei a New York. L'interno dell'aereo è scabro ferro. Pochi sedili nudi agganciati alle pareti e molto spazio vuoto occupato da casse, da mucchi di teli militari. Dopo il mare sorvoliamo la terra.

Un sapore acre mi sale in gola, come se lo stomaco fermentasse. Le braccia e la testa sono rigide, i piedi premono contro il metallo che non smette di vibrare. C'è un rumore assordante di motori che bruciano il cielo. Ora lo so, lo sento. Ora potrebbe succedere. Stiamo scendendo di quota. Ora siamo dentro. Siamo un bersaglio per quelli dei boschi. Tornano le scene che ho visto, i brandelli degli aerei abbattuti, quei pezzi di carlinga, di ali che hanno buttato giù qualche ramo di queste abetaie fitte come fango. La bocca è completamente asciutta, la lingua inerte, carne grigia come mollica ammuffita.

Insieme a me soltanto altri tre civili, in missione di pace in questa terra senza pace. Due medici e la volontaria di una radio libera, Vanda. Una ragazza robusta, mascolina, piuttosto trasandata, come certi uomini slavi. È la più rilassata del gruppo. È già stata due volte a Sarajevo dall'inizio dell'assedio, sembra uno di quei grossi topi che sanno come muoversi nelle situazioni coatte, ha una giacca piena di tasche come gli inviati di guerra nei film, sembrano nascondigli per bombe a mano. Mastica un chewing-gum, fa piccoli palloni sulla punta delle labbra, piccoli scoppi che mi fanno sobbalzare.

Dalla mia valigia sale l'odore delle pesche di papà. Vanda sorride, fa un altro scoppio, devo sembrarle una demente. Mi chiede se riparto stasera, dice che in genere gli intellettuali si fermano poche ore, il tempo di dire che ci sono stati, di annusare un po' l'odore di formiche bruciate.

«Formiche bruciate?»

«I morti odorano così.»

Forse crede che io sia uno di quegli sciacalli dell'inchiostro.

«Vado da mio marito, è un fotografo, è a Sarajevo da parecchie settimane.»

Mi chiede come si chiama. Lo conosce, dice, lo ha visto, a fine agosto. «È simpatico, è un pazzo.»

«Perché è pazzo?»

«Faceva il bagno nella Miljacka, mentre sopra sparavano.»

Scuoto la testa, eppure lei è certa. Dice: «È riccioluto, con la barba».

«No, la barba non ce l'ha.»

«Allora non è lui, sarà un altro Diego.»

Un altro Diego, penso, *un altro Diego*, e intanto l'aereo va giù. Atterraggio da guerra, a spirale. Giù di quota di colpo. Vedo per un solo attimo la frustata dei monti, poi il colpo delle ruote sotto i piedi.

L'aeroporto ha tre dogane, tre sbarramenti. Militari di eserciti contrapposti prendono il caffè con il gettone alla stessa macchinetta, non è rimasta che quella. Guardo questa scena surreale, nemici che s'inchinano davanti allo stesso buco di metallo. L'aeroporto è in mano ai caschi blu, che proteggono la pista e lo smistamento degli aiuti umanitari ma di fatto convivono con i miliziani serbi. Non c'è tensione, sembrano tutti molto stanchi. Soldati egiziani sonnecchiano su quello che resta dei sedili, gli elmetti azzurri galleggiano sui visi magri, scuri. Aspettiamo a lungo, prima che una jeep blindata dell'Unprofor, la "forza di protezione" delle Nazioni Unite, ci porti in città. Forse stanno contrattando un po' di tregua, perché sento uno dei blu che confabula con un cristo in tuta mimetica e basco nero con l'aquila: «*Can they go now? Ok?*».

«... *Slobodan? Free?*»

Il serbo annuisce. Come mai, penso, come mai un ufficiale dell'Onu chiede il permesso di passare a un militare dell'esercito aggressore? Ma non c'è tempo per stupirsi. Quest'aeroporto è già una beffa, un piede in cancrena in fondo al corpo sofferente della città. Se questa è la porta verso il mondo, non c'è salvezza per i topi.

Saliamo sulla jeep a testa bassa, senza guardarci intorno. Superiamo il primo check-point, cumuli di ferro, come rotaie divelte e messe a croce, montagne di sacchi di sabbia. Facce nei passamontagna, kalashnikov aggrappati ai corpi. Il ragazzo che guida urla.

«*Keep your head down!*»

La jeep sta correndo sul viale degli sniper, sbanda per evitare i detriti che invadono la strada. Dall'unica fessura di luce vedo passare il palazzo di "Oslobodjenje", non c'è più niente, solo l'armatura dell'ascensore, come uno stecco di liquirizia in un gelato squagliato.

Eravamo nella immensa hall dell'Holiday Inn, scesi a tutta velocità lungo la rampa che conduceva all'accesso sotterraneo. Un ventre scuro, protetto dai teli di plastica dell'Unprofor, pieno zeppo di giornalisti e di troupe televisive. Losche figure mi si avvicinavano per chiedermi se volevo comprare un giubbotto antiproiettile, se avevo bisogno di una macchina, se avevo valuta da cambiare, se volevo comprare delle informazioni. Un tizio se ne andava in giro con una gamba nuda ricucita di fresco e un pezzo di granata sottobraccio, cercava qualcuno che comprasse la sua storia. Rimasi in attesa in quella casbah. Non c'erano camere libere, non nella zona sicura, erano rimaste solo quelle verso Grbavica. Avevo paura di addormentarmi, paura che qualcuno mi portasse via la valigia. La trascinai fino alla sala adibita a ristorante. Mangiai un pasto caldo e insapore che mi parve buonissimo seduta a un lungo tavolo comune, gremito di giornalisti che parlavano a voce alta, ridevano.

«*Here you need to laugh!*» un cameraman tedesco mi faceva l'occhiolino.

Tornammo insieme sui divani della hall, mi offrì una birra, si mise a spiegarmi come muoversi nella città assediata. Sembrava piuttosto eccitato, quel giorno aveva filmato la trincea sullo Žuć. Mi mise una mano sulla gamba, mi chiese se volevo dormire in camera con lui. Sorrideva con una faccia paonazza e idiota, gli sembrava normale che io m'infilassi nel suo letto visto che eravamo in guerra. Sentii un boato, e dopo pochi secondi un altro più vicino. Riconobbi il sibilo delle granate.

Guardai in alto, il lungo ballatoio a spirale dove s'affacciavano le camere. Pensai a quella notte in cui io e Diego, da lassù, c'eravamo specchiati in quella hall deserta e luccicante.

Non ricordavo di aver mai visto una prostituta a Sarajevo. Adesso ragazze in minigonna sedevano sugli sgabelli alti accanto al bancone in compagnia dei giornalisti stranieri. Sul tavolo vicino al mio un uomo aveva tirato fuori una pistola e l'aveva posata lì come un pacchetto di sigarette, mentre un altro tizio con una giacca di pelle nera contava una mazzetta di marchi. Parlavano di scommesse, di un posto, a Marijin Dvor, dove si facevano combattimenti di cani.

Se ricordo una sensazione di quelle ore, di quel preludio, è questa... di unto, di cose che mi baluginavano davanti e poi si allontanavano da me, come bolle d'olio sull'acqua.

Una mano affonda nella mia spalla, quasi mi colpisce. Gojko si inginocchia accanto a me, mi stringe senza guardarmi, mi trattiene.

«Bella donna.»

Ce ne andiamo sul retro, adesso trascina lui la valigia.

«E Diego?»

«Ti sta aspettando.»

Ha ancora la sua Golf, solo che ora sembra uscita da un fumetto, la carrozzeria ammaccata, crivellata di buchi, sportelli uno diverso dall'altro, presi da altre macchine, finestrini privi di vetro.

«Sono i nuovi modelli di Sarajevo city» ride. E mi sembra un miracolo che questa risata gli riesca ancora.

È l'alba, poco prima del giorno. Corriamo su questa macchina futurista incontro a un futuro che forse sarà fatto tutto così, con gli avanzi di ciò che resta del prima. Il cielo è ghiaccio, di un azzurro cupo che comincia a illuminarsi da dentro. Guardo il paesaggio di cose cadute e trafitte. Palazzi anneriti come ciminiere, grovigli di ferro, scheletri di macchine, di tram... facciate dure dell'edilizia popolare, che adesso sembrano cartone bruciato. Stiamo cercando di raggiungere Baščaršija. Gojko attraversa macerie, passaggi di fortuna, strade che non ho mai visto. Agli incroci scoperti schiaccia il piede sull'acceleratore fino in fondo, mi spinge giù la testa. È un gesto di possesso. Vuole salvarmi la vita, ma forse si diverte anche un po', esagera. Urla, sprigiona lunghi gemiti animali. Tutto sommato è rimasto lui, uno spaccone bosniaco in questa città spaccata.

Entra sparato nel cortile, archi caduti, erba alta, giallastra. Il palazzo fuori è mangiucchiato dalle raffiche, ma dentro è intatto, solo più scuro, più sporco. Le lastre di pietra sulle scale si muovono, sto correndo. Diego.

È lì, in mezzo a un piccolo orto di candele che ha tenuto acceso per me. Mi viene incontro. Lo abbraccio e sento che c'è qualcosa, una durezza che non c'è mai stata. Le sue ossa mi sembrano di ferro. Lo guardo in faccia, è magro, ha le labbra scure. Una barba lunga che non gli ho mai visto gli sale fino agli occhi. Fatico a toccarlo, a riconoscerlo. Ha la stessa faccia di quei palazzi lì fuori.

Sorrido, gli dico che puzza un po'. Eppure s'è fatto una doccia, con un innaffiatoio, alla sarajevita, dice.

Ha qualcosa di un animale prigioniero. Di uno di quei babbuini morti allo zoo.

Gli prendo la mano e ci isoliamo in un angolo. La casa è buia, le finestre sono schermate, i muri hanno lunghe crepe.

«Come fai a vivere qui...»

È aggrappato alla mia mano, ci ficca la faccia dentro. Sta lì ad annusarmi, a strofinarsi, a tirarsi giù tutto ciò che di me gli è mancato.

Mi guarda fisso. Ma i suoi occhi sono strane paludi. Di colpo penso che non è qui, non è me che cerca, ma qualcosa che non c'è più.

«Amore...»

Ci tocchiamo come due resuscitati.

Mi dà un mazzo di fiori di carta.

La fioraia del Markale, quella vecchietta che sembra una strega buona, non ne ha più di veri da vendere, così si è inventata questi piccoli fiori fatti di pezzetti di carta che arriccia, che colora. Li guardo, sono bellissimi e tristissimi. E penso che Diego somiglia a questi fiori di carta, che trattengono la nostalgia dei colori, del profumo, della vita.

È affamato, apro la valigia, il mio tesoro. Morde una pesca, il succo gli cola sul mento.

Poi saltano fuori gli altri, Ana, Mladjo... e facce che non ho mai visto, gente arrivata da case distrutte, profughi dei quartieri occupati. Tiro fuori i miei pezzi dalla valigia. Mi abbracciano, mi stringono forte. Come se ci fossimo sempre conosciuti. *Hvala Gemma, hvala*. E tutto il giorno che verrà continueranno ad arrivare persone. C'è quel pacco, quella valigia carica di cose da distribuire... e oggi questo appartamento sembra la Benevolencija. Facciamo festa, apriamo le scatole di carne, quelle dei sottaceti, mangiamo il parmigiano. Gojko tira fuori una bottiglia di rakija dalla sua piccola riserva personale.

Mi avvicino alla finestra, scanso il telo di plastica, m'insinuo in quella fessura. La città è prigioniera del buio... scavata come una miniera in cui non c'è più nulla da estrarre, solo buchi e cunicoli abbandonati. Il buio cancellando lenisce. Intravedo solo il tronco chiaro di un minareto reciso.

347

Dove sono i suoni? Il rintocco delle campane, il lamento del muezzin? Dov'è l'odore? Quello farinoso dei fondi di caffè? Quello violento delle spezie e dei ćevapčići? Dov'è lo smog delle macchine? Dov'è la vita?

Non c'era più intimità. In quella casa, come in ogni casa di Sarajevo, si dormiva tutti insieme, materassi ammucchiati in corridoio, lontano dalle finestre, dalle zone più esposte ai colpi degli obici, dei cannoni.

Sobbalzavo solo io, gli altri sembravano tutti abituati, o forse avevano perso l'udito. Vedevo occhi in fila nel buio di candele fatte in casa, pezzi di corda che galleggiavano in ciotole d'acqua con un filo d'olio in superficie. Fumavano tutti le sigarette che io avevo portato, e che forse erano state il regalo più gradito, perché *non mangiare è duro, ma non fumare è atroce*, e ormai fumavano tutto, foglie di tè e di camomilla, paglia di campi e di sedie. Ana aveva nascosto qualche pacco di assorbenti nella sua borsa di tela turca e adesso se la stringeva sulla pancia come un cuscino. Guardavo quegli occhi, strani come quelli degli animali che ci vedono al buio... le bocche che succhiavano i cannelli di tabacco infiammando la brace.

Erano gli stessi occhi di Diego, allucinati, prigionieri di una fissità muta. Sembravano guardare tutti nello stesso stagno, uno specchio torbido che non rifletteva nulla.

«Come stai?»

«Bene, sì...»

Ma le mie parole sembravano raggiungerlo da molto lontano, come un'eco. Aveva alzato una mano e mi aveva passato le dita sulla bocca, come se volesse sentire il suo spessore. Affondava i polpastrelli nelle mie labbra come in una materia calda ma non raggiungibile.

Si appoggiò al muro, suonò la chitarra nel buio.

Poi ci stendemmo su uno di quei materassi. Diego fece un solo gesto di assestamento, si chiuse come un feto, e già dormiva, il respiro diverso. Mi sembrò che si fosse incuneato in quel sonno soltanto per separarsi da me. Forse aveva semplicemente bevuto troppo, come gli altri. Rimasi l'unica sveglia in quel buio dove ruminavano fiati. Mi alzai per allontanare un barattolo carico di cicche. Alcune taniche di plastica giacevano in un angolo, accanto al mucchio delle scarpe. Le finestre erano chiuse con quei teli che adesso si muovevano, entrava freddo. Tra poco sarebbe cominciato l'inverno. Perché eravamo lì, stesi in terra con quella gente? Pensavo a questo, guardando la schiena di Diego.

All'alba mi svegliai al rumore di un colpo sordo, forse di mortaio, che mi piovve addosso nel torpore di quel sonno arrivato tardi... faticavo a muovermi. Non c'era più nessuno, spariti tutti. Solo Gojko era ancora lì, trafficava con un transistor.

«Dov'è Diego?»

«Non voleva svegliarti.»

Mangiammo un po' dei biscotti che avevo portato.

«Sai se vede Aska?»

Non mi rispondeva e non mi guardava.

«È partita? È viva?»

«È ancora a Sarajevo.»

«Dimmi dove si incontrano.»

«Non lo so, non so quello che fa Diego... non lo vedo quasi mai.»

Divorava biscotti, la sua barba era sporca di briciole.

«Non mi sono mai fidata di te.»

«Non è grave, pazienza.»

Ora, con un po' di luce, mi accorgevo che lo sguardo di Gojko era più sporco che un tempo, macchiato da quei mesi di guerra. La giovinezza se n'era andata, sparita. Si trascinava dietro un carico di disillusione, di acrimonia... anche il suo umorismo aveva qualcosa di guasto, puzzava di formiche bruciate, come tutto. E adesso mi sembrava che anch'io sarei invecchiata di colpo.

Diego tornò dopo qualche ora. Era andato a prendere l'acqua, aveva le braccia indurite dalla fatica, dal peso di quelle taniche che aveva portato per quasi due chilometri.

«Così puoi lavarti.»

Ci chiudemmo in bagno, guardai quella vasca di ceramica ingrigita, piena di venature gialle, il rubinetto da cui
non veniva più una goccia.

Mettemmo l'acqua in una bacinella. Mi spogliai, e per la
prima volta feci fatica a ritrovarmi nuda davanti a lui. Era
come se non ci fosse più intimità. Anche Diego evitava di
guardarmi, continuava a trafficare con l'acqua, se la faceva scorrere tra le dita, come cercando qualcosa... un riflesso lontano, un passaggio.

«Guardami» gli dissi.

Sollevò lo sguardo a fatica, lentamente. Ero nuda. Una
pianta morta, senza corteccia. Legno bianco, reciso.

«Cosa c'è?»

«Sei bella.»

«Cosa c'è?»

Mi toccò la pancia, allungò un braccio e mi sfiorò l'ombelico e io provai repulsione verso quella mano.

Mi toccava come mi aveva guardato, con la stessa lontananza, come se fossi un manichino.

Mi accoccolai, mi strinsi a me stessa come un uovo.

Si spogliò, venne accanto a me in quella vasca senza acqua, intinse una spugna nella bacinella e mi lavò la schiena.
Mi voltai a guardarlo... guardai le sue ossa giallastre sotto
la pelle fina e arida, il suo sesso inerte tra i peli, come in un
nido nero. Sembrava un vecchio.

«Perché sei qui?» gli chiesi.

«Sono dove devo essere.»

Il mattino dopo mi svegliai come gli altri con l'alba. Diego
era curvo vicino alla valigia. Stava riempiendo lo zaino.

«A chi la porti, questa roba?»

Ad alcune famiglie che conosce, dice, vecchi che non possono muoversi, vedove con bambini.

Mi vesto dopo di lui, lo seguo fino al Ponte Ćumurija.

Vedo la città di giorno. Non c'è più un edificio intatto, le
cupole delle moschee sembrano coperchi di metallo persi
nei calcinacci. Le saracinesche della Baščaršija sono chiuse, nei negozi anche gli scaffali sono stati divelti. Un uccel-

lo mi cade addosso, un uccello stanco che forse non ha più nemmeno un ramo dove posarsi.

Rullini. Rullini uno accanto all'altro sul tavolo di questa misera camera che ormai è la nostra prigione. Rullini come cartucce, come bossoli. Come uova nere. Mi invento un gioco per passare il tempo, impilo quei rullini, faccio acrobatiche costruzioni che lascio lì, mi stendo sul letto e aspetto. Il tremore arriva dopo uno scoppio, cammina sui pavimenti, sui muri... sale sul tavolo. I rullini cadono di colpo, rotolano sul pavimento.

Chissà se vedranno mai la luce, tutte le immagini impresse nelle strisce di celluloide chiuse in quelle piccole custodie di metallo, ormai ammaccate, adatte a passatempo per questo tempo che non passa mai, perché già dalle tre del pomeriggio siamo chiusi in casa. Finiti i traffici del mercato nero, delle taniche d'acqua, non ha senso rischiare la vita più a lungo.

Ora mi sembra di non essermi mai mossa da questa città.

Siamo tornati nella vecchia stanza in affitto. Velida mi ha toccata come se fossi un miracolo, un vetro ancora intatto. Questi mesi l'hanno scavata, adesso sembra uno dei suoi merli. La testa si muove di un piccolo moto perpetuo, un commento sconsolato. Le ho portato un bel mucchietto di provviste che ho messo da parte per lei. Quando ha visto la torcia, Jovan ha serrato la bocca per trattenere il pianto. È la cosa che gli è mancata di più, un fascio di luce per illuminare quelle notti troppo buie.

Non esce più di casa, il vecchio biologo, sta tutto il giorno in un angolo riparato, accanto alla gabbia dei merli che sono ancora vivi. Il gatto invece è morto, è uscito di casa una mattina, ha fatto qualche passo con la sua coda rotta e non è più tornato.

Jovan e Velida aspettano la pace, ogni giorno. Ma ormai non si fidano più. Guardano i blindati bianchi dell'Onu che sono lì, sotto le loro finestre, a non fare nulla, inutili come risciò incatenati in un parco deserto.

Ho chiesto a Velida una scopa e uno straccio da pavimento, ho ripulito la stanza. Ha continuato a scuotere la testa tutto il tempo.

«Siete sicuri di voler stare qui con noi?»

«Sì.»

«È meglio l'albergo degli stranieri, lì siete protetti.»

C'è questa polvere che non se ne va, è uno strato grigio, solido come cemento.

Velida si tocca il petto e dice che quella polvere di cose che cadono è ormai dentro di loro, è colla sui loro polmoni.

«È la polvere degli edifici dove abbiamo vissuto... della nostra biblioteca, la vecchia Viječnica, dell'università dove abbiamo insegnato, delle case dove siamo nati...»

La cucina adesso è piena di foglie, strati verdi su ogni mensola. Velida dice che l'ortica è un ottimo ripieno per la pita.

«Tutti a Sarajevo mangiano ortiche» sorride, è una buona cosa la dieta macrobiotica, se ce la faranno a sopravvivere alle granate.

I suoi studi di biologa le tornano utili in questa carestia, mi offre un infuso di abete.

«È ottimo.»

Mi chiede perché sono tornata.

«Voglio stare con Diego, e lui vuole essere qui.»

I suoi occhi verdi s'intorbano di commozione.

Anche lei ha seguito Jovan tutta la vita. Anche se adesso si vergogna di questo amore, adesso che la gente giovane muore, muoiono i bambini e loro due sono ancora vivi, e si baciano ancora sulla bocca.

Non ci sono più tende di broccato sulle grandi finestre, ma solo quei teli inchiodati, i quadri alle pareti sono storti e tutti senza vetro. La loro bella casa si è ristretta, hanno portato i letti in cucina. È l'unica stanza riscaldata. Velida ha comprato al mercato nero una vecchia stufa, in cambio del suo rubino di fidanzamento e della sua pelliccia. Hanno scavato il muro per lo sfiato. Ogni appartamento ormai ha un buco da cui esce fumo, canne fumarie riattate per la guerra, con tubi di fortuna. La città è un grande accampamento.

Ho paura a uscire, resto chiusa in quella cucina con Velida, guardo la sua schiena magra e curva.

«Come farete con l'inverno?»

Hanno cominciato a bruciare i mobili, Jovan li fa a pezzi con le sue mani, stacca le gambe al piccolo tavolo del soggiorno, spacca i cassetti dei comodini, della credenza. Velida ha tagliato i tappeti a strisce, e ha fatto dei blocchetti di tessuto che bruciano lenti come carbone.

I parchi non hanno più alberi. In poco tempo la città si è denudata del suo verde. Ovunque c'è questo rumore di seghe, di rami trascinati come grosse spazzole tra le macerie.

Jovan si lamenta, hanno tagliato anche il tiglio sotto casa, quello che proteggeva dagli sniper. Non gli resta che uno dei suoi quadri, quel tronco e quella grande fronda punteggiata ad acquarello.

«Gli alberi sono la vita...»

Ce l'ha con gli sciacalli, quelli che tagliano per arricchirsi al mercato nero.

È ottobre, ancora non è così freddo. Altre volte la neve era arrivata persino ad agosto, ma quest'anno, se Dio vuole, ritarda.

Così la vita muore, gli alberi cadono a uno a uno. Si fa legna per l'inverno che verrà, e intanto si fa spazio per i morti... che adesso si seppelliscono ovunque, nei parchi, nel campo da calcio del Koševo, perché i cimiteri non bastano. Ovunque ci sono quei tumuli, macchie scure di terra smossa.

Gli animali dei monti continuano ad accanirsi sulle macerie. È caduta una granata su un gruppo di bambini che giocavano a pallone in una zona tranquilla, già devastata, dietro la nostra casa. I cetnici hanno dichiarato che quella granata è finita lì per sbaglio, e che a spararla sono stati i Berretti Verdi, mica loro. I bambini morti non hanno dichiarato nulla. Però a Velida è arrivato il pallone dritto in casa, ha scollato il teio e si è infilato dentro. Solo in serata ha saputo dei bambini. Adesso guarda quel pallone che ha posato nella cuccia vuota del gatto e mi chiede: «A chi devo restituirlo?».

Ora la notte non ha mai fine. Diego torna con quei rullini, svuota la macchina, butta in un canto. Non mi dice più cosa fotografa.

Di notte la città sembra una bocca guasta di costruzioni rose all'interno come denti divorati da una carie. Il buio divora l'apocalisse. Non c'è traccia di vita. Le sirene degli allarmi sono voci dimenticate di un'allerta che non pare servire più a nessuno. Ogni notte Sarajevo muore. La notte è il coperchio che si chiude. I superstiti sono formiche che hanno seguito il destino della città per ostinata affezione e sono rimaste murate nella bara.

Di notte resta solo il vento, che cala dalle montagne e si aggira come uno spirito inquieto in questa bocca sdentata.

Diego dice *questo non è che un anticipo e noi lo stiamo vedendo. Un giorno il mondo sarà tutto così, bruciato dentro, ferito a morte. Non resteranno che macerie ferrigne, sfiati gassosi, lingue nere di combustioni sfinite. Adesso la stiamo vedendo, la fine del mondo, quella dei fumetti, dei film ambientati nel futuro più apocalittico e infetto.* Sorride. Di notte le speranze se ne vanno. Diego diventa tetro. Guardo il suo ghigno, gli occhi laccati nel buio. Beve troppo, litri di quella birra cattiva. Si alza per pisciare, urta qualcosa. Quando dorme lo tocco per sentire se è vivo, se si muove. Ho paura di questo buio che è un vero abisso. Sembra di essere sotto il livello della terra, nella profondità di un lago sepolto.

Da qualche parte una vanga sta scavando. Di notte a Sarajevo si seppelliscono i morti, scivolano nella terra in silenzio. Le adunate negli spiazzi aperti sono crogiuolo per gli sniper, così si aspetta il buio. Nessun grido si leva dai vivi, le lacrime si inchiodano al petto come le assi di quelle bare fatte di resti, di vecchie tavole, di ante d'armadio.

L'unica voce è quella rauca dei cani, che si aggirano in branchi, scheletrici, ventri di sola pelle, occhi da lupi. Cani di casa resi randagi dalla guerra, abbandonati dai padroni fuggiti o morti o troppo affamati per poterli nutrire.

Poi l'alba. Certe volte non sono gli obici a svegliarti, ma gli uccelli che tornano e cinguettano. Allora pensi che possa finire.

Che i superstiti possano uscire dalla città e salire sui monti a Jahorina, sul Trebević, per fare un picnic, per raccogliere funghi.

Che il tram numero uno abbia ripreso a funzionare fino a Ilidža, fino alle cascate, ai prati.

Ti pare incredibile che all'alba ricompaia tutta quella gente, ti chiedi dove si erano nascosti, se sono veri vivi o morti resuscitati. Nessuno resta in casa, bisogna uscire a caccia di cibo, di acqua, di occasioni al mercato nero, di buoni per il pane, di scatolame umanitario. Si fa il giro, si bussa alla Caritas, alla chiesa evangelica, alla Benevolencija degli ebrei che sono i più generosi e aiutano tutti. Aiutano i musulmani di Sarajevo, che a loro volta li aiutarono, li nascosero ai nazisti. Così si occupano le prime ore del giorno. Se si resta al chiuso si muore.

Ogni volta che esce Velida dice: «Vado». Fa una pausa, sorride.

«Vado incontro alla mia granata.»

Ogni tanto qualcuno cade. Una donna in fila per l'acqua. Una lepre.

Non bisogna fermarsi a guardare... lasciare agli occhi il tempo di vedere, di affezionarsi. È questo che bisogna imparare. Non dare ai morti il tempo di rivelarsi, di diventare reali, bisogna tirare dritto, non discernere un corpo da un sacco di sabbia, ma lasciarseli dietro, indistinti, allontanarli dal vero, guardare solo la propria strada. Solo così si può resistere. Non dando ai morti un nome, un cappotto, un colore di capelli. Lasciarli. Imparare a scansarli già da lontano, fingere di non averli visti. Fingere che non ci siano.

Perché se ti fermi, se te li lasci scivolare dentro... allora inevitabilmente rallenti il passo.

Però i bambini sono curiosi, loro allungano il collo, loro

guardano mentre le madri li strattonano, li trascinano. I bambini si avvicinano ai morti come scoiattoli agli avanzi di un picnic.

Eppure questa città dove si continua a morire sprigiona una forza nascosta, linfa che si leva dal folto di una foresta.

Gojko è venuto a prendermi e così ho potuto riabbracciare Sebina. Mi è sembrata una tartaruga, il volto secco, triangolare, la bocca come un riccio di paglia. L'ho stretta. Eravamo sulla porta di quella casa ancora incredibilmente in ordine. Ho sentito la sua testa sulla mia pancia.

«Perché sei ancora qui, *Bijeli biber*?»

Non vuole andarsene su quei convogli di bambini soli.

Riceve lettere dai suoi amici partiti, le sembrano tutti più tristi di lei. Dice che la sua stanza è ancora in piedi e che non si sta così male in fin dei conti. Gojko viene quasi tutti i giorni, a loro non manca nulla. Solo che non ne può più di riso e maccheroni.

«E poi c'è questa puzza!» ride.

Sono gli sgombri in scatola dei pacchi umanitari, è una puzza che ormai si sente in ogni casa, in ogni rutto di gente fortunata come loro.

Mi dice che ormai s'è abituata agli allarmi, alla cantina. Le ho portato un po' di cioccolata, la succhia, s'impasta la bocca.

Non si allena più, la palestra è un dormitorio per profughi. E adesso, dopo tutto l'entusiasmo, la voce si sporca. Ma non piange, fa un'altra smorfia, scrolla le spalle. Si mette a testa sotto, s'appoggia al muro, cammina sulle mani, con i capelli che toccano il pavimento. La gonna è caduta giù come una corolla floscia, guardo le sue gambe chiazzate, i nodi delle ginocchia, le piccole vene che traspaiono dalla pelle, le mutande con i fiori. Poi scende ad arco... la sua schiena s'incurva come quella di una contorsionista.

«Ti fai male...»

E ora rompe le gambe all'inguine in una spaccata perfetta. È un piccolo show per me. Applaudo. Resta il suo sorriso. Il suono solitario delle mie mani che sbattono l'una contro l'altra.

Le chiedo cos'è quella busta attaccata alla maniglia della porta. Mi dice che ci sono i documenti, le carte della casa, i certificati di nascita con il gruppo sanguigno e anche la patente di Mirna, insieme ai soldi e ai gioielli, all'orologio del papà. Sono lì in caso di fuga, se una granata dovesse colpire la casa.

Tossisce, apre la bocca e si spruzza in gola un po' della sua medicina per l'asma. Ride, dice che ha un sapore brutto.

«Di cimice» dice.

«Da quando hai l'asma?»

Da quando resta sola e le si chiude la gola, è in ansia per la madre, ha paura che non torni. Va su e giù con quelle scarpe che s'illuminano nel corridoio buio.

«Resistono ancora...»

«Certo, si ricaricano da sole.»

Le notizie dei morti le arrivano, ma solo da lontano, perché Mirna la protegge tenendola in casa. Però Sebina sa che adesso si muore camminando. Mi dice che devo stare attenta.

«Perché tu sei italiana, ma loro non lo sanno, pensano che sei di Sarajevo e ti sparano.»

Esco con Diego. Mi infilo quel giubbotto antiproiettile che lui non mette mai. Camminiamo in silenzio tra le macerie, insieme agli altri. Non corrono, sono composti, hanno occhi appena più slargati dei cittadini di una città in pace. Gli uomini sono più disordinati, capelli sporchi e vestiti gualciti che hanno dormito con loro. Ma ci sono anche quelli in giacca e cravatta, sembrano professori, impiegati di livello. Dove vanno? Le scuole e gli uffici sono chiusi. Attraversano la polvere con i loro mocassini, le loro borse nere per documenti, per dispense universitarie. Camminano cauti, quasi rallentati, in questo paesaggio metafisico. C'è qualcosa di innaturale nella calma di questo campo minato, queste persone fanno uno strano effetto, sembrano sagome di una scenografia teatrale. La paura le rende rigide, inamidate. Solo gli occhi corrono, si muovono guardinghi... come occhi veri infilati in una silhouette di cartone. Ora agli incroci ci sono quei cartelli: PAZI SNIPER! Attenzione ai cecchini!

Sono tutti magri, non c'è più un essere umano sovrappeso. Dovrei dirlo alle ragazze della palestra. Problemi di cellulite? Fate un tour a Sarajevo, qui non si mangia e si cammina tutto il giorno. I mesi d'assedio si contano sulla testa delle donne che non possono più tingersi i capelli, in quelle bande tristi di canizie ricresciute. Però le giovani mantengono la loro eleganza, camminano con i visi disfatti perfettamente truccati.

È il segnale che resiste, la pernacchia per quelli lassù, questo uscire tutti, questa calma ostinata, questi tacchi, questo rossetto, nei varchi che la guerra ha aperto, nei percorsi obbligati tra le trincee di sacchi di sabbia, di croci di ferro.

Arriviamo fino alla fabbrica della birra. Diego fotografa le lunghe file per l'acqua, quel tubo scoperto, pieno di piccole bocche dove la gente appoggia le taniche.

Le ruote. Ci sono cose che prima non contavano, come in ogni luogo del mondo erano cose tra le tante. Ma adesso... le ruote. Tutti parlano delle ruote, tutti ti chiedono se hai qualche vecchia ruota.

Točak... Točak...

Le ruote servono per trascinare le taniche d'acqua, i pezzi di legno, i pezzi di macchine, le cose che riesci a racimolare.

Diego fotografa il vecchio che trascina una carrozzina, dentro c'è la radice di un albero. Un grande bambino di legno sporco di terra, che servirà per l'inverno.

La giornata è quella caccia lì, nel basso, nel fango delle macerie. Mentre gli sniper sono a caccia di te.

«Il bersaglio preferito sono le madri, lo sapevi?»

Non lo sapevo.

«I cecchini si divertono a veder piangere i bambini, a vederli spalancare le bocche e disperarsi.»

Diego fotografa i bambini che non hanno mai smesso di giocare, che si nascondono negli interni pericolanti, sotto le lastre di cemento dei soffitti crollati. S'inginocchia, parla con loro. Si fruga nelle tasche, regala quello che ha. Spesso si fa assalire, si lascia mettere le mani in faccia, nei capelli, li prende sulle spalle, non s'arrabbia nemmeno quando gli toccano gli obiettivi.

Fotografa anche me, sullo sfondo il cratere della biblioteca.

Mi dice: «Mettiti lì».

Mi chiedo se mi ama ancora o se sono soltanto un fantasma della sua vita di prima. Muove sempre la testa, si volta spesso, si guarda intorno. Chi sta cercando?

Anche la moschea del Bey è stata colpita. Diego fotografa i fedeli che al tramonto pregano davanti al mucchio delle macerie, inginocchiati sui loro tappeti piccoli come scendiletto. In via Titova c'è il foglio dattiloscritto con l'elenco dei morti, lo appendono lì di notte. La gente si ferma, legge, abbassa la testa.

Ci infiliamo in una kafana, una stanza scabra, con i tavoli ammucchiati lontano dalla strada. Sul bancone solo qualche ciambella scura. Però c'è quel Nescafé ristretto e agitato forte che fa la schiumetta e può sembrarti un espresso italiano. C'è fumo di Drina, urla di uomini bevuti vestiti con divise militari cucite in casa, miliziani di un esercito raccogliticcio, eroi combattenti e vecchi galeotti promossi comandanti locali. C'è una donna immobile, un gomito sul tavolo e la faccia appoggiata malamente nel palmo della mano. È ferma, in quel gesto che le trascina i lineamenti, le dilata le narici, le scopre i denti scuri, le chiude un occhio. Non sembra accorgersi di nulla di ciò che accade intorno. Forse è lì a smaltire uno spavento.

Forse è sfregiata dal dolore.

Donne attonite. Vecchi che sembrano statue. Beviamo il Nescafé. Chiedo a Diego per l'ennesima volta che senso ha restare.

«Perché siamo qui?» gli dico.

Perché questa assurdità? Questa punizione?

Non risponde, lecca il caffè fino all'ultima goccia. Ha la lingua bianca, sporca come la mia.

«Io non ti ho chiesto di venire.»

E in camera, più tardi, quando non abbiamo niente da mangiare perché non ci siamo preoccupati di quello, e i nostri stomaci sono verdi e aspri, la voce di Diego mi raggiunge nel buio:

«Torna in Italia, amore mio.»

Piove... il cielo cola, si sfalda. Ha tuonato e lampeggiato tutta la notte, i boati della natura si sono mischiati con quelli della cattiveria umana. Sono rimasta sveglia a lungo ad ascoltare quella gara nel cielo, come se Dio si fosse indispettito, e avesse messo in atto tutta la sua furia in quel cielo che gli appartiene, bagnando le bocche dei cannoni, degli obici, della contraerea adattata a terra, i tagli delle trincee. Non deve esserci altro che fango, lassù nelle montagne. Forse gli alberi dei boschi non ce la faranno a trattenere quest'alluvione, la terra franerà a valle come liquame, trascinando gli orti, le case dei Sangiacchi.

La pioggia bersaglia i teli delle finestre e da ore c'è questo rumore terribile. Fa freddo, la stagione precipita, queste mura sporche di crepe che si allungano fino al soffitto non ci proteggono più. C'è un odore di umido e di panni sporchi. Diego è raggomitolato sotto le lenzuola, la testa coperta, i piedi nudi, gialli. La bombola del nostro fornello da campo è spirata, ne è uscita un'ultima esalazione azzurra... una fiamma che è durata pochissimo, poi se n'è andata verso l'alto, proprio come un'anima esausta. Scendo nella cucina comune a cercare un po' di caffè. C'è Velida in fila, le gambe bagnate fino alle ginocchia, una brocca di ferro smaltato in mano. Fa un salto, sussulta, la brocca cade.

«È un tuono, è soltanto un tuono...» le dico.

Mi chino, le restituisco quel bricco che s'è sbreccato in due punti e adesso si vede l'anima di ferro.

«Un'altra cosa rotta...» sorride.

Ha uno strano odore anche lei. L'odore dei cittadini di Sarajevo. E non è soltanto l'acqua che manca, perché oggi ci si lava con la pioggia, è la stanchezza, il panico che trasuda dai corpi. Un odore di premorte. Come quello delle bestie terrorizzate che d'un tratto emanano un fetore insopportabile per difendersi. Sono corpi sottosopra, stomachi alterati di gente che mangia erba e non dorme ed esce di casa con la certezza di morire.

Piove su quella piccola fila nel cortile. Donne in ciabatte, zuppe che tremano.

«Guarda come ci siamo ridotti...»

Velida stamattina può piangere, perché piove così tanto che nessuno si accorgerà delle sue lacrime. Una donna in fila la spinge, lei si fa di lato, la lascia passare. Poi le cede anche la sua razione di latte, che il vivandiere ha trovato chissà dove, sono mesi che non si vede un po' di latte vero. M'arrabbio, le dico che è troppo magra per permettersi di essere così generosa. Ma lei non vuole ridursi come un animale, rifiuta quella lotta tra disperati.

«Ha dei figli» dice, «io ho soltanto la morte.»

Alza la testa, i capelli bagnati le denudano il capo, sono ciuffetti di lana fradicia.

«Ormai la vedo, fino a poco tempo fa la tenevo a distanza, ma ormai è qui, l'ho lasciata entrare... si siede in cucina come me, mi guarda davanti ai fuochi spenti, mi fa compagnia. M'invita a danzare. Stanotte indossava le mie scarpe italiane, quelle del viaggio di nozze, color cammello, aperte sul tallone.»

Torno su con un po' di caffè. Diego è già pronto per uscire, ha un'incerata rossa, leggera e strappata sulla schiena.

«Dove vai?»

Non ce la fa a stare chiuso lì dentro, non gli importa della pioggia, anzi gli piace.

Ha riparato lo strappo sull'incerata con due pezzi di scotch bianco, quello della nostra cassetta medica nella scatola da scarpe.

Se ne va con quella croce sulla schiena. Gli dico che sembra un bersaglio perfetto. Scuote le spalle, sorride. Fino a poco tempo fa mi sarei buttata addosso a lui per trattenerlo, ma ormai non ho più forza. È diventato fatalista come tutti i sarajeviti. *Il destino è come il cuore*, mi ha detto, *è dentro di noi fin dal primo istante, quindi è inutile cambiare strada.*

Imbecille.

Lo seguo. Senza giubbotto antiproiettile, perché pesa troppo, perché anch'io oggi abbasso la guardia. Sono stanca, la stanchezza rende temerari.

E poi, forse, con tutta questa pioggia i fucili saranno bagnati, e la vista dei cecchini appannata, squamata. Forse è più facile farla franca sotto la pioggia.

Lo seguo nei camminamenti gocciolanti, negli androni deserti, tra lastre di muri divelti, spostati dalle granate, che hanno ritrovato un loro equilibrio spettrale. Si vede di che cosa è fatto un muro... di quale trama, di quale polvere. C'è questo sguardo interno, osceno. Intimità attraversata, scoperchiata, resa pubblica nel pubblico dolore.

Eppure nessuno guarda più, si tira dritto.

Gli occhi passano accanto ai cadaveri e non si fermano, non si voltano. La guerra è dentro questi passi che continuano, questi occhi stanchi che scartano.

Gi occhi sono gli unici pezzi di vetro che non cadono, restano lì nei loro telai tra le ossa, costretti a guardare, a ingoiare immagini che ammalano il corpo.

Piove. Cammino dietro mio marito, ogni tanto lo perdo, poi lo ritrovo. Sono affamata.

Diego ha quella croce bianca sulla schiena di plastica rossa. S'infila al mercato coperto. Gente solitaria gira su se stessa, sembrano pazzi, carcerati di un nosocomio, camminano a testa bassa come bestie in un recinto dove passano scosse elettriche. Ogni tanto qualcuno trema come se avesse toccato quel confine che non uccide, ma soltanto scuote, logora il sistema nervoso. Non c'è niente da comprare, solo misera merce di scambio, una cuccuma di rame, una bottiglia di grappa... un barattolo di confettura di prugne, un accendino Bic.

Diego si china, raccoglie qualcosa, tira fuori una banconota.

Intorno c'è solo acqua, viene giù a strappi violenti come se fosse scaraventata a secchiate.

Diego fotografa la gente che deambula muta in quella cornice d'acqua, pesci moribondi, venuti a galla.

Ormai sono completamente bagnata. Per terra c'è solo fango, poi una testa calva, staccata a un manichino, esplosa fuori da un negozio, le labbra rosse, luccicanti di pioggia, gli occhi finti sgranati. Mi fermo a guardare quell'assurda testa che mi sembra così sola, e quasi vorrei chinarmi e raccoglierla e portarla con me, posarla sul tavolino di un bar e parlarci. Diego sta attraversando il Ponte Ćumurija. Vorrei tornare indietro, ma mi sembra che indietro non ci sia più nulla. Corro dietro di lui... dietro quella croce bianca.

Rasenta la Papagajka, quel brutto edificio troppo colorato, quel pappagallo steso dalle granate. Cammina ancora, non si guarda alle spalle. Si infila in una costruzione più bassa delle altre, è una ex scuola... stanze in fila, nere come grotte. Aule senza più infissi né porte, finiti nelle stufe come i banchi di cui è rimasto solo qualche scheletro di ferro. C'è puzza di escrementi. Diego sembra conoscere a memoria quell'itinerario. Passa accanto a un muro dove c'è ancora una carta geografica della vecchia Jugoslavia e una fotografia di Tito crivellata di colpi. Un uomo sta facendo a pezzi un'asse di legno superstite, non mi guarda nemmeno. Cammino dietro ai passi di mio marito. Si sentono voci, suoni... di gente che non si capisce se ride o piange. Ogni tanto c'è una tenda, o un tappeto tenuto da chiodi sul buco di una porta, proteggono miserabili intimità... materassi ammucchiati in terra, stufe di fortuna. Probabilmente è un rifugio per profughi. Poi sento quell'odore di legna e vernice che bruciano insieme. Diego è arrivato, ha sollevato il lembo di un telo di plastica e s'è unito al gruppo di persone accovacciate al centro di quella stanza accanto a un fuoco fatto per terra, sull'impiantito umido... un fuoco fiacco, che esala solo fumo.

Resto dietro la plastica. Frugo tra quelle povere schiene. Quando mi accorgo inghiotto, il respiro sembra polvere di vetro che rovina la gola. Con il capo coperto non si vedono i capelli, sembra una delle tante musulmane sfinite, contadine scappate dai loro villaggi incendiati. Diego apre lo zaino, si siede lì accanto. Lei si appoggia alla sua spalla, lo stava aspettando. Bevono l'acquavite che lui ha portato, si passano la bottiglia. E dopo la passano agli altri.

Poi Aska si alza. Ha ancora i suoi scarponi da guerriera, però è vestita alla turca con le *šalvare*, i pantaloni alla
zuava delle musulmane. Lei e Diego escono per strada. La
pioggia le butta indietro il velo e adesso oltre la falce bianca della fronte si intravede il rosso dei capelli.

Sono insanguinata da una strana euforia, una gioia violenta che mi taglia la testa. Avanzo nel silenzio irreale di
questa pioggia che divora ogni altro rumore. Non camminano veramente insieme, lui le va dietro, leggermente di-
scosto. Sembrano due amanti che hanno discusso.

Li seguo nei camminamenti obbligati, tra cortine di lamiera e blocchi di cemento. Ora sono all'aperto, in uno di
quei passaggi scoperti dove c'è la scritta ATTENZIONE AI
CECCHINI...

Mi fermo, sento la paura nelle gambe, nella pancia. C'è
quella fessura da cui s'intravede il verde plumbeo dei monti. Le abetaie immerse nella pioggia sembrano guerrieri che
avanzano. Qualcuno ha attraversato a zig zag correndo...
e ho sentito la raffica. Un uomo che per fortuna adesso è
in salvo dall'altra parte dell'incrocio, respira piegato su se
stesso. Puzzo di paura... sudo nei vestiti bagnati.

Non ci posso credere, Aska avanza. Resto a fissare allucinata quell'attraversamento. Non corre, cammina placida
come se quello non fosse un incrocio maledetto di Sarajevo, ma Roma o Copenhagen.

Diego si è fermato, come se non avesse più voglia di seguirla. Poi di colpo esce allo scoperto, corre come il portan-
tino di un'ambulanza con la sua cerata rossa e quella croce di scotch sulla schiena... la strattona, la trascina per un
braccio, le urla di correre, di togliersi da lì. Le fa scudo con
il suo corpo.

La raffica non arriva, forse il cecchino ha finito il turno,
o forse anche lui è rimasto a fissare incredulo quella pecora dai capelli rossi, quel balletto indolente.

Ora Diego e Aska sono in salvo dietro la carcassa di un
tram. Lei si è accesa una sigaretta. Restano lì non so quanto tempo, come bestie bagnate. Lei fuma un'altra sigaretta.
Fuma anche lui, non mi sembra che parlino. Sono accovaccia-

ti in silenzio, le ginocchia all'altezza del naso. Poi si stringono, di colpo, come se all'improvviso avessero fatto pace, e lei l'avesse fatto apposta a rischiare la vita poco fa, ad andarsene così lenta a quell'incrocio, forse soltanto per punirlo. Lui le ha tolto il velo, le carezza i capelli. Si posa tra quei capelli con la fronte, resta a respirare in quel manto bagnato.

E a me sembra di sentire l'odore di quell'abbraccio, l'odore caldo di una cuccia, di un ricovero.

È un gesto che faceva i primi tempi, quando aveva lasciato la sua città e ancora non riusciva ad adattarsi completamente a Roma. Allora mi posava la fronte addosso, sulla spalla, vinto da una stanchezza interna. Restava lì, piantato nelle mie ossa, lo sguardo nascosto di un bambino sconfitto, che non vuole farsi vedere mentre perde per bisogno d'amore.

Aska sembra molto più forte di lui. Lo consola rigida, impacciata, quasi infastidita da quel cedimento.

Si solleva in piedi, è più alta e più magra di come la ricordavo, sembra una candela nera. E proprio dalla magrezza il ventre affiora, una protuberanza rotonda, come un gonfiore. Potrebbe sembrare il ventre di un corpo affaticato dalla guerra, da quella cattiva alimentazione, dalle ortiche, dai brodi di farina, dall'acqua indigesta colorata dalle pasticche disinfettanti... un ventre ammalato di verminosi. Ma io so che non è così. Quel ventre mi entra dentro come una granata. Indietreggio spanzata come quell'uomo in via Vase Miskina, quel guanto bucato appeso a una transenna.

Me li lascio alle spalle. Vago in quel luna park incendiato. Raccolgo la testa del manichino, me la porto a spasso sotto il braccio.

Ce l'ho fatta a tornare a casa, a infilarmi nel letto. Non ho nemmeno richiuso la porta, è lì che sbatte nei suoi cardini e scandisce il tempo dell'attesa, entrano raffiche di vento, di pioggia che bagna ogni cosa. Diego torna, si scrolla i capelli, si toglie la cerata, i jeans fradici. Resta con le sue zampe bianche e il suo viso scavato.

«Ora sai perché non posso partire.»

Apprezzo quello che viene, la febbre e il resto. Le allucinazioni, cerchi nell'acqua, nel fango, nel cielo dei proiettili rossi. Vedo una lunga fila di tombe vuote e tutte le persone che conosco lì dentro, ognuna nel proprio loculo, parliamo, sorridiamo, tiriamo su e giù i coperchi, scorrevoli come quelli delle scatole di fiammiferi. Velida entra e porta una delle sue tisane. Diego non si è mai rimesso i pantaloni, sta lì a gambe nude, lo stoppino della candela frigge nell'olio. Non si avvicina, dondola la testa.

«Perché non me l'hai detto?»

Voleva cavarsela da solo, non voleva che io rischiassi la vita, dice.

Non è agitato, non piange, non è niente. È fermo come questa guerra.

Abbiamo raccolto l'acqua piovana. C'è questo cimitero di bacinelle nella nostra camera. Sarà infetta, quest'acqua? Che importa? Voglio fare un bagno. La febbre mi brucia dentro. Mi immergo nel gelo che odora di stagno.

Sapeva che ero dietro ai suoi passi, dice, mi ha lasciata stare.

«Non poteva andare avanti così.»

È tranquillo, per la prima volta dopo mesi.

Hanno fatto l'amore quella notte, e tutte le notti e i giorni che sono rimasti insieme. E non è stato un accoppiamento, sono state ore di amore, di assoluta dolcezza.

Solo adesso che parla di lei ha gli occhi vivi... quando mi racconta come ha faticato a staccarsi da quel corpo, da quella nuca.

È facile aggrapparsi alla vita quando fuori piovono granate.

E la nostra vita dov'è?

Lontana, lontana... è inutile mentirsi. Abbiamo camminato moribondi in Croazia, in Ucraina... ci siamo fermati all'aeroporto di Belgrado, e siamo tornati a morire a Sarajevo, in questa città dove siamo nati.

La testa del manichino è sul tavolo, ci guarda con i suoi larghi occhi bistrati.

Abbiamo cercato un corpo in appoggio... un pezzo di legno nel letto del nostro fiume che andava alla malora, che ci portasse sull'altra sponda. Ma lui non è come me, non riesce ad approfittarsi delle persone... lui è un ragazzo stupido, è uno che s'innamora.

Non sapeva che fosse incinta, lei non l'ha mai cercato. Lo ha scoperto solo quando è tornato a Sarajevo.

Guarda la testa mozza, che adesso deve sembrargli quella di Aska. Anche lei vive così, staccata dal suo corpo.

Si è pentita subito di quella storia, è arrabbiata, depressa. Nel suo paese, a Sokolac, la sua famiglia è stata sterminata... e adesso si sente colpevole, crede che Dio l'abbia punita.

Diego carezza quella testa, gli occhi sgranati, lucidi di un pianto che non scende, s'incolla.

«La ami?»

«Come faccio a non amarla?»

«E io?»

«Tu sei tu.»

Chi sono io? Sono quella della fotografia sull'accredito stampa. Devo andarmene, devo trascinarmi fino al comando dell'Onu brandendo il mio accredito e infilarmi su uno di quegli aerei che non spengono nemmeno i motori, scaricano casse di medicinali sulla pista di Butmir e se ne vanno. Invece resto. Come faccio ad andarmene? I rullini cadono sul pavimento, nessuno li raccoglie. Ci sono fotografi appostati ovunque, accanto agli attraversamenti più pericolosi, aspettano il morto che cammina, la donna che corre per raggiungere la sua famiglia e che viene colpita. Sono gli sniper della pellicola. Aspettano la fotografia che gli farà vincere il premio.

Dalle colline rotolano a valle storielle agghiaccianti. Nei fine settimana, ai cetnici si uniscono strani volontari. Gente che arriva dall'estero, per divertirsi. Tiratori scelti stufi delle simulazioni, delle sagome di cartone.

Sarajevo è un grande poligono all'aperto. Una riserva di caccia.

Dopo la pioggia escono lumache

Dopo la pioggia escono lumache, avanzano allungando i corpi viscidi, privi di ossa, fuori dalla loro gracile casa. Dopo la pioggia i sarajeviti spigolano i prati senza alberi, tra grovigli di ferro e tumuli freschi... si chinano furtivi, eccitati, a raccogliere queste bestioline luccicanti. Sono mesi che non mangiano un pezzo di carne. Ha piovuto e oggi le donne sorridono, svuotando il loro bottino nelle cucine vuote di tutto. Sorridono i bambini che vedono le lumache camminare sul tavolo, e cadere. Anche Velida è arrivata con un sacco pieno di quei gusci. Li ha raccolti di nascosto, in un orto isolato... si vergogna a farsi vedere così affamata.

Inzuppiamo il pane nella pentola, la cucina è invasa da questo odore leggermente dolciastro. Lumache cotte nel brodo liofilizzato dei pacchi umanitari con aggiunta di spezie turche e aceto bosniaco. Una prelibatezza.

Velida dopo dirà che è stata colpa di questo cibo troppo buono, che gli ha restituito una felicità che da tempo non sentivano, che li ha illusi, gli ha fatto male.

Jovan aveva gli occhi lucidi e le guance leggermente colorite dopo mesi di pelle grigia, maculata di chiazze ruvide.

Dopo mangiato s'era acceso una sigaretta di quel pacchetto che gli aveva regalato Diego. Le Drina, che adesso si impacchettavano con le pagine dei libri, perché la carta mancava, e naturalmente avevano cominciato dai libri in cirillico. A Jovan dispiaceva che la sua cultura andasse in fumo, però pazienza, una sigaretta dopo un piatto di lumache era un vero lusso.

Quando è tornato il silenzio, quando Velida è tornata a sminuzzare ortiche e l'odore buono delle lumache se n'era andato per sempre, Jovan è uscito.

Erano mesi che non usciva. Si è vestito di tutto punto, con il gilet di lana, la cravatta larga, la sua vecchia kippà in testa. Ha preso la borsa che usava quand'era professore e ha detto che andava a fare un giro, che si sentiva bene.

Parole irreali in quella città fantasma, in quella casa senza luce, senza vetri, con i mobili migliori venduti e quelli peggiori fatti a pezzi per poterli ardere.

«Dove vai, Jovan?»

«Vado all'università.»

Velida non aveva avuto il coraggio di fermarlo, aveva sempre rispettato la volontà del marito e non le sembrava certo quello il momento di trattarlo come una persona interdetta. Aveva provato soltanto a dirgli che l'università era stata colpita come tutti gli edifici più importanti, e Jovan aveva annuito...

«Vado a vedere se si può fare qualcosa.»

«È pericoloso...»

Aveva cavato fuori un sorriso e quel vecchio proverbio yiddish.

Se il destino di un uomo è annegare, annegherà anche in un bicchiere d'acqua.

Velida era venuta a bussare alla mia porta troppo tardi, quando era già buio, già l'ora della polizia, e Jovan era uscito da molte ore. Non piangeva, però la testa le tremava più del solito.

Era preoccupata, ma ancora piena di coraggio. Aveva fatto la cosa giusta.

Oggi, in una giornata di metà novembre, dopo una mangiata di lumache e due bicchieri di acquavite fatta in casa con il riso dei pacchi umanitari, l'anziano Jovan, ebreo serbo di Sarajevo, esperto di biologia delle acque dolci, dopo aver studiato per tutta la vita l'evoluzione degli oligocheti e delle alghe unicellulari flagellate, era uscito a dare un'occniata al tugurio della sua città, alla distruzione della sua specie, quella pacifica dei musulmani, dei serbi, dei croati, degli ebrei di Sarajevo.

Il buio mangiava il volto di Velida, attraversato dal fiume dei ricordi. Non era pentita, se Jovan aveva sentito quel bisogno di andare era giusto così.

«Non ci siamo mai fatti violenza, siamo una coppia pacifica.»

Quando la notizia arrivò Velida annuì, e fu un tassista a portarla, uno di quegli eroi di città che affrontavano gli incroci più terribili a portiere aperte per tirare via i feriti. Un uomo alto, il volto bellissimo, squamato dalla fatica della guerra. Allargò le braccia e poi le chiuse sul petto, come i musulmani, chinò il capo.

Jovan era stato colpito sul Ponte dell'Unità e della Fratellanza, s'incamminava tranquillo verso i cecchini di Grbavica. Era quello che la gente troppo stanca o troppo orgogliosa come lui faceva. Decideva di morire in piedi. Di camminare verso il proprio sniper come verso un angelo.

Velida pianse nella gola, piccoli sorsi di un dolore sterminato, e poi brevi apnee. Così seppelliva cinquant'anni di vita con Jovan. Le stringevo la mano, solo quella. Era una vedova forte, altera, come la moglie di un combattente. Non c'era che quel rumore di gola nella cucina vuota, come il gorgoglio di un tacchino. Pochi giorni prima una lite, una delle poche liti di tutti quegli anni insieme. Jovan insisteva che Velida vendesse il microscopio, i libri e tutte le attrezzature del suo laboratorio scientifico. Ma lei non voleva nemmeno sentirne parlare, aveva dato via il suo oro, la poca argenteria di casa, aveva bruciato le sue scarpe e i suoi libri per mandare avanti la stufa, ma non voleva vendere gli oggetti di Jovan.

«Non potevo spogliarlo della sua vita.»

Invece ci aveva pensato da solo. Restava la sua poltrona sfondata, il cardigan logoro che lo aveva riscaldato durante tutte quelle notti trascorse in laboratorio.

Penso che abbia semplicemente voluto liberare Velida del

suo peso. Senza di lui forse lei potrà andarsene, vendere il microscopio, salvarsi. Sapeva che, in ogni caso, non sarebbe sopravvissuto all'inverno, era troppo debilitato. La sua tosse ormai sembrava staccarsi da un cratere. Non gli andava di aspettare la fine seduto, al buio dei teli dell'Unprofor. Aveva atteso la pioggia, le lumache. Quella mangiata gli aveva restituito un po' di forza. Con quella forza effimera era uscito per salutare quello che restava della città dov'era nato e vissuto.

Raggiungiamo l'ospedale del Koševo. Nell'obitorio c'è quell'odore inconfondibile, acre e dolciastro. Passiamo accanto al corpo di una ragazza con i jeans e senza braccia, poi un uomo carbonizzato, la pelle nera, ritirata sulle ossa del cranio, i denti scoperti. Ci hanno dato una mascherina impregnata di disinfettante per proteggerci da quell'odore. Velida non l'ha messa, sembra non sentire nulla.

Jovan è intatto. È lui, assolutamente lui, la stessa faccia di qualche ora fa, di quando abbiamo mangiato le lumache. La morte non lo ha sporcato. Il medico che ci accompagna spiega che è stato colpito alla nuca e che il proiettile è uscito accanto a un orecchio, ci indica un piccolo foro color mirtillo. Velida annuisce. Non c'è nessuna bruttura. Anche i vestiti sono in ordine. Il medico si allontana, restiamo sole con tutti quei morti. Penso *è carne che non soffre più*. Penso che dopo questo abisso non c'è più niente. Che dovrei smettere di soffrire adesso, perché qui dentro semplicemente si smette di soffrire. Si abbassa la testa. Velida si china e bacia Jovan sulla bocca. Resta a lungo così, incollata al viso del marito con gli stessi occhi chiusi. Quando torna dritta non ha lacrime, ma le sue labbra sembrano scure e morte come quelle di Jovan.

Poi mi accorgo del bambino, è la salma successiva, dopo una barella vuota. Sembra un bambino blu. Sì, ha quel pallore leggermente celeste dei santi in chiesa. È composto, non ha sangue sul viso, e ha quel genere di capelli che restano sempre in ordine, ruvidi, tagliati corti, come un cappello di pelo... sono così vivi che mi sembra di sentirne l'odore, quello della testa un po' sudata sotto, di bambino che ha giocato. È una lucertola blu, questo bambino. Un piccolo santo. Dev'essere morto da poco, da pochissimo. Mi avvicino per guardarlo meglio, non c'è nessuno con lui. Velida sta parlando a Jovan, lo sta salutando. Sta ricordando i momenti migliori. Così io ho il tempo di fare quattro passi in questo luogo assurdo. Fuori da qualunque realtà. Il retrobottega della guerra, corpi ammucchiati come giocattoli rotti. Il bambino ha un golf a strisce. Gli guardo una mano, leggermente schiusa, abbandonata come nel sonno. L'innocenza reclinata umilmente alla morte. Gli guardo le unghie, dove mi sembra si sia fermata l'anima. Dovrei andarmene perché sento che non mi salverò più da questa visione, che questo bambino entrerà in me e uscirà solo quando anch'io morirò. Sarà l'ultima cosa che vedrò, e la prima che vorrò raggiungere, dopo, quando cercherò le unghie di questo bambino nel volo azzurro delle anime. Non mi chiedo dov'è sua madre, perché non è qui a piangere, forse è morta anche lei. Perché adesso sono io la madre del bambino, gli tocco la mano. So che non dovrei farlo. È che mi sembra di poterlo fare. Nessuno è qui a piangere sulla salma del bambino, a reclamarla. È appena morto, sembra ancora vivo. Sembra che possa fare un guizzo, piantarmi gli occhi addosso e andarsene in fretta come un topo, spaventato di trovarsi qui.

Ora avrei la cura per i potenti del mondo, per gli uomini in giacca e cravatta intorno al tavolo della finta pace. Bisognerebbe posare il bambino blu su quel tavolo. Dovrebbero restare chiusi in quella stanza, senza potersi muovere. Restare. Vedere la morte che fa il suo lavoro metodico, che se lo mangia da dentro. Distribuire panini, sigarette, acqua minerale e lasciarli lì, mentre il bambino si svuota, si decompone fino alle ossa. Per giorni. Per tutti i giorni che ci vogliono. Questo esattamente farei.

E adesso so di essere diventata madre davanti a questo bambino morto. Le ossa del bacino si sono aperte, un parto è passato in questo obitorio.

La ribellione mi fa battere i denti.

Vedo il bambino nel suo fluido azzurro. Gli tengo la mano. Percorro tutto il corpo, un gomito, i lividi sui polpacci tra la peluria sottile.

Cosa c'è dopo un bambino morto?

Nulla, credo, solo la replica sorda di noi stessi.

Il bambino è qui, con i suoi capelli da bambino, una calotta di pelo che esala ancora l'odore della vita. Gli occhi murati dei santi, dei martiri che indietreggiano. La pelle delle palpebre è liquida, gli occhi sotto traspaiono come acini d'uva... non sono del tutto chiusi, resta uno spiraglio tra le ciglia. Una strada. Come un camminamento scuro tra la neve fresca.

Prendo la mano del bambino, m'incammino con lui. *Perché sei nato?* gli chiedo.

Velida si avvicina.

«Possiamo andare, adesso.»

Poi anche lei si accorge del bambino, si mette una mano sulla bocca. «Di chi è?» sussurra.

«Non lo so.»

Si guarda intorno come cercasse qualcosa, qualcuno... il motivo di tutto questo. Anche lei non ha avuto figli, siamo due donne inutili, due biciclette senza catena.

«È il figlio della guerra...» dico, e non so quello che sto dicendo, quello che sto pensando, non so cosa sono diventata.

Siamo sole in un campo di morti. C'è un bambino blu che non potrò più dimenticare. Non dovevo essere qui oggi, non dovevo essere io a consolarlo, a tenergli la mano. È stato un caso.

Ci avviamo verso l'uscita. La mascherina intrisa di disinfettante mi protegge dall'odore. Non devo più voltarmi. Attraversiamo il buio, lo scheletro della città.

Di notte penso alle lumache, ai loro piccoli corpi viscidi, a quel gruppo di bambini che ho visto dalla finestra, che ridevano e raccoglievano quella manna del dopo pioggia. Penso al gilet rosso di Jovan, al suo petto pieno di catarro che cammina... sento il suono di questo petto, come se ci fossi dentro, come nella sala macchine di una nave. Penso agli occhi sonnambuli del bambino blu, a quella strada tra le ciglia... esile, collosa. È lì che cammina una lumaca, attraversa la strada, lenta come Jovan, un vecchio avvolto in un pastrano lucido come il mantello di una lumaca. È lui che accompagna il bambino attraverso la linea della vita.

Anche Diego più tardi andrà all'obitorio a salutare Jovan.

«Gli ho messo una sigaretta nel taschino» sorride. «Se la fumerà durante il viaggio.»

Gli guardo la schiena, i capelli rappresi. Ha schiacciato una lumaca, tornando, era sulla soglia della porta. Ha sentito il guscio che si sbriciolava sotto il piede. Gli è dispiaciuto averla uccisa, dice che adesso gli dispiace per tutto... perché ogni vita gli sembra infilata in un'altra. E ormai è un labirinto.

«Hai visto il bambino?»

«Quale bambino?»

«Il bambino blu, accanto a Jovan...»

Dice che non c'era nessun bambino quando lui è andato. Nessun bambino.

«La salma accanto... dopo la barella vuota» insisto.

Scuote le spalle. Si volta verso di me.

«Perché, cosa aveva questo bambino?»

Vorrei dirgli tutto, ma non posso dirgli niente.

«Era morto» dico.

Cammino nel fango delle lacrime, affogo nell'asola di quegli occhi che non s'erano chiusi del tutto e adesso saranno già sepolti, incollati di terra come una lumaca schiacciata. Non piangerò mai più così, nemmeno quando resterò sola. Quel giorno sarò forte come una vedova bosniaca, come Velida.

Davanti al bambino lei ha detto: «I mariti possono morire, i figli no».

E il suo dolore s'è ritirato, come le lumache nella pentola.

Io forse me lo ricorderò.

Ma stanotte piango tutto, anche quello che verrà. Quello che ho visto nella strada nera di quegli occhi socchiusi.

Poi mi calmo, ma non sono più io. Sono quello che resta sulla spiaggia dopo un uragano, un silenzioso campo di avvenuta distruzione. Dal quale affiora qualcosa, come un cartello stradale rovesciato.

«Sai a chi somigliava quel bambino? Te lo ricordi Ante?»

Diego ha un sussulto, come se l'avesse punto un pesce, di quelli sotto la sabbia, che danno la scossa.

«Ante...»

Già, lui. Quel moccioso con i pantaloni laceri, che restava sempre in disparte, infilato nella roccia come un uccello, che fingeva di saper nuotare e affogava pur di non chiedere aiuto.

Per qualche giorno non sento più nulla. Resto chiusa nel fuoco blu di quella visione. Intorno a me solo materia fredda. Il pensiero del bambino sotto la terra non mi lascia in pace. S'indurisce come un fossile nella pietra, un guscio. È l'ultimo gradino di questa scala che si arrampica nel vuoto. Non posso più toccare questa terra dove pascolano lumache e morti. Insieme al bambino blu mi sembra che siano morti tutti i bambini del mondo. Fa freddo, il ghiaccio si aggrappa alle cose, le cattura. I bambini giocano a scivolare, non li guardo nemmeno, mi sembrano fantasmi, creature incolonnate verso la morte.

Allungo un piede, tiro a me l'anta dell'armadio. Mi guardo in quell'unico pezzo di specchio che è rimasto incollato lì. I capelli sono ricresciuti del mio castano opaco, i colpi di sole sono colati in basso sulle punte, gialle come piume di gallina. Penso al mio parrucchiere, alla sua faccia, al suo gergo... *toni di luce, nuances, impacco rivitalizzante.* Sono dall'altra parte del mondo. Non sono più io, ma non mi importa. Passo il tempo stesa sul letto a spingere con la punta del piede quest'anta d'armadio, questo pezzo di specchio che mi riproduce a pezzi. Tutto ciò che è accaduto prima di questa guerra mi sembra confinato in una solitaria preistoria. Ci fu un tempo prebellico, prima del bambino blu, in cui avevo immaginato di poter restare accanto alla pecora, di poter posare una mano, un orecchio sul suo ventre. E insieme saremmo state due madri.

«Cosa farà Aska con il bambino?» ho chiesto a Diego.

«Non lo so, non ne parla.»

«Ho paura.»

Mi ha guardata per pochi istanti.

«Ormai è tardi per avere paura.»

E cominciò l'inverno. E la guerra si era ormai incarnita. La fioraia del Markale diceva: «Quest'anno siamo fortunati, la neve ritarda».

Stava lì a battere i denti, davanti al suo piccolo cespuglio di fiori di carta. Il cappello di lana fatto a mano sembrava sempre più grande sul suo viso sempre più piccolo. Eppure non smise mai di sorridere.

Ci sono cose che porterò indietro, e che mi salveranno. Il sorriso della fioraia di via Titova mi salverà.

Un giorno le chiesi come si chiamava. Forse pensò che fosse una domanda subdola, da giornalista. Dal cognome sarei potuta risalire alla sua etnia.

«*Cvječarka sarajevska*» rispose.

Che nome è?, chiesi a Gojko. Rise di quella vecchia fata furba. *Non è un nome proprio*, cvječarka *vuol dire fioraia*.

Cvječarka di Sarajevo e basta. Né serba, né musulmana, né croata. Fioraia di Sarajevo e basta.

Diego la fotografa, le compra mazzi di quei fiori, li porta a me, e di sicuro ne porta anche alla pecora.

Non sono gelosa, non sono più niente. Quello che c'è intorno si porta via tutto.

È Diego che mi racconta di lei, mentre camminiamo, mentre quei fiori stingono. lasciano gocce di colore. Mi dice che Aska è molto debilitata e triste, la sua famiglia è morta e quel bambino nella pancia le pesa come una pietra. Però è l'unica cosa viva che le rimane.

«Allora forse vorrà tenerselo...»

Glielo chiederà, quando sarà il momento.

«In quel caso...»

Scuote la testa, è un'ipotesi remota. Nessuna donna si terrebbe un figlio sotto il diluvio di una guerra.

«E tu resterai con lei e il bambino, vero?»

Mi gira la testa, mi chiedo cosa ci sto a fare qui.

Anche l'orso è morto, ha resistito più di tutti, mesi e mesi. Poi è morto. Il suo corpo di pelo s'è inginocchiato, poi si è steso, la bocca si è aperta lentamente, ed è rimasta aperta.

Accompagno Velida alla stazione ferroviaria, è da lì che dovrebbero partire le due corriere per la Croazia. Gojko mi ha aiutato a trovarle un posto. Non è stato difficile, ho sborsato tremila marchi, quasi tutto quello che mi restava, ma lei questo non lo sa. E non dovrò dirglielo mai, se vorrò restare sua amica. Le ho detto che è anziana e vedova e rientra di diritto nelle liste dei civili che vengono evacuati. Ma non è così, nessuno riesce ad andarsene senza pagare. Ha solo una valigia con sé, piccola, marrone scuro, di finta pelle, con un paio di lacci che l'attraversano. La prendo per il manico, non pesa nulla. Non mi piace questa valigia mezza vuota, non c'è una promessa di vita.

«E cosa mi serve?» dice. «Il cappotto ce l'ho addosso. Cosa mi serve per la mia nuova vita?»

Però s'è portata i merli, se li tiene accanto ai piedi, in una gabbia troppo piccola, coperta da uno straccio. Ha paura che non la facciano salire con quella gabbia, è la sua unica preoccupazione. Sorride. I capelli corti, brizzolati, e il viso scabro. Però stamattina ha un colorito discreto. Fa un freddo cane, non possiamo nemmeno sederci, aspettiamo in piedi davanti alle macerie di quella che un tempo era la stazione ferroviaria... da lì si partiva per Ploče, per le gite verso il mare. C'è altra gente, seduta sui propri pacchi, donne che stringono bambini. Se ce la faranno ad attraversare le garitte militari dei check-point andranno a ingrossare il gregge già numeroso dei profughi, delle persone in transito, con il foglio del permesso di soggiorno temporaneo nel passaporto blu con i gigli dorati della neonata e già defunta Bosnia. Raggiungeranno i centri d'accoglienza, faranno lavori umili, saranno guardati con sospetto dai cittadini delle nazioni dove potranno vivere, ma mai più essere se stessi. È questa la nuova vita.

I pullman arrivano al tramonto, quando nessuno ci spera più. C'è un grande applauso, bocche cariate ridono. Velida si arrampica, si mette la gabbia sulle ginocchia. Ci salutiamo attraverso il vetro, becchetta con la testa, chiude gli occhi per farmi capire che è tutto a posto. «Ti scriverò.»

Le ho raccontato di Aska, alla fine. Sapeva già tutto, l'aveva vista insieme a Diego.

«Dove?»

«Ai vecchi bagni turchi...»

Camminavano mano nella mano. Le avevano fatto impressione. Così giovani, sperduti, sonnambuli.

Mi ha stretto la mano, mi ha trascinata a sé per l'ultimo abbraccio. «Non fare come me» mi ha detto, «non rispettare la morte. Combatti, agguanta la vita, Gemma.»

Madri intorno piangono, uno dei due pullman è interamente occupato da bambini. C'è solo un accompagnatore, un uomo robusto, con una cravatta color pesca, che raccoglie i passaporti.

Questa cravatta mi tornerà in mente, insieme a quel pullman di bambini, nel salotto di casa mia a Roma, quando un giorno leggerò che centinaia di bambini evacuati da Sarajevo sono scomparsi nel nulla. Forse adottati illegalmente, forse molto peggio. Peggio, da dire: *spegni tutto, cosa cazzo aspetti, Dio? Togli il sole, buttaci addosso dal cielo un pianeta nero come il cuore dei bracconieri in cravatta. Oscura tutto una volta per sempre. Cancella anche il bene, perché il male vive nelle sue tasche. In questo istante. In questo. Perché in questo istante un bambino sta per essere raggiunto. Salva l'ultimo. Spegni tutto, Dio. E non avere pietà, non abbiamo diritto a nessun testimone.*

In una notte, dai canaloni tra i monti, s'incuneano a valle nei vicoli della Baščaršija raffiche di gelo che paralizzano la vita rimasta. La temperatura scende molti gradi sotto lo zero, le coperte pesano sui corpi, rigide e gelide come manti metallici. Il freddo penetra ovunque da quelle costruzioni ferite. I teli alle finestre sono ricoperti di ghiaccio, le mani che li toccano si bruciano. I primi morti assiderati cominciano a contarsi nelle albe di nebbia, mummie velate di gelo come biscotti secchi ricoperti di glassa. Gli orti d'inverno resistono, rattrappiti sotto piccole coperture di sacchetti di cellophane legati l'uno all'altro.

I cecchini di Grbavica, di Trebević, di Poljine fanno turni più brevi per via del gelo, non distinguono la carne della mano dal ferro dei fucili.

La neve cade, mangia il cielo. La città è chiusa nel silenzio dei suoi passi, le cannelle dell'acqua hanno coaguli di ghiaccio sulle bocche. I bambini si dissetano con la neve che divora le mucose.

La neve copre le macerie, si aggrappa sui palazzi neri in una notte e sembra poter pulire tutto. Poi invece la città diventa ancora più cupa, più abbandonata, quando la neve spalata a mano forma i suoi muri sporchi, e dal manto bianco si affacciano come lance spezzate i minareti caduti. Il gelo rattrappisce la vita... per strada solo figure ossute, scheletri gobbi come quelli del Museo di Scienze naturali trascinano slittini, passeggini sbilenchi carichi di rottami.

Poi la prima granata del giorno, il sangue sulla neve.

Gojko non lo vedo quasi più, vive rinchiuso nel bunker della radio, mette in contatto la gente con i parenti imprigionati nei quartieri occupati, riceve dalle stazioni radio in Croazia e in Slovenia le chiamate dei profughi che vogliono avere notizie dei famigliari rimasti sotto assedio. Ma trova ancora la forza di sorridere. *Sembrano voci dall'aldilà*, dice. È diventato così bravo a captare suoni lontani, collegamenti che s'interrompono infinite volte, voci che affiorano dentro un bosco disturbato da altre voci, da singhiozzi, da rumori che sembrano scosse telluriche.

«Un giorno parlerò con i morti» dice. «Quando questa guerra sarà finita, ormai sarò diventato un medium.»

Qualche sera riusciamo ancora a bere insieme, quella birra che ormai sa di sapone, nei locali sotterranei che hanno riaperto, perché la vita comincia a riorganizzarsi all'ombra della guerra. E i ragazzi hanno voglia di ubriacarsi, d'innamorarsi, di ridere.

Così riincontro Ana e Mladjo. Zoran invece è stato catturato da uno dei gruppi paramilitari ed è morto scavando trincee sullo Žuć. Ridono, perché Zoran era un intellettuale, refrattario al lavoro fisico come un gatto all'acqua, e immaginarselo lì con il fango alle ginocchia e la vanga in mano li diverte.

«E poi» dice Ana «le lacrime affogano i morti, le risate li tengono in vita.»

Indossa un paio di Levi's 501 e una maglietta nera, è ancora bella anche se ha i denti più scuri.

«Cosa ci stai a fare ancora qui?» mi chiede.

Mladjo mi fa vedere il suo ultimo lavoro. Camminiamo fino a un edifico austroungarico, dove c'era una scuola elementare. È completamente distrutta all'interno, però la facciata resta in piedi. E su quel muro, solitario come una tela appesa nel nulla, lui ha spruzzato poliuretano espanso, ha scavato la prospettiva di una classe... un'immensa adunata di strani bambini. Riconosco molte facce, Ana, Gojko, Zoran con il suo viso butterato. Ci ha messo tutta la gente che conosce di Sarajevo, tutti i suoi amici, quelli vivi e quelli persi.

Cosa ricordo di quell'ultimo mese? Sebina con un cappello rosso da Babbo Natale, che Gojko s'era fatto regalare da un cameraman irlandese. Andava con la madre a una festicciola in casa di una cugina, Mirna aveva un vassoio di dolci, i capelli in ordine, il rossetto. Eravamo passate accanto allo Zemaljski Muzej, e lei aveva dato uno sguardo agli antichi *stećci* bogumili crivellati di colpi. Sebina invece non sembrava accorgersi di quella profanazione, saltellava tra i sacchetti di terra dei trinceramenti. Era felice perché il suo maestro era riuscito a organizzare una piccola classe nel suo appartamento, così non avrebbe perso l'anno scolastico.

Non so dire da che parte dentro di noi cola l'amore prima di fermarsi nella pancia. La guerra mi colava dentro dalle stesse fessure dove un tempo era passato l'amore, e adesso si era depositata nelle mie viscere, in profondità. Di notte solo la luce dei proiettili traccianti attraversava il buio. Pensavo a quel ventre che cresceva, gonfio e candido come i sarcofaghi bogumili che avevo visto la mattina, con le loro simbologie floreali e le loro cosmogonie incise nella pietra, sfregiate dalle raffiche. *È il simbolo che vogliono uccidere... il simbolo*, diceva Gojko. E adesso sapevo che quel ventre era Sarajevo.

Diego fischia, infila la lingua tra i denti e riproduce il sibilo delle granate. Non spedisce più i rullini, come faceva prima, tramite qualche giornalista che tornava in Italia. Ci sono piccoli tagli fatti dal vento, dal gelo, nel telo di plastica verde sulla finestra, Diego infila l'obiettivo in quei tagli, come fanno i cecchini con le canne dei fucili, orienta il corpo, sceglie un bersaglio, qualcuno che passa. Ma spesso scatta senza nemmeno la pellicola. Se glielo dico scuote le spalle.

«È uguale» dice, «non cambia un cazzo.»

Non parliamo più del dopo, lasciamo passare le ore incistati nel presente. Siamo come tutti gli altri prigionieri di questa valle, non abbiamo nessuna certezza di resistere fino a domani. Questa precarietà non mi dispiace, è come camminare sulle onde. Se soltanto lui fosse qui con me. Invece ci nascondiamo l'uno dall'altra, e questo assedio è il nostro, una cortina dura che ci protegge da noi stessi. Di notte c'è il divieto di uscire con le torce, ma Diego spesso va, si tira su dal letto. La barba lunga che ormai gli copre il collo, gli occhi doloranti, si agita, dice che di notte non può dormire. Vaga allucinato nell'ossatura di quella città divorata... è come addentrarsi nel corpo stesso della morte.

Gli tocco il petto magro, allontana le mie mani che gli porgono quel gilet di piombo, non può sopportare quel peso. La sua schiena s'è fatta dura, adulta. Non c'è più tempo per le idiozie, per i duetti amorosi.

Più di tutto mi manca il fesso abbandono del dopo. Quando Diego mi scansava i capelli dalla nuca e restava a baciarmi per ore, in quel fosso tra le ossa del collo dove cominciano i capelli, e dove lui diceva che c'era ancora l'odore della mia nascita.

Non aspetto più il giorno della resurrezione, dell'aereo che ci porterà via. Forse semplicemente non torneremo più, moriremo insieme a questa città dove ci siamo conosciuti. Dove abbiamo fatto l'amore la prima volta, nel letto della madre di Gojko, davanti a una culla vuota. Avrei dovuto dare retta a quel segno, che era già il nostro destino.

Di Aska non parliamo mai. Lei si muove sul fondo, abita in quel quartiere periferico, più distrutto degli altri, da cui non vuole staccarsi, è facile scordarsi di lei. Ma Diego di notte la chiama, ulula come un cane ferito, si tira su nel letto. Per questo non riesce a dormire. Ha paura che lei venga colpita, con lei morirebbe anche il loro bambino. Ecco, l'ho detto: il *loro* bambino. E vorrei avere il coraggio di Jovan, andare incontro al cecchino, a braccia aperte come un angelo. Ma non è questa la mia città, non è questa la mia bara. Sprofondo nelle coltri fredde, siamo pesci sepolti in un lago ghiacciato. Pesci resi ciechi dalla profondità, ci sfioriamo senza incontrarci.

Diego dice che Aska non c'entra. Sarebbe rimasto comunque, non può lasciare sola questa gente, non può vivere altrove, adesso. Adesso che conosce quel dolore, che ha provato a staccarsene ma non ce l'ha fatta.

La vita è qui, tra queste macerie ricoperte di gelo. E lui non l'ha mai sentita così forte. La vita è Khalia, la ragazzina che trascina lo slittino con i suoi fratelli sopra, piccoli come conigli, è Izet, il vecchio che ogni giorno va davanti alla sua bottega chiusa alla Baščaršija e s'appoggia alla saracinesca ammaccata, la vita è la fioraia che vende mazzetti di illusione.

Diego non fa che ripetermi *vattene, torna a casa*. Ma io non posso andarmene senza di lui, senza questo amore che adesso lui sparge come becchime per le strade di Sarajevo.

«Tu non hai bisogno di me, ce la fai benissimo da sola.»
Passa le giornate in fila a riempire taniche d'acqua che poi

porta negli appartamenti dei vecchi, della gente inabile rimasta sola. Costruisce stufe, trascina legna, spala neve, fa la spola tra i centri di distribuzione degli aiuti umanitari e le case delle famiglie che ha adottato e che ormai lo aspettano. Ha la faccia unta di manate di bambini che gli vengono in braccio, che lui porta su per le scale di quei palazzi senza luce, puzzolenti. Rischia lui la vita, invece di farla rischiare alle madri, perché gli uomini validi sono quasi tutti a combattere, a scavare trincee. Non fotografa quasi più, dice che non gli interessa, che Sarajevo è piena di fotografi e di reporter, gente che non serve a nulla, sciacalli. I giornali del mondo sono saturi di questi morti maciullati, di questi bambini sporchi in tuta da ginnastica, hanno bisogno di più spazio per la pubblicità, per i panettoni, i diamanti per sempre.

S'era messo in testa di creparci, in quella guerra, di pagare lui per tutti quei mediatori di pace che non facevano un accidenti. Eppure mi sembrava che dietro questo sacrificio ci fosse una disillusione verso di me, verso di noi. L'arroganza di un fanciullo ferito.

Chi mai si credeva di essere, questo ragazzo magro e gobbo con i capelli legati da un nastro rosso e una giacca a vento con una croce di scotch sulla schiena?

Era il padre di tutti, lui, e tutti lo chiamavano per nome.

«*Zdravo, Diego!*»

«*Zdravlje, Diego!*»

Ormai parlava la loro lingua. Aveva le mani ferite dal freddo, da quelle taniche d'acqua che trascinava.

«Hai le stigmate» lo prendevo in giro.

Mi ero innamorata di un ragazzo di Genova con l'accento rauco dei carruggi, qualche dente cariato dalla droga, un figlio scapestrato. Uno che faceva a botte negli stadi e poi con me era un pulcino.

Ora era un vecchio, la barba lunga di un eremita.

Raccolgo un po' di neve, gliela tiro addosso, nei suoi occhi buoni.

Bastardo. Amore

Un giorno mi piscio sotto nella neve, quando vedo il ragazzo con il giaccone a quadri accanto a me che si accascia. Per fortuna non è morto. Ha chinato la testa per raccogliere la sigaretta che stava fumando e la scheggia di granata gli ha soltanto ferito una spalla. Si è salvato perché con le mani indurite dal gelo la sigaretta gli è scivolata tra le dita

È una buona fatalità. C'è quel sangue e questo ragazzo che non capisce, non sente dolore, si lamenta solo perché la sigaretta si è bagnata, si è spenta. Poi si accorge di quel sangue che goccia nella neve, mi guarda con gli occhi sgranati perché pensa che sia il mio, che la granata abbia colpito me. Pensa che sia io la morta, e che adesso cadrò. Mi guarda come se fossi un fantasma. Mi cerca la ferita. Pensa che magari è sulla mia nuca e che adesso sputerò sangue dalla bocca. Sono questi occhi che mi fanno paura. Opachi, stranieri, mi guardano morire. È questo l'ultimo sguardo del mondo addosso a me? Sento l'urina calda nel gelo, che cola tutta su una sola gamba, quella che trema. Allora è così che si muore senza accorgersene.

Il ragazzo dopo dirà che davvero non ha sentito nulla, solo un colpo come una spallata, poi s'è guardato intorno e ha visto il sangue, ha visto me. E per un po' ha davvero creduto che fossi stata colpita io. Solo più tardi la ferita ha cominciato a bruciare.

Oggi, alla fila dell'acqua, ho imparato questo, che le schegge di granata non fanno male, penetrano nei corpi senza causare dolore, perché lo shock fa da anestetico.

Non esco più, aspetto nascosta in corridoio, lontano dalla finestra.

La vita si è ridotta a mera sopravvivenza.

«Hai trovato qualcosa?»

«Mi piacerebbe tanto una carota, hai presente una carota?»

Potremmo andarcene in albergo, trascinarci all'Holiday Inn insieme alla stampa estera, lì c'è mormorio di lingue conosciute, gente che va e viene, cibo caldo, camerieri. Ma Diego detesta quell'ambiente fasullo.

Sono aggrappata a lui, nuda, senza più dignità, senza più orgoglio.

«Sono stata un mostro... un mostro. Voglio incontrare Aska e chiederle perdono.»

Diego mi guarda come se fossi una fontana, un oggetto inanimato che sputa acqua.

«Cosa posso fare? Cosa?!»

«Chiama tuo padre, fatti mandare tutti i soldi che può.»

Una sera tornò con una scatola di pašteta, una specie di pâté bosniaco, che in tempo di pace mi faceva vomitare e quella sera mi sembrò il miglior cibo della Terra. Allora lo guardai per chiedergli clemenza, dolcezza. Allungai la mano, me la baciò come si lecca un francobollo per incollarlo alla busta, solo per allontanarmi.

Restammo ancora un po', chinai la nuca per chiedergli un bacio lì, in quella fossa che gli piaceva così tanto.

Ma lui nemmeno se ne accorgeva. Guardava certe fotografie che aveva portato a sviluppare in un laboratorio fotografico, un buco dietro via Titova dove c'era un vecchio che ancora stampava, su una carta vecchia e opaca, tagliata con un coltello.

«Fammi vedere.»

Persone in posa, tagliate alle spalle. Immagini senza profondità, come quelle segnaletiche della polizia.

«Che roba è?»

«Me le hanno chieste.»

Ora lavora solo per i sarajeviti. Sono fotografie ricordo, santini da spedire a qualche parente, da mettere sulle tombe.

«Non ci mettere le mani sopra...»

«Perché?»

«Sono sporche...»

È vero, ho le mani unte di pašteta. Però stasera non ce la faccio più. E di colpo, prima che lui possa fare niente, accartoccio quelle fotografie, tutta quella gente miserabile in posa. E mi sento viva, perché non mi è rimasta che la rabbia.

Lo seguo come un'ombra sporca, malata.

Gioca una partitella di pallone nella neve insieme a un gruppo di ragazzini, in quel cortile devastato. Ride, salta, dribbla. Poi rimane lì, piegato sulle gambe, stanco. Il fumo bianco del suo alito nel freddo.

La scolaresca di poliuretano espanso è ancora appesa su quella parete spettrale. Mladjo invece è morto. Spingeva la carrozzella di suo padre, il cecchino l'ha colpito per divertirsi a vedere quel vecchio paraplegico solo, piantato in mezzo alla strada, incapace di muoversi, di soccorrere il figlio.

Seguo Diego al Markale, s'infila in quella costruzione fatiscente dove oggi penzolano vestiti sporchi di neve che gocciano, roba umanitaria finita al mercato nero... cerca tra i mucchi di stivali di gomma, di calosce usate. A me fa schifo tutto, ormai. Sono allo stremo. Mi disgusta quest'odore di cose usate e umide, di zuppe comuni che bollono nei pentoloni di alluminio, di fogne rotte... mi disgusta questo fango misto a neve. Ho paura dei cani randagi che sbranano i morti, ho paura dei volti scavati della gente, di questi pantaloni abitati da gambe magre e rigide come grucce, di questi occhi allucinati che frusciano in terra, che cercano come quelli dei cani. Nella città non c'è più nulla, è un campo incendiato. I corpi denutriti faticano a stare in piedi, ondeggiano alla ricerca di qualcosa, di qualunque cosa possa servire alla vita. Bojan il mimo e la sua ragazza Dragana fanno un numero speciale sotto il portico della via pedonale, fingono di mangiare, apparecchiano un banchetto immaginario e sono così bravi che fanno venire l'acquolina in bocca. Prendono per mano chi si ferma a guardarli, li invitano a sedersi con loro per quell'abbuffata, servono a tutti i commensali zuppe, cosci di montone, pita... si leccano le dita, inghiottono, qualcuno ride, qualcuno piange, ma alla fine sono tutti più sazi.

Diego esce dal Markale con un cappotto di montone appeso a una gruccia. Se lo porta sulle spalle, quel pastrano di pelle rovesciata gonfio di pelo, che sembra il corpo di una bestia. Lo trascina nella neve.

L'ultima volta che vedo Aska lei indossa questo cappotto

che la rende mastodontica. I bottoni tesi, davanti, sul ventre enorme. Ha raggiunto la moschea di Ferhadija, si toglie le scarpe, si lava nella fontana ghiacciata. Diego l'aiuta, la sostiene. Lei si strofina il volto, il collo. Poi si toglie le scarpe e immerge i piedi in quell'acqua che non è altro che ghiaccio.

Cammina scalza nella neve. Si ferma su quello che resta delle *sofe*, i posti destinati alle donne. Si piega, s'inginocchia. Rimane lì con il corpo reclinato, si sforza perché il ventre le impedisce di raggiungere la terra in quella sottomissione totale al suo Dio.

Mi avvicino, mi inginocchio accanto a lei. I suoi occhi sono pesci fermi sotto una lastra di ghiaccio.

«Ti darò il bambino» dice.

Un sorriso tetro sul viso che non mi sembra più lo stesso.

«A meno che un cecchino non faccia prima di te.»

Pietro è davanti allo specchio

Pietro è davanti allo specchio. Ha fatto una delle sue interminabili docce. Solleva le braccia nude, si guarda a lungo. Si avvicina, mi chiede se noto una differenza tra un muscolo e l'altro, se ha già il braccio del tennista.

«Tocca.»

Non vedo nessuna differenza. Tasto due cannoli di carne lunga e magra e poi subito l'osso.

«Devo iscrivermi in palestra, devo fare i pesi.»

Ora è seduto sul letto, un asciugamano intorno alla vita, ha bagnato le lenzuola, non importa perché tanto partiamo.

Gli guardo la schiena nuda e curva, con i grani della spina dorsale, le scapole che escono dalla pelle come ali piegate.

«Sono brutto» ha detto.

Lo dice di continuo, si trova un mucchio di difetti, le spalle rachitiche, gli occhi troppo grandi, con troppe ciglia, *da femmina*. Gli fa schifo quella piccola chiazza marrone con qualche pelo che ha sulla coscia, accanto all'inguine. *La voglia di porco*, dice. Per quella macchia non si mette i costumi corti al mare, solo braghe fino al ginocchio.

«Sei bellissimo, che dici?»

Non ha ancora avuto una ragazza. L'unica donna che gli fa i complimenti sono io, e naturalmente non mi crede.

Ha questa peluria sottile sul labbro che sembra sporco, ha i denti, le orecchie e il naso troppo grandi, perché la sua faccia non è ancora cresciuta e i lineamenti sembrano quelli di un bambino di Picasso. Occhi da cavallo scomposti su un viso da fagiolo.

Diventerà bellissimo, si capisce dal sorriso, dalla grazia che ha con i bambini più piccoli o quando saluta persone sconosciute baciandole improvvisamente sulle guance come amici cari.

Sul suo passaporto c'è scritto che è nato a Sarajevo. Per lui questa città è una terra di nessuno, dove io sono capitata per sbaglio, per inseguire un padre che lui non ha mai conosciuto.

Solo una volta mi ha chiesto com'era nato. Faceva la terza elementare, era per un compito. Abbiamo attaccato la fotografia di lui neonato su un foglio di cartone con la colla stick. «Cosa scrivo, mamma?» Doveva raccontare la sua nascita e naturalmente lo chiedeva a me. Mi sono alzata, ho aperto il frigorifero, ho tirato fuori una bistecca. Gli ho parlato di spalle... ho inventato qualcosa rigirando quel pezzo di carne fredda.

Poi ho visto il suo compito incollato accanto a quelli degli altri bambini sul grande tabellone scolastico di fine anno. Stavo lì con il bicchiere di plastica colmo d'aranciata in mezzo a quel pollaio di madri che non ho mai sopportato più di tanto. Ho paura della confidenza tra madri, nessuna mi somiglia. Stavo lì sola davanti alle parole di mio figlio. Aveva descritto una nascita banale e zuccherosa. E proprio quella piana banalità mi commuoveva. Eravamo come tutti gli altri, io una mamma *dolcissima* e lui un *neonato paffuto*. La nostra assurda storia si perdeva tra tutti quei racconti di nascite canoniche, di nastri azzurri e rosa. Aveva inventato molto meglio di me. Stava lì vicino, il fisico rachitico di suo padre, la faccia pallida della città. Gli occhi pacati di un complice perfetto: «Ti piace, mamma?».

Mi era caduta una lacrima nell'aranciata. Una lacrima stupida come la mia vita. Non riuscivo nemmeno a rispondere, facevo sì con la testa come una gallina che becca. Beccavo su quella tiepida e lunghissima bugia, spalmata a matita dalla calligrafia ancora incerta di mio figlio. Quell'innocenza era la mia coperta. Era lui a battezzarmi sua madre. A dire *sei tu. E questo è il certificato.*

Che cosa avrei dovuto dirgli?

Ogni volta che sono andata a trovare una mia amica che partoriva tra cuscini bianchi e fiocchi, ogni volta che ho visto quel nitore, ogni volta che ho sentito quell'odore indescrivibile di carne nata, di bambino nuovo... ma anche solo quello dei detergenti, dei dischetti per disinfettare i capezzoli prima dell'allattamento, ogni volta che ho sorriso, ho detto *che meraviglia, che incanto*, ogni volta mi sono sentita un pezzo più sola, un pezzo più brutta. E sono uscita da quelle tane d'ovatta, dopo aver depositato il mio regalino d'augurio, rabbuiata. E ho camminato per un po', randagia, senza essere più io.

Io non ho partorito. Non si guarisce mai da ciò che ci manca, ci si adatta, ci si racconta altre verità. Si convive con se stessi, con la nostalgia della vita, come i vecchi.

Io non ho partecipato all'evento primigenio, alla rigenerazione di me stessa. Il mio corpo è stato estromesso all'origine da questo banchetto che le donne comuni ripetono a raffica, sazie, indifferenti verso quelle come me.

I parti cambiano le ossa, le spostano. Mia nonna diceva che ogni nascita è un chiodo nel corpo di una donna, un ferro di cavallo. E che prima di morire le madri rivedono i parti che hanno fatto, il corpo che si spalanca e cede al mondo carbone bianco. Vedono i chiodi, la traccia del loro percorso. Morendo cosa ricorderò? Quale sarà il mio ferro di cavallo?

Pietro aveva scritto che me l'ero messo sulla pancia e che lui si era addormentato addosso a me. Avrei dovuto vergognarmi, invece mi sentivo in pace. Il resto erano chiodi da buttare.

Venne Gojko a prendermi, sentii quei colpi sulla porta, non dormivo. Ero stesa a occhi chiusi accanto al muro in fondo alla stanza dove avevo trascinato il letto, non riuscivo a staccarmi da quella parete che rimandava freddo, e alla quale m'incollavo nel sonno per paura. Cominciava appena l'alba, in tempi normali non me ne sarei accorta ma adesso percepivo ogni variazione del buio.

Gojko non parla, ha un accendino in mano per vederci nel buio. Poi lo spegne, forse per risparmiare il gas.

«Cosa c'è?»

Non vedo più il suo volto, lo immagino nel riverbero di un attimo fa, di quella fiammella appena andata. Fa un gesto, si porta una mano sul volto e la lascia lì, accostata alla guancia come un guscio di carne, come se volesse proteggersi. È un gesto insolito, femminile, che non gli ho mai visto fare.

«Cosa è successo?»

Scuote la testa, mugugna.

Perché non parla, quest'idiota? Sono pronta. È da quando sono entrata in quell'obitorio che sono pronta, da quando è scesa la prima neve. Jovan mi ha insegnato già tutto. Il corpo si svuota come un sacco di sabbia bucato, senti il fruscio di quella sabbia che precipita. La calma è una virtù di Sarajevo. È una calma che non sai di possedere, inaspettata come quella dei morti.

Prendo la torcia, gliela punto addosso. Si ribella a quella luce, agita la testa, toglie la mano dalla guancia, sputa in terra.

«Ahhh...»

Sento un odore forte di alcol, d'acquavite. Gojko impreca, si lamenta che gli fa male uno *zub*, un dente, di quelli grossi in fondo. E dice che si tiene quell'acquavite in bocca per cullare un po' il bambino, il molare. Lo guardo, ha una guancia gonfia come se fosse stato punto da un insetto e gli occhi mogi, semichiusi.

Poi mi dice che il bambino sta nascendo e che è venuto a prendermi. È Diego che glielo ha chiesto.

Torno con la torcia nella stanza, mi chino, trascino la valigia che è sotto il letto, la apro, prendo lo zaino con i soldi che papà mi ha mandato attraverso Vanda, la volontaria che ho conosciuto sull'aereo militare. Ci siamo reincontrate in una kafana, si è rasata i capelli come un parà. Ci siamo divise un pacco di assorbenti come due sorelle.

È un'alba livida che forse porterà un giorno luminoso. Corriamo su per le stradine dissestate di Bjelave.

391

Salii su questa macchina per la prima volta, mille anni fa, durante le Olimpiadi invernali. Gojko aveva tanta di quella stupida felicità dentro di sé, puzzava di ingenuità e presunzione. Cantava in inglese con l'accento croato *Everybody's got a hungry heart*... aveva gli stessi jeans scoloriti di Bruce Springsteen, questo ragazzo invadente, *born in Sarajevo*. Voleva fare colpo e a me sembrava patetico. *Non lo vedrò mai più*, avevo pensato.

Eccoci qui, affossati in questo labirinto di scheletri, di viali che sembrano montagne russe di un parcogiochi all'inferno. Di colpo penso che il peggio non è questo, questo presente agitato dalla follia. Il peggio deve ancora venire. Quando i cannoni se ne andranno, se ne andranno i telegiornali e resterà il fianco grigio di questa città che continuerà a buttare un dolore silenzioso come muffa. Come pus.

«Scrivi ancora?»

«No.»

Non sembra triste, e neppure sperduto. Ora conosce la topografia di questa nuova città minata, divisa in zone, dove ci si muove come palline nel flipper, e dove solo i migliori non finiscono nel buco. E Gojko è un buon giocatore. Non guarda più lo sfacelo, si è abituato. Cerca solo il passaggio libero, l'occasione.

«Cosa pensi?»

Mi dice che ha mal di denti e pensa solo a quel molare che gli fa male.

La luce dell'ospedale è quella fioca di un cimitero. Piccoli bagliori di servizio, solo ogni tanto, poi lunghe zone di buio, scale che precipitano. Sotto i piedi sento l'impiantito sconnesso che pare posato sul fango. Un cavo, un pannello che pende mi sfiorano la testa. Quasi tutti i reparti sono stati colpiti, i letti sono ammassati lungo i corridoi. I corpi sembrano sacchi di sabbia nel buio. Cerco di non guardare i piedi fuori dalle coperte, i tubi neri di sangue. Seguo la schiena di Gojko in questo tunnel. Figure ci vengono incontro, ci urtano. Qualcuno urla. La luce del giorno comincia appena, ma sembra di avanzare in un crepuscolo sporco. Un combattente in divisa arranca sorretto da una donna con un camice azzurro. Un vecchio con una gamba che finisce al ginocchio in una cuffia di bende insanguinate fuma seduto su una barella. Gojko mi tende una mano, mi aiuta ad attraversare scale rotte da cui s'intravede lo strapiombo dei piani. Dove si partorisce c'è una tregua, nessuno si lamenta. Una donna è piegata sul suo ventre gonfio come su una valigia, come una viaggiatrice sfinita.

Diego è seduto sull'ultimo gradino di una di quelle rampe senza più ringhiere.

Non è un'alba qualsiasi, questa. Sembra di essere sepolti in una miniera sottomarina, ci muoviamo lentamente nell'acqua. Gojko s'allontana, va a cercare qualcuno che gli tolga quel dente maledetto, e se non lo trova urla che ci penserà da solo, gli basterà una pinza. Diego mi vede, si alza. Mi accascio addosso al suo odore. Sono tre giorni che non lo vedo, che non viene a dormire.

«Come stai?»

«Sto bene, bene.»

Poche parole e poi solo il fumo dei fiati, in quel reparto che sembra un deposito di vecchio ferro. Non c'è riscaldamento, sembra di essere all'addiaccio. Dovrei parlare a Pietro di questo odore, un giorno. Di stanchezza e freddo. Del collo di suo padre, che tremava come quello di un'oca che sta per essere acchiappata.

«Dimmi qualcosa.»

«Cosa?»

«Una cosa qualunque.»

Ti amo, forse è questo che vuole sentirsi dire. Siamo seduti insieme su questo gradino, mi ha buttato la testa sulle gambe.

«Ho portato i soldi» gli dico.

«Sono qui...», e tocco lo zaino. Non l'ho messo sulle spalle, ma davanti, sotto la giacca a vento. Avevo paura di essere derubata a un posto di blocco. E solo adesso mi rendo conto che questo zaino sembra la pancia di una donna incinta. Diego sorride, di un vecchio sconsolato sorriso. Perché c'è tutto in questa pancia di soldi, c'è la nostra fortuna e la nostra tristezza.

Avrei dovuto dire questo a Pietro? *Guarda che mamma era incinta di cinquantamila marchi di piccolo taglio, le pesavano sul grembo, sotto le tette.* Dirgli *guarda che siamo stati generosi io e il fotografo, nonno si era venduto la casa al mare per aiutarci.* Era una cifra spropositata, c'è gente che ha comprato bambini per pochi spiccioli a Sarajevo.

Me la cullo questa pancia di denaro, me la tengo stretta. Ci abbracciamo con questo peso in mezzo, che ci tiene leggermente lontani.

Aska è in piedi, cammina su e giù davanti alle porte dei bagni. Ogni tanto si ferma, s'appoggia contro il muro tra due lavandini. Mi avvicino. Pochi passi in quella miniera sommersa.

C'è un odore forte, di cessi fermi, che quello dei disinfettanti non riesce a coprire del tutto. I nostri fiati sono fumo bianco. Siamo in un lago artico, sepolti sotto la crosta del ghiaccio. Siamo noi tre insieme dopo tanto tempo.

Dovrei dire anche questo a Pietro. Raccontargli quest'altro odore, di carcere, di abbandono. Raccontargli questo incontro.

La trombettista, la pecora indisciplinata di Andrić, la ribelle che danza davanti al lupo mi guarda senza cambiare espressione, come se non avesse memoria di me.

Eppure un tempo, un secolo prima di questo assedio che s'è mangiato la sua città, siamo state amiche. Abbiamo ballato abbracciate una sera davanti a un manifesto di Janis Joplin, e lei più giovane e più povera mi ha sorretto, splendeva del suo futuro selvaggio di musicista, mentre io le dicevo *sono molto più povera di te.* I capelli sono più opachi di un tempo, le ricadono sul collo, stretti da un elastico. Il volto, attraversato da una luce grigia, sembra privo di emozioni. Poi guardo in basso.

Indossa il cappotto di montone che Diego ha comprato al Markale, lo tiene aperto sulla vestaglia. Guardo quel ventre che affiora e che mi sembra enorme, fuori da tanta magrezza. Si tiene le mani dietro, sulle reni, si appoggia al muro con la testa. Diego è lì accanto, ma in qualche misura non c'è, ci ha lasciate sole. Il ventre di Aska è grande e fermo.

«Posso toccare?»

È una voce che sale dal pozzo, e non mi sembra nemmeno la mia. Aska annuisce, senza guardarmi. Allontana le braccia dal corpo come per fare spazio a me. E io allungo la mano.

E questo dovrei dirlo a Pietro, un giorno prima di morire dovrò dirgli di questo braccio che si stacca da me e avanza verso di lui.

La mano si posa incerta come il primo Lem sulla luna, le dita sono zampe rigide, metalliche.

Io non sono nessuno, solo un invasore, un uccello di ferro su un pianeta che non mi appartiene.

Poi invece so come fare, naturalmente, ed è come spogliarsi per entrare nell'acqua, denudarsi. Fa un freddo cane, però questa mano sembra incollata da una neve calda. Sono qui e non me ne andrei più. Respiro.

E l'acqua adesso è soltanto questa, amniotica, sommersa.

«Hai portato i soldi?»

Annuisco con tutto il corpo, le indico lo zaino davanti a me, quel bozzo sotto la giacca a vento. Quel ventre di denaro che fa più pena del resto mi rende davvero miserabile.

«*Dobra*» dice, brava.

Poi arriva quel colpo, dentro la mia mano posata sul suo ventre. Ed è davvero una testa che batte, come quella di un pesce sotto il ghiaccio.

Urlo. Sento quel colpo da dentro e urlo.

Cos'era? Un piede? Un gomito? Un pugno?

Ma non vedo più niente, solo un cielo di fango blu, una nausea che scende dalla testa... e so che sto svenendo, perché sono digiuna, perché quel colpo mi è entrato nell'inguine vuoto, in quel tappeto di carne silenziosa e nascosta tra le ossa del pube, quelle che negli scheletri sono piatte e bianche...

Sono un sacco di sabbia rotto, sento i granelli che scendono, che attraversano ruvidi il mio corpo. La sabbia adesso è tutta nei miei piedi, la testa è vuota, è luce che cancella.

Sono tra le braccia di Gojko, riapro gli occhi tra i suoi capelli lerci. Mi spinge sotto il naso la bottiglia.

«Respira, bella donna, annusa questa meraviglia.»

È grappa del Montenegro, la mitica Tredici Luglio, una rarità. Devono essere già un po' alticci, perché Diego ha le mani calde nonostante il gelo. E Gojko è euforico, s'è tolto il dente. Apre la bocca, mi mostra quel buco nero, ride con i denti rossi di sangue.

Aska la vedo nel liquore di questo dormiveglia, la testa posata contro il muro. Crolla tra i lavandini, si mette a quattro zampe.

«Hai bisogno di qualcosa?»

«Una sigaretta.»

Chiedo a Gojko di darmi una delle sue Drina, mi inginocchio e gliela metto in bocca già accesa.

Mentre aspira trema, la faccia si torce di dolori.

Ora io ho un forte male dietro. Lo ricordo bene, questo dolore bifido che cola dalla schiena e s'infila nelle profondità molli. Due lame infilate nei reni spingono per congiungersi nel mio inguine.

È il dolore di Aska che s'incolla addosso a me. Non ero preparata a questo. Mi allontano, torno a sedermi sul gradino.

Diego si avvicina ad Aska, le massaggia un po' la schiena, poi ciondola verso di me a testa bassa.

Adesso è brutta, storpia di fatica come un cane rabbico. La sigaretta è caduta in terra. Dovrei raccontare a Pietro di questa testa che batte contro il gambo di un lavandino... di questa sigaretta caduta nello schifo che vorrei buttare ma che sua madre rivuole, lo urla nella sua lingua.

Le rimetto in bocca quel mozzicone. Il fumo esce a fiotti dalla bocca, forse scaccia il dolore. Urla ancora, rattrappita come prima, come se avesse un cencio in bocca, un tappo.

Le donne sanno nascondersi, seppellirsi, come la terra di notte, però al momento di partorire vengono fuori come denti nel buio, è lì che viene fuori l'anima, il coraggio, mentre batte il chiodo. Mentre il destino ti inchioda il ferro di cavallo sui reni e tiri fuori l'osso della vita, un nuovo scheletro che passa attraverso il tuo, come fiume nel fiume.

Io sono rimasta al buio come la Terra coperta dai suoi pianeti, non ho avuto bisogno di rivelarmi.

Invece Aska è costretta a passare allo scoperto. E quante volte guardando i monti ho pensato al suo ventre puntato verso di me come un cannone.

«Bisogna respirare» dice Gojko.

«Chi te l'ha detto?»

«Mia madre.»

Respiriamo tutti, ingoiamo l'aria fino alla pancia e la buttiamo fuori di colpo, come stufe rotte. Aska sputa qualche fiato con noi, poi geme, ci scaccia. Gojko le dice che partorire è come togliersi un dente, che lei tra poco starà bene come lui. Spalanca la bocca, le fa vedere il buco. Aska chiede un'altra sigaretta. Gojko mi guarda: «Preparati, bellezza, questo bambino puzzerà di Sarajevo, di posacenere» ride, e se non fosse una tragedia sarebbe una farsa... sembriamo quattro matti al manicomio, camminiamo carponi appresso alle doglie della pecora.

Si tira su. Rotola lungo il muro come un grosso insetto, si avvicina alla finestra di quel cesso, che è coperta di plastica militare rotta al centro forse per far passare l'aria, il cattivo odore. Aska s'infila in quello strappo. Guarda il cielo attraversato dal bagliore di uno di quei proiettili traccianti... guarda Sarajevo, le case incendiate, il campo di calcio ridotto a cimitero.

Dovrei raccontare a Pietro anche questo sguardo di lei che fuma ancora e intanto contempla la città morta, stretta nel letargo del gelo e del fango.

Sono gli ultimi istanti in cui lui è dentro di lei.

Il suo ventre vivo si espone per l'ultima volta alla roulette di Sarajevo.

Perché lo fa? I tiratori scelti non sono lontani da lì, appostati negli scheletri delle case a ovest. E lei ha questa sigaretta accesa, questa brace che è un segnale.

La sua pancia adesso è la cupola di una moschea... della moschea di Ferhadija dove la vidi entrare e distendersi a terra.

Eppure la lascio stare. Decidesse lei per noi, per tutti.

Ho una pietra dura di anni in fondo al corpo. Tutti i miei ovuli ciechi uno sull'altro ora sono tumuli di terra fresca, come questi morti datati Millenovecentonovantadue.

È Diego che la prende per un braccio e la sposta, la tira dentro. Respirano spalle al muro, vicini. Lei ansima, il collo torto verso il soffitto rotto, e lui la guarda. E forse la guardava così, con la stessa tenerezza, la stessa nostalgia, mentre facevano l'amore.

Dovrei dirlo, questo, a Pietro?

Questo sguardo così intimo, che ancora una volta mi priva di tutto. Fa un ultimo gesto, prende la mano di Diego e se la porta addosso e la morde come uno straccio tra i denti, come un amore che ti lascia.

«*Dosta... dosta...*» geme, «basta, basta, levatemelo...»

Poi finalmente viene qualcuno, una donna in camice con un paio di calzettoni di lana corti, e se la porta via.

E tutto accade a due passi da noi, dietro una tenda di plastica bianca. Andando verso la barella Aska mi ha guardata... e questo sguardo mi resta addosso, come un peso che mi spinge giù le spalle. È lo sguardo inerte dei profughi, delle persone che si separano da se stesse.

Tutto avviene in poco tempo. Dietro quel sipario bianco di plastica non si vedono che ombre di arti, di gesti concitati. Un piede di Aska balla nell'aria. Dovrei raccontare a Pietro di questo piede, di queste ombre nelle quali si allungano le nostre paure e la nostra miseria.

Poi il dorso della levatrice, i suoi gomiti... sembra che scavi. Parla a voce alta, a strappi. Aska si lamenta appena.

Siamo lì, gli occhi incollati a queste ombre nere su questo telo bianco.

Strappi di gesti, di voci... di mani che scavavano in un corpo. Come le mani che hanno cominciato a scavare sotto la terra all'aeroporto di Butmir per trovare uno sfiato verso i territori liberi.

E ora la guerra è tutta qui, su questo telo, dove le mani sembrano milioni, sembrano quelle del sei aprile, di tutta quella gente che gridava pace. Sembra una lunga ritirata nella neve, colonne di combattenti sfiniti arrancano su questo telo.

La donna scava, tira, trascina, annoda...

Siamo fermi contro il muro come statue sotto la Fiamma Eterna.

Dovrei dire a Pietro cosa pensavo mentre veniva al mondo?

Agli sniper. Alle loro tragiche vite. A quell'intervista filmata che ho visto. Il ragazzo ha gli occhi azzurri e sorride, dice *è come sparare ai conigli, lo stesso*. E io vedo il bambino blu. Gioca con uno slittino, lo trascina in salita tirandolo per la corda, è una bella fatica ogni volta, perché scendere è un soffio, salire invece... Però ne vale la pena. È una bella giornata di luce, c'è la neve fresca. Il bianco che ha coperto il nero. Il cecchino ha bevuto grappa di prugne, ha fumato, ha buttato in terra la cicca che non si è ancora spenta. Poi ha ripreso la sua vanga, il suo fucile. Sua madre un giorno lo ha messo al mondo, lo ha battezzato, il cecchino ha una croce al collo, crede nella divina trinità, quella della grande Serbia. Almeno così gli sembra di ricordare, perché sono passati pochi mesi ma tutto è cambiato e lui non ricorda bene perché è salito lassù in montagna con gli altri. Spara sulla sua città, sul suo quartiere. Alza il fucile, infila il suo occhio fermo e cerca... e gli piace cercare, gli dà una scossa che dal petto gli scende nella pancia, poi nei testicoli. Sceglie quella discesa, quel sentiero coperto di neve dove anche lui giocava da bambino. Ha nostalgia di quei giorni, della sua infanzia, come tutti gli uomini. Non è dispiaciuto, quando ha camminato nel fango per superare quel fiume marciando verso i monti sapeva che non sarebbe tornato. Ci sono altri bambini sulla discesa tra due stabili sventrati, l'edificio sulla sinistra era la scuola elementare che anche lui ha frequentato. Per un attimo gli torna in mente la maestra che spalmava la pašteta sul pane e gliene dava una fetta. E lui le sorrideva, le diceva *hvala*. Gli piaceva quella maestra, non ricorda se era serba o musulmana, ci pensa ma non se lo ricorda. La scuola adesso è uno scheletro, come la struttura di una palazzina mai finita a cui qualcuno ha dato fuoco. I bambini giocano, lui li ha visti arrivare, non li aspettava. Non sa mai cosa gli capiterà, dove si fermerà la sua attenzione, su quale bersaglio, su quale *cilj*. È una parola che gli piace, *cilj*, perché è il suo lavoro di tutti i giorni, perché è una parola pulita. *Uomo*, *donna*, *bambino*, gli sembrano parole che sporcano la sua missione. I bambini sono bersagli piccoli, *maleni ciljevi*, e lui in genere non spara sui bersagli piccoli, si muovono troppo. Ma stamattina è molto facile, è un invito. I maleni ciljevi sembrano conigli sparsi sulla neve. Le loro madri li hanno lasciati uscire, non potevano tenere i bambini tutto il giorno all'umido dei rifugi, e magari volevano essere libere, fare il bucato, preparare una zuppa d'erba. Il cecchino cerca. I bambini sono ancora macchie sulla neve, piccole figure dai contorni imprecisi. Gira la manopola che regola il cannocchiale del suo fucile di precisione. C'è pasta di neve, di pezzi di golf, di pezzi di volti. È troppo sopra, l'immagine è sgranata. Cerca il fuoco giusto, si avvicina, stringe... tira fuori dall'ignoto, dalla neve. I maleni ciljevi adesso sono bambini. Lui cammina un po' con il suo cannocchiale, fa qualche passo con loro, segue il gioco che fanno. Lo faceva anche lui, quel gioco, scivolava giù dentro una cassetta di plastica insieme a suo fratello. Una volta cadde contro una grossa pietra che spuntava dalla neve. Si chiede se c'è ancora, la cerca e la trova. Gli piace trovare segni della sua vita passata, anche se sa che non tornerà più. Non prova nessuna emozione, è come riconoscere un territorio, per un cacciatore è importante. Si ferma su un bambino. Non sa perché sceglie lui piuttosto che un altro. Forse perché non ha il cappello, ha la fronte scoperta, e quando si volta gli vede il buco della nuca.

Dovrei dirlo, questo, a Pietro? Lui nasceva e io pensavo alla nuca del bambino blu, la vedevo, era davanti a me, nel mirino di uno sniper. L'attaccatura dei capelli dove comincia la vita.

Il mio cuore pulsa dentro quello del cecchino. Sono io che scelgo il bambino. Lo scelgo perché ha la nuca scoperta e questi capelli corti, compatti, come una testa di pelo. Sono capelli che odorano. E il cecchino può sentire quell'odore. Anche lui da bambino aveva capelli così, spessi, induriti dal sudore, senza rumore. Il bambino sta muovendo gli ultimi passi della sua vita sulla neve, ride, ha le guance rosse, il fumo bianco del freddo, trascina lo slittino in salita.

Il mirino sulla canna del fucile si muove con i passi del bambino, s'arrampica con lui sulla neve. Il cecchino non sa perché gli è capitato questo lavoro, com'è andata esattamente. Sono state le circostanze. Ci sono sacchi di terra impilati nella neve, potrebbe spostare la mira e tirare in uno di quei sacchi, non farebbe per lui alcuna differenza. Il fatto è che per ogni bersaglio colpito riceve un bel premio in marchi, e lui di quel premio ha bisogno perché la paga del soldato è bassa e lui vuole comprarsi una macchina, una Bmw con il tettuccio che si apre. Pensa a quella macchina, ai sedili neri, all'accendino nel cruscotto, pensa a quel vento che gli farà vivere i capelli. Il coniglio è un bambino, avanza con i suoi capelli a calotta, con la sua nuca. Il corpo del cecchino è incollato al fucile, sono un unico pezzo. È l'attimo dell'amplesso, del pene che s'indurisce meccanicamente. Non c'è nessuna volontà, solo quella del proiettile. È quella che agisce, il cecchino si lascia guidare dalla sua esperienza. Piega il dito, poi lo lascia. È un attimo pericoloso, il percorso silenzioso del proiettile nell'aria bianca. Come uno spermatozoo che cammina sotto la lente del microscopio. Potrebbe incontrare qualcosa, un ostacolo che gli devia il percorso. Questo attimo è il migliore. Non è esattamente di puro piacere, è anche doloroso, come un'eiaculazione troppo ritardata. Il petto prende il colpo del rinculo. L'aria è bianca. Il proiettile ha raggiunto la nuca, il bambino è caduto a faccia sotto. Gli altri scappano, lasciano gli slittini e corrono come conigli spaventati. Il cecchino torna sul luogo, gira intorno con la sua lente, butta un occhio sulle orme rimaste. Gli piace quel silenzio, quando controlla il suo lavoro, quando restano soli lui e il suo centro. Controlla il foro della nuca, perfetto. Il bersaglio piccolo, il maleni cilj è morto sul colpo, non è nemmeno scivolato un po' sui gomiti. Il cecchino non ha bisogno di sprecare altri colpi per finirlo.

Ora sorride, le guance accartocciate, gli occhi fermi perché il cuore è morto. Passerà del tempo prima che vengano a prendere il bambino, lo sa. Aspetteranno che lui se ne vada, che finisca il suo turno. Il volto del bambino sta diventando blu nella neve. Il mozzicone che il cecchino ha buttato in terra è ancora acceso. Ogni tanto un giornalista si arrampica, gli dice *spara che ti filmo mentre spari*, e il cecchino spara per il giornalista. Poi fa l'intervista, le braccia conserte, la croce sulla divisa mimetica, il berretto nero.

È come sparare sui conigli, sorride. Poi la crosta della faccia s'indurisce e resta quel misero stupore, quello del diavolo che guarda se stesso.

Poi il rumore del neonato vivo, vagiti soffocati nelle mucose sporche, come il lamento di un gatto. Nessuno di noi si muove. Solo Diego fa un passo verso suo figlio, poi si ferma. Torna da me e mi dà la mano.

La donna ci chiama, ci fa cenno di avvicinarci. Ci sta mostrando il bambino, è un maschio. Nessuno di noi sapeva cosa fosse, invece è Pietro.

«Pietro...»

Lo guardo ma non lo vedo subito, lo vedrò dopo. Adesso lo ingoio. Apro la bocca per lo stupore e lui mi salta in gola. La donna con il camice lo sta pulendo in fondo alla barella, l'ha rovesciato, lo strofina con un panno che intinge in una ciotola di metallo. Fa un freddo cane, il corpo è minuscolo, paonazzo, scuro. Sembra un mollusco sporco di radici marine. La donna si sbriga, lo strofina senza troppa poesia. È il suo mestiere, cavare pesci dal mare. Arriva il lamento di una sirena, la luce vacilla, poi un'esplosione, ma nessuno ci fa caso più di tanto. La donna impreca come si fa con dei vicini troppo rumorosi. La guerra è dentro di lei, nelle sue braccia di cava-bambini.

«*Odijeća... odijeća...*»

Vuole i vestiti, ci guarda, chiede se ne abbiamo.

Scuoto la testa, apro ancora la bocca per non dire nulla, solo per sospirare che mi dispiace, non ci ho pensato. Diego le dice di aspettare, apre la borsa dei rullini e tira fuori quel piccolo indumento... una tutina di lana fatta a mano, di un bianco un po' ingiallito.

«Dove l'hai trovata?»

L'ha comprata al mercato. E io resto davvero di sale a pensare che ha avuto questo pensiero. La donna prende la tutina e ci infila il bambino, è molto più grande di lui, le mani non si vedono più e sotto ne resta un pezzo che pende come un calzino vuoto. Lo mette in braccio a Gojko, forse perché è l'unico sarajevita, o forse crede che sia lui il padre. Gojko non dice nulla, annuisce, allontana il mento, quasi avesse paura di ubriacare il cucciolo con il suo fiato che puzza d'acquavite. Era dai tempi di Sebina che non prendeva in mano un essere umano grande come due mani, e ciò avveniva in un altro mondo, in un'altra vita, lontano da questa ruggine, da questo gelo, in un ospedale che odorava di tè ai lamponi.

Avvicina il naso, a bocca chiusa, tira su.

«Profuma» dice.

Dovrei dirlo a Pietro? Dirgli *guarda questo bufalo bosniaco, questo scampato che ci fa da guida e che ti sta un po' antipatico perché non ha pazienza con te ed è scorretto nel gioco del pallone, questo è quello che ti ha preso in braccio per primo e per primo ha infilato il naso nel tuo odore?*

Guardo Diego, ma Diego non sta guardando loro.

Questo dovrei dirgli, *tuo padre non ti guardava, guardava la pecora senza più ventre, la testa rossa afflosciata sul cuscino?*

Ed era così denso, quello sguardo, che nemmeno si accorgeva di me, del mio imbarazzo. Erano soli. Sembravano soli, questo ricordo. Sprofondati indietro.

Anche lei non guardava il bambino, non l'aveva mai guardato.

E adesso mi sembrava davvero di stare accanto a un letto non mio, e di spiare due amanti che si giurano.

Tutto si era svolto in fondo a quel letto, il cambio del bambino, quel bagno di fortuna. Aska aveva le gambe rannicchiate, forse per il dolore che aveva provato. La donna in camice adesso se ne andava, le batteva una mano sulla gamba piegata, Aska era leggermente sollevata, aveva qualcosa sotto di sé, un contenitore di acciaio per espellere la placenta.

La donna dice che tornerà a controllare.

Gojko finalmente mi dà il bambino, ed è come passarsi un meteorite.

Annuso anch'io l'odore. Di anima vecchia che rinasce, che torna a sperare insieme agli uomini. Non so ancora se è il mio bambino, se sarà il mio. Dovrò aspettare il giorno in cui sarà lui, in terza elementare, che mi battezzerà. Ma intanto lo tengo. E sono già il lupo. Sono il cecchino che torna sul campo di neve a guardare il buco nella nuca.

Il telo bianco poi se lo portano via, la donna coi calzettoni e il camice si trascina via lo schermo delle ombre. C'è solo questo, un neonato, raggrinzito come una mela vecchia infilato in una tuta di lana che pare un calzino infeltrito.

Lo guardo in questa luce incerta, mentre la sabbia risale il mio corpo e gli organi tornano al loro posto. Allora sento il cuore, come una lingua di fuoco e di dolore tra le costole.

E dovrei dirlo, questo, a Pietro? Di questo cuore che mi restituisce, che non sentivo più e che adesso bussa?

La donna torna, spinge il ventre di Aska, infila le mani sotto la coperta. E la pecora sputa fuori anche la placenta.

Mentre la donna sfila il contenitore d'acciaio sotto il corpo di Aska vedo quella gamba sporca di sangue e per un attimo il sesso, un buco insanguinato come il buco del dente di Gojko. Non mi fa impressione. La vita ha gli stessi colori della guerra, neve e sangue. Camminamenti nel fango come budelli.

La vedo per un istante, quella buccia grigia, quando la donna mi passa accanto. Ora la pecora non serve più, come quella pelle interna che ha tenuto in vita il bambino e adesso è porcheria da buttare.

Dovrei avere pena di lei, invece ho soltanto paura che ci ripensi, che si metta a urlare che non ci sta più.

Ha perso la sua famiglia, forse desidera tenersi il bambino.

Ho solo paura che possa fare storie, per questo la guardo, per capire se è inquieta, perché non mi fido. Ho sentito l'odore del bambino, l'odore del sangue di Diego.

Sento le parole di Velida, cadono dai suoi occhi spiritati che ho sognato ogni notte. *Non fare come me, Gemma, non rispettare la morte. Combatti, agguanta la vita.*

I soldi... devo darle i soldi, tutti quei marchi in banconote di piccolo taglio come le ha chieste lei, come il premio che danno ai cecchini per ogni bersaglio centrato. Anche lei si comprerà una macchina, una Bmw decappottabile e se ne andrà con quella.

Sono di nuovo io. La guerra per me è finita. Il bambino blu è sepolto. Il figlio di Diego è vivo. Questa pecora, questa creatura minore deve scivolare via come poco fa la sua placenta, un budello sporco.

Non esistono leggi, non esiste giustizia. Esiste solo il coraggio.

Gojko urla che quando tornerà a casa scriverà una poesia, dopo tanto tempo ne scriverà una, festeggerà così la nascita di questo bambino. Declama ubriaco:

> *Ho i piedi di un porco e la coda di un topo*
> *la vita mi trascina in alto come un elefante che vola...*
> *addio spettri, oggi non sono con voi...*

«E con chi sei?»

Tira un altro sorso.

«Sono qui con i miei amici.»

Ma in realtà noi sembriamo spettri che si specchiano in un pozzo metallico e rimpiangono la vita.

Andai in bagno, mi staccai lo zaino dal corpo, mi sedetti su un cesso e diedi a Gojko una mazzetta da mille marchi.

«A cosa ti servono?»

Si prese anche i nostri passaporti.

«Torno presto.»

Svuotai lo zaino nella federa di un cuscino. Mi avvicinai al letto di Aska.

«Ecco.»

Tirò la federa gonfia di marchi a sé con un gesto stanco, la nascose sotto le coperte.

Il neonato giaceva in un letto di metallo, lontano dalla madre. L'ostetrica gli aveva arrotolato uno straccio dietro la schiena e l'aveva lasciato lì. Non si era mai mosso. Cominciavano le esplosioni, sempre più ravvicinate, poi le raffiche isolate dei katiuscia. Il piccolo era abituato a quei rumori. Anche Aska dormiva, la testa infilata sotto le coltri. Si svegliò solo un paio di volte, chiese da bere.

Venne un'altra donna, più giovane della prima, e ci spiegò come fare con il bambino, come cambiarlo. Tirò fuori dalla tuta di lana quelle due gambe magre e piccole, poco più grandi delle dita di Diego, e ci mostrò come mettere i pannolini. Loro però non ne avevano, ci diede delle garze e dei pezzi di ovatta. Il bambino per il momento non aveva bisogno di mangiare. S'era lasciato scuotere come un fagotto, non aveva mai pianto. Adesso era di nuovo solo su quella barella, lo straccio dietro la schiena. La ragazza domandò se la madre contava di allattarlo, scossi la testa. Non disse nulla, guardò il corpo di Aska nel letto, era abituata a donne sfibrate. Ci chiese cento marchi, si scusò, le dispiaceva farci pagare, ma non era certo lei a guadagnarci. Tornò con una confezione di latte in polvere già aperta e un biberon già usato. Di vetro. Il primo pezzo di vetro intatto dopo tanto tempo. Infilai tutto nello zaino.

La guerra adesso ci correva in soccorso. Nessuno ci aveva fatto domande, nessuno sembrava interessato a trattenere quel neonato ancora a lungo in un ospedale così vicino alla linea del fuoco. Eravamo due stranieri, potevamo lasciare quella città dalla quale nessuno di loro poteva uscire. La ragazza ci chiese come avrebbe viaggiato il bambino.

«In aereo... stiamo aspettando.»

«Siete giornalisti?»

«Sì.»

Ci diede una lettera, era per sua sorella che si trovava in un centro di accoglienza a Milano.

Erano ricominciate le esplosioni, il tragitto disperato delle ambulanze, delle macchine di fortuna che raccoglievano i feriti. Adesso c'era la luce del giorno, eppure il bambino non si svegliava.

Finalmente Diego lo guardava.

E questo sguardo dovrei dirlo a Pietro, scansare il resto e dirgli di questi occhi. Sono gli occhi di un cane addosso a un altro cane. Eccolo il presepio, il nostro, occhi allucinati, mani che tremano, pensieri in fuga.

Gojko è tornato con l'uomo che ci ha aiutato, una faccia stonata da scampato come quelli che vendono le notizie ai giornalisti all'Holiday Inn. C'è un aereo umanitario che rientra in Italia nel pomeriggio, è stato al comando Onu, è riuscito a metterci sulla lista. Ci consegna i passaporti e l'atto di nascita del bambino, basterà questo per passare. Leggo, parole loro e i nostri nomi. Accanto alla parola *otac*, padre, c'è il nome di Diego e accanto a *majka*, madre, c'è il mio.

Non mi sembra possibile questo miracolo così inodore.

Stringo Gojko.

«Come hai fatto?»

Nessuno aveva compilato il foglio di ricovero, perché non ci sono più fogli di ricovero. Sono bastati i nostri passaporti e i soldi.

Gojko si lascia scuotere come un sacco.

«Adesso certe cose sono facili...»

Non l'avrebbe fatto per nessuna ragione al mondo, lui è uno di quelli che al mercato fanno a botte con i borsari neri, con gli sciacalli che mangiano sulla guerra. Però per me l'ha fatto. E adesso penso che non vorrà vedermi mai più.

Aska è seduta sul letto. Stringe quella federa gonfia di marchi. Sta meglio anche se è gialla in faccia per via dell'anemia.

Grazie, le ho detto.

Ha annuito, e forse finalmente voleva piangere, ma non c'era tempo.

Ce ne andiamo, la pecora è fuori dai documenti, fuori dalla storia. Il bambino piccolo come una mano ha un budello annodato sulla pancia, nascosto sotto la lana ruvida, lì dov'era aggrappato alla carne della pecora. Un budello che si seccherà e cadrà, e sarà soltanto una conchiglia di carne di un mare remoto. Non resterà nella valle dei lupi, non sarà mai un coniglio, un maleni cilj.

Stavolta a fare il servizio sono soldati ucraini, ci aiutano a salire su un blindato bianco. Mi volto verso Gojko. Ci rivedremo tra sedici anni, ma ancora non lo so. Mi volto verso un morto, come sempre a Sarajevo quando saluti qualcuno.

«*Čuvaj se*», abbi cura di te.

È lui che ha parlato con i soldati, li ha convinti, gli ha dato i soldi, tutti quelli che restavano. È un servizio che ha il suo prezzo, navette Onu verso l'aeroporto. Ora siamo dentro quella tartaruga bianca che si mette in marcia. C'è un rumore infernale, il bambino è una bambola, si muove appresso al tremore del blindato, senza svegliarsi. Chi è questo bambino che si lascia portare senza peso, senza anima, come un piede in un calzino? È tutto quello che ho voluto, è la ragione per cui abbiamo attraversato questo inferno che ci aspettava come un chiodo nel destino, e adesso sono così slombata che potrei lasciarlo cadere. Il blindato cammina sui detriti, lo sentiamo arrampicarsi sotto i nostri piedi. Il soldato ucraino ride, parla in inglese, ci chiede del bambino, avvicina una mano per scostare la coperta, per vedergli il muso.

Ci fermano a un posto di blocco, il soldato s'è affacciato dall'oblò, parla con un paramilitare. Serbi aggressori e ucraini dell'Onu vanno d'accordo, si salutano con le tre dita.

Scendiamo dal tank, entriamo nella scatola buia dell'aeroporto. Diego mi dà indicazioni su cosa dire, su cosa fare... ci stiamo avvicinando ai controlli. C'è una donna magra in divisa mimetica, le ossa degli zigomi forti come quelle di un cavallo, mi guarda. Ho paura del suo sguardo, abbasso la testa. Mi stringo al piccolo gruppo di civili che aspettano insieme a noi, tutti con i giubbotti antiproiettile sopra le giacche a vento. Nessuno si sente al sicuro, questa è l'ultima bocca dell'assedio, forse la più temibile. E tutti questi militari hanno l'aria di odiarci. Sono squali di guerra, conoscono ogni stato d'animo dei loro prigionieri... c'è un'aria tesa nel silenzio, annusano la nostra paura, forse si divertono. Sembra che da un momento all'altro possano spararci addosso. Ci muoviamo accorti, senza fare scatti. Abbiamo tutti paura che possa succedere qualcosa, spesso i serbi tirano sull'aeroporto nonostante sia presidiato dai loro. Nello specchio di una vetrata divelta si vedono le piccole case di Butmir con i tetti flosci sulle ossature delle travi. Adesso d'improvviso urlano tutti. Ci sono dei combattimenti in corso sul fronte di Dobrinja. L'aria è gelida, mi curvo sul bambino. Il naso, piccolo come una delle mie unghie, sembra un pezzo di ghiaccio. Gli alito addosso. Diego mi carezza la schiena, uno strofinio meccanico, sfinito. Poi si china a guardare il bambino.

«Non devi avere paura di niente.»

E non so se lo sta dicendo a suo figlio o a me, o a se stesso.

Di colpo ci fanno alzare, ci dicono di correre. Un casco blu grande come un gigante ci scorta verso la pista. Accanto alla porta senza vetri prima di passare all'esterno un poliziotto controlla che i nomi siano sulla lista. È un'operazione rapida, passiamo a testa bassa come bestiame. Consegno il mio passaporto con il foglio dell'ospedale dentro. Il poliziotto non si è nemmeno accorto che ho qualcosa in braccio, non fa che guardare dal lato opposto, gira di continuo la testa verso la barriera sulla pista, proprio sotto la torre di controllo, dove alcuni militari stanno correndo. Forse aspetta un segnale. Io aspetto il timbro, rosso, come quello sulle bestie. Il mio cuore è fermo. Il poliziotto alza appena il mento per guardare il bambino incartato nella coperta. Sono le cinque del pomeriggio, è già buio. Il volto del poliziotto è ruvido di freddo, il naso largo, rosso... non mi sento le braccia. Di nuovo ho paura di far cadere il bambino mentre l'uomo muove una mano verso la coperta, allarga l'asola dov'è nascosto il viso. Fa una strana espressione, quasi di sorpresa, uno sbigottimento amaro. Ritrae la mano, mi lascia passare. Faccio qualche passo nel gelo. Raffiche di vento scendono dall'Igman, sollevano la neve che imbianca la pista. Mi volto, perché sento quel vuoto.

È un vuoto che riconosco, che mi porto appresso da mesi come un presagio che ho tenuto in basso, schiacciato. Diego non è più dietro di me. L'ho perso. Mi volto, ma so che la mia ricerca è inutile. Perché l'ho perso già da molto tempo. E so che poco fa lui ci stava già salutando.

Non devi avere paura di niente.

E forse dovrei raccontare a suo figlio la sensazione di questo vuoto, di questa vita in caduta. Sono i primi passi che facciamo da soli, da orfani. I passi incerti di una di quelle bestie dalle zampe lunghe che appena partorite, per sopravvivere, devono subito mettersi in piedi.

Guardo il buco appena illuminato dell'aeroporto che galleggia dietro di me, già lontano in quel buio sporco di raffiche di nevischio. Vedo solo sagome, ombre. Non capisco cosa sta succedendo. Diego è accanto al poliziotto... lo fanno aspettare e intanto lasciano sfilare gli altri, due giornalisti che mi passano accanto correndo. Si agita, con tutte e due le braccia sollevate, urla. Mi sta dicendo di correre, di togliermi da lì.

Ruzzolo in avanti con il collo indietro, verso di lui. A est stanno sparando, si vedono i bagliori dei proiettili traccianti.

Mi arrampico, mi scaravento in quel ventre di ferro. Aspetto, aggrappata al portellone, la faccia dura di freddo, di vento che taglia come una lama. Il bambino l'ho lasciato sulla panca, accanto a uno zaino militare. Forse potrei lasciarlo lì. Tornerebbe in Italia comunque, qualcuno si occuperebbe di lui... potrei mettergli addosso l'atto di nascita, chiamare papà da uno dei telefoni satellitari dell'Holiday Inn. Sì, potrei scendere, buttarmi giù da questo aereo che non ha mai spento i motori, tornare verso la vetrata senza vetri, tornare dal corpo del mio amore.

Dovrei dire anche questo a Pietro? Questa voglia di abbandonarlo, il corpo appeso fuori nel vento gelido della pista.

«Perché hanno fermato mio marito?»

«Ha perso il passaporto.»

Il militare è un ragazzone alto con l'elmetto, ha l'accento

veneto, si scusa, dice che loro non possono fare niente, hanno scaricato aiuti umanitari e adesso ritornano, sono questi gli ordini, non sapevano nemmeno che avrebbero avuto passeggeri. Guardo il monte Igman pietrificato dal gelo.

Sono un ragazzo fortunato.

Ah sì?

Molto fortunato.

Molti anni prima, la sua fortuna cadeva dal cielo con quella neve che fioccava e impediva la partenza degli aerei. Volevo dargli uno schiaffo, perché aveva vinto. Quello schiaffo è fermo qui nella mia mano congelata, aggrappata alla scaletta, mentre il soldato dice che devo togliermi, che deve chiudere.

Non ce l'ho fatta a scendere, a lasciare Pietro, a scegliere un altro destino.

Il vento mi butta indietro, la pista è immensa e nera e magari una pallottola mi prenderà. Mi affloscio nell'aereo, voglio salire in cielo viva.

La verità è che ho scelto, e Diego lo sa. Non me ne sarei mai andata a mani vuote. Ma adesso ho questo pacco da consegnare al mondo. Mi sto portando via la parte migliore di lui, la vita nuova, quella che nessun dolore ha sporcato. E mi sembra di vedere il suo sorriso. Mi schiaccio contro l'unica fessura da cui si vede fuori. L'aereo si sta muovendo. Guardo il ragazzo di Genova per l'ultima volta.

Il corpo magro, nero e lontano contro la bolla di luce mogia di quell'aeroporto senza vetri, senza personale, senza voli... sta lì fermo, accanto al poliziotto. Il suo viso giovane, spolpato come quello di un vecchio, guarda questo C130 che muove le sue ruote sul nevischio. Guarda noi, quello che sta perdendo.

È rimasto a terra, in quella terra sporca. E non saprò mai se quel passaporto è davvero caduto nella neve.

Sono un ragazzo fortunato.

Ah sì?

Molto fortunato.

L'aereo punta dritto il cielo. Mi hanno passato una cinghia intorno al corpo, mi ordinano di stringere il bambino. Si decolla così da quest'assedio, senza giri morbidi, puntando dritto il cielo perché un missile potrebbe ancora farcela. I motori sono bocche di fuoco, l'aereo è in verticale, sacchi rotolano indietro insieme alla frustata delle teste. Senti la salita, lo sforzo violento di tagliare la gravità. È una levitazione dura, da guerra, i timpani fanno male, bruciano. Sono appesa sul mio sedile, stringo il fagotto.

Poi la tregua. Abbiamo raggiunto i novemila metri, ora neanche uno dei missili più sofisticati potrebbe colpire l'aereo umanitario che sorvola l'Igman. Il collo torna al suo posto, le ossa contratte fanno ancora male. Lo sforzo dei motori diminuisce, così sento la voce: il fagotto piange. E quindi è vivo, non è morto né di freddo né di paura. Lo tengo tra le braccia come un filone di pane. Sposto la coperta, ha il muso rosso, cianotico di vita, la bocca che spalanca a ripetizione in quel pianto violento, sdentato. *Chi sei*, gli chiedo, *una pecora o un lupo?*

Il neonato apre questa bocca di gengiva nuda come quella di un vecchio, di un uccello.

È stato buono fino al decollo, finché è rimasto in basso nel grembo della guerra, immobile come se non fosse mai nato... come se sentisse che anche solo un vagito avrebbe potuto costargli la vita. E ora finalmente può nascere, a novemila metri, nel cielo, dove i missili non possono raggiungerci. E allora piange, si fa sentire, reclama attenzione.

Tra sedici anni, quando un suo amico gli chiederà perché è nato a Sarajevo, Pietro risponderà *per caso, come quelli che nascono sugli aerei.*

E io mi fermerò senza respiro. Mi appoggerò a un armadio, al muro. E di nuovo sentirò il pianto di lui che nasce su questo C130, raggiunti i novemila metri.

Guardo attraverso la fessura, non si vede niente, solo nero e in mezzo il bagliore bianco della luna. Come nelle foto-

412

grafie mangiate dalla luce. Mi ricordo un gesto che Diego faceva, si prendeva in bocca il mio mignolo e se lo teneva così, succhiandolo ogni tanto fino a dormire, poi ero io a restargli tra le labbra. Ho le mani sporche, luride. Lavo il mignolo con la mia saliva, lo succhio per pulirlo, poi lo infilo in quella bocca cianotica. Lo acchiappa come un uccello affamato. Fa esattamente come suo padre, succhia un po', poi si addormenta. E io lo bacio per la prima volta. Poso le mie labbra su quella fronte minuscola.

Attraversammo il tappeto di velluto dell'Adriatico nella notte e arrivammo. Scesi da quell'aereo con i capelli incollati al cranio, la giacca a vento strappata e lercia, lo zaino floscio, il bambino nella coperta. Cercai un bagno. Mi guardai nello specchio. Una grande parete intatta, terribile. Era una bestia quella che mi guardava, il volto ossuto, le pupille larghe, assenti. Puzzavo. Della puzza di Sarajevo, della guerra, della vita coatta. Non mi ero accorta di quell'odore, ora in quel cesso fresco lo sentivo. Non sapevo come fare, c'erano due lavandini, posai il neonato in uno di quelli. Lo lasciai in quella culla di ceramica e mi lavai un po' nell'altro lavandino, lentamente mi sfilai la giacca, sollevai la maglietta. Mi sciacquai il viso, avevo una crosta fresca sullo zigomo e un baffo nero sulla fronte. Ma c'era altro, una patina opaca, come quella della ceramica che ha perso il suo smalto e trattiene i segni del tempo e dello sporco.

La porta si aprì e un uomo entrò, mi diede un'occhiata in quella luce al neon, ero rimasta in reggipetto, le ossa del costato affioravano sotto la pelle senza più carne. L'uomo indossava una divisa scura, sorrise.

«È il bagno dei maschietti, questo...»

Mi strinsi la maglietta davanti per coprirmi. Lui si chiuse una porta alle spalle, lo sentii orinare, uscì. Non mi ero mossa, non mi ero nemmeno infilata la maglietta.

L'uomo si avvicina all'altro lavandino. È alto, ha passi di piombo, spalle massicce. Indossa una divisa con una grossa cinta di cuoio sulla vita. Solleva gli occhi, incontra i miei nello specchio. È semplicemente un uomo che ha pisciato e che deve lavarsi le mani, ma io non lo so. Anche i lupi pisciano e si lavano le mani. Ho paura degli uomini in divisa, io cerco il mio ragazzo, magro come me, con i capelli lunghi e incolti come i miei e la mia stessa storia dentro gli occhi.

L'uomo mi guarda nello specchio del bagno.

«Di chi è?»

La vita di Giuliano è tutta lì, in quel cesso dov'è entrato per caso. Fino a un attimo prima pensava di pisciare in autostrada, aveva fretta di andarsene dopo quella giornata di pacchi umanitari, di profughi da smistare verso i centri di accoglienza. Ha fatto distribuire pasti caldi, merendine per i bambini, ha preso in braccio i più piccoli, ha riempito fogli di burocrazia, di timbri. Guarda nello specchio il neonato lasciato nel lavandino, guarda la donna che si stringe un cencio addosso, le scapole azzurrine su cui sbatte la luce al neon. Forse è una profuga che per qualche ragione non è salita sui pullman, si è nascosta in questo bagno insieme al figlio. I suoi occhi sono quelli di una bestia ferma su un dirupo.

«Di chi è?»

Adesso si accorge che la donna sta piangendo, pur senza muoversi, senza nemmeno sbattere gli occhi. Lacrime grosse che cadono come perle. E lui istintivamente avrebbe voglia di raccoglierle come perle di una collana rotta e di restituirgliele. Conosce lo sguardo dei profughi, della gente che cerca nei suoi occhi la conferma della propria esistenza, come se fosse lui a decidere di lasciarli in vita. Sono sguardi che fatica a sostenere.

L'uomo mi guarda. Ha una faccia larga, compatta, italiana, la fronte lucida di chi ha perso i capelli.

«Di chi è?»

E non sa, Giuliano, che quel bambino sarà il suo, che sarà lui ad accompagnarlo a scuola, dal pediatra. Non sa che vivrà per lui. È un attimo lungo, di placido sgomento, in quel cesso dove il destino pesca.

È un neonato sporco, un ricciolo di carne confusa, abbandonato in un lavandino. È cielo in un buco.

«È mio!»

E mi precipito a riprendermi il fagotto.

«Mi scusi...»

Abbasso la testa, mi difendo.

L'uomo sorride, ha bei denti, glieli vedo galleggiare sotto i miei occhi sporchi di colla, di vecchie lacrime che si sono staccate di colpo come pezzi di ghiaccio dalla roccia.

«Quindi lei è italiana?»

«Sì, sono italiana.»

Esco dal cesso in fretta, cammino in quell'hangar buio, non so dove andare. Devo raggiungere la stazione ferroviaria, cercare un treno per Roma. Oppure cercare un albergo chiamare papà... devo cambiare il bambino, puzza .. puzzo anch'io. Avrà fame, cazzo avrà fame, lo farò morire, cazzo, dov'è la guerra? Dove sono i sacchi di terra? Dov'è il ghiaccio? Dov'è il Trebević? Dove sono nascosti gli sniper? Non sono in grado di controllare la pace, è questa la verità. Non sono in grado di controllare i miei passi. Qui si accorgeranno che il bambino non è mio, qui non c'è la guerra, non ci sono gli ospedali bombardati senza più reparti a proteggermi... qui siamo nella legalità della pace. Devo andarmene, mi fermeranno. Faranno il test al bambino e si accorgeranno che non è mio, che quel foglio di nascita è falso, comprato. Non andrò lontano, farò pochi passi nel buio e mi fermerò a morire all'addiaccio contro un muro, il bambino nascosto come un cane... come un cucciolo morto. Dov'è il ragazzo con i capelli lunghi? Dov'è il mio orfano preferito? Dov'è il padre? Soltanto lui può salvarmi, il bambino ha i suoi geni. Era lui il mio lasciapassare, ma lui non è venuto. Ha perso il passaporto nella neve. Ha mentito. Ho freddo, ho la schiena nuda. La giacca a vento è caduta, me l'ero soltanto appoggiata sulle spalle per uscire il più in fretta possibile da quel cesso, per allontanarmi da quell'uomo in divisa che mi starà seguendo... perché ha capito che qualcosa non va. Una madre non lascia il proprio figlio in un lavandino solo per sciacquarsi il viso nel lavandino accanto... per guardarsi nello specchio e piangere.

C'è una panca e mi siedo. Poso il bambino vicino a me, mi rivesto lentamente, il maglione, la giacca a vento.

Un ragazzo si avvicina, avrà poco più di vent'anni, somiglia a Sandro, un mio amico del liceo. Ha le stesse labbra carnose e troppo rosse, gli stessi occhi tondi come due nocciole. Chi è? Cosa vuole? Perché Sandro esce dal suo banco di liceo dove ha scritto VIVA IL CHE e VIVA LA FICA e cammina verso di me?

«Mi scusi, signora, dove va?»

Resta a guardarmi, leggermente curvo su di me. Non è Sandro, ha una voce del Sud e una divisa da carabiniere semplice.

«Non lo so...»

Il ragazzo allunga il braccio verso la sagoma vicino alla porta... l'uomo del bagno fermo sulla soglia.

«Il capitano vuole sapere se ha bisogno di un passaggio da qualche parte.»

«In prigione?»

Il ragazzo ride, tira fuori denti troppo piccoli per quelle labbra così grandi, gli piace la battuta.

«Io accompagno il capitano a Roma, al Celio.»

Corriamo insieme a questa macchina nera, potente, con la scritta CARABINIERI e la striscia rossa dell'Arma sui fianchi. Dentro c'è una pace che non ha eguali, i sedili hanno l'odore buono della pelle nuova. Il cucchiaio nero e profumato di questa berlina potente mi raccoglie e mi porta verso casa su una strada di asfalto regolare, senza buchi, senza barricate, liscia come un nastro di raso. E per un po' mi sento una bestiola, un capriolo investito che un automobilista di buon cuore sta portando verso una clinica veterinaria. Il finto Sandro guida con il berretto in testa. Il capitano è seduto accanto a lui, a testa nuda, legge un giornale sotto la lucetta.

Prima di lasciarmi salire ha detto: «Ci vorrebbe un seggiolino per suo figlio, quelli a uovo da neonato, non si potrebbe portare così...».

Io ho fatto un sorriso ebete, sciancato.

«Ha ragione» ho risposto. Ho aspettato. «Che faccio?»

E lui ha detto: «Pazienza, salga».

Dentro di me crepitava una risata aspra e folle, gonfia d'umor nero, come le barzellette dei sarajeviti. Questo bambino è un granchio preistorico, scampato a una guerra, eppure appena approdato su queste strade flautate ha già bisogno di un seggiolino a uovo per sopravvivere! Com'è idiota la vita in tempo di pace.

Al capitano non dev'essere piaciuto il mio sguardo... ha sentito qualcosa, la coda di quella brutta risata. Ha acceso la luce, ha posato il berretto con la fiamma d'oro sul cruscotto e si è messo a leggere. Forse s'è pentito di essere stato così generoso. Forse ora in questo spazio chiuso sente il mio odore, dev'essere simile a quello delle zingare che ogni tanto arresta e che in macchina urlano, lanciano iatture.

Io guardo la libertà. I caseggiati industriali della periferia, le villette a schiera con i tetti perfetti, i cartelli stradali senza buchi di raffiche.

Poi il bambino addosso a me si muove, si agita come un granchio. Quante chele ha? Quanti nervi?

Provo a ficcargli di nuovo il mignolo in bocca, ma stavolta non funziona. Il capitano si gira.

«Forse ha fame.»

Ci fermiamo in un autogrill, la macchina s'infila sotto la pensilina del parcheggio. Il finto Sandro resta a far la guardia, il capitano scende con me, camminiamo nel buio verso il ristoro. Mi infilo nel bagno. C'è un posto per cambiare i neonati, un piano di plastica bianca che pende dal muro. Poso il fagotto, cerco nello zaino i pezzi d'ovatta e le bende che mi hanno dato all'ospedale, apro la coperta, cerco i bottoni di quella tuta di lana dura come cartone. Tiro fuori le gambe. Non ho mai visto niente di così piccolo. Apro la benda, l'ovatta è completamente bagnata e gli escrementi sono gialli come se avesse bevuto zafferano, ma non hanno un odore cattivo. È la prima volta che vedo il corpo del bambino così da vicino tra le mie mani. Ha il ventre gonfio di un pollo. Piange, contrae le gambe, se le tiene strette al corpo come zampe. Respiro. Se non riuscirò a cambiarlo richiuderò la coperta e via. La garza intorno all'ombelico è caduta, c'è quel pezzo di budello nero che pencola. Mi chino per sentire se puzza, invece trovo ancora il sentore dell'alcol. Non devo pensare, devo muovere le mani. Apro il rubinetto, bagno un pezzo d'ovatta e gliela passo tra le gambe. Avvolgo l'ovatta che resta nella garza, la strappo con i denti. Il bambino continua a piangere, devo prepararli il latte, devo farlo mangiare. Mi chino per raccogliere la tuta che è caduta in terra. Sento un rumore secco, ho lo zaino sulla spalla e mi sono piegata in fretta. Apro ed è come penso, vetro di Sarajevo, vetro senza futuro!

Butto quello che resta del biberon nella pattumiera. Sento bussare dall'esterno.

«Ha bisogno d'aiuto...?»

Riprendo il fagotto, apro la porta, il capitano è lì fuori, con i suoi pochi capelli.

«Ho rotto il biberon.»

Usciamo dall'autostrada per cercare una farmacia notturna.

Il capitano adesso s'è preso a cuore la causa del granchio affamato, anche perché Pietro ha una voce che spacca le orecchie, logora dentro, come le sirene degli allarmi.

«Esci» ha detto all'attendente, «dobbiamo cercare un biberon, una tettarella...»

Il finto Sandro non ha fiatato, ha messo la freccia, si è avviato nel buio. Che uscita è? Non c'è nemmeno una casa, solo campi.

Il capitano non legge più il giornale, non sembra nemmeno contrariato. Si volta indietro verso di me, mi guarda più del dovuto.

Gli sorrido, con gli occhi sgranati di un capriolo prigioniero.

«Ma lei non ce l'ha, il latte?»

Indico lo zaino... «Sì, ne ho un po', una mezza scatola.»

Non torna davanti, resta da me con la testa, con gli occhi.

«Al seno, dico... latte suo non ne ha?»

Mi copro istintivamente il seno vuoto con il fagotto, me lo stringo addosso, contro le ossa.

«No, non ho latte.»

«Peccato» torna a guardare la strada. «Era più facile.»

La farmacia la troviamo in un paese, di quelli tagliati in due dalla statale. La croce però è spenta. Ci sono uomini al bar che giocano a carte, il capitano si affaccia, chiede. Viene scortato fino al citofono del farmacista che si riveste e scende. È un ometto magro, dai capelli tinti, sarà un piccolo viveur di provincia. Ci infiliamo dentro tra gli scaffali bui, che improvvisamente s'illuminano per lasciare entrare la divisa, il berretto con la fiamma. Il capitano mi consiglia un biberon di plastica.

«Forse è meglio» sorride.

Il farmacista chiede che tipo di latte voglio.

«Per i lattanti.»

«Che marca?»

Guardo il capitano, mi guardo intorno, guardo il farmacista.

«Quella che c'è. Una buona.»

Il capitano fa un passo verso il bancone.

«Faccia vedere.»

Il farmacista impila barattoli sul bancone. Il capitano s'infila gli occhiali, perché le scritte sono piccole piccole, legge.

«Prendiamo questo, è anallergico...»

Mi cerca: «Cosa ne pensi?».

Penso che m'ha dato del tu. Annuisco.

«Va bene.»

Non ho una lira per pagare. «Ho perso il portafogli» sussurro, e intanto rimetto a posto almeno i pannolini che ho preso. Forse il granchio non cacherà altro zafferano prima di arrivare a Roma.

Il capitano afferra i pannolini e li posa sul bancone insieme al resto. Guarda il farmacista con i suoi capelli tinti da cantante vecchio.

«Non ce l'ha un coso...?»

Il farmacista lo guarda e aspetta.

«Di quei cosi che suonano... un sonaglio.»

Non è proprio un sonaglio, è un giochetto di plastica con una musichetta. Salendo in macchina dice: «Scusi se mi sono permesso».

E torna a darmi del lei. Forse prima ha soltanto voluto far credere che fossi qualcuno di famiglia, sua sorella, sua moglie.

Scarta il gioco, fatica a strapparlo dalla plastica, lo scuote accanto al muso cianotico del bambino, che non smette di piangere. Forse nemmeno la sente, quella musichetta da carillon. È un osso duro, è abituato alle bombe. Il capitano sospira: «Si vede che non ho figli, vero?».

Siamo di nuovo fermi, in un altro autogrill. Panche di plastica rossa, tavoli infilati nel muro come nei fast food e paralumi con frange.

«Ha fame?»

«Grazie, dopo.»

Lui invece strappa morsi profondi da una piadina Primavera, si volta verso di me, mugugna.

«Quanto dev'essere calda l'acqua?»

«Un po'.»

Annuisce, guarda il barista: «Un po'».

C'è di mezzo la divisa... il barista ci pensa qualche istante prima di dire la sua: «Guardi che l'acqua andrebbe bollita e poi freddata».

Il capitano si avvicina al bancone, lo interroga.

«Che ne sai tu?»

«Io c'ho un bambino piccolo.»

«Quanti anni hai, scusa?»

«Venti.»

«Hai fatto presto.»

«Ha fatto presto la mia ragazza.»

Il capitano ride insieme al barista. Punta il boccaglio di acciaio del vapore. «Procedi.»

Torna verso il tavolo con l'acqua e due piattini pieni di

roba da mangiare per noi. Ha le mani prensili, è una delle prime cose che noto di lui... mani tornite che immagini goffe e invece sanno tenere insieme un mucchio di cose senza farle cadere, in tranquillo equilibrio. E anche i piedi sono piatti, ben attaccati alla terra, come quelli di un cameriere professionista. In questo secondo autogrill forse lo guardo per la prima volta, mi fa una certa simpatia, mi sembra un uomo buono. E di colpo ho nostalgia di mio padre.

Giuliano deposita la roba sul tavolo, spinge il biberon verso di me.

«L'acqua va prima bollita e poi freddata, lo sapeva?»

«No.»

Ride, resta a guardarmi.

Forse lo sente che gli sto nascondendo qualcosa. Non m'importa, mi appoggio allo schienale della panca. Lui si mette di nuovo gli occhiali. Legge sul barattolo del latte quanti misurini ci vogliono. Chiede se l'acqua è troppa. E adesso aspetta la risposta puntandomi al di sopra degli occhiali scesi sul naso.

Io non rispondo. Un giorno mi dirà che aveva già capito che non potevo essere io la madre naturale. Gli ero sembrata così sola davanti a quel barattolo di latte artificiale.

«Mangerà finché ha fame» dice.

Non so nemmeno se sto spingendo la tettarella troppo dentro. Il neonato l'avvolge con tutta la bocca, mangia in apnea, guardandomi negli occhi. Sembra il movimento di una medusa nell'acqua. Poi i suoi occhi si fanno molli. Chiude le palpebre lentamente, rilascia la bocca, geme un po' mentre si addormenta. Deve aver faticato parecchio, ha sudato in questa tuta di lana sarajevita.

Il capitano si è alzato, ha preso una bottiglia d'acqua frizzante, riempie due bicchieri.

«Deve fare il rutto.»

Intanto mi offre quel bicchiere d'acqua gassata.

«È una cosa che mi ricordo dei nipoti...»

E mi racconta che sua sorella, quando aveva i figli in culla, dopo la poppata glieli dava e lui doveva batterli piano

piano sulla schiena. Si metteva un fazzoletto sulla spalla per non macchiarsi la divisa.

Fa la stessa cosa in questo autogrill finto country. Tira fuori dai pantaloni della divisa un bel fazzoletto candido da uomo di una volta, di batista leggerissima, se lo allarga sulla spalla, si copre i gradi e le mostrine.

«Permette?»

«Prego.»

Mangio guardando solo il piatto con i panini rimasti, e solo dopo un po' mi accorgo che il capitano mi sta fissando. Ho questa giacca a vento lurida, i capelli sporchi, questa fame da miserabile... non ho una lira bucata in tasca, solo un bambino di poche ore che ho gonfiato di latte fino a farlo scoppiare.

Un giorno mi dirà che lui non si è nemmeno accorto che la mia giacca a vento e i miei capelli fossero così sporchi, dirà che gli sono sembrata una bella donna, audace, stravagante... e la mia fame gli è piaciuta più del resto, perché lui ha avuto una moglie che mangiava solo insalate, un cuore verde, aspro.

Il bambino è attaccato alla sua divisa. Il capitano fa qualche passo, arriva fino alla griglia dei giornali accanto alla cassa, poi torna indietro. È imponente, massiccio, però è armonioso, ha passi placidi, riposanti.

Il finto Sandro ha bevuto una Coca-Cola, ha accartocciato la lattina e adesso aspetta. Quando il capitano gli passa davanti si alza in piedi in attesa di un ordine che non arriva.

Il capitano tiene il bambino con una mano e con l'altra batte leggermente su quella schiena minuscola. Il fagotto cava fuori un rutto fondo, duro, come il rumore improvviso del tubo di un lavandino.

«Ha visto?»

Anche il finto Sandro dice *accidenti*.

Il muso del piccolo è reclinato su quella spalla. Il rutto l'ha fatto sobbalzare, ma non l'ha svegliato. Ho finito i panini, bevo l'acqua gassata e faccio un piccolo rutto anch'io. Adesso sono sazia e tranquilla come il bambino.

Guardo quest'uomo, in fondo a questa luce notturna, con in braccio il neonato di Sarajevo. E d'improvviso sento quel dolore, che poi mi prenderà ogni volta e ha un modo tutto suo di aggredirmi. Mi stringe la nuca, m'irrigidisce il collo. È Diego che mi trattiene da dietro, riconosco le sue mani, il suo fiato, però non posso voltarmi. Era lui che doveva tenere in braccio il bambino, il ragazzo che sarebbe stato un padre meraviglioso, un santo, un giocoliere. È lui che mi tiene per la nuca e mi sussurra di guardare il mio destino avanti, le scene della mia vita senza di lui. È lui che non mi consente di voltarmi. Di abbracciare la morte.

Il capitano torna a sedersi accanto a me, dall'altra parte del tavolo, sull'altra panca.

«È stanca?»

«Un po' sì.»

«Ha partorito a Sarajevo...»

«Sì.»

«Ha avuto un bel coraggio.»

Ci siamo messi a parlare, gli dico che mio marito è rimasto laggiù, che è un fotografo. Giuliano annuisce, io parlo di Diego, di come ci siamo conosciuti, delle fotografie che fa.

La nostalgia è atroce, in questo istante. È un fiume che tracima. Vedo le gambe di Diego all'aeroporto, magre e fredde come tubi di ferro. Vedo che resta lì... Mi fermo, il petto si gonfia, respiro, continuo. Giuliano abbassa gli occhi, non dice niente.

Un giorno mi dirà che si è commosso pure lui perché non aveva mai visto una donna così innamorata. Aveva avuto una moglie, una compagna, storie e storielle... però ascoltandomi quella notte ha sentito nostalgia di un amore che mai lo aveva raggiunto fino in fondo.

Mi racconta che non ha fatto l'accademia militare, che era nei corpi speciali, è stato anche in Libano. Mi racconta di un paracadute che non si è aperto bene. Per questo adesso è a terra, in ufficio. Mi fa ridere, dice che è pieno di placche di metallo, e all'aeroporto quando passa nel metal detector si scatena l'inferno. Mi dice: «Le barzellette sui carabinieri sono tutte finte, sa perché?».

«No.»

«Perché è tutta verità.»

Ride insieme al finto Sandro.

Si alza, va alla cassa, compra una scatola di cioccolatini, mi chiede se ne voglio uno. Lui scarta con una sola delle sue mani capaci, l'altra è ferma sul bambino che non s'è mai svegliato.

Mi dice che la fotografia gli piace, che anche lui si diletta. Mi chiede se ho qualche fotografia scattata da Diego da mostrargli.

Gli dico che non ho niente, a parte il bambino.

«Non sono riuscita a tornare in albergo.»

«E suo marito?»

«Ha perso il passaporto...»

Mi allunga un biglietto da visita: «Se dovesse avere bisogno».

La città trapela dal buio in questa quieta giornata invernale, le insegne dei negozi, i palazzi con le persiane al loro posto. Sono le cinque del mattino. Vite che tra poco si tireranno su dai letti, torneranno verticali, ingombreranno le strade. Ricomincerà lo stupido affanno della pace. Un camion della nettezza urbana ci fa perdere tempo. Ci fermiamo. Guardo il braccio metallico che aggancia i secchioni, li solleva in aria, li rovescia. E ho di nuovo la sensazione di aver perso tutto.

Sotto casa, il capitano scende per aiutarmi con il bambino. Ha aperto la bocca come per cominciare a dire qualcosa, invece è rimasto zitto. Ha fatto un gesto, si è rimesso il berretto della divisa. Quel viaggio magari era per tenermi d'occhio e la sua gentilezza per trarmi in inganno. Ha lo sguardo di un cane da penna, di quelli che sembrano vagabondare a vuoto nella campagna, poi invece tornano con la preda in bocca. Ha capito che c'era qualcosa di strano,

magari ha pensato che avessi rapito il bambino. Si è voltato per dirmelo, ma poi ci ha ripensato.

Un giorno mi dirà che per tutto il viaggio è rimasto in
bilico tra la sua uniforme e la voglia di fidarsi di me. Un
giorno mi dirà *la legge può farsi una passeggiata, l'amore va
lasciato dove sta.*

La porta si apre sul silenzio

La porta si apre sul silenzio, sul tappeto che ricopre il corridoio. Le tapparelle sono abbassate, c'è odore di chiuso, i termosifoni sono tiepidi. Non ho bagagli da disfare, ho solo il bambino. Sull'attaccapanni c'è la giacca di Diego, quella di velluto con le toppe, e una sua cravatta, quella delle feste, magra, rossa. Un filo di sangue.

Mi sfilo gli stivali sporchi di Sarajevo, del suo fango, senza chinarmi, spingendo con i piedi sui talloni. Non ho ancora posato il bambino. Non è esattamente il ritorno a casa da una clinica dopo un parto. Non so dove metterlo, non c'è una cameretta pronta per lui, non c'è una culla né un fasciatoio. C'è il pianoforte di suo padre, il divano bianco che andrebbe lavato. L'odore di una casa rimasta ferma, congelata nel silenzio di una vita precedente.

Passo accanto ai piedi in attesa della metropolitana, e mi ricordo che a Diego quelle fotografie non piacevano più, voleva toglierle dal muro. In camera da letto socchiudo appena la finestra per far entrare un po' d'aria. Poso il bambino accanto a me sul copriletto, non gli tolgo nemmeno la coperta, non mi tolgo la giacca a vento. Mi addormento accanto a lui così come sto, rimandando tutto a dopo, infilandomi nel sonno come una talpa nella terra, in un canale nero senza sogni.

Quando riapro gli occhi fatico a muovermi, sono rotta di dolori, li sento tutti insieme nelle ossa che tentano di svegliarsi. Forse perché il corpo s'è rilasciato, ha abbandonato le difese. Dalle persiane entra la luce e il bambino è sveglio. Non si lamenta, guarda il soffitto con quegli occhi che ancora non vedono.

Mi feci la doccia lasciando la porta aperta. Chiudevo spesso il rubinetto per timore che il rumore dell'acqua coprisse il pianto del bambino. Il sudicio venne via, scivolò nell'occhiello dello scarico. Chiamai papà. Ero di nuovo nel mio accappatoio.

«Pronto...» era il sussurro rauco di un vecchio, di una bocca stagnante di silenzio.

«Sono io, papà.»

Urlò il mio nome due volte, e sembrava urlare in un dirupo.

Non gli dissi nulla del bambino, gli dissi che ero tornata, che mi ero appena fatta una doccia.

Andai in cucina, feci bollire un po' d'acqua, riempii il biberon. Era facile perché il bambino non poteva muoversi, l'avevo osservato. Adesso piangeva e io mi affrettai a contare i misurini di latte in polvere. Era il primo giorno di noi due da soli.

«Sei ferita?»

«Sono in piedi, non lo vedi?»

Mi stringe con queste mani che non riconosco.

«Quanti chili hai perso?»

Anche lui ne ha persi, è un osso. È da tanto che non lo chiamo.

«Non si fa così...»

«Scusa, papà.»

Sta fermo sulla porta, fatica a entrare.

«No, non vi scuso.»

Dice che non si tratta così un padre, non si tratta così nemmeno un cane. Non è questo che lui mi ha insegnato.

«Siete due egoisti. Tu e quell'altro.»

Pane è accanto a lui, mugola per salutarmi, per infilarsi in casa ad annusare.

«Quell'altro non è tornato, papà.»

Di colpo gli occhi sono uva nera, il nodo del collo fa su e giù. Si guarda intorno nella macchia scura del pianerottolo, come cercasse un'ombra.

«Come sarebbe *non è tornato*?»

«È rimasto.»

Fa cadere il guinzaglio e Pane ne approfitta per entrare.

«Come sarebbe *è rimasto*...»

Entra appresso al cane, per richiamarlo... entra perché non c'è nessuna ombra lì fuori, il ragazzo non ha lasciato nessuna scia. Entra per sfiorare quella giacca con le toppe, quel cravattino rosso... agita gli occhi nel silenzio.

«Pane, vieni qui... Pane...»

Invece Pane se ne va di là, in camera da letto.

«Attento!» urlo.

Papà insegue il cane, si volta verso di me.

«Che c'è?»

«C'è...»

Non dico niente, lascio che veda da solo. Siamo sulla porta della camera. Il cane ha appoggiato il muso sul copriletto, odora la cacca del neonato, il pannolino sporco che ho lasciato lì. Papà sussurra *giù, metti giù il muso...* vede Pietro sul letto. Non si avvicina, non parla. Poi fa la stessa domanda del capitano nel cesso dell'aeroporto militare.

«Di chi è?»

«È nostro, papà.»

Fa un passo verso il letto, si china un po'.

«Ma è un bambino vero?»

«Certo che è vero.»

Si fruga nella giacca, si mette gli occhiali. Scruta il respiro del bambino con la stessa attenzione di quando correggeva i compiti dei suoi studenti.

«E quanto ha?»

«Niente... un giorno.»

«L'avete adottato?»

«No. Ho affittato un utero, papà.»

Mi guarda con la faccia appesa di un impiccato, di uno che ha finito il sangue.

Potevo dirgli una balla, dirgli che il bambino era il figlio

428

di un'avventura di Diego, e che io avevo pagato la ragazza per non abortire, per salvare il bambino. Potevo disegnarmi migliore su questo copriletto. Ma non ho voglia di mentire a mio padre, anche se non mi dovesse amare più.

Alza gli occhi, barcolla lungo l'osso del collo, della schiena.

«Ci devo pensare... ci devo pensare...»

Attraversa il corridoio, il salone, arriva fino alla porta. Chiama il cane ma Pane non si muove da qui, fa la guardia al bambino sconosciuto, che ha bucato la solitudine di questa casa.

Papà torna indietro, guarda quel cane fisso e nobile come una statua, come i levrieri ai piedi dei re.

Mi abbraccia su quel letto, lui in piedi e io seduta, lui alto e io bassa come da bambina.

«Come faccio a lasciarti sola, Cristo santo? Come faccio?»

Il bambino apre gli occhi ciechi e vede la sagoma del nonno italiano che s'è venduto la casa della sua vecchiaia per farlo nascere, i suoi soldi sono finiti nelle tasche di una Madonna punk, di una trombettista innamorata dei Nirvana. È una natività sgangherata, un presepio della zoppia.

Mio padre sorride a Pietro, gli dice piano: «Amore, amore...».

E vedo quello per cui vale la pena, la vita che restituisce... vedo mio padre che si china addosso a me, appena nata, e mi chiama amore...

Non si chiede più niente.

Da ovunque venga questo bambino, adesso è qui su questo letto. Ha quella tuta greve di lana sporca, dura. Papà scende perché nel viale c'è un negozio che vende abbigliamento per i piccoli. Torna, ha gli occhi laccati del suo cane.

«Ho preso taglia zero.»

Strappiamo il cellophane, le etichette, infiliamo al bambino di Sarajevo quella taglia zero, nuova di zecca. E adesso è un principe vestito di sangallo e lana raffinata, sparito il puzzo della stalla, della morte.

Mio padre non mi lascia più sola. Al mattino credo che arrivi molto prima di quando suona il citofono. Fa i giri al mercato, porta a spasso il cane qui sotto. In realtà non ce la fa a staccarsi. Forse la notte nemmeno dorme, sogna il bambino. Ha una faccia rosa, mio padre, nuova. La pelle sembra tornata indietro, gli occhi sono spicchi d'acqua vergine. Quando bussa ansima, come un cane che ha paura di essere scacciato.

«Disturbo?»

«Entra, papà.»

Porta dentro frutta, giornale, pane, perché io vivo barricata in casa come nell'assedio.

Mi trova sempre in vestaglia, fiaccata da quelle notti, dalle poppate che mi spezzano il sonno che poi non torna, e invece torna il bambino blu, torna Diego, tornano quelle file sotto il tiro del cecchino. Di notte tutto si amplifica, quando il bambino piange mi scoraggio subito, ho paura che tremi di astinenza, come i figli dei tossici. Ho paura che i suoi nervi esplodano, come i miei, in ritardo, in questo silenzio. Lo stringo, gli chiedo aiuto. Lo cullo inebetita, cammino su e giù accanto ai piedi in attesa della metropolitana, mi fermo davanti alla finestra, indietreggio, lascio il fagotto nel suo lettino, che pianga pure. Mi chiudo in bagno, dondolo sul bordo della vasca. Sono giallastra e in calo di speranze, come una donna che ha partorito malamente e scivola verso un solitario abisso.

Con il giorno torna la calma.

Papà ha il libro dei primi mesi, lo sfoglia. Dice che i pianti più disperati, quelli con le zampe rattrappite, sono coliche gassose, perché Pietro mangia troppo in fretta. Adesso dopo la poppata lo tiene a pancia sotto, gli fa il massaggio, lo acquieta.

Nel giro d'una settimana, Armando è diventato più bravo di una balia veneta. Puzza di latte, di rigurgiti, di olio di mandorle. Quando non è qui è in farmacia, si mette gli occhiali, studia gli scaffali della prima infanzia. Si consulta con le ragazze con il grembiule bianco e la crocetta dorata, è diventato amico di tutte, le chiama per nome. Confabula di cacche, di singhiozzi, di arrossamenti. Gli occhi languidi di un innamorato ai primi battiti. Ha semplicemente perso la testa.

Pane è depresso come me, la lingua floscia fuori dalla bocca, crepa di gelosia come un fratello grande, trascurato.

Facciamo la prima uscita, portiamo Pietro dal pediatra.

Papà ha già preso la macchina, l'ha parcheggiata sul marciapiede davanti al portone, non gli importa di beccarsi la multa, c'è l'oracolo da scortare, il futuro dell'umanità. Io ho gli occhiali scuri e un cappotto nero, sono magra e pallida, come una principessa triste, madre dell'erede al trono. Fa freddo e papà ha messo un velo sul porte-enfant, s'affacciano il portiere, un condomino, la signora del bar.

Papà non sente ragioni, sposta il velo solo per pochi secondi.

La barista mi sorride.

«Non lo sapevo che aspettava, signora...»

«Mio genero è fotografo, girano il mondo. Non sono piccioni da cortile come me e lei, sono ragazzi di oggi. Non si spaventano, fanno i figli dove si trovano.»

La barista mi fa i complimenti. Cala lo sguardo sulla mia pancia. Dice che non sembra nemmeno che ho partorito, sono fortunata ad avere un fisico così elastico.

In macchina papà è alterato, non fa che controllare lo specchietto retrovisore, penso che forse gli comincia un po' di arteriosclerosi, sbraita contro quella barista stronza.

«Fa i cappuccini corti, risparmia sul latte.»

Si volta verso il sedile posteriore, controlla il porte-enfant. Ringhia come un cane da guardia. Adesso è lui ad aver paura che qualcuno possa portarci via il granchio. Io ho solo paura di non farcela.

Con i giorni il bambino si abitua a me, e io mi abituo a lui. So riconoscere la sua voce. So quando si lamenta solo per essere preso in braccio e quando piange perché ha fame, o perché non ha digerito bene. Ho tutte le magliette sporche di caglio di latte sulla spalla, dove lui posa la bocca.

Me lo porto in giro per casa, ho meno paura di fargli male. Mi fermo davanti alle fotografie di Diego. Gli parlo di suo padre. Lo inganno, gli dico *quando papà tornerà faremo questo e quest'altro*.

Il suo cordone ombelicale è caduto. L'ho odorato, poi ho aperto il pianoforte e l'ho messo lì dentro, tra i tasti.

Le cose pratiche ormai riesco a sbrigarle, so lavare il bambino, so cambiarlo, so nutrirlo. Il resto non lo so. Vivo sospesa, in attesa di qualche notizia, e anche i miei gesti restano sospesi. Faccio tutto, ma senza una vera partecipazione. Come una tata efficiente, come se questo bambino mi fosse stato prestato e io dovessi soltanto accudirlo bene per poi restituirlo. Dovrei amarlo già, dovrebbe essere normale. Ma tutto il mio amore mi sembra morto a Sarajevo, in quei canali di neve sudicia.

Quando di notte mi sveglia non so come uscire da quel sonno greve per occuparmi di lui. Mi alzo per prepargli il latte, mi brucio le mani, sporco la cucina. Ha sempre fame, questo bambino di Sarajevo, la fame della sua origine miserabile.

È vero, ha un buon odore, lo tiro su dal naso. È ancora cielo ed è già lago. Ma io che me ne faccio? Mi fa male quest'odore troppo buono. Mi scivola dentro come un dolore, perché magari è l'odore di suo padre quando è nato, ed è lui che dovrebbe riconoscerlo.

Curo il bambino senza vero amore, come se fosse una macchina, metto benzina, la tengo pulita, la metto in garage nella culla. E se torno a guardarlo mentre dorme è solo per cercare suo padre, per vedere se gli somiglia. Solo quando Diego tornerà questo bambino sarà davvero mio, solo quando sarà nostro.

Nel sonno lo vedo. Diego na il piccolo nel marsupio, con una mano gli sostiene la testa e con l'altra stringe me. Camminiamo lungo il fiume, in basso, siamo in pace. Nel sogno c'è la sensazione tangibile di questa pace, non siamo più in lotta con noi stessi né con le cose che ci circondano. È il destino che ci sta trattando bene, quasi avesse bisogno di noi. Ed è la prima volta che lo sentiamo, la prima volta che ci sentiamo utili al flusso. E capiamo che questa è la pace, il senso di questo movimento... avanzare nel mondo senza sottrarci, come quest'acqua che trascina se stessa, attratta dal compimento del proprio corso. Camminiamo fino a quella chiatta che è rimasta al suo posto, ferma in attesa di noi. Di vedere come finiva la nostra storia. Diego mi dice *grazie del bambino*, perché solo adesso sa che cos'è. E solo adesso sa di essere in salvo.

Tutta la vita penserò che se Diego avesse tenuto il bambino anche solo per una notte, se lo avesse tenuto a sé nel suo respiro, forse ce l'avrebbe fatta a vivere.

Non chiama, e io non aspetto vicino al telefono. Di giorno i sogni se ne vanno. Restano le fotografie, le pozzanghere, i piedi, le facce allucinate degli ultras.

Poi chiama, ed è una voce così lontana dalla pace del sogno, aggredita dal dolore della vita.

«Cosa è successo? Perché non torni? Il passaporto?»

Non sembra nemmeno ricordarsene.

«Ah, sì, il passaporto. L'ho trovato, sì.»

«Dov'era?»

Caduto dalla tasca rotta in uno stivale, dice.

Del bambino non chiede, sono io a dirgli che sta bene.

A Sarajevo fa ancora molto freddo, è tutto come prima, dice, perché ormai il peggio non esiste, è stato raggiunto e oltre non c'è nulla, c'è la monotonia del dolore, come una nenia che si ripete e si ripete, come un vestito che struscia nel fango e che nessuno pulirà mai più.

Cade la linea e abbiamo parlato già abbastanza, quasi un miracolo. Eppure non ci siamo dati nulla. Nessun conforto.

Metto giù il telefono e sento Sarajevo, l'odore dell'ortica, delle scarpe che bruciano, della gente in fila per morire. *Non sei lì, Gemma*, mi dico. *Non sei lì. È finita, sei fuori.* Respiro, soffoco. Papà mi porta un bicchiere d'acqua. «Bevi, amore, bevi.»

Ma io so perché sto male. Perché adesso so che non vorrei essere per nessuna ragione al mondo di fronte a quella morte.

Mio padre: è lui che culla il bambino stanotte, si è fermato a dormire sul divano davanti al pianoforte.

«Che cosa mi costa?» ha detto.

Canta una ninna nanna, la sua voce cura le ferite del buio, le ricuce. Ama il bambino, gli è bastato guardarlo per amarlo. Io invece diffido di lui e ogni volta che guardo i suoi occhi penso agli occhi feriti di suo padre che nessuno sta curando. Mi sembra che questa vita il neonato se la stia rubando a morsi dalla schiena di Diego, è questo che penso e che non posso dire.

Papà non mi chiede nulla, ha paura dei miei pensieri.

Mentre lui canta penso al ventre della pecora, ai suoi occhi mentre me ne andavo. Forse si erano messi d'accordo e la pecora sapeva che lui sarebbe tornato da lei, e quello sguardo mogio in realtà formicolava di pensieri sotterranei. Sapeva di aver vinto. Forse era stato Diego a convincerla a darmi il bambino comunque, per sbarazzarsi di me, per darmi qualcosa. Loro avrebbero potuto averne altri e io non sarei tornata a mani vuote da quel calvario.

Mi aveva dato quello che volevo, il bambino era il prezzo per la sua libertà. Non l'avevo pagato in marchi, era stato uno scambio di esseri umani. Aska si era portata via la carne del mio amore.

Mi sono messa a bere un'intera bottiglia di grappa italiana, papà dice *basta*, io dico *ancora*. Bere mi salva dall'inferno portandomi di nuovo all'inferno. Di nuovo con loro. Urlo che non voglio più questo bambino, che quella troia bosgnacca mi ha rubato il marito, ha approfittato della mia debolezza per infilarsi nel nostro sangue.

Mi torna negli occhi il blu del bambino blu. Perché non si è salvato lui, piuttosto che il figlio di quei due miserabili?

Il neonato piange, papà lo solleva, lo brandisce come una croce. Come un esorcista che cerca di rimandare indietro il Maligno.

Perché questa notte il diavolo è in casa nostra, nella mia casetta romana con il pianoforte bianco. Guardo nella culla... e vedo solo quei due serpenti che continuano a ingoiarsi nel tugurio di quella città. È loro questo moccioso, questo pezzo di carne affamata. Avrei dovuto lasciarlo lì, sarebbe stata quella la passeggiata nel marsupio con suo padre e sua madre, in quell'incendio ricoperto dal ghiaccio...

Il cane abbaia. Il neonato piange come un maiale sgozzato. Papà me lo mette in braccio brutalmente. Lo ha protetto fino a questo momento e adesso lo abbandona.

«È tuo figlio, fanne quello che vuoi.»

Perché corre questo rischio? Eppure non è un uomo con questo coraggio.

Qualche passo indietro e cado sul divano. Lascio scivolare il bambino accanto a me. Se fosse stato un serpente avrebbe potuto mordermi e poi sgusciare via. Invece resta lì, il pianto soffocato tra i cuscini, incapace di muoversi come un insetto rovesciato.

Mi alzo, mi allontano. Vado in bagno a vomitare grappa. Perché adesso mi sembra che non ci sia nessuna differenza tra la vita e la morte, tra il movimento e il silenzio.

Papà se n'è andato, trascinandosi appresso il cane. Ho sentito il tonfo della porta, l'ha sbattuta e sembrava dovesse venire giù il muro, il mondo. Se n'è andato via sconvolto, come un esorcista che ha fallito.

Sollevo il bambino, alzo le braccia sopra la mia testa e lo tengo lassù, sospeso. Sembra piacergli l'altezza, smette di piangere. Qualche singhiozzo gli rimane addosso, lo scuote. Sembra non farci caso, come quando rigurgita. Lo faccio volare per un po'. Per un po' giochiamo all'aeroplano. Quando torna sulla terra è più sereno. Stira la bocca in un modo che fa pensare a un sorriso. Non lo metto nella culla, me lo tengo addosso. Lo poso a pancia sotto sulla mia pancia, è la prima volta che lo faccio. Non so chi dei due si addormenta prima. Sogno una città posata sulla mia pancia. Apro gli occhi che è già giorno, è un lunedì, e Pietro ha dormito tutta la notte, non s'è svegliato nemmeno per il latte.

La telefonata arrivò a papà

La telefonata arrivò a papà.

Nel portafogli di Diego avevano trovato un foglietto ripiegato con qualche numero di telefono. Dall'ufficio di polizia di Dubrovnik composero semplicemente il primo numero di quella piccola lista, era quello di mio padre. Era accanto alla scritta PAPÀ e così pensarono che quello fosse il numero di telefono del padre del ragazzo. Il funzionario parlava italiano e così fu tutto abbastanza facile. Papà non chiese nulla, in quel momento non era in grado di comporre nessun pensiero. Disse soltanto *ho capito... ho capito... ho capito*, per tre volte, in modo automatico.

Che cosa avesse capito non lo sapeva nemmeno lui. Erano le sole parole che gli erano venute e le aveva pronunciate a piena voce, per tamponare in maniera dignitosa la situazione, l'emorragia che era cominciata, inarrestabile.

Era un uomo fermo, mio padre, riservato, piuttosto timido. Non era abituato a lasciarsi andare. Così il suo corpo resistette al dolore imprigionandolo.

Quando un paio di ore dopo bussò a casa mia aveva la bocca storta, come trascinata in basso dal mento, e un occhio più chiuso dell'altro.

«Cosa hai fatto?»

Non si era nemmeno accorto di aver avuto una paresi facciale. Il cane entrò appresso a lui. Portai papà davanti allo specchio del bagno, si guardò ma non sembrava vedersi, o perlomeno non sembrava affatto interessato, annuì.

Io invece m'ero spaventata, mi faceva impressione quella faccia storpia che non riconoscevo, la voce impastata, il torpore dell'unico occhio aperto. Bisognava chiamare il medico, fare delle analisi. Magari era solo un colpo di freddo, ma poteva essere un'ischemia.

Aveva comprato delle nespole, ce le aveva in un sacchetto di carta che si teneva addosso, che non aveva mai lasciato.

Era una primizia, visto che la primavera era appena iniziata.

«Dove le hai trovate?»

Andammo in cucina, ci sedemmo al tavolo.

«Pietro?»

«Dorme.»

Di solito la prima cosa che faceva quando entrava in casa era correre di là per vederlo.

Ha lavato le nespole. Ne prende una e la strofina con un canovaccio, poi lentamente toglie il picciolo. Gli guardo le mani per vedere se anche quelle hanno qualcosa che non va. I gesti sono molto rallentati, ma le dita mi sembra che si muovano tutte.

Papà spacca la nespola, estrae lentamente il nocciolo lucido, diviso in due parti, come un cuore.

Mi offre la metà di quel frutto, do un morso, guardo lui. Si è portato quella polpa arancione e granulosa alla bocca ma non riesce a tirarla su per via del labbro inerte.

Papà ha una faccia mite, molto ben disegnata, un naso regolare, capelli folti: è quello che si dice un bell'uomo. Ogni tanto però ha qualcosa di stupido, quando sgrana gli occhi un po' troppo rotondi e solleva le sopracciglia, o quando muove le orecchie e il naso di proposito. Lo fa di rado, solo per divertire i bambini. La sua faccia sembra austera, perciò sorprende scoprirla così mobile. Quando ero piccola i miei amici impazzivano per le orecchie e le sopracciglia di mio padre.

Questa stupidità stamattina è tutta qui, su questo volto fuori asse, raggelato in un ghigno che sembra uno dei suoi giochetti, solo che rimane, non si scioglie.

Papà non riesce a mandare giù la nespola.

Ora lacrima, da quell'unico occhio aperto scivola un filo di pianto vischioso come una bava.

Penso che sia per via della paresi, e mi sembra assurdo che siamo qui a mangiare nespole invece di correre in un ospedale.

Mi alzo, gli dico che vado a prendere le chiavi della macchina.

Lui dice: «Siediti, amore».

Non è la sua voce, è un garrito fioco.

Fa impressione come la sua faccia storpia.

Spacca un'altra nespola, me la offre.

«Tieni, mangia...»

Non mi va giù, mi resta nella gola... perché mi sembra tutto assurdo, tutto poco credibile. Perché ora sento che dietro questa faccia miseramente storta c'è un segreto laido. Sembra contratta in un urlo fermo lungo un fiume, come in quel quadro dell'uomo solo con la sua bocca nera.

Lascio cadere la nespola, me ne tolgo pezzi dalla bocca.

Cerco quell'unico occhio aperto che lacrima.

«Hai saputo qualcosa, papà?»

Adesso mi ricordo che le nespole sono la frutta preferita di Diego, e che papà gliene portava sempre.

«Hai saputo qualcosa?»

E non capisco perché papà le abbia portate proprio oggi, e sia andato fino in centro per trovarle visto che non è ancora la stagione, visto che a me non piacciono granché e lui lo sa bene.

Aveva mille modi per dirmelo, o forse aveva solo questo. Mi ha portato in bocca il sapore di lui mentre viveva, è già un pezzo di qualcosa, di come faremo in futuro.

Mangeremo qualche nespola ogni tanto, in silenzio, per ricordarci di lui, del fotografo di Genova che aveva scritto il numero di Armando accanto alla parola che più gli era mancata, *papà*.

Ora io sono pronta. C'è quella vecchia memoria in me, quel refrain che ho imparato a Sarajevo.

Si tratta di lasciar passare la sabbia, di lasciarla scivolare in fondo al corpo. È quella che ci mantiene in piedi nonostante tutto, come la base di cemento di un ombrellone.

«È morto, vero?»

Papà resta a guardarmi con quella faccia sciancata di cui adesso conosco l'origine. Lontana come l'urlo dell'uomo di Munch.

Non annuisce, mi fissa con quell'occhio e con lo spiraglio dell'altro, dondola un po' la testa, come un matto in un manicomio.

Fa un lieve lamento. *Oh... oh... oh*, tre volte.

Resto in attesa dello sfacelo davanti a questo volto scomposto.

Poi lentamente annuisce, ma solo un po', come se non fosse davvero convinto. Resta con quel mento storto, sospeso... come se lo chiedesse a me, a quelle stupide nespole... per sentirmi dire che si sono sbagliati. Il morto che hanno trovato non è Diego, è un altro.

Aspetto che la sua faccia si ricomponga, come un fotogramma che torna indietro. Ma so che non può accadere.

Abbasso gli occhi, abbandono questo viso privato di se stesso, della sua dolcezza. Privato della pace. Mi sembra l'ultimo saluto da Sarajevo, c'è imprigionato tutto il mio futuro. La vita che verrà avrà solo quest'espressione sbilenca, questo ghigno atterrito.

Forse anche il mio volto si bloccherà in un urlo senza voce... io e mio padre resteremo due storpi.

Ho paura per il vecchio, ho paura che possa crepare anche lui, adesso, in questa cucina. Afflosciarsi sul tavolo tra le nespole.

Mi guarda per vedere se sto impazzendo.

Ha paura. Sento l'odore della sua paura. Delle mani che adesso continuano a toccare questi piccoli frutti, con strani spasmi inconsulti.

«È morto?»

«Sì.»

Non sto impazzendo. Ho già imparato tutto, faceva parte del viaggio, del pacchetto. Era tutto incluso.

Ho già vissuto questo momento. All'obitorio del Koševo tra Jovan e il bambino blu c'era una di quelle lettighe di acciaio nudo, vuota.

Ora torna questa lettiga, che ho visto e che ho dimenticato. Ora so che era in attesa di un corpo, del terzo corpo tra il vecchio e il bambino. Come una croce che deve finirsi. Il ragazzo di Genova che ho sposato mi aveva già annunciato il suo destino. Il resto, il passaporto caduto nello stivale, la stessa Aska... erano solo accadimenti, tutto era già stabilito. La vita e la morte non si decidono, in mezzo possiamo imboccare una strada più difficile, sfidare il destino, ma in fondo gli facciamo solo il solletico.

Ora eccomi vedova.

So che dovrei reagire, invece guardo le nespole sul tavolo. Mentre sto ferma so che non bisogna farlo, che farà male dopo, bisogna piangere, rompersi. È pericoloso restare in asse, esattamente dove si è, senza spostarsi di un millimetro, mentre tutto cade. È un eroismo che non serve a nulla, come non serve a nulla la dignità.

«È stata una granata?»

Ed è normale parlare.

Papà per parlare sbava dalla bocca, gli cade un po' di saliva da quel solco sciancato mentre dice: «Un incidente... è caduto dalle rocce... sulla spiaggia...».

Cosa sta dicendo? A Sarajevo non c'è il mare.

«A Dubrovnik», papà dice che è successo in una di quelle isole davanti a Dubrovnik.

«Cosa ci faceva lì?»

Papà non lo sa, non ha chiesto nulla.

Non importa, non ho nessuna curiosità.

Sto vedendo qualcosa che ho già visto, che mi ha aspettato a lungo.

Mi alzo ma non so perché, faccio tre passi, ma sono quelli di una gallina a cui hanno tirato il collo, i passi dello spasmo dei nervi, dei muscoli che conservano la memoria del movimento. Mi risiedo e guardo di nuovo le nespole.

Cuori di polpa di un arancio pallido. Diego era capace di mangiarne montagne, rideva, sputava i noccioli dentro il secchio cercando di beccarlo.

Diego.

In fin dei conti l'ho sempre saputo. Non c'è nessuna vera novità, è semplicemente il destino che si compie, che si fa vedere.

Ho sempre avuto paura di perderlo.

Avvicino due noccioli sul tavolo, li guardo. Noi non siamo mai stati così perfetti insieme, c'era sempre qualcosa che non combaciava... uno spigolo dove sbatti sempre, il lembo di un abito che rimane sempre fuori dall'armadio e di notte ti dà fastidio e dici *adesso mi alzo, tolgo quel pezzo di vestito*. Poi resti a letto e dici *lo farò domani*. Ora so che cos'era, era questa giornata, queste nespole, questa morte. Lui aveva un vantaggio su di me.

Sorrisi, era morto cadendo, accanto al mare come suo padre.

Sorrisi perché non ero sorpresa. Come quando trovi d'improvviso la soluzione di un enigma che ti ha fatto impazzire, ti ha tormentato, invece era facile, fin troppo, per quello non riuscivi a risolverlo. Cercavi altrove invece di cercarti in tasca.

Sorrisi perché non sapevo se sarei sopravvissuta, ma non mi preoccupavo.

Bene, non lo vedrò più.

Significa che non vedrò più le sue gambe da gnu, significa che non sentirò più l'odore del suo collo. Lui si è portato via gli occhi che mi guardavano e io non potrò più chiedergli *come sono?*, e lui non potrà più rispondere *sei tu*. Significa che la sua voce è ferma in una gola morta e che questa gola verrà sepolta.

Bene. È tutto qui.

Sorrido perché mi viene addosso la piacevolezza di un bel vento, Diego che si volta verso di me alla stazione, si è portato dietro quella seggiola piccola di plastica verde, l'ha portata in treno da Genova solo per farmela vedere perché lui si sedeva lì da bambino, e adesso si siede alla Stazione Termini in mezzo alla gente per farmi vedere che ci sta ancora. Perché è magro come una zanzara. *Come i veri poveri*, dice. I braccianti di una volta, gli africani. Rido. Mi sta chiedendo se lo amo, è venuto per farsi vedere, per farsi comprare come uno schiavo, perché lui mi ama tanto tanto e non può vivere senza di me. Mi dice che lo sa che sta sbagliando, che non ha fascino perché non ha ritegno a farsi vedere così cretino, così innamorato. *Però io sono così*, dice. Sorrido, gli do le spalle nelle spalle della stazione, penso che è scemo, flippato, tossico. Che ha la schiena troppo stretta e le gambe troppo lunghe. Mi volto, lui è in piedi ma ha ancora il culo incollato nella piccola sedia verde, m'insegue così. Come io mi fermo, lui si siede di nuovo, accavalla la gamba, non ha sigarette però fa il gesto di uno che fuma beato. *Sto aspettando*, dice.

Cosa?

La vita, sto aspettando la vita.

Bene. Togliamo i noccioli dal tavolo, buttiamoli nel secchio.

Papà dice: «Che cosa dobbiamo fare? Come si fa?».

Diego per lui era un figlio, e adesso vuole sapere come si fa a riportarsi indietro il corpo di un figlio morto.

«Bisogna chiamare il Ministero degli Esteri.»

«Ecco, sì.»

Mi alzo, mi metto gli occhiali, ma poi non faccio niente.

«Vado io a Dubrovnik se tu non ce la fai.»

Dove può andare con questa faccia?

«Tu devi andare all'ospedale, papà.»

Lui annuisce, non può credere che sia così facile, così normale.

Il bambino si sveglia perché ha fame, gli preparo il latte. Papà lo solleva e Pietro piange perché non lo riconosce, gli fa impressione quel ghigno, e così capiamo che ormai vede. Poi riconosce l'odore del nonno e si fa dare il latte da quella faccia storta. Resto un po' a guardare papà che allatta e singhiozza e sporca il bambino di pianto.

Gli dico: «Stai attento, papà».

Abbassa la testa, si nasconde. Si vergogna perché io sono forte e lui invece è debole. Il cane gli dorme con il muso su un piede.

Sfoglio l'elenco telefonico, cerco il numero del Ministero degli Esteri. Lo scrivo su un foglio. Hanno avuto la segnalazione, ma la voce del funzionario dice: «Non conosciamo ancora i dettagli, signora».

Il cielo s'è annuvolato, accosto una persiana, ritiro lo stenditoio con le tutine e i bavaglini. Cambio il bambino, lo tengo un po' sveglio tra me e papà, il suo volto in ombra sembra ancora più sinistro, pare quello di un vecchio malato di mente, l'occhio aperto è sgranato.

Lui amava il ragazzo di Genova, lo ha amato fin dal primo istante.

«Non ha una lira, viaggia senza biglietto sui treni. Non ha né arte né parte...»

Pensavo fosse una rampogna. Mi ero appena separata dopo quel matrimonio assurdo con Fabio. Papà aveva un'espressione corrucciata. Poi mosse le orecchie, il naso, fece uno dei suoi giochetti da mimo.

«Ha tutto il resto, però: sbrigati, testona!»

Poi gli avrebbe fatto da assistente, e Diego lo avrebbe portato dietro di sé, sulla motocicletta. Non sarebbe più stato così felice.

I minuti passavano, la sabbia scendeva nel mio corpo. Pensavo al mare, a Diego sporco di sabbia. Non pensavo al cadavere, non avevo nessuna fretta di scaraventarmi nella realtà dei telefoni, delle voci straniere. Mi sentivo lenta, inebetita come una donna gravida. Diego era fuori dal mondo, ma io sentivo che era dentro la vita, che era stato raggiunto. Galleggiava nell'olio della nascita, nelle radici liquide in una grande placenta cosmica. Tenevo una mano sulla pancia del bambino. Era lui a restituirmi questa serenità autistica. Stava lì tranquillo, faceva i suoi gorgheggi. Era abituato alla casa che riconosceva, a quella vita. Lui non soffriva di quella tragedia, per lui non esisteva. Non aveva mai conosciuto Diego, non lo cercava con gli occhi che ormai muoveva di qua e di là. Era orfano di padre esattamente come suo padre. Il suo destino si era spostato di colpo ma lui non lo sapeva, faceva *nghe nghe*.

La sua sconoscenza era uno scudo al dolore, ma anche la vera morte di Diego.

Papà non voleva lasciarmi, aveva paura. E me lo disse biascicando nella bocca storta. Avevo chiamato il suo medico, che adesso lo aspettava in ospedale. Un taxi era già sotto il portone.

«Sei troppo calma, e io non sono tranquillo.»

Però io volevo restare sola.

Telefonai di nuovo al Ministero degli Esteri, ma ancora non avevano notizie da darmi.

Stiamo aspettando, disse la voce.

Mi addormentai con il bambino sulla pancia.

Ero andata alla finestra, l'avevo aperta e mi ero sporta con il bambino in braccio per buttarmi di sotto. Fu una buona prova, scoprii che non avevo nessuna intenzione di farlo, dal secondo piano difficilmente si muore, pensai. C'era gente per strada e rimasi a guardare due ragazzi giovani che si baciavano appoggiati a un motorino parcheggiato.

Sognai Sarajevo, la città che si ricomponeva come in un film che va indietro, le rovine si sollevavano, i vetri rotti tornavano a formare vetri intatti, finestre, vetrate di negozi. Le serrande della Baščaršija si riaprirono, gli archi della Biblioteca Nazionale tornarono a sollevarsi verso il cielo, tornò la ragazza che portava i libri in quelle stanze ordinate. Tornò il lamento del muezzin nei minareti intatti. Tornò l'estate e poi la neve, i caminetti accesi, la parata per Tito, le majorette con i vestitini color turchese, tornò quel rifugio a Jahorina, tornò lo sguardo di Diego, il primo addosso a me.

Nel sonno lo tenni stretto come un coltello, come un giglio. Era una ferita senza sangue, bianca.

All'alba pensai che non ce l'avrei mai fatta.

Invece ce la feci, infilai Pietro nel marsupio e uscii. Avevo ritrovato quel biglietto, quello del capitano dei carabinieri.

Attesi un po', poi mi fecero entrare.

Giuliano alzò gli occhi.

Mi sedetti. Lui disse qualcosa del bambino, disse che era cresciuto, sorrise.

«Cosa posso fare per lei?»

Gli chiesi un bicchiere d'acqua.

Si fece portare una bottiglia. Bevvi.

Bevve anche lui. Sorrise.

«Fa venire sete, lei.»

E solo lì, davanti a quell'uomo in divisa, un po' in carne e un po' calvo, cominciai a piangere. Fu un pianto lungo e lento, al quale lui assistette muto.

Dopo mi avrebbe detto di essersi innamorato di me quel giorno, perché anche lui aspettava un destino che non aveva mai visto e che adesso di colpo vedeva.

Fu lui ad aiutarmi a riportare in Italia il corpo di Diego.

Decisi di non andare a Dubrovnik, non avevo più nessuna intenzione di attraversare quel mare. Avevo il bambino piccolo e papà non stava bene, si stava riprendendo dalla paresi però non era più lo stesso. Eravamo come quelle finte persone dei film di fantascienza, mutanti svuotati di noi stessi e abitati da automi.

Si sentiva un suono diverso quando ci davamo il solito bacio, cozzavamo uno contro il dolore dell'altro, stagno nel corpo, nelle braccia che sembravano di ferro. E ci dava persino fastidio guardarci in faccia. Era meglio guardare gli estranei, la gente che non sapeva.

La casa era malata eppure sembrava viva, perché la domestica veniva, perché papà portava sempre fiori e frutta fresca e cercava di fare tutto più o meno come prima. Faceva la spesa, cullava il bambino, dava l'acqua al cane, riordinava il mio frigorifero. Ma poi, appena poteva, quando Pietro dormiva, si piazzava davanti alle fotografie di Diego e le fissava a lung, dimentico di tutto... si sedeva sul divano e restava inebetito a guardare una pozzanghera, una fila di piedi. Poi, come si accorgeva della mia presenza, abbassava lo sguardo. L'occhio cominciava a riaprirsi, però restava ancora squilibrato rispetto all'altro e faceva impressione.

Galleggiavo sul dolore. Una membrana sottile mi teneva in superficie. Come quegli insetti che vivono su foglie acquatiche, non toccavo veramente la terra. Anche dentro di me esplodevano microscopiche paresi. A tratti non mi sentivo più un seno, o un piede, o una porzione di spalla... erano parti del mio corpo che Diego aveva toccato, era il pensiero della sua mano che si posava addosso a me... Anestetizzavo la parte naturalmente, come una gengiva dal dentista.

Stavo leggendo un libro sugli insetti, era una lettura che mi piaceva perché non cercava di distrarmi, parlava di me attraverso altre forme di vita. Insetti che si immobilizzavano sulle cortecce degli alberi, si adeguavano alla paura trasformandosi, mutando colore, paralizzandosi.

Da Dubrovnik arrivò il referto medico: Diego era morto cadendo, aveva una lesione cranica e fratture su tutto il corpo, le mani e gli avambracci escoriati come se avesse cercato di aggrapparsi.

Chiesi al capitano se qualcuno poteva averlo spinto.

Dalla gendarmeria di Dubrovnik lo escludevano, molti testimoni avevano visto Diego passeggiare sul molo a Korčula e poi arrampicarsi sugli scogli.

«Era... confuso.»

Giuliano chinò la testa, aprì il cassetto, tirò fuori qualcosa, una scatola di liquirizie...

Adesso mi guardava e sentivo la sua pena, mi scivolava addosso.

Il bambino nel marsupio si mosse, di colpo aveva puntato i piedini contro le mie gambe ferme sulla sedia e si era tirato su. Gli misi una mano sulla testa, avevo paura che si voltasse verso il capitano, una paura irragionevole che d'improvviso, così come s'era tirato su, potesse parlare, dire che non era mio figlio.

Aprì la scatola di liquirizie, me ne offrì, perse ancora tempo.

«Suo marito faceva uso di droghe?»

Dietro un cespuglio, nel punto dove Diego aveva trascorso la notte, era stata trovata una siringa, e nel suo sangue c'erano tracce di eroina.

Abbassai la testa, volevo sbatterla sul tavolo. Ma trovai la testa del bambino. Volevo sbatterla lentamente cento volte e cento volte dire *no*. Il ragazzo dei carruggi aveva scelto la sua fine.

Il capitano annuì, gli occhi fermi come vetro.

«Non è facile tornare da una guerra...»

Accanto al referto medico c'era una busta gialla. La guardavo già da un po'. Era la parte più terribile, più scabrosa, Giuliano l'aveva messa da parte ma adesso bisognava aprirla. Erano le fotografie del cadavere.

Giuliano tranciò con il tagliacarte quella busta che faticava a cedere, carta resistente della vecchia burocrazia jugoslava. Sfogliò in fretta.

Lo osservavo per cercare qualche reazione sul suo viso... baciavo la testa profumata del bambino, di colpo mi aspettavo un miracolo, che il morto, nonostante i documenti, le descrizioni dettagliate degli abiti, dell'anello d'argento al dito, non fosse Diego.

Il capitano doveva essere abituato a guardare fotografie di cadaveri, non cambiò espressione. Sollevò uno sguardo amabile.

«Basta che ne veda una, è necessario... deve firmare una dichiarazione.»

Guardai le fotografie del fotografo morto, mi passarono davanti placide come barche su un fiume.

«Sì, è lui.»

Mentre rimetteva le fotografie nella busta il capitano disse: «Sembra Che Guevara».

Era vero, era un morto bellissimo. Un viso livido, divorato dalle ombre, eppure si percepiva ancora la tensione dell'anima, la passione per la vita.

I giorni passarono e io scoprii che era molto più facile portarsi via un neonato da Sarajevo che far rimpatriare una salma da Dubrovnik. Poi la bara arrivò.

In una giornata di sole, nel silenzio assoluto di un cielo liquido che muoveva l'orizzonte, l'aereo militare scavò l'asfalto molle della pista. Il capitano, in divisa perfetta, raggiunse a passi lunghi l'aereo. Passarono secondi irreali, come prima di un parto. Poi il portellone si aprì e la bara scivolò fuori dal ventre metallico.

Cominciai a sudare, la camicia che portavo mi si attaccò al corpo come un costume da bagno.

Qualche anno dopo, quando Giuliano mi avrebbe chiesto di sposarlo, io avrei ripensato a questo arrivo, il corpo di Diego nella cassa e il capitano ad attenderlo sotto quel cielo caldo che muoveva tutto. Un destino in uscita e uno in entrata.

Rimasi con la bara un giorno intero, l'avevano depositata in una stanza piuttosto piccola. Ci furono dei problemi perché il funerale era fissato per la mattina dopo e quelli dell'aeroporto non avevano nessuna intenzione di tenersi la bara in deposito. Diego non era un eroe di guerra o altro. Era un ignoto fotografo caduto da uno scoglio, strafatto di eroina. Il capitano assisteva impassibile alla mia disorganizzazione, che ormai non lo stupiva più. Era ovvio che dovessi occuparmi io della bara, in terra italiana. Ma io non ci avevo pensato. Me ne stavo lì, con un cappelletto di cotone in testa e la camicia sudata, come una turista che s'è persa. Cominciò un andirivieni di telefonate, di discussioni.

Alla fine quattro militari di leva sollevarono la bara e la spostarono in una stanza piccola e arieggiata, come quella di una casa al mare. C'era una porta con una serranda verdolina che chiesi di lasciare aperta. Si affacciava su una zona di servizio dell'aeroporto, si vedeva un hangar metallico e la rete spinata della recinzione.

Ci rimasi fino al tramonto.

Era legno, niente altro che legno. Bagnato dalla penombra di quella stanza appartata. Mi distraevo di continuo, guardavo l'esterno, attratta dalla luce, come una mosca che non trova pace. Guardavo le canne che erano ricresciute ai margini della pista, rompendo l'asfalto. Mi concentravo, come da bambina, quando ricevevo l'ostia in chiesa e mi chiudevo in raccoglimento ma nonostante gli sforzi galleggiavo nel nulla, pensavo ai cavoli miei. Aspettavo semplicemente che il tempo passasse. Ero attraversata da un disagio mite, come quando parti per un viaggio e hai la sensazione di aver dimenticato qualcosa. Ti fermi con il pensiero, fai un piccolo inventario, ti frughi addosso, apri la borsa ma non riesci a capire cosa hai lasciato a terra.

Poi accaddero due cose.

La prima fu che Diego entrò in quella stanza e mi parlò. Il sole cominciava a scendere, era un'ora che ci piaceva, quella, si cominciava con il vino e con le chiacchiere, così non mi sorpresi che avesse scelto quell'ora per farmi visita. Non uscì dalla bara. Entrò dall'esterno chinandosi con la schiena per non sbattere contro la serranda.

Ciao, piccina.

Veniva a farmi compagnia in quella veglia, come quando aspettavamo insieme negli ambulatori. Non aveva la barba di Sarajevo, aveva il viso liscio, indossava quella vecchia camicia bianca senza colletto con lo sparato rigido davanti e i suoi pantaloni da esploratore. Si era appena fatto la doccia, i capelli umidi rilasciavano un profumo di shampoo.

Gli chiesi se aveva sofferto.

Sorrise, mosse il capo. *Un po'.*

Gli chiesi: *Cos'è la morte, Diego?*

Non ci pensò nemmeno un secondo: *È un fiume che sale.*

La bara era in mezzo a noi, lui ci aveva posato i piedi sopra. Sembrava la veglia funebre di un uomo morto molti anni prima, di suo padre, forse. Adesso suonava la chitarra, guardavo le suole consumate dei suoi stivali, di uno che ha camminato parecchio. C'era un aereo fuori dall'hangar, un piccolo velivolo militare a elica.

Ti piacerebbe partire, amore?, gli chiesi.

Mi guardò a lungo con occhi umidi e anziani. Occhi forti della vita, prossimi alla fragilità del cielo.

No, mi piacerebbe restare.

Soltanto allora mi domandò del bambino.

Gli raccontai che quella mattina, mentre lo cambiavo, mi aveva fatto la pipì in faccia.

Rise, mi disse che anche lui pisciava addosso a sua madre, che è una cosa che i maschietti fanno. Si portò una mano sulla faccia, allargò le dita, rimase un po' così, sotto quella gabbia.

Andandosene lasciò sulla bara un rullino.

La seconda cosa fu che trovai davvero un rullino, la pellicola aperta, accartocciata su se stessa. Era lì in terra, accanto alla serranda, dimenticato da qualcuno che forse non aveva saputo estrarlo e lo aveva sciupato. Mi infilai in tasca quel rocchetto di pellicola bruciata dalla luce. E mi sentii meglio, come se fosse quella la cosa che avevo cercato poco prima, senza trovarla. Uscii dalla stanza.

Il giorno dopo al funerale ci sono molte facce giovani, i ragazzi della scuola di fotografia. Viola ha i capelli ricresciuti, ha sconfitto il cancro ma non riesce a tenere a bada il piccolo afghano, che si divincola, fa qualche passo solitario verso la bara. Il prete è un vecchio compagno di scuola di papà, è robusto, ha la sua cantilena. Ogni volta che dice *Diego* sobbalzo. *Perché lo chiama?*, penso.

Un tipo magro, poco più alto di un bambino, mi viene vicino.

«Tu sei la moglie?»

Le vocali aperte, le consonanti che si sciolgono come mare, l'accento forte dei carruggi, di Diego.

«Sono Pino.»

Mi stringe duro.

Viso da pugile, occhiali neri e gel come un becchino.

L'ho visto in fotografia tante volte, era il capo degli ultras, non posso credere che sia così piccolo, nelle fotografie di Diego sembrava un gigante.

Mi presenta gli altri, il gruppo di Genova, facce spolpate da tossici. Mi chiede se possono mettere la bandiera. È quella storica, la più lurida e stracciata, con le firme dei giocatori. La stendono piano sulla bara come una sindone.

La bandiera è il padre, la madre, il lavoro che non hai, l'eroina, quella buona...

La mamma di Diego è venuta in macchina con il compagno, settecento chilometri fino a questa chiesa senza merito, di quartiere.

È seduta sulla panca, accanto a me, incollata. Impaurita. Povera Rosa, è un fiorellino vizzo che non riprenderà vita mai più. Però si è fatta i capelli, si capisce che è stata dal parrucchiere, ha la testa cotonata di ricci fermi, violetti. Le tengo la mano, lei stringe come per chiedermi scusa.

Un giorno mi ha detto: «Non potevo tenerlo in casa, ho dovuto metterlo in collegio, però se tornassi indietro...».

Non si torna indietro, Rosa.

Adesso forse sta pensando a quegli anni lì, quando Diego era piccolo, *un mingherlino così*, e si agitava tanto nel sonno e cadeva dal letto a castello, e la chiamavano dall'infermeria perché il bambino chiedeva di lei, ma Rosa non poteva andare fino a Nervi, fino all'istituto, *un buon istituto, per carità*, aveva i turni alla mensa. Ci parlava al telefono, gli diceva *stai buonino, piccinin*. Adesso s'è trasferita a Nizza con il compagno, hanno una *casetta*, peccato che lei ha quel tremore nelle mani.

Ha baciato il nipote sulla fronte, ma ha avuto paura a prenderlo in braccio. Sembra assorta, in balia di fantasmi più miserabili di lei. Respira zitta l'odore della sua bocca che è stata chiusa in macchina tutte quelle ore.

Le ho chiesto se il bambino somiglia a Diego da piccolo.

«È uguale a una fotografia, te la faccio vedere... te la spedisco.»

Ha sorriso assente, inebetita.

«Si bombarda di Tavor» mi dirà Pino più tardi.

La ragazza che legge il Vangelo è un po' ritardata, sembra una foca con la parrucca. Diego l'avrebbe scelta come modella.

Ho portato il registratore. Mi alzo, spingo il tasto play.

Sulla bara non c'è nessun fiore. Solo la Leica scassata e la bandiera del Genoa. *I Wanna Marry You* galleggia su quel poco.

Oh, darlin', there's something happy and there's something sad... Duccio è rimasto tutto il tempo sotto la volta laterale, appoggiato alla colonna, a braccia conserte e a gambe larghe come un buttafuori.

451

I ragazzi della scuola di fotografia si accollano il legno con il loro giovane professore dentro e se lo portano.

Il piccolo afghano adesso è calmo, fa le bolle di sapone. Pozzanghere volanti che a Diego sarebbero piaciute. Per un attimo mi sembrano i suoi occhi che cadono.

C'è il solito applauso.

Con la scusa del bambino Armando ha vagato tutto il tempo in fondo alla chiesa. Ha la barba non fatta, gli occhi celesti persi nella carne scura. La faccia è tornata quasi a posto. Ha addormentato Pietro nella carrozzina, ogni tanto si è sentito un vagito. Adesso si pianta davanti alla bara, allunga una mano. Non la tocca subito, aspetta, come se tra la sua mano e il legno ci fosse ancora un pensiero non fatto, una preghiera. È un vecchio, è la prima volta che è così vecchio. China la testa e sembra appoggiarsi alla bara, quasi chiedesse aiuto al ragazzo fermo lì dentro, che ormai è solo una mummia, resti umani come torsoli di mele mangiate.

Guance mi schiaffeggiano, una dopo l'altra, baci nell'aria, baci della morte. Mi fa male la pelle. Non mi tolgo gli occhiali da sole per non incrociare tutti questi occhi che vorrebbero incontrarmi. Pesci neri.

Sento il compagno che chiede a Rosa: «Faceva freddo in chiesa?».

La bara è caricata sul pullmino della scuola di fotografia, niente pompe funebri, niente macchine nere.

Duccio guarda esterrefatto quel catorcio di furgone. Mi stringe, occhiali specchiati incollati al viso macilento. Si trascina un labbro, se lo morde tra i denti larghi, da predatore.

«... e poi era un grande fotografo... un grande.»

Fa vibrare il telecomando, ballonzola verso la Jaguar parcheggiata in bocca alla chiesa.

«Non l'ha mai pensato» dice Viola, «i morti s'infiocchettano sempre...» Aspira la sigaretta fradicia di tutto: «... perché tanto chi se li incula più».

Le strappo quella sigaretta, la ciancico sotto le scarpe: «Smettila di fumare, cretina!».

La luce è cambiata, s'è fatta grigia e forse tra un po' piove. Pietro è vestito di bianco, è sveglio, ha scacciato il lenzuolo. Se ne sta lì a fissare l'ape di pannolenci che dondola dal tettuccio della carrozzina. Gli occhi enormi, la testa calva di un insetto. *Papà*, dice, *cosa dobbiamo fare?*

Già, cosa bisogna fare? Non è un matrimonio, non c'è il rinfresco. E non è nemmeno un funerale normale, non c'è carro funebre, non c'è tomba. Diego non la voleva, aveva sempre detto *nel vento*, e nel vento sarà.

«Porta a casa il bambino, papà.»

Attraversiamo la città, ce ne andiamo verso il crematorio. Superiamo un cancello, un viale di polvere. È un buon ricovero, leggero, sembra una serra. Le bare in attesa sembrano casse di sementi. Pino si riprende la bandiera del Genoa, la piega con cura, non gli va di farla cremare.

C'è una fontana, sulla piazzetta dove ci fermiamo in un bar. Getti che s'impennano, acqua che invece di scendere sale.

La madre di Diego monta in macchina. Il compagno le chiude la portiera. Un pezzo di vestito resta fuori, lo guardo sfarfallare.

Sono rimasta con Pino. Finiamo un toast.

«Il padre com'era?»

Fa una smorfia lacera. C'è il dolore di una vita fallita. In fin dei conti Diego era quello che ce l'aveva fatta.

«Era un bastardo, uno che in casa menava, ci andava giù duro.»

«Diego ne parlava come di un eroe...»

Pino ha il suo chiodo nero, la sua faccia butterata dai pugni. Saltella, sorride, come De Niro in *Toro scatenato*.

«Belin, Diego... Diego sai com'era, no?»

No, non lo so. Dimmelo tu, Pino.

«... il male non voleva mica vederlo, lui voleva vedere solo la cosa bella.»

Guardo la fontana. L'acqua che sale. *La cosa bella...*

I bagagli sono chiusi sul letto

I bagagli sono chiusi sul letto. La camera è un campo di asciugamani bagnati. Pietro indossa una maglietta pulita, sta lucidando i Ray-Ban.

«Cosa rubiamo, ma'?»

Lo guardo, senza capire quello che dice.

«Cosa devi rubare?»

«Qualcosa bisogna rubarla, negli alberghi, sennò vuol dire che non hai gradito.»

«Chi te l'ha detto?»

«Papà.»

Non posso controbattere, perché quello che lui chiama *papà* è stato promosso colonnello dei carabinieri un mese fa.

Pietro acchiappa il pezzo di plastica agganciato alla maniglia.

«Frego il DO NOT DISTURB, che dici?»

«Quindi hai gradito?»

Fa una smorfia, alza le spalle, infila il cartellino nello zaino.

Trasciniamo le borse nel corridoio, le ruote faticano sui gonfiori della moquette.

«Ti dispiace andartene, ma'?»

«Un po' sì...»

«Anche a me, un po'.»

Lo guardo perché non posso credere che gli dispiaccia andarsene da questa città povera e grigia.

Forse gli dispiace lasciare Dinka, la cameriera con il pier
cing. Però si guardano poco. Si abbracciano per un attimo
rigidi come due insetti.

Per strada, mentre aspettiamo Gojko che fa retromarcia, Pietro dice: «Prima non sapevo dov'ero nato, adesso
lo so.»

«E sei contento?»

«Boh...»

Guardo il suo viso contro il finestrino, scorrono i palazzi
ricostruiti intorno alla stazione ferroviaria... e capisco cos'è
quel *boh*. Per anni Pietro ha immaginato il posto dov'è nato,
per caso, come ha sempre detto a scuola, alle insegnanti, ai
suoi amici. Deve averci pensato molto più di quanto io non
abbia mai sospettato, a quel *caso* racchiuso in questa città.
E forse in questi giorni lo ha cercato, non guardando quasi nulla, girando a testa bassa...

Ieri sera a letto mi ha chiesto: «Diego era più bravo di me
a suonare la chitarra?».

«No, sei più bravo tu, hai studiato. Papà andava a orecchio.»

Si è voltato, si è mosso mille volte, mi ha disturbato il
sonno che stava arrivando.

«Si può sapere che c'hai?»

S'è tirato su come una tigre.

«Mi dà fastidio che lo chiami papà.»

«Ma è tuo padre.»

«E perché non è tornato a Roma con noi?!»

«Stava lavorando...»

«No, ci ha lasciato.»

Mi ha tirato per un braccio.

«È vero?»

Ho aspettato che si addormentasse. Forse ha sentito qualcosa, nel recinto di questa città, che gli ha parlato, gli ha sussurrato di una verità morta ma che pure c'è stata e da qualche parte è segnata, insieme a questi nomi sulle targhe, a
questi palazzi feriti e ricuciti.

Il cimitero Leone è lì, accanto allo stadio, alle costruzioni di cemento degli spogliatoi. Le tombe s'inerpicano in salita su un terreno digradante che sembra quello di certi viticci terrazzati.

Le lapidi musulmane sono storte, guardano tutte verso la Mecca e sembrano sbattute dal vento.

Gojko mi ha chiesto se volevo fermarmi.

È da quando siamo arrivati che voglio venire qui, ma non ho trovato la forza. Non ce l'ho neanche stamattina. Ma siccome stiamo partendo, gli ho toccato la spalla, gli ho detto sì, *fermati*. Gojko ha messo la freccia e ha accostato, come se niente fosse. Come se ci fermassimo per bere un caffè, la stessa faccia.

Ora cammina avanti, la maglietta sudata sulla schiena. Non guarda le lapidi, sa dove andare.

E sembra un agricoltore che ti guida per le sue vigne.

Qui è sepolta mezza Sarajevo. Le date di nascita cambiano, quelle di morte si ripetono. Era come un sacco nero, il destino. La morte fece un raccolto straordinario, in quei tre anni.

La morte è solitudine e loro furono privati anche di quella privatezza, costretti a crepare a grappoli come insetti. Essere derubati della vita sembrava quasi accettabile, alla fine, ma il furto della morte è un'altra storia... finire alla rinfusa, mischiati come panni sporchi, come frutta marcia.

Gojko traduce qualche scritta sulle lapidi. Lo fa per Pietro, che adesso non lo lascia più in pace. E lui non si sottrae, gli racconta gli aneddoti più macabri.

«I numeri neri per le lapidi erano finiti, dopo un po', mancavano i due per il Millenovecentonovantadue, e tutti aspettavano che iniziasse il Millenovecentonovantatré, poi finì pure il tre...» ride. «Una vera tragedia.»

Si è fermato. Aspetta, si china, strappa qualcosa, un rampicante brutto.

Questo è il campo delle croci cattoliche. Cammino e non vorrei camminare. Lui guarda verso di me.

Il declino era già cominciato. Ma quel giorno finì tutto. Morirono gli yo-yo, i Levi's 501, le canzoni di Bruce Springsteen e le poesie di Gojko.

Quel giorno io non ero più a Sarajevo da un pezzo. L'ho saputo molti anni dopo, per caso, nel salottino di un cinema d'essai. Vedo una ragazza che mi guarda attraverso gli occhiali, una giacchetta da sera di raso nero che butta al verde su un paio di jeans flosci. È lei che mi riconosce, la bacio, la stringo, torno a guardarla. Ogni volta che incontro qualcuno di loro avviene questo abbraccio, muto e denso. È dolore che torna a imprimersi, a colare in uno stampo che lo attendeva. Era la vicina di casa di Mirna e Sebina, era poco più che una bambina. Saliva le scale a testa bassa, toccando il muro con il braccio, molle dietro di lei come una coda. La bacio forte perché è viva, anche se non la conoscevo bene e non ho mai pensato a lei, non mi sono mai chiesta che fine avesse fatto. Traduce romanzi dal serbo-croato, dopo la guerra c'è stata un po' la moda, dice. Ha pochi soldi, si vede, ha quella giacchetta da sera opaca, ha avuto un fidanzato italiano, ora è finita, aspetta. Ha mani piccole e bianchissime, il viso docile e fiero della sua città e una voce così esile che fatico a sentirla. Siamo sedute su un divano rosso, c'è puzza d'umido, di moquette che si bagna e si asciuga.

La sua fronte è alta, i suoi capelli sono di una lanosità sfibrata e sopra ci batte una luce troppo bianca. Se n'è andata l'ultimo anno dell'assedio, quando qualche tram aveva ripreso a funzionare, lei c'era salita, si era messa in fondo e non si era mai abbassata nemmeno nelle zone scoperte, si era fatta da Baščaršija fino a Ilidža. Era bello quel tram, erano belli quei vetri intatti. Aveva visto lo sfacelo della sua città, seduta come al cinema, strade come pellicola che cammina. E aveva deciso di non restare, non poteva pensare di vivere lì, le cicatrici le sembravano peggio delle ferite.

«Loro non ce l'hanno fatta» dice.

C'è quella luce che le sbianca il capo, le cancella parte dei capelli, che sono castani ma sembrano bianchi, vecchi. Mi guarda, mi soccorre con il suo sguardo.

Non dovrei soffrire perché è accaduto molti anni fa, non è una ferita aperta ma una cicatrice bianca, scomparsa nella pelle del tempo. Eppure il dolore è proprio quel tempo trascorso senza che io lo abbia saputo.

Mi avvicino a Gojko. Guardo in terra. Sono due tombe gemelle, la lapide poco più grande di una singola, come un letto a una piazza e mezzo.
Come quel letto dove madre e figlia dormivano, dove feci l'amore la prima volta con Diego.
Sebina e Mirna riposano qui.
Mi faccio il segno della croce, mi attraverso il viso con una mano.
C'è una scritta piuttosto lunga sulla lapide, Gojko la traduce per Pietro, senza incertezze, senza cambiare voce come non ha mai cambiato faccia.

> Tieni un capo del filo,
> con l'altro capo in mano
> io correrò nel mondo.
> E se dovessi perdermi
> tu, mammina mia, tira.

Pietro chiede: «È una tua poesia?».
Gojko annuisce malvolentieri, è un pezzo di una ballata che scrisse per l'ultimo compleanno di Sebina, era il tredici febbraio, c'erano bombe e neve, ma loro fecero una festa senza farsi mancare nulla.
«È una delle più brutte che ho scritto, però a loro piaceva...»
Pietro dice: «Non è brutta».
Singhiozzo nella pancia, nelle spalle. Pietro mi guarda. Vorrei accasciarmi e crepare di lacrime. Ma ho pudore, di mio figlio, di Gojko che ha perso tutto e non muove un pelo, di questa età patetica, di mezzo, dicono, ma che a me sembra molto più in là.

«Come è successo?»
La ragazza parlò senza variare mai il tono della voce, e mi attaccai a quel filo esile che adesso so essere la voce dei

superstiti, di coloro che hanno continuato a vivere come fili persi. Aveva una cantilena, il suo italiano, una monotonia che quasi anestetizzava. Dunque andò così.

Le sirene dell'allarme suonano già da un pezzo, Sebina è costretta a scendere in cantina, non le piace ma non fa più storie. Ormai è un'abitudine, la cantina è attrezzata, c'è la batteria di una macchina che ogni tanto riescono a ricaricare, quindi qualche volta si sente la radio, c'è la pentola per il cibo comune e una tenda che nasconde un secchio per i bisogni. Ci sono libri, coperte e piccole sdraio per la notte.

La madre le dice di muoversi perché Sebina perde tempo, mette il cibo nell'acquario, gratta un po' di quella zolletta nera dei pacchi umanitari che dovrebbe essere carne ma che puzza come il mangime dei pesci e a loro piace. Vorrebbe spostarli nel barattolo vuoto delle ciliegie sciroppate, come ogni tanto fa per portarseli dietro nel rifugio, ma Mirna si arrabbia, le granate oggi sembrano sassi di una frana che non smette.

Sebina si porta dietro solo il libro di geografia. Le piace la Nuova Zelanda, ha detto al fratello che vuole andarci e Gojko ha promesso, la prima cosa che faranno, dopo, sarà quel volo lungo ventiquattro ore. Scende le scale insieme ai vicini di casa, insieme a quella ragazzina più grande di lei, che tocca il muro con il braccio scendendo, lo lascia scivolare come una coda.

La radio oggi funziona, prima gli appelli, le voci di quelli lontani che chiedono notizie, trafelate come se uscissero dal gozzo di tacchini, poi, alla fine, se Dio vuole, musica.

Sebina balla, fa qualche piccolo salto. La donna che sta preparando la zuppa le dice di piantarla. Sebina apre il libro di geografia. Lo chiude, racconta una barzelletta, una di quelle del fratello. Fa le facce, si pianta i pugni sui fianchi. Anche la donna burbera che gira la zuppa ride.

Mirna non è scesa ancora, è andata sopra, sul terrazzo, a stendere il bucato, è la prima giornata di sole vero dopo tanto freddo, per questo i granatieri sulle montagne sono così euforici.

È una postazione tutto sommato tranquilla, il terrazzo,

perché il loro palazzo è più basso degli altri ed è in una posizione isolata.

Mirna ha i capelli biondi tra cui i fili bianchi si vedono meno, porta una gonna aderente e un golf a collo alto, sono vestiti di quand'era ragazza, che adesso le vanno a meraviglia.

Proprio su quel terrazzo la vedo e la saluto, sono gli ultimi istanti della sua vita, è appena cominciato il secondo anno d'assedio. Su questo tetto con le canne fumarie e le antenne dei televisori abbiamo parlato qualche volta, l'ho accompagnata a ritirare il bucato e poi ci siamo fermate a fumare, a guardare sotto. Le ho voluto bene, e lei ne ha voluto a me, a modo suo, senza una vera intimità. Per timidezza, perché le sono sembrata sempre un po' lontana. Sono stata la moglie mancata di suo figlio e la madrina di sua figlia, ma noi davvero ci siamo conosciute poco, e tra qualche istante, quando la *sua* granata cadrà, non avremo mai più modo di conoscerci.

Per un attimo vedo il suo petto, oltre il suo golf, oltre il suo reggiseno, il petto nudo di una donna viva che respira.

Torno giù da Sebina. Sfoglia di nuovo il suo libro di geografia, s'è abituata a quel buio. Di giorno c'è uno sportellino che si può tenere aperto, è appoggiato sulla strada in alto, ne filtra un cannolo di luce perlacea e niente altro, serve per vederci un po' e per fare uscire il fumo, perché lì sotto chi ha sigarette le consuma. A Sebina quel fumo dà fastidio, anche se ormai non ci fa più caso e solo quando esce s'accorge di come puzzano i suoi vestiti. Pensa a sua madre. Certe volte le dà il permesso di seguirla sul terrazzo, allora lei finalmente si sgranchisce le gambe, fa le spaccate, i salti aperti e quelli a vite, cammina a testa sotto tra i comignoli e le antenne.

Le sue gambe sono forti, tozze. Un tempo lo erano di più, adesso è fuori allenamento, ma riprenderà e ci vorrà poco, perché per fortuna lei è un'atleta piccola, e quella guerra non le ruberà nessuna Olimpiade.

Dunque è il momento.

Vedo Sebina, mi sembra di poterla raggiungere. Con lei

c'è intimità, l'ho tenuta in braccio quando era nata da poche ore, l'ho battezzata.

Sono seduta nella sala d'attesa di questo cinema d'essai, dove danno un film che non vedrò mai, dove sono entrata in un pomeriggio di pioggia per sbaglio. E adesso è questo il film che vedo: Sarajevo, maggio Novantatré. Morte di Sebina e di sua madre Mirna.

Sono seduta e la ragazza parla, ricorda tutto per filo e per segno, fino ai dettagli più piccoli. Le chiedo se traduce solo i libri degli altri o scrive anche. Mi dice: *come l'hai capito?*

Ho capito dai dettagli, sono quelli di qualcuno che ha una memoria da scrittore. Un coltello che separa e sceglie.

I miei dettagli sono: un fazzoletto sporco, Sebina ha mangiato un gelato e io le ho pulito la bocca. E adesso assurdamente mi chiedo dove ho messo questo fazzoletto con l'impronta delle sue labbra.

I miei dettagli sono: il suo odore di pesce.

Lei è in piedi, la sua testa mi arriva alla pancia. Mi chino per baciarla, sento l'odore dello sgombro dei pacchi umanitari.

I miei dettagli sono: i suoi pesci che sbattono nella polvere.

La prima granata cade molto vicino, la pentola cade dal fornello, la zuppa finisce in terra. La donna urla, maledice la guerra, raccoglie con le mani quello che può, si brucia.

Sebina guarda quel brodo che scivola verso di lei, portandosi pezzi di verdure d'inverno, di miseria.

Solleva la testa e dice che vuole uscire, che vuole andare a cercare sua madre.

La ragazza si ferma, dice: *nessuno l'ha trattenuta, quella è stata la cosa più assurda, non si doveva lasciar uscire una bambina.* La ragazza si ferma.

Sebina corre verso l'alto sulle scale condominiali.

La ragazzina che struscia il braccio lungo il muro non l'ha fermata, stava giocando a scacchi con un compagno, i pezzi fatti con i turaccioli erano caduti e loro litigavano perché non si capiva più a che punto fosse la partita.

Ora pensa che quell'inutile braccio che strusciava contro il muro per tenersi compagnia poteva usarlo per fermare la bambina vicina di casa, per sbarrarle la strada nera.

La ragazza si ferma. È una scrittrice, sa che il destino scivola come l'inchiostro e che non si può fermare una bambina che deve morire.

Sebina sale, perché così è scritto. Dove? In quale libro del cazzo?

Sebina ha quel muso, capelli lisci come olio, la testa un po' quadrata, le orecchie che sporgono, fili rosa di carne trasparente, e quella bocca che non si può descrivere, bisogna averla vista almeno una volta per capire che la gioia di vivere può infilarsi tutta in una bocca, due strisce di carne mobili come stelle filanti.

Non è bella, Sebina, non lo è mai stata, è la più brutta della sua famiglia, è bassina, ha le braccia troppo lunghe, e questa faccia che pare quella del pupazzo sulla scatola dei biscotti all'arancia.

Eppure è la più bella bambina del mondo. È la mia figlioccia, è vita allo stato puro, come una pietra preziosa isolata dalla roccia brilla di tutta la luce che altrove non c'è.

È lei che mi ha guidato per mano verso la maternità. Ogni volta che l'ho stretta ho detto *ha qualcosa di mio questa creatura. Ha un regalo per me da qualche parte.*

Del suo corpo ricordo i gomiti, con il nodo delle ossa incredibilmente esposto, le palle degli occhi, i capelli che ricrescono sulla fronte, come una tendina di pelo.

Sale. Come acqua che lascia il corso morbido del declivio e sale come una fiamma.

Mirna ha lasciato i panni. Lassù l'onda d'urto della granata che ha fatto tremare la cantina è arrivata forte come un terremoto, lei è stata sbalzata, è caduta accanto a una di quelle antenne che tanto sono ferrivecchi, senza corrente. Pensa a Sebina, pensa che è sepolta là sotto... C'è fumo che sale dalla strada, deve correre a vedere se sono tutti in salvo, se c'è stato un crollo. Lei non s'è mai fidata di quei rifugi, non erano stati fatti per quello scopo, erano fatti come ogni cantina, per tenerci il lardo, le vecchie macchine da cucire...

E quindi lei scende.

Sì, è andata così.

E la ragazza bosniaca dalla fronte triste e dai capelli di luce dice che comunque non scriverà mai questa storia, perché è troppo stupida, perché certe volte la morte è troppo stupida e stucchevole.

Però è andata esattamente così.

Si sono trovate a metà strada, madre e figlia. Correvano, una saliva, una scendeva, sulla stessa scala, per cercarsi.

Se fossero rimaste esattamente dov'erano avrebbero mangiato un po' di polvere, un po' di paura, e nulla più.

Ormai erano vicine ad andarsene dall'assedio. Si erano convinte. Gojko aveva trovato un giornalista amico, un ragazzo di Belgrado che le avrebbe portate con sé.

E invece si erano mosse, erano uscite dalla scacchiera della vita, senza saperlo. Camminavano, trainate dalla corda che le univa.

Tieni un capo del filo,
con l'altro capo in mano
io correrò nel mondo.
E se dovessi perdermi
tu, mammina mia, tira.

Tirò la morte per loro, tirò forte. Una granata entrò, attraversò il palazzo riparato.

In quell'istante si erano raggiunte. Madre e figlia. Ventre e frutto.

Gojko si è seduto sul gradino di terra, Pietro è accanto a lui, guardano una partita di pallone, ragazzi che si inseguono, magliette, carne.

Avranno su per giù l'età di Pietro, generazione del dopoguerra.

Fiori bianchi della riconciliazione.

Gojko dice: «Lei non è morta subito, sai».

Si accende una sigaretta, sputa fumo, alza un braccio, urla che è fallo, insorge. Calcio e cimitero.

Ci solleviamo, lasciamo il declivio del sepolcreto.

Gojko ha bisogno di una birra.

Poi ne beve due a canna, seduto su una panca accanto al chiosco davanti al cimitero.

Mirna era fatta di pezzi che avevano riunito per lui sotto un lenzuolo per non fargliela trovare così, come quella pentola di zuppa caduta, di bocconi che galleggiavano nel brodo. Era il corpo che lo aveva fatto. Era sua madre, eppure lui non aveva battuto ciglio, era corso dalla sorella.

A Sebina mancavano le gambe. La parte sopra era intatta. Gli occhi erano fermi come vetro. L'aveva trovata in un letto bianco, composta, le mani con i tubicini, era in una specie di sottoscala all'ospedale del Koševo. Aveva visto il lenzuolo vuoto in basso e si era chiesto se lei sapeva.

Avrebbe voluto vincere le Olimpiadi, era la più bassa della sua squadra, la più attaccata alla terra. Gojko chiuse gli occhi due volte. La prima perché non voleva crederci, la seconda per ringraziare Dio che fosse viva.

I medici avevano dato tutte le speranze di quel caso disperato che in città si era ripetuto così tante volte. E Gojko, seduto accanto alla sorella con gli occhi allucinati, aveva messo in moto la fantasia, come quando vendeva gli yo-yo e fregava anche i montenegrini, immaginava arti finti, scintillanti, all'ultimo grido dell'ortopedia ricostruttiva. Le avrebbe fatto avere le protesi più belle della storia, ci avrebbe sbattuto sopra tutti i soldi che aveva e altri ne avrebbe guadagnati con i giornalisti, li avrebbe portati in trincea anche di notte.

C'era una scarpa sul tavolino di ferro accanto al letto, questo ricorda. È un dettaglio inquietante che gli è rimasto impresso. Muove le mani, le unisce per farmi vedere com'era piccola quella scarpa che lui vede, che è qui nelle sue mani. Povero Gojko, povero fratello. Ora la sua voce trema, come quella di un orco torturato da un topo piccolo piccolo ma incredibilmente forte e crudele. Voleva toglierla di mezzo, quella scarpa, che qualcuno aveva raccolto per le scale e buttato nella macchina che portava via la bimba dilaniata. Qualcuno che nel terrore aveva perso la ragione e non si era accorto che macabra premura fosse quella. Ma Gojko non la tolse, non osava. Sebina era sveglia, i suoi occhi erano biglie di luce nella notte, diamanti. E Gojko non era certo che lei sentisse il corpo, che sapesse di non avere più le gambe. Quello che si vedeva di lei era in ordine, non aveva nemmeno un graffio sul viso. Così lasciò la scarpa per non toglierle l'illusione. Le parlava, lei sembrava ascoltarlo.

Chiese della madre, la chiamò.

Gojko le disse che stava bene, che l'avevano messa in un altro reparto.

Sebina ascoltò la bugia, non volle nemmeno bere, non volle niente.

Non mosse mai le mani. La scarpa era lì accanto.

E io adesso vedo quell'aereo, quella lucetta EXIT, quella donna ignota che mi faceva vedere quella scarpa luminosa...

Gojko dice che doveva essersi rotta, inceppata per via dell'esplosione, così la luce nella gomma della suola era rimasta accesa.

Era una lingua di luce pallida sul tavolino di ferro. Sebina poteva guardarla. Gojko la lasciò dov'era, pensò *se sopravvive questa scarpa anche lei ce la farà*. Era uno dei suoi giochetti, il peggiore.

Sebina si spense all'alba, la scarpa le sopravvisse qualche ora.

«E dopo sono andato.»

Era andato a combattere prima a Dobrinja, poi sullo Žuć. Era un poeta, un venditore ambulante, un radioamatore, una guida per turisti, uno stupido che non aveva mai tirato nemmeno a un piccione. Invece imparò subito, *perché l'odio s'impara in una notte*.

Mesi nel fango, la schiena carica del suo rotolo di cartucce.

«Ma potevo combattere anche con il coltello, o a mani nude...»

Si ferma. Incendiarono anche un villaggio. Contadini serbi, civili che non avevano fatto male a nessuno. Lui non partecipò. Però non disse niente. Rimase su un cocuzzolo a fumare.

Pietro ascolta, non guarda più i ragazzi che giocano a pallone, guarda un eroe di questa guerra lurida, uno che alla fine è tornato carico di medaglie come un somaro in un giorno di festa.

«Quanti ne hai ammazzati?»

Gojko sorride, gli strofina il capo, perché adesso Pietro lo guarda con occhi diversi, luccicanti e spaventati.

«Sono cose brutte, da cancellare...»

«Raccontami un episodio...»

Gli dico *piantala Pietro, piantala imbecille.*

Gojko indica i ragazzi che giocano a pallone.

«Un giorno mi sono ritrovato così, in un campo, con i miei compagni di brigata, a giocare... solo che al posto del pallone c'era una testa, la testa che avevamo tagliato a un cetnico, giocavamo con quella, la facevamo rotolare in un campo verde pieno di fiorellini gialli e blu... Sudavamo, ridevamo, era un gioco, era normale, ci dispiaceva soltanto sporcarci i pantaloni con il sangue, per questo ce li eravamo arrotolati.»

Pietro dice: «È vero?».

Gojko si alza, butta la bottiglia di birra nel cesto per la plastica.

«È vero. Fino all'altro giorno, con te, non ho mai più giocato a pallone.»

Stiamo lasciando Sarajevo

Stiamo lasciando Sarajevo. Gojko cammina verso la macchina, gli guardo la schiena. La schiena è la parte che non puoi vederti, quella che lasci agli altri. Sulla schiena pesano i pensieri, le spalle che hai voltato quando hai deciso di andare.

Così Gojko si porta la sua schiena, più bassa da un lato, lì dove ha preso il colpo, dove la vita ha virato. Il passato è fermo lì sopra, come un falco sulla spalla di un falconiere.

Gli guardo una mano prima di prendergliela, carne rosa, gonfia. La mano di un uomo mite che gridava alla radio che mai, per nessuna ragione, bisognava cedere all'odio, un povero babbeo che alla fine ha ucciso, ha seguito la legge della guerra e ha lasciato la sua.

Gli chiedo come abbia fatto dopo. Quando l'iperbole è finita e si è trattato di affrontare lo stagno. In che stato lo ha trovato la vita quando si è tolto la mimetica, la cartucciera, si è lavato il fango dal corpo sapendo che non avrebbe mai più potuto essere lo stesso uomo di prima. Mi ha detto che s'è chiuso in un albergo per una settimana a bere, a dormire davanti alla tv accesa.

Solo le sue poesie gli parlavano di lui, della sua anima prima che incontrasse il male.

Per questo le odia. Per questo non ha più scritto, perché la sua anima era sporca, e un poeta non può ingannare se stesso. Per la Bosnia lui era un eroe, per se stesso era un fallito, un eunuco.

Raccolgo la sua mano e lui se la fa prendere, s'infila nella mia come un bambino che ha bisogno, che si affida. Camminiamo un po' così, come ai bei tempi, quando le persone che amavamo erano vive. Pietro ci sta guardando e penserà che siamo due imbecilli. Prima di salire in macchina Gojko mi chiede: «Ti faccio schifo?».

Scuoto la testa.

Mi bacia la mano prima di restituirmela, *grazie*.

La strada non è esattamente un'autostrada, ma credevo peggio. Saliamo nel verde cupo dei boschi. Fa così caldo che verrebbe voglia di fermarsi a prendere un po' di fresco. Gli alberi non hanno ferite. Qui si è combattuto, il terreno è ancora punteggiato di mine. Eppure la natura è intatta, questi boschi fanno pensare solo ai funghi, alle more, all'umidore che dev'esserci sotto le abetaie.

Pietro si è seduto davanti, a lui piace guardare la strada, le macchine che arrivano dall'altra parte. Gli ho lasciato il mio posto.

«Così mi stendo» gli ho detto.

Ma non è per questo, non sono stanca.

Questo è l'ultimo viaggio che Diego ha fatto, e io voglio pensare a lui in santa pace, vederlo che scende dai tornanti insieme a me. Stiamo percorrendo la stessa strada, in una tranquilla mattina d'estate, come turisti stanchi degli itinerari interni, che hanno voglia di farsi un bagno.

Corriamo verso sud seguendo la valle della Neretva.

Pietro è rimasto in silenzio per un bel po', guarda la strada con occhi attenti. Sa di essere al fianco di un combattente, di un reduce, e adesso immagina fantasmi uscire da questi boschi.

Ha le cuffie dell'iPod nelle orecchie, e una cartina della Bosnia Erzegovina aperta sulle gambe. Gojko guida con un braccio fuori dal finestrino, molla di continuo il volante per infilare la mano nel pacchetto di patatine al formaggio di Pietro o per indicargli qualcosa sulla cartina.

«Cosa ascolti?»

Pietro si stacca una cuffia e l'appoggia all'orecchio di Gojko.

«Vasco Rossi.»

Un camion arriva in direzione opposta, ci sfiora pericolosamente, ci riempie del suo puzzo. Gojko non sembra accorgersene, è girato verso Pietro.

«E chi è?»

Pietro è allibito: «Non lo conosci?».

«No.»

«È un poeta.»

Gojko si leva la cuffia: «Sembra uno che sta al cesso e non gli esce dal buco...».

«Riempie gli stadi.»

L'ex poeta bosniaco scuote le spalle: «Vafanculo, i poeti non riempiono gli stadi!».

«*Vafanculo* te, lui li riempie!»

«Secondo te cos'è una poesia?»

Pietro ride, fa *boh*, si volta verso me, dice: «Ma che, stiamo a scuola?!».

Gojko insiste.

«Cosa racconta una poesia come si deve?»

Pietro ci prova, farfuglia.

«Le cose che ti fanno male... però se le senti ti fanno anche bene... ti lasciano con la fame...»

Gojko urla di gioia: «Bravo!».

Gli chiede a bruciapelo: «Fame di cosa?».

Lo guarda, aspetta una risposta, e forse sono gli occhi che faceva quando si preparava a uccidere qualcuno e caricava il grilletto, restava qualche istante in silenzio...

«Boh... di un panino, di una ragazza.»

Pietro ride scontroso, ha fretta di allontanare quella conversazione che s'è fatta seria come il volto di Gojko.

«Togli il panino, lascia la ragazza.»

Pietro annuisce, e sono sicura che sta arrossendo. Gojko aspetta ancora un po', poi lascia il grilletto.

«Fame d'amore» dice, e adesso è lui che barcolla.

Pietro annuisce. Sapeva la risposta, però si è vergognato perché ci sono io.

«Un buon poeta lascia affamati d'amore.»

Gojko molla il volante per dare un colpo nella pancia a Pietro.

«Qua! Ricordatelo.»

«Vasco Rossi lascia affamati d'amore.»

Gojko si butta sul volante, lo morde.

«Di seghe, ti affama! Di seghe!»

Mi arrabbio. Un altro camion ci ha sfiorato, la strada adesso è stretta, corre lungo la roccia che precipita in una gola. Gojko mi consiglia di mettermi tranquilla perché lui è un ottimo autista, e su quelle strade si guida così, con la fantasia. Io gli dico che non me ne importa un accidenti della fantasia bosniaca, non voglio cadere in una di queste gole che tagliano la montagna. Ho paura che possa accadere qualcosa a Pietro... uno stupido incidente, come a Diego.

Gojko mi cerca nello specchietto con i suoi occhi lanosi.

«Vi ho già portati in salvo una volta... rilassati.»

Mi fa l'occhiolino e adesso mi sembra che gli sia rimasta addosso della cattiveria. Questo sguardo è uno schizzo di fango.

La Neretva si è allargata, aperta... invece di un fiume sembra una porzione di mare, un grande lago cristallino. Ci fermiamo. Dal basso sale un vapore fresco che ci raggiunge.

Siamo appoggiati al parapetto del lungo ponte di ferro che taglia le acque. Pietro mi fa una fotografia con il cellulare, mi fa spostare due volte: da un lato c'è troppa luce, dall'altro non si vede il fiume.

«Dove devo mettermi?»

Mi fa indietreggiare di nuovo di qualche passo. Ma ancora non sembra contento.

Suo padre mi fotografava senza mai chiedermi di spostarmi, all'improvviso, quando nemmeno me ne accorgevo. Odiava che mi mettessi in posa.. le sue fotografie erano uno schiaffo, una sorpresa. Ogni tanto c'ero io nei suoi rullini, *non ce la faccio a lasciarti in pace, ho bisogno di tornare da te*, diceva. E mille volte, dopo, rimasta sola, nei momenti in cui ero più brutta, più privata, ho pensato che ecco, adesso, in quella pochezza, lui m'avrebbe fotografata e restituita a me stessa su un pezzo di carta lucida, mi avrebbe raccontato i miei pensieri. *Guarda come sei, Gemma, come ti tormenti, come sei stupida...*

Camminiamo un po' lungo il fiume. Arriva un odore di carne alla brace. C'è più di una famiglia, hanno anche diversi bambini, stanno facendo il barbecue nella piazzola attrezzata. Pietro chiede se può fare una fotografia. Una donna gli offre un pezzo di agnello, lui scuote la testa, poi accetta.

«*Hvala!*»

«*Dobar dan!*»

Mentre risaliamo in macchina, Gojko gli chiede com'è l'agnello, Pietro si lecca le dita, *è buono*, dice. Gli tende il pezzo di carne, tenendolo per l'osso.

«Vuoi assaggiare?»

Gojko dà un morso troppo grosso e Pietro si arrabbia. E per un po' bisticciano come due coetanei, come due ragazzi affamati che devono crescere.

Poi Gojko fa una scoreggia, sonora. Pietro urla *che schifo*. Gojko è imperturbato, dice: «È una piccola composizione lirica...».

Pietro ride come un pazzo, si concentra, fa una scoreggia terribile, più bosniaca di quella di Gojko.

«Senti che sonetto...»

Gojko è paonazzo di felicità. «Versi sciolti!» gracida tra i singulti. Urlo che voglio scendere, che sono due maiali.

Altri tornanti, altre gole argentate, come barbe canute tra i boschi.

Adesso mio figlio e il mio amico si dividono di nuovo l'iPod e Gojko canta il ritornello del poeta italiano che riempie gli stadi.

Vivere... vivere... vivere...

Questi alberi sono così alti e soli, sono quinte che chiudono il cielo in questa strada troppo stretta per due corsie, dove ci si sfiora ma alla fine si sopravvive.

Un cane, un filare di panni stesi, un campo d'insalate, una moschea di campagna. Passaggi di vita ordinaria.

Qui la guerra è passata con le sue aquile e le sue tigri,

con i vecchi ultras della Stella Rossa di Belgrado incappucciati come boia.

Passavano e bruciavano i villaggi, uccidevano gli uomini, violentavano le donne. Non restavano che magre file di superstiti in fuga su strade che conducevano a un altro villaggio che aveva fatto la stessa fine. La morte avanzava così, come il vento dal mare. Ti chiedi come fanno a coltivare questa terra, a metterci questi filari di pomodori, queste verze. E se di notte le upupe, uscendo dai boschi, riportano indietro il grido delle anime. Morti caricati su camion svuotati come immondizia.

Gojko ci racconta quello che hanno fatto i superstiti in questi anni. Hanno aspettato di essere chiamati per il riconoscimento. Si sono messi in fila davanti a un tavolo a guardare pezzi di ossa, occhiali rotti, scarpe Adidas, pezzi di jeans Rifle o Levi's, orologi Swatch.

«Perché questi sono morti dei nostri tempi, e avevano le nostre marche addosso.»

Pietro smette di fotografare.

Quanto tempo ci vuole a pulire una terra dove le radiazioni del male sono entrate così profondamente?

Sono passati appena sedici anni, l'età di mio figlio, della giovane nuca che siede davanti a me.

Suo padre diceva che la nuca conserva l'odore della nascita, del vento che ha portato il seme. Come un solco nella terra.

Ci fermiamo a Mostar. Pietro vuole fotografare il ponte famoso. Camminiamo nei vicoli di ciottoli piantati nell'argilla. C'è un'aria allegra, turisti che passeggiano in ciabatte, piccole boutique di chincaglierie.

La città è questo ponte, lo chiamavano *il vecchio*, e intendevano un vecchio amico, un dorso di pietra chiara che univa le due parti della città, quella cristiana e quella musulmana. *Il vecchio* è vissuto quasi cinque secoli, poi è stato tirato giù in pochi minuti.

Pietro non capisce perché cristiani e musulmani si siano combattuti.

«Ma se prima erano uniti contro i serbi...»

Gojko gli spiega che l'odio s'allarga facilmente, come un buco in una tasca.

«Alla fine hanno combattuto anche musulmani contro musulmani.»

Siamo seduti in un ristorantino davanti al ponte, abbiamo ordinato uova sode e un'insalata di pomodori e cetrioli.

Pietro sta raccontando di quel parco d'avventura dove ogni tanto va con i suoi amici, dove si gioca alla guerra, con gli elmetti e tutto, però si spara vernice.

«Giocate a squadre?»

«Sì, oppure tutti contro tutti.»

«Come noi, alla fine.»

Pietro ride.

Questo ponte è un capolavoro delle ricostruzioni Unesco, rifatto con la stessa campata unica, e le stesse pietre del vecchio. Ma senza la stessa intenzione.

I ponti uniscono i passi degli uomini, i loro pensieri, i fidanzati che s'incontrano a metà. Invece il nuovo ponte è attraversato solo dai turisti. Loro, i cittadini di questa città divisa, restano ciascuno dalla sua parte. Il ponte è lo scheletro bianco di un'illusione di pace.

Il muezzin canta, il suo lamento attraversa il cielo dove s'inseguono piccoli uccelli scuri. Gojko lascia una banconota sul tavolo, si alza.

«Adesso dall'altra parte cominceranno le campane, fanno a gara a chi fa più casino.»

Pietro vuole guardare il ragazzino che si tuffa per i turisti. Gli somiglia un po', è magro, pieno di capelli. Sale sulla balaustra, apre le braccia come un angelo. Si concentra, fa un po' di scena. Lui non c'era o se c'era era davvero molto piccolo. Per lui il ponte è una fortuna. Si lancia con le gambe raccolte e fa quel volo impressionante, di quasi trenta metri, prima di infilarsi nelle acque della Neretva. Restiamo sospesi, è un attimo di vuoto, perché il fiume sotto è fermo e scuro. Poi la testa affiora, il ragazzino guarda in alto, tira fuori il braccio e fa la V di *victory*. Battiamo le mani insieme agli altri turisti. Un piccolo compare passa con il piattino.

Pietro mi chiede se può provare anche lui, dice che ha capito la tecnica, si sta già togliendo le scarpe. Gli dico *sali in macchina, muoviti.* Ci manca solo il tuffo.

Il sole si sta abbassando nel cielo e le sagome degli alberi mi sembrano più dolorose.

Forse era già notte, quando il ragazzo di Genova passò da queste parti, guidava la moto a fari spenti, era facile, era abituato al buio di Sarajevo. Forse tagliava dentro, nei sentieri tra i boschi. Forse Aska era con lui, era lei a indicargli quelle scorciatoie. E per un attimo li vedo, la pecora appesa al corpo di Diego che l'ha resa inutilmente madre.

Dove andavano? Forse scappavano soltanto. Non avevano progetti, se non nei sogni.

Magari contavano di guadagnare un po' di soldi suonando per le strade. Sì, avrebbero vissuto così, come profughi, nelle metropolitane, sotto le gallerie del mondo. Aska avrebbe cantato una delle sue sevdalinke ebbre di malinconia e di amore... avrebbe soffiato nella tromba il suo dolore di bosgnacca verso gente di passaggio, a gambe in fila per il biglietto. E lui l'avrebbe accompagnata con la sua chitarra, le avrebbe fatto una fotografia ogni tanto, per raccontarle qualcosa di lei. L'avrebbe curata, poco alla volta, con il suo fiato di ragazzo.

Quella casa e quella vita che io gli avevo stretto intorno non erano la sua casa e la sua vita. Ci aveva provato, ma non ce l'aveva fatta. Un giorno mi aveva detto: «Mi sento un cane nella vetrina di un negozio in attesa di qualcuno che se lo compri».

Lei avrebbe indossato di nuovo la sua maglietta con il viso scolorito di Kurt Cobain... si sarebbero mossi con la moto, fermati a dormire nei camping, o semplicemente in un prato, in una galleria davanti a un cinema chiuso. Come quelle coppie di artisti girovaghi che vendono quello che sanno fare, che lanciano birilli nell'aria.

Quelli che incontri d'estate e ti fermi a guardarli mentre

lecchi un gelato. Occhi deambulanti puntati addosso nel caso, nel mischio della folla... una solitudine tra la moltitudine, una canzone, una carezza... Così avrebbero vissuto, senza violenza, inerti, scacciando il retrogusto dell'inferno con quella vita sprofondata nella contemplazione di se stessa, con quella musica.

Era quella la vita che gli sarebbe piaciuta, perennemente in viaggio, unica casa l'obiettivo della sua Leica.

Ad Amsterdam si sarebbero fermati, lì Aska aveva degli amici musicisti. Avrebbero vissuto in una di quelle chiatte sul fiume, come noi i primi tempi. Sì, avrebbe ricominciato da un fiume.

Avrebbero lasciato un fiore sotto quella finestra del Prins Hendrik Hotel, dove Chet Baker era caduto, strafatto di eroina.

Papà mi disse: «Non pensavo che saresti stata così forte...».

Gli risposi che avevo il bambino e che era necessario.

Ma in verità sentivo che la morte di Diego non mi aveva rubato nessun futuro. E anche adesso, guardando questa strada, non provo una vera commozione, solo quel battito soffocato in fondo al ventre, quel fastidio.

Se ne andavano senza di me, quei due, ciondolando su quella moto nel buio lagunare della terra attraversata dalla mattanza, come un mare rosso di tonni uccisi.

Io ero stata la balena, il dorso forte su cui lui s'era fermato, come un uccello in attesa del vento che lo restituisse al suo viaggio. E prima di andarsene, per ricompensarmi, mi aveva portato con il becco un pesce, raccolto dal mare per me.

Il pesce adesso sonnecchia, ha un piede fuori dal finestrino, l'altro sul cruscotto. Gojko mi ha detto *lascialo perdere, sei una madre troppo rompicoglioni*. Gli ho chiesto *quanto manca?* Mi ha risposto *poco*.

Ora la Neretva scende, le montagne sono più arse, la vegetazione cambia, cominciano i ciuffi fitti come muschio alto della macchia mediterranea, i suoi covoni di ginestre, qualche geranio selvatico. La roccia è più brillante, quasi bianca.

Pochi tornanti ed ecco il mare.

Azzurro e sconfinato come ogni mare, acqua che allaga la vista, cielo sommerso. Mare dall'alto. Le isole in basso sembrano una collana rotta di pietre e figure che si sono disgiunte, senza mai separarsi davvero dal collo della terra. Il mare. Il sangue azzurro di queste rocce, di queste foreste.

Pietro è raggiante, vuole fermarsi, fare qualche fotografia. Così scendiamo dalla macchina e ci accostiamo a un belvedere.

Il vento salato mi sporca il viso di capelli, è così forte che mi fa chiudere gli occhi. Il sole è una palla perfetta, appena sbiancata di foschia, è un po' più in basso di noi, nel cielo, comincia a tramontare.

Il ragazzo deve essersi affacciato su questo golfo. Finalmente è sceso dalla motocicletta e ha camminato senza nascondersi, senza zig zag, senza paura di cadere.

Dal mare non sparano, avrà pensato. Si sarà stretto alla sua pecora dai capelli rossi.

È finita, Aska, sei libera.

«Ti sbrighi, ma'?»

Pietro adesso ha fretta di scendere, vuole farsi un bagno prima che il sole scenda del tutto. Si ferma accanto a me, mi guarda mentre guardo giù.

È inquieto, riconosce questo sguardo.

Quante volte io e lui, fermi, abbiamo osservato la nostra vita senza dirci una parola. La prima volta avrà avuto tre anni, la tavoletta dell'altalena gli venne addosso in un parco, gli ferì la fronte. Lo trascinai verso la fontanella, lui piangeva e scalciava. Per tenerlo fermo gli feci male, gli strinsi il collo. Quando si liberò, e il sangue continuava a uscire, s'allargava sul viso bagnato come una maschera rosata, mi disse *brutta*, mi disse *stronza*.

Lo lasciai andare, *dovrai chiedermi scusa prima di tornare da me.*

Se ne andò su un cocuzzolo, lì accanto alla mia panchina. Ci rimase a lungo, graffiando la terra con una scarpa. Io fingevo di leggere.

Alla fine andai io da lui, *sbrigati, è tardi*. Non aspettava altro. Era solo al mondo, in quel momento, ma il suo orgoglio gli impediva di avvicinarsi a me. *Chiedi scusa. Scusa.* Era così solo. E fu la prima volta che guardammo il mondo insieme, quello che ci era stato tolto e quello che restava.

Diego non ha assistito al viaggio di suo figlio, alla scalata negli anni di un bambino che diventa grande. S'è arrampicato su una roccia con il suo occhio. Per vedere cosa?

La sua macchina fotografica era ammaccata come la sua testa, era vuota. Non ci metteva più i rullini, non gli interessava. Gli bastava il gesto, il segno. L'ultima fotografia doveva essere stata quel fiume che saliva mentre lui precipitava.

Il paesone in basso è brutto, pieno di cemento e di traffico. Il mare tra la terraferma e la penisola di Pelješac è costeggiato dalle boe rosse degli allevamenti di ostriche.

Ormai il sole sta cadendo, viaggiamo sulla strada che insegue la costa e poi ogni tanto entra, si allontana per un breve tratto dal mare tra piante di fico e cespugli di rosmarino. Ogni tanto attraversiamo un centro abitato, piccole case di pescatori, campanili rosi dal sale come fari, negozi di scarpe per gli scogli. Siamo costretti a rallentare, c'è la fila delle macchine, gente che si ferma, si saluta. È sabato, domani è festa. Incontriamo anche due sposi, gli strombazzi della loro combriccola ci seguono fino alla punta opposta della penisola, dove c'è l'imbarcadero per le isole.

L'ultimo traghetto per Korčula è già partito, lo vediamo allontanarsi nel mare metallico della sera.

Restiamo sul molo, io e Gojko. Lui ha i suoi occhiali specchiati che non gli servono più, che tiene anche la notte, le sue braccia robuste, staccate dal corpo.

Questa nave che se ne va senza di noi è triste, ma solo per poco. Si porta via un carico... qualcosa che si stacca senza che possiamo farci niente, solo salutare da lontano. Forse ci rende liberi dopo tanto tempo, questa nave che si lascia dietro il mare. Ci restituisce l'allegria di una cosa persa. Di uno sbaglio. Ridiamo, come due coglioni. Gojko fa un gesto

eloquente, si pianta una mano sul braccio teso, come dire
vai... vai a prendertelo in quel posto, nave. Vai a prendertelo in quel posto, vita.

Pietro s'è tolto la maglietta, cammina con un asciugamano intorno ai fianchi, si butta a mare e poi risale. La spiaggia accanto al molo è bianca e profumata di rosmarino, peccato che sia quasi buio e l'acqua sia piena di ombre.

Pietro pesca un granchio e ce lo porta, dice che è grosso
e che volendo si può mangiare, invece poi si volta e lo restituisce al mare.

È magro, mio figlio, la sera lo fa ancora più magro.

Siamo seduti sulla spiaggia a guardarlo mentre nuota ancora, e per un attimo siamo una famiglia. Perché forse questa ultima sera, inaspettata, capovolge i destini.

«Avremmo potuto sposarci noi» dice Gojko. «Ma tu non
mi hai voluto» dice, e non si è tolto ancora gli occhiali.

Rido, gli do una gomitata.

«Sei felice con tua moglie?»

Annuisce, hanno una bambina meravigliosa, un piccolo ristorante sul mare, e hanno fondato quell'associazione
culturale che gli riempie la vita.

«E tu?»

Gli dico che sto bene con Giuliano.

«Lo amo» dico.

Ma faccio fatica a dirlo, ingoio. Mi sembra una parola
vuota, che sento poco, forse perché il viaggio è stato lungo, è stato *attraversare*. Dico *amo* e penso a un amo da pesca, a un gancetto di ferro nella gola di un pesce. Pietro ci
chiama nell'acqua: «E dai, fatevi il bagno!».

Gojko si tira su di scatto come un orso atletico. Ha guidato, ha sudato. Ma forse è questo stare accanto a me stasera, accanto a questa nave persa che avrebbe dovuto ricon-
giungerlo con sua moglie e la sua vita, a fargli desiderare
di buttarsi un po' nel freddo dell'acqua, per scacciare il torpore di questa nostra nostalgia.

E poi mi butto anch'io.

E Giuliano ci resterebbe secco, perché non sono certo una
da bagni notturni. Ho paura dei ricci, dell'acqua nera, di

una mano che potrebbe mangiarmi da sotto. Ho paura di prendere freddo, poi, con i capelli bagnati.

Ma ho paura a Roma, ho paura nella vita che è andata via con quella nave persa. Stanotte non ho paura, stanotte ho voglia di ricongiungermi. Pietro si arrampica sulle spalle di Gojko, si tuffa, urla, sbatte con la pancia. Poi mi arrampico io e lui mi tiene le caviglie bianche, fragili. Camminiamo un po' così, barcollando nel mare buio. Sono vecchia, ho cinquant'anni suonati, e non ho mai riso così tanto.

C'è un piccolo ristorante, con il suo filo di luci appese che tremolano nella veranda di pali e canne. Mangiamo ricci e ostriche, spremiamo il limone. Li mangia pure Pietro che non ha mai succhiato molluschi crudi, stanotte vuole assaggiare tutto, anche il vino, che è denso e di un giallo scuro, e ha davvero il sapore di quelle viti che crescono sul mare. Poi piccole insalate nelle ciotole e formaggio di capra ricoperto di polvere di paprika. Pietro ha il fuoco in bocca, si alza a pescare un gelato nel frigorifero che è lì accanto e fa il rumore di un trattore. Gojko sposta la bottiglia, per guardarmi.

«Sono vecchia» gli dico, «lasciami perdere...»

«Tu non sarai mai vecchia, il tempo scava solo la bellezza.»

Il poeta andato mi versa l'ultimo goccio nel bicchiere, agita la bottiglia vuota e ne chiede un'altra, di vino dolce stavolta, di quel passito che fanno sulle isole.

Ce ne torniamo sul molo, dondoliamo nel buio. Pietro ciondola come un cane senza guinzaglio, è distrutto, ma adesso dice che vuole restare, che dobbiamo cambiare i biglietti dell'aereo, che gli piace quel mare, vuole pescare, vuole affittare il windsurf.

Si mette accanto ai pescatori che se ne stanno sugli scogli al buio con i filaccioni tesi nel mare che si muove a onde dure. È un mare forte, questo di stanotte, sembra terra lunare, fango metallico.

Dormiremo in macchina, non pensiamo nemmeno a cercarci un albergo. Pietro entra, si stende sul sedile posteriore e s'addormenta subito come faceva da bambino, le gambe troppo lunghe per il sedile, le mani chiuse sotto una guancia, la bocca aperta con il labbro sopra che sporge più gonfio dell'altro.

Gojko dice: «È un ragazzo puro».

Mi strofina i capelli secchi di sale.

«Sei stata brava...»

«Non ho fatto niente, io, è la sua natura.»

Camminiamo fino in fondo, dove il molo finisce e comincia il mare. Ci stendiamo sulla pietra che trattiene il calore del sole, guardiamo il firmamento, stelle che viaggiano in un cielo sporco di fosforescenze.

La nave se n'è andata già da molte ore e noi siamo rimasti a berci questo cielo in pace. Gojko, fratello mio, fratello di Diego, Gojko croato cristiano, san Giuseppe pazzo, padre putativo di Pietro. Stanotte siamo figli stolti di quel vino passito, siamo alghe calde, spettri di carne, apparizioni del passato.

Ma fare l'amore adesso sarebbe farlo con le defunte vite, le speranze spernacchiate. Per fare l'amore adesso ci vorrebbe un coraggio che non ci va di avere. Non a due passi da questo figlio puro.

Ci addormentiamo in macchina, sui sedili davanti, con i piedi fuori. Il mio Gojko russa con la bocca aperta, gli tolgo gli occhiali che non si è tolto, gli bacio la fronte rossa e sudata.

Caro, dico, *caro*. Caro perché la vita ci verrà tolta a tutti.

Il giorno è cielo vivo

Il giorno è cielo vivo. Sul traghetto Pietro s'è appartato, se ne sta scalzo su una di quelle panche scivolose di salsedine... i Ray-Ban, la sua faccia. Ha una gamba piegata e un braccio posato su quella gamba, è una posa insolita per lui, da uomo che guarda il mare.

Case recenti dai tetti rossi, caciara di macchine, di negozietti per turisti, griglie di ciabatte e di costumi da bagno, insegne di bar, di ristoranti, cartelli con grossi gamberi disegnati e altri di stanze in affitto con la scritta SOBE. Saliamo lungo la panoramica di tornanti che tagliano la roccia e scendiamo dall'altra parte dell'isola.

La sede dell'associazione culturale è una grande villa in stile veneziano. Ha l'aria di una vecchia casa di famiglia, i muri chiari, appena scrostati, da cui traspare un fondo rosa, pallido come carne. Infissi fragili, una porta alta, ogivale, e una portafinestra al primo piano spalancata su un terrazzo orlato da un'inferriata bombata. Camminiamo tra sabbia e ghiaia mischiate, in un giardino disordinato e allegro, costellato di giochi per bambini e di cavalletti di legno con fotografie e disegni. C'è l'aria di una festa, di una sagra di paese. Alcune donne curve su un grande tavolo stanno tirando i fili da un gigantesco tombolo. Mi avvicino e loro mi sorridono, si scostano per farmi vedere quel ricamo infinito.

Gojko mi presenta. «Questa è la mia amica Gemma, viene da Roma, e questo suo figlio Pietro.»

Pietro si lascia baciare da tutte quelle madri, attacca con

481

le domande, chiede quanto tempo ci hanno messo a ricamare quel gigantesco simbolo di pace. Il numero dei gigli non è casuale, mi spiega una ragazza, è il numero dei bambini morti nella guerra, perciò non l'hanno decisa loro, la grandezza di quel lenzuolo di fiori.

Una donna mi viene incontro, è vestita di lino nero, ha grandi occhiali da sole e un'aria sofisticata, sta parlando al cellulare. Quando chiude la telefonata mi batte su una spalla.

«Come stai?»

È Ana, mi chiede se la riconosco, le dico di no, che non l'avrei riconosciuta, sembra un'attrice. Ma poi ci abbracciamo e allora la guardo di nuovo e mi accorgo che invece la riconosco eccome.

Ha sposato un dentista. Lavorano insieme, lei gli prende gli appuntamenti. Figli non ne hanno avuti per via delle cure che ha dovuto fare, *i raggi*, dice, *non quelli del sole*, e ride. Perché Ana ha avuto un problema *dopo*, come molte donne *dopo*.

Lei e Gojko non si sono mai persi di vista. Ci sono molte altre donne di Sarajevo, me le presenta, facce invecchiate della mia generazione. Alcune le riconosco, sono le vecchie ragazze di Sarajevo, quelle della casa comune, che prima della guerra si vestivano con minigonne nere, ascoltavano i Rem e il rock bosniaco, e si scambiavano i fidanzati per sentirsi parte dell'Europa.

C'è un tavolo con caraffe di bibite fatte in casa. Beviamo un succo di mirtilli sedute su una dondola, come due villeggianti d'altri tempi.

Ana mi parla dell'associazione, donne di etnie diverse che si sono unite per aiutare altre donne dopo la guerra. D'estate proiettano filmati, organizzano mostre fotografiche, concerti, letture. D'inverno ci sono i corsi di formazione professionale, di computer, di lingue, c'è la scuola di danza e quella di musica.

Mi indica una ragazza molto bella, con lunghi capelli neri e la carne bianchissima. Si chiama Vesna.

«Un giorno ha riconosciuto suo padre da un filmato in tv,

era uno dei macellai di Srebrenica. Vesna non ha più parlato per sei anni. Sua madre ha lasciato il marito, ha portato questa bambina muta qui da noi. Il giorno in cui ha ricominciato a parlare abbiamo pianto tutte, eravamo sulla spiaggia, la prima parola che ha detto è stata *sidro*, che nella nostra lingua vuol dire *àncora*, per questo abbiamo chiamato *Sidro* la nostra associazione.»

È una costruzione a ridosso della spiaggia composta di cubi chiari, con persiane rosse e tetti piatti con gli scoli per l'acqua piovana, una veranda circondata da fioriere basse da cui spuntano gerani stortati dal vento.

«Ecco, io vivo qui.»

Sul muro di cinta c'è un'insegna che adesso è spenta, con la scritta RESTORAN. Entriamo dal retro attraverso un piccolo cancello di legno che ha l'aria di restare sempre aperto. Camminiamo lungo un viottolo di cemento. Sotto una tettoia di onduline verdi ci sono una piccola bicicletta con le rotelle e un motorino, un Piaggio scolorito dal sole con il sellino da cui escono pezzi di gommapiuma. E poi barattoli di conserve, casse d'acqua e di birra e un grande fusto di metallo annerito.

Sul filo dei panni un costume da bambina e un materassino da mare floscio. Pochi passi, alcuni vasi vuoti impilati e una Biancaneve di gesso con le braccia larghe in attesa di noi.

Pietro chiede se ci sono anche i sette nani.

Gojko dice che sua figlia non li ha voluti, che li odia, li chiama *bambini vecchi*.

Sotto la veranda qualche tavolino di ferro, una ragazza scalza con i capelli stretti in due codine e camicia di garza sopra il costume sta mettendo i ganci per tenere le tovaglie.

«*Zdravo, Gojko.*»

«*Zdravo, Nina.*»

La bacia, le tira una delle codine, le dice di portarci da bere.

Ci sediamo all'aperto, sotto il canniccio. Si vede il mare,

una striscia azzurra divorata dalla luce. Un po' di brezza arriva dalle dune alle nostre spalle. La ragazza torna con un vassoio, ci mette davanti una caraffa di vino, una ciotola di olive, una di piccoli peperoni verdi, una di semi e una lattina di Coca-Cola per Pietro.

Gojko torna con una bambina addosso, stretta a lui come un polpo

Non vedo nulla, solo un paio di gambe, un paio di pantaloncini di spugna a strisce e una testa di riccioli biondi, quasi bianchi, che si nasconde nel corpo del padre.

«Lei è Sebina.»

Gojko non mi guarda, e io non guardo lui. Guardo il tavolo, una formica che cammina sulla tovaglia cerata. È uno spigolo di dolore, come quando batti male un gomito.

«Ciao... Sebina.»

La tocco, le carezzo una gamba. Magra, troppo magra. Penso a quelle gambe tozze di piccoli muscoli.

Pietro prova a farle un po' di solletico, lei si dimena, scalcia ma non tira fuori il viso.

«Stava dormendo...» Gojko si siede con la figlia in braccio, ci dice che per questo ha un po' di spleen, mi riempie il bicchiere, si riempie il suo.

Beviamo con questa bimba senza viso in mezzo a noi.

«È bello qui.»

«È semplice.»

Gojko mi parla del menu, delle grigliate che fanno la sera... lui pesca, se Pietro ha voglia può portarlo a totani stanotte. Affittano anche stanze, poche, per turisti discreti.

Parla e intanto non smette di carezzare la testa della figlia. Fatico a guardare questa mano pesante, che affonda nei ricci biondi con una fame, una fatica...

C'è una tenda che sventola, dentro una finestra aperta... una tenda bianca che si gonfia, respira, come una piccola vela.

Seguo quel respiro bianco che mette pace, rasserena, ti fa

sentire che il tempo è passato e si è ricomposto, ha lasciato semi e capelli nuovi.

Da dentro arriva un po' di musica estiva.

La bambina ha alzato il viso, sta guardando Pietro.

Non somiglia per niente a Sebina. È bellissima, ha lo stupore un po' fisso di certe bambole, gli occhi trasparenti, le
labbra gonfie, il viso leggermente abbronzato. Sebina aveva gli occhi color piombo, le labbra storte come un amo, le
orecchie che le uscivano dai capelli.

Pietro tira fuori la lingua, muove le sopracciglia e le orecchie come gli ha insegnato nonno Armando.

La piccola ride, le manca un dente davanti, l'ha perso
la sera prima, ci fa vedere il buco. Non parla italiano, però
conosce un po' di inglese. Ci spiega che è triste perché non
trova più il dente. Pietro le dice che se vuole possono cercarlo insieme.

«We go and look for the tooth...»

La bambina scivola via dal corpo del padre, dà la mano
a Pietro. Li guardo mentre si allontanano, mio figlio e questa seconda Sebina che non sembra di Sarajevo, sembra una
bambina olandese, tedesca... una piccola turista.

Quanti anni avrebbe oggi *Bijeli biber*? Avrebbe avuto al
collo qualche medaglia olimpica o sarebbe diventata una
fumatrice accanita come suo fratello?

Dovrei avere tenerezza per questa bambina. Pensavo di
commuovermi, invece mi sento sconfitta e persino arrabbiata. Forse questo vino dà alla testa, batte duro nel cuore duro. Ma mi sembra che questa bambina nuova, questa
seconda Sebina, non sia portatrice di nessuna rinascita. È
una bambina diversa, è una vita diversa. Non mi interessa questa bambina banale e bellissima. Voglio quel grugno
storto e pieno di pensieri, quel coraggio povero. Oggi mi
piace tutto quello che ho perso, tutto quello che non vedrò più.

«È bella, vero?»

È troppo bella. È fessa come questa vita *dopo*.

Dentro c'è un odore che riconosco, di certe case semplici di mare... odore di origano, di biancheria pulita, di mandorle.

Sulle pareti i disegni della bambina, con quella firma sotto, quel SEBINA tracciato da una mano che scrive per la prima volta.

Sfioro il muro fresco di un corridoio, la spalliera orlata dal rigo azzurro di una sedia.

E adesso mi sembra che Gojko mi spinga in avanti...

Inciampo senza cadere su un gradino in basso ed entro in un piccolo salotto, due poltrone di pelle scrostata, un portagiornali... e sul muro il vecchio ritratto di Tito.

«È l'unica cosa rimasta intatta...»

Ride. «È andato a fuoco tutto ma il Maresciallo ha resistito, così l'ho portato con noi.»

I suoi occhi mi sembrano rossi, ha la camicia bagnata, aperta fino alla pancia.

«Devo dirti una cosa...»

Alle sue spalle, su un mobile basso di bambù, c'è una fotografia di lui su un canotto, a torso nudo, poi una fotografia che fece Diego di Mirna e Sebina. Mi volto, c'è una porta a vetri che separa questo piccolo salotto da un'altra stanza... guardo una finestra, una tenda che vola, che si muove. La tenda che ho visto dalla veranda, di garza chiara.

Gojko sta fumando, tira e poi gira la sigaretta sul bordo del posacenere che tiene in mano, guarda la brace.

Sento qualcosa alle spalle e non so dire cosa, un po' di caldo, un po' d'oppressione, abbasso il collo.

Gojko continua a muovere quella sigaretta sul posacenere.

«Cosa c'è?»

E ora indietreggio. Ma lui mi prende, mi tiene ferma da dietro, mi mozza il respiro con un braccio. Forse è così che ha fatto quando con un braccio ha tenuto fermo un corpo terrorizzato e con l'altro gli ha spezzato il collo.

Sento il suo fiato nell'orecchio.

«Perdonami... volevo dirtelo la prima sera.»

Cosa mi devi dire, idiota? Cosa mi devi dire che la vita non mi abbia già detto?

Entro nella stanza. Un paio di espadrillas buttate da una parte, guardo i piedi nudi della donna che mi sta aspettando.

Indossa una camicia bianca e un paio di jeans, ha i capelli tenuti da una matita. È molto più alta di come la ricordo. O forse sono io che mi sono rimpicciolita. Non è truccata, non è invecchiata, gli anni le hanno semplicemente regalato una compostezza che prima non aveva.

«Ciao, Gemma.»

«Ciao, Aska.»

Sollevo il braccio ed è un movimento lento e pesante, che divide l'aria, che taglia il mondo. Lascio la mia mano lì nelle sue.

Se la tenesse pure, la mia mano, non so che farmene. Penso che questo è l'ultimo movimento che farò, che il mio braccio che si muove verso questa donna alta dai capelli rossi e dagli occhi verdi, bella come una modella appena invecchiata, una che ha perso la patina fessa e ha tenuto solo l'osso della bellezza... questo braccio adesso è la coda di una bestia che cade in una trappola e non si muove, aspetta di crepare, sveglia, vigile.

La signora mi prega di sedermi accanto a lei.

Non ascolto, il sonoro è andato via, resta solo il movimento della tenda.

Aska apre la bocca, ha bei denti, li guardo, li sfioro appena insieme al resto della sua bellezza.

Non è più lei, non ha più niente del suo disordine passato. Cosa ricordavo? Una persona che non esiste più. Una ragazza tinta, storpiata dal trucco, che suonava la tromba e rideva in una maniera un po' troppo vistosa.

L'ho immaginata morta tante volte.

L'ho immaginata anche viva. Ma non così. L'immagine confusa di una donna sofferente e superficiale.

Dunque lei e Gojko si sono sposati. Aska mi sta dicendo che si sono incontrati dopo la guerra a Parigi, in casa di amici comuni, in uno di quei ritrovi di profughi bosniaci, si sono aiutati. L'amore è venuto dopo.

«Ascolti ancora i Nirvana?»

«Qualche volta sì.»

«Kurt Cobain è morto.»

«Già, molto tempo fa.»

«Si è sparato. Ci vuole un bel coraggio a spararsi.»

«Se sei fatto no.»

Anche Diego è morto. Anche lui era fatto. Già, è il lupo scemo che muore. La pecora scaltra balla e si mette in salvo ballando.

L'ultimo album dei Nirvana si chiamava *In Utero*. Ricordo di averlo comprato. La vita è ridicola. Ti precede. Ti prende per il culo.

La tenda si muove. Non ascolto nulla, una fessura bianca mi attraversa. Una ferita pulita, senza sangue, che separa il mio volto.

Era un imbroglio, questo viaggio... tutto era un imbroglio, la mostra fotografica, le passeggiate a Sarajevo, la nave persa.

Questa donna è semplice ed elegante. L'aria di una donna di oggi.

Adesso mi dirà che non ha mai smesso di pensare a suo figlio, che ha diritto di abbracciarlo... di dirgli la verità.

E io non potrò dirle di no. Non posso fare niente, non conosco le leggi di questo Paese, sono lontana, in una località di cui non ricordo nemmeno il nome. Sono salita su una nave, torpida di nostalgia, ho seguito uno sconosciuto, uno di cui non so nulla, un poeta che è diventato un combattente, un assassino. Avevo bisogno di amici e di ricordi. Non mi bastava la mia vita. Avevo bisogno di qualcuno che mi costringesse a soffrire, di un testimone, di uno che c'era. Sono tornata da sola, di mia volontà.

Gojko le sorride, le tiene una mano. Accanto a lei sembra più bello, persino meno goffo, più sensuale, più tranquillo.

Non sono venuti a cercarmi in Italia. Mi hanno fatto venire fin qui. Lei gli avrà detto *voglio il mio ragazzo, voglio ri-*

vederlo, voglio vedere il figlio dell'uomo che ho amato e che è mor-
to. Non ce la faccio più, ci ho pensato a lungo, ma adesso voglio
stringerlo e dirgli la verità, e sia quel che sia.

Devo chiamare Giuliano, ho bisogno che lui venga, devo
proteggere Pietro. Devo restare intera.
«Non ti fidi di me?»
«Cosa vuoi?»
«Vederlo.»
«Affacciati alla finestra e lo vedi.»
«L'ho visto parlare con Sebina... con la sorella.»
«Stai zitta... zitta.»
Piange, ma io potrei ucciderla, perché adesso vedo qual-
cosa, un fondo fangoso, l'odore di una miseria che rico-
nosco.
«Avete bisogno di soldi, è questo?»
Apre la bocca, scuote la testa, forte. Sembra disperata.
«Non offendermi.»
La tenda si muove nella finestra. Solo un geco ci guarda,
fermo sul muro con il suo corpo antico e trasparente.
«Perché non sei morta tu?»
Lei mi guarda senza nessuno stupore.
«Non lo so.»
Mi alzo, tiro via la gonna dal culo. Dov'è la mia giacca, la
mia giacca gualcita? Dov'è la mia borsa piena di puttanate,
di passaporti, di biglietti aerei, di quel rossetto che mi entra nelle rughe? Mi chiede se voglio dell'uva, se voglio lavarmi, possiamo dormire lì, io e Pietro, mangiare il pesce
sulla spiaggia, Gojko sa fare bene la griglia.
Di colpo sento un odio indicibile... una distanza che è subito odio. Vaffanculo, mi hai mangiato la vita, troia, mi hai
mangiato il pezzo migliore di me. Ti sei portata via il padre di Pietro, lui è morto e tu sei qua, sei sempre stata qua.
Riprendo la mia borsa, i miei occhiali, la mia piccola vecchiaia. Sono andata in menopausa un anno fa, non me ne
è fregato un accidenti, non mi è mai servito a nulla il mio
ciclo. La fine del sangue è stata la fine della rabbia verso
me stessa.

Ho lasciato questa donna in un letto d'ospedale sotto l'assedio, mentre contava marchi. I primi tempi ho avuto paura di vederla ricomparire. Ho dato soldi a tutte le barbone del mondo, a tutte le sfollate dell'Est ai semafori. È un riflesso automatico, voltarmi e cercare la borsa sul sedile. Continuare a pagare. Ho immaginato che fosse morta, che fosse in una di quelle fotografie di bare, di campi seminati a lapidi. Invece questa donna è bella, ha una camicia bianca, è ancora giovane, ancora in tempo per i figli.

«Pietro è un ragazzo italiano, è mio figlio. Io adesso mi alzo, lo prendo per mano e me ne vado. E tu non provare a toccarmi... non provare a toccarci...»

Aska china la testa. Le guardo la nuca, i capelli raccolti, e qualche pelo che scende. Vedo qualcosa... una macchia. Voglio andarmene, come quella volta. Invece mi fermo su quella macchia... è un tatuaggio. Una specie di fiore, rossastro, malfatto.

Allora vedo la fotografia di Diego, quella che era in fondo alla mostra, sopra al vaso degli ombrelli. Quella strana rosa su quello strano muro. Che ora so non essere un muro.

Aska si copre la nuca con la mano, dondola un po'.

Un'ape entra dalla finestra, si allontana da noi e torna. Verrebbe da scacciarla, invece restiamo immobili.

Dunque la storia è questa, e forse un giorno dovrei avere il coraggio di raccontarla a mio figlio, come una favola.

Loro due sono lì, in quella locanda affacciata sui boschi. Sono saliti mano nella mano. Aska indossa un vestitino nero, luccicante. Lui le ha detto *non venire con tutti quegli spunzoni addosso, sembri un cactus*, e lei gli ha ubbidito. Si è messa il vestito che usa per i concerti. Lui guarda il tessuto leggero che s'appoggia alla carne, mentre salgono le scale.

È una bellezza di quelle parti, i capelli ramati, folti, gli occhi verdi che davvero sembrano due foglie, gli zigomi aperti, il naso dritto e un po' schiacciato... è come quella città così anomala, un po' Istanbul un po' un paesotto di montagna, anche lei è così, sembra un'araba bianca. Ha il profilo di certe capre del Kashmir.

Diego non sa cosa ne sarà di loro.

È nervoso, finge di non esserlo, gli piace questa ragazzina patetica, provinciale, un po' fuori di testa, con una gran voglia di sentirsi qualcuno, una Janis Joplin. Gli ricorda se stesso... conosce la sensazione, quei poveri brividi addosso... la Leica comprata al mercato dei ladri... anche lui da ragazzo s'è sentito un Robert Capa.

Lei gli ha fatto tenerezza, ha guardato quel viso impiastricciato, quei buchi postmoderni nelle calze, gli orecchini a spilla. Non gli piacciono i punk, però lei gli ha fatto tenerezza. Ha cominciato a guardarla, l'ha vista ingoiare dolci, leccarsi le dita fino all'ultima briciola, l'ha vista ridere. Hanno parlato, e lei non è stupida, ha la testa piena di cazzate ma ha una luce, una batteria sempre carica, ha qualcosa che lui non ha più.

In camera Aska guarda il letto e ride. Si tuffa lì sopra, alza le braccia, respira. Si fa ammirare da lui, è sfacciata, le piace quel gioco. Diego è più teso, dice che comincerà dalle scarpe, si toglie gli stivali, si siede sul bordo del letto senza stendersi. Ancora è incredulo che lei sia venuta, che quella storia sia andata avanti.

Negli ultimi giorni hanno cominciato a guardarsi in maniera diversa, si sono fatti una specie di corte. Adesso che sono in quella camera dove praticamente c'è solo il letto un po' si vergognano. Lei incrocia le gambe come nello yoga, ha portato la tromba, così si mette a suonare *My funny Valentine*. Lui l'ascolta, pensa *quanto fiato hai nei polmoni, bambina?* Le dice *hai un futuro*, lei si toglie la tromba dalla bocca, si lecca le labbra, dice *mi piacerebbe averlo con te*.

Lui sorride, *piantala, non scherzare*.

Non sto scherzando, per questa notte potremmo fare come se avessimo un futuro.

Ha troppo fiato nei polmoni, è troppo sfacciata questa ragazzina, lui la guarda: *stai al tuo posto*.

Lei non è mai stata al suo posto, è sempre stata una ribelle. Per questo è lì.

Si stendono vicini, parlano un po'. Lui le fa vedere come funziona la macchina fotografica, come si cercano i fuochi sulla ghiera. Allunga un braccio, fa uno scatto dei loro visi sprofondati sul cuscino. Aska tira su le gambe come una scimmia, vuole giocare al gioco dei piedi. È stufa della tristezza di quei giorni. È stata al corteo, ha il segno della pace che la sua amica Haira le ha disegnato con un pennarello sulla fronte. Urla che vuole divertirsi come una matta, quella notte. Diego cede, solleva le sue lunghe gambe, le piega, fa aderire i piedi contro quelli di Aska. Lottano un po' sul letto, si fermano. Lui le guarda gli occhi, la bocca, le sente il respiro del petto.

È incredibilmente bella, da vicino, incredibilmente giovane. Prima di baciarla le sorride, poi le resta dentro le labbra un bel pezzo. La bocca di Aska è fresca come una sorgente. Sente il respiro di lei che cambia, sente il sapore del primo bacio che ha dato, adesso lui è un uomo e quella memoria è stordente e piena di pudore.

Si stacca un po' triste, è lui quello più timido. Il più vecchio tra i due, quello messo nel sacco. Vorrebbe darle qualche consiglio da padre, da fratello maggiore, come fa con le sue allieve della scuola di fotografia. Invece è lì per fare l'amore con lei, è una ragazza libera, ha offerto lei di affittare il proprio corpo. Adesso c'è quella situazione erotica e stravagante che lo eccita e da qualche parte lo umilia.

Ha messo troppa passione in quel bacio, troppa nostalgia. La guarda, le carezza la testa, sospira, ci pensa un po'.

Lei è una piccola sarajevita maliziosa, *non ti piaccio?*, sussurra.

Mi piaci, lo sai. E forse mi piacerebbe un'altra vita, riprendere il mio zaino, fuggire come da ragazzo. Stringere un corpo nel buio, accogliere un dono occasionale come un destino.

Ci ha provato, ma stanotte Diego è stanco della piattezza della vita, della fatica senza risultati.

Guarda la finestra buia nella notte, pensa a me, al nostro patto. Si chiede come abbiamo fatto a camminare così lontano da noi stessi, a scivolare in questa follia ferma e oculata.

Allora, lo facciamo questo figlio?, Aska lo prende in giro, adesso s'è tolta il vestito. Ha un paio di collant a strisce e un reggiseno nero, pesante, come una piccola guaina. Gli occhi di lui si fermano sul ventre bianco, come certe rocce che ha visto sulla costa dalmata.

Ha il nome di una pecora matta, di un racconto che lui non ha mai letto... per scherzare gli fa *beee beee*, Diego risponde *beee*.

Facciamoci una canna.

Fumano in silenzio, carta bagnata che passa, fumo che entra e rammollisce dentro. Lei gli tocca il viso, la barbetta che non cresce bene, rada e spinosa, come un campo poco innaffiato. Lui dice *è brutta questa barba, lo so*. Lei dice *mi piace*. La mano è un piccolo rastrello che passa.

La guarda da vicino, la fronte bianca, alta. Adesso somiglia a una Madonna che vedeva in chiesa da bambino e a una tossica di piazza Corvetto, che sembrava una Madonna. Non sa come nasce il gusto in fatto di donne, se ti ricordano qualcuno, una madre più bella.

Adesso si ricorda di tutte le candele del cazzo che sua madre gli faceva accendere per suo padre sotto quella Madonna troppo bella e troppo morta per poterla guardare.

Aska gli succhia il lobo di un orecchio, lui ride. Non sa come si fa ad andare con le donne, non ha mai sviluppato una tecnica. Lui sa stare con me, sa mettermi un pugno sotto l'ascella, perché a me piace dormire così.

Lei gli ha detto *tua moglie mi guarda con gli occhi dei contadini quando scelgono la mucca per il toro*. Lui l'ha guardata, *io non sono un toro*.

È fastidioso avere una ragazzina innamorata che ti galleggia intorno. Lui le ha dato dei consigli, le ha detto di non buttarsi via, di concentrarsi sulla musica, sul suo futuro, di piantarla con tutti quei miti maudit, quei musicisti tossici. Un giorno l'ha fotografata in una gabbia vuota allo zoo. Gli è saltata addosso una nostalgia, una fame aperta. Non ha più fotografato, le ha detto *esci dalla gabbia, muoviti*.

Io amo mia moglie. Lei ha riso, *sembra una condanna, sembri triste*.

Ha la Bosnia intera negli occhi, questa ragazza, la sua malinconia, il suo umorismo matto, persino il rumore di certi fiumi quando cadono nelle loro conche naturali e sembrano ceffoni di Dio.

La canna è finita, ha lasciato in bocca un sapore forte, Diego sorride, si alza, si attacca al rubinetto. Pensa a me, sola in quelle strade buie. Segue i miei passi, la mia schiena. Vorrebbe toccarmi una spalla. Vorrebbe avere piccoli pantaloni stretti da torero e la sedia verde di quand'era bambino. Sedersi in mezzo alla strada e dirmi *sono qui, mi vuoi?*

Te la sei scopata?

No, non ce l'ho fatta.

Non importa.

Io non sono un toro.

Lo so.

Il toro sei tu, io sono la tua polvere.

Dalla strada arriva un frastuono, come di casse che cadono. Dalle scale sale un buon odorino, in cucina staranno già friggendo per la prima colazione. Lei dice *scendi a farti dare qualche frittella, ho fame.*

Diego scende le scale scalzo, saltella, la camicia aperta sul petto che ha qualche brivido. È stordito dalla canna... il sangue mite, si sente più leggero. Si sente il corpo, era un pezzo che non se lo sentiva. Sono due rampe soltanto, una manciata di attimi.

Non fa nemmeno in tempo ad accorgersi di quello che sta accadendo, nella sala della colazione le tazze sono tutte per terra, i tavoli capovolti... ombre si muovono nel buio, tirano calci, urlano. È un solo sguardo, un solo tragitto d'occhi. La porta che dà sull'esterno è aperta... da fuori arrivano altre urla, poi il rumore sordo di una raffica di mitra, così vicina che crede che lo abbiano visto, che gli stiano per sparare addosso. Un buco di silenzio, poi di nuovo grida, di nuovo raffiche... il chiocciare improvviso di galline spaventate, poi un altro squasso, come di barattoli che cadono e rotolano.

Diego è lì nella penombra, è sceso per prendere qualche frittella, per raggiungere quell'odore dolce, stava per fare l'amore. Quello che sbircia attraverso il buio è troppo lontano dal suo corpo fesso, troppo duro. Non capisce cosa sta succedendo, pensa che siano ladri. Fa due passi verso la cucina. La proprietaria della locanda ha un fucile contro la pancia, una pozza di olio versato cammina sul pavimento nero, continua a friggere come acido. Adesso ha visto le mimetiche, i cappucci. *È la guerra, è arrivata.* È l'ultimo pensiero veramente suo che fa.

È come una diga rotta, acqua dura come metallo che sommerge. Dopo è solo istinto, se gli chiedessero come si chiama e per quale ragione è lì non potrebbe rispondere. Torna sui suoi passi senza girarsi, inciampa nei gradini. I suoi occhi tagliano il buio come un visore notturno. Tasta il muro mentre sale, come un granchio rimasto allo scoperto. Sprofonda nel primo buco che trova... una tenda plastificata come quella delle docce, serve a nascondere il ripostiglio delle scope.

Quella plastica per il momento sembra salvargli la vita, perché intanto ha visto il primo morto. C'è un uomo riverso sulle scale, adesso, un vecchio in pantaloni di lana... ha visto il ragazzo che gli sparava nella nuca, s'era tolto il cappuccio per mangiare una di quelle frittelle ancora calde... Il vecchio alzava le braccia e diceva *figlio mio, figlio mio.*

Il ripostiglio delle scope è sul pianerottolo, solo pochi gradini più in basso rispetto al corridoio. Dalla fessura della tenda Diego può vedere quella porta socchiusa. Gli basterebbero pochi passi per raggiungere Aska, ma non può muoversi, il ponte si è rotto, quei pochi gradini sono acqua dura, un'alluvione che lo butta indietro.

Aska sta aspettando le frittelle, forse non ha sentito nulla, la vede affacciarsi. Si è rimessa il vestito... il vestito nero e lucido dei concerti. Non la vede per intero, vede solo le sue gambe, un lembo di stoffa. Vorrebbe gridarle di chiudere la porta, di nascondersi, di scappare da quella finestra che si affaccia sul bosco. Tenta di aprire la bocca per parlare, inghiotte sale, non ha voce. Le corde vocali sono lacci duri, fili di ferro che non vibrano. È l'istinto... l'istinto che gli dice di stare zitto, di non fare nemmeno un respiro. Perché intanto gli passa accanto una mandria nera, che sale insieme all'odore di fritto, dell'olio bollente che ha buttato in terra.

Scarponi con le stringhe e il fondo pesante come calosce da montagna salgono i gradini divorandoli. Una mano sfiora la tenda dove lui è nascosto, affonda nella plastica.

Tutto avviene troppo in fretta per poter dire *è andata così*. Saranno schegge, stracci di immagini che non potranno andarsene, che gli resteranno addosso come la pelle. La paura è un anestetico che raggela e dilata.

Per lui tutto avviene in quella fessura. Quello spiraglio tra la tenda e il muro. Vede gli uomini che si dividono nel corridoio, li sente bussare alle porte... sente delle raffiche, cadono vetri, cadono pezzi di muro. Adesso anche Aska è stata raggiunta. Vede qualcosa di lei, i suoi piedi nelle calze a strisce. La sente urlare.

È la prima volta che Aska vede i lupi, indietreggia verso la finestra. Si chiede da dove sono arrivati, se sono scesi dal bosco... sembrano la morte, hanno quei passamontagna. Parlano la sua lingua, le chiedono i documenti. Riempiono la stanza con i loro corpi appesantiti da cartucciere doppie, incrociate sul petto. Uno dà un calcio all'unica seggiola che c'è, si siede a gambe larghe sul tavolo, lei immagina che sia il comandante, ha uno stemma con un teschio sul petto. Si è acceso una sigaretta nello spiraglio della bocca, la guarda Aska è una pecora ribelle, la paura la rende aggressiva. Gli urla di andarsene. Gli chiede chi sono, perché hanno il viso coperto. Dice che vuole parlare con qualcuno della polizia.

Il comandante si alza il passamontagna, tira fuori un volto giovane, squadrato. Occhi chiari come vetro. Si volta per ridere con il ciccione che gli sta vicino.

Diego vede solo i passi, le scarpe dove s'aggrappano i pantaloni mimetici... vede altra roba che cade, un cassetto, la sedia dov'era appesa la sua giacca. La stanno colpendo, l'ha sentita urlare, difendersi. Adesso si lamenta soltanto. È caduta in terra, vede una mano che scivola, uno scarpone che sale su quella mano, la schiaccia. Sente una voce che le ordina di rialzarsi.

Diego deve uscire a difenderla, deve dire *sono un fotografo italiano e lei è la mia ragazza, lasciatela in pace.* Forse basterà minacciarli con il tesserino-stampa, ce l'ha nella tasca della giacca. Deve raggiungere quella giacca. Immagina di uscire, di prendere Aska per un braccio, di brandire il tesserino della stampa come una croce.

Le stanno chiedendo cosa ci fa in quell'albergo, le hanno preso i documenti, adesso la chiamano puttana musulmana.

Alzati, puttana musulmana.

Aska si tira su. Ha un dolore di chiodi nella mano, non può più chiuderla. Ha capito che non c'è più polizia, che non c'è più un ordine, che quella dev'essere la guerra. Adesso percepisce l'esterno... gli spari dalla strada, i rumori dalle altre stanze, le grida... capisce che anche fuori non ci sono più luci, che forse hanno tagliato i fili. Sente i lamenti, altra gente in trappola come lei, sorpresa nel sonno, nella normalità di quel quartiere periferico. Non sa se è semplicemente un attacco o se l'intera città è già stata occupata. Se sta succedendo a tutti la stessa cosa, come in un blackout... Anche alla sua amica Haira, anche a sua nonna e al suo fratellino. Sente che la sua percezione si allarga, si dilata, corre per chilometri come quella degli animali... deve percepire il mondo intorno per non restare isolata in questa stanza... in questo incubo, ancora sporco, confuso. Sente quel profumo di frittelle che adesso si mischia con l'odore degli uomini. Puzzano, di terra, di sudore, di alcol. Devono avere paura anche loro. Sono nervosi, vanno e tornano, danno calci alle porte... sente grida di donna, rauche come quelle di un gatto. Forse è una delle studentesse di Zenica, le ha sentite parlare e scherzare in corridoio poco fa, sono arrivate in treno per la manifestazione. Vede qualcosa che passa in corridoio, un corpo trascinato per i capelli. Non si chiede nulla, lascia scorrere quell'immagine che sembra arrivare da un altro mondo. Sa che lei non griderà. È una ragazza libera, è cresciuta in una città libera. Crede ancora che basterà parlare per calmarli. Devono essere tutti ragazzi, più o meno della sua età.

Si chiede che fine abbia fatto Diego, forse è stato bloccato. Aspetta di vederlo comparire. È un fotografo straniero, questi imbecilli hanno paura della stampa internazionale.

Il comandante adesso sta guardando un foglio, forse una mappa della città, confabula con il ciccione. La guarda, le chiede di suonare la tromba. Aska ci prova, non sente più le dita e ha davvero poco fiato nel petto, però lo spinge tutto in quel becco di ottone.

Diego sente quella tromba, immagina le guance di Aska che si gonfiano come quelle di un pesce.

Si è imposta di suonare qualcosa di allegro, una piccola sinfonia tempestata di note acute come quelle dei vecchi film muti. È davanti al lupo, come la pecora nel racconto di Andrić... anche lei è una ribelle, lontana dal gregge. Spera davvero che le basterà suonare per tenere a bada il lupo. Ma sa di non essere così brava.

Vede il suo futuro, quello che ha immaginato... un palcoscenico invaso di bolle di luci e di fumi che salgono come vapore, come in un concerto dei Nirvana.

Il fotografo italiano somiglia a Kurt Cobain, pensa al suo collo... è l'immagine più dolce che le viene in mente, quel bacio di poco fa, quel viso così vicino al suo, che le sorrideva. Le ha passato un pollice sulla bocca, dopo, come a segnarle le labbra. Forse anche lui sente qualcosa per lei.

Il comandante le dice di smetterla con quella tromba, che gracchia nelle orecchie. È vero, la pecora non ha fiato, spernacchia soltanto. Il fiato se l'è scolato tutto la paura. Le ordina di spogliarsi.

Diego è dietro la fessura. Vede la tromba che cade. Vede Aska che saltella nei collant a righe, che inciampa. Vede che la tirano su.

C'è quel fucile sul letto, un kalashnikov, un bazooka, chi lo sa. Si chiede che stanza è quella, e se quello che accade è vero. Le hanno piantato quel fucile tra i seni, hanno sparato contro il muro per farla ubbidire, lei è rimasta immobile, a guardarli. Vorrebbe spogliarsi, ubbidirgli... ma adesso non riesce a capire dove sono le sue braccia, le sue mani. Sono come remi di una barca lasciata a marcire. Deve raggiungere i ganci, la stoffa è incollata dal sudore che sale da dentro, che le appanna lo sguardo. Due mani si avvicinano, le strappano il reggipetto. Aska vede un capezzolo tra la stoffa rotta, non sa se è davvero il suo o quello di un'altra donna, di sua madre, di una sua amica.

Capisce che non c'è salvezza, che la morte è lì con lei. Ferma su quei fucili che la guardano. Non ha intenzione di ribellarsi, vuole vivere. È ancora presente, anche se non può muoversi, se non ha staccato nemmeno un braccio dal suo corpo per difendersi. Sente che quella cosa è già successa, che non è occasionale, che quegli uomini lo hanno già fatto. Non sembrano nemmeno eccitati, non c'è confusione, quei gesti sono già acquisiti. La insultano, la schiaffeggiano senza troppa convinzione, come se fossero già stanchi.

Come se fosse una sorta di rito che si ripete, una mensa satanica, un pasto triste di diavoli.

In campagna, da bambina, Aska ha visto il castratore, l'uomo che veniva a tagliare i testicoli alle bestie. Era basso, aveva una sua seggiola pieghevole, una valigetta e un panciotto da medico. Si abbassava sotto le bestie, le mutilava... dai corpi scossi si levavano muggiti impressionanti. Il castratore non cambiava mai espressione. A fine giornata ritirava i soldi e se ne andava con il suo volto triste, con la sua nuca sudata e sporca e la bocca ancora unta di quella fricassea di testicoli che le donne avevano cucinato e di cui lui aveva avuto un piatto.

Questi uomini hanno la stessa compostezza feroce, la stessa triste ineluttabilità nei gesti. Dove si sono addestrati? Su quali corpi?

Sente le gambe bagnarsi, immagina di finire per terra, di sciogliersi insieme a quell'urina. È questo che desidera, andarsene, diventare liquida, scivolare sotto il letto, scomparire nel pavimento di legno. Poco fa era una ragazza libera. Ha un segno della pace sulla fronte, uno degli uomini le ha sputato su quel segno, lo sputo le è sceso negli occhi. Si chiede che fine abbia fatto la pace. Poco fa era una ragazza più coraggiosa delle altre... adesso è un buco, un cratere abitato solo dalla paura. Com'è possibile che quello che vede stia accadendo a lei? Il panico ha il sapore arso dei succhi dello stomaco. È come se tutti gli organi fossero sospinti in alto verso la gola, per difendersi dall'agguato. Sotto non sente niente, come se le avessero fatto un'anestesia lombare... le mani che l'agguantano, le dita che premono nella carne sembrano posarsi su un corpo lontano.

L'hanno rovesciata sul letto, dove poco fa giocava, lottava con i piedi di Diego. Le cartucciere le cadono addosso, insieme all'odore di ferro e di morte.

Diego non sente più Aska suonare. Si è schiacciato tra le scope... una, più dura delle altre, di saggina, gli graffia una guancia. C'è un odore di muffa, di paglia sporca, consumata. La vede cadere, zoppicare nei collant calati sulle gambe come in un sacco. Deve uscire da quel nido di scope, buttarsi addosso a quei ceffi in divisa mimetica, strappargli i cappucci dalla testa. Ma ormai sa che non uscirà. Forse non uscirà vivo da quella notte, ma di certo non ce la farà a trascinarsi fuori da quel buco nel muro. Si chiede se quella è la sua morte, la sua bara. Se gli spareranno senza neanche aprire la tenda, come nei film.

È abituato a nascondersi.

Quando suo padre picchiava sua madre lui riusciva a scomparire, scivolava in una fessura e si metteva i gomiti sulle orecchie. Era tranquillo. Faceva pipì, non si accorgeva di farla. Guardava quelle piccole pozzanghere gialle sul pavimento. Se ne andava, pensava *a una cosa bella*. Usciva solo quando tutto era tornato in ordine, quando la madre era di nuovo in cucina a sbattere le uova. Le sorrideva, le faceva capire che non doveva soffrire o vergognarsi, perché lui non aveva visto niente, solo la cosa bella.

Ora sa qual è la cosa bella, è la bocca di Aska, poco fa quando l'ha baciata, fresca come una sorgente. Si era allontanato per pudore, le aveva visto quel pezzo di carne bianca, dove salivano i seni con il loro disegno come di pane inciso, e si era sentito come da bambino quando si infilava in un sogno che gli piaceva e si tirava il lenzuolo sulla testa per andargli incontro.

Vede uno scarpone sul letto, la gamba bianca aperta come un'ala di pollo. Pensa a una fotografia. Vede lo scatto, la gamba bianca e lo scarpone nero. La pecora e il lupo.

Ora sa che non può più uscire, è un testimone. Non lo lascerebbero andare.

Il cuore batte, come una mano che bussa su una porta che nessuno apre. È la porta del coraggio che non si apre per lui stanotte.

Dal letto la trascinano per terra. Diego vede quel corpo portato a spasso come una carriola, sprofonda nella fessura, che è già quella della vita che si chiude. All'inizio quella tenda gli è sembrata un rifugio, adesso sa che era meglio crepare sulle scale. Ha chiuso gli occhi, sente i colpi, reiterati... la carriola che sbatte contro il muro.

Aska sta pensando a sua madre, l'ultima volta che l'ha vista viva le ha cucinato gli involtini di verza. Aska pensa a quel profumo che riempiva la cucina. Il fratello guardava Mtv, si era fermata a mangiare con loro su quel piccolo tavolo davanti alla tv... avevano riso. Da quando Aska se n'era andata di casa, sua madre era diventata più nervosa, più petulante. Quel giorno le era sembrata di nuovo serena. Lei le aveva lasciato un po' di soldi, l'aveva stretta da dietro, le aveva sentito la carne del girovita.

Aska sente il sapore di quella dolcezza. Per difendersi se n'è andata da se stessa. Sente un rumore lontano, dove bussano i ricordi dell'infanzia. Il ponte che attraversava per andare alla scuola di musica. Vede un aratro che solca un campo, le lame che scuoiano le zolle. Sa che quel campo è il suo corpo, e il rumore è quello della testa che sbatte contro il muro dove l'hanno spinta.

Quando si era presentata a casa vestita da punk, suo padre le aveva tolto il saluto. Lei si era messa a lavorare per rendersi indipendente. Poi le era capitata quella fortuna, prestare la pancia in cambio di una montagna di marchi. Guarda la sua tromba in terra. Si chiede dov'è quella barba rada, dove sono gli occhi del giovane marito triste... se la stanno guardando.

Diego è stato un tossico, molti anni prima. Gli tornano quelle immagini deprimenti, corpi sull'asfalto incatarrati di bava. Una volta ci è finito pure lui, salvato per miracolo da un'ambulanza arrivata in tempo, da un'iniezione dritta nel cuore. Si accovaccia accanto a quelle scope. Gli sembra di non essersi mai mosso da quel marciapiede a Brignole. Lontano c'è quel piede bianco che si agita.

Aska è in terra, tra il letto e la finestra. Non è mai nemmeno svenuta, non ha avuto quel conforto. È rimasta lucida, s'è scolata il male senza sconti. Lui non ha mosso un dito per difenderla. Non aveva senso farsi uccidere, farsi sparare in testa, in bocca. È indietreggiato ancora, tra le scope impolverate, per non vedere. Si è schiacciato le orecchie con le mani per non sentire le urla.

Albeggia quando i lupi se ne vanno, si ritirano verso i monti con le loro jeep, le loro cartucciere, sparano gli ultimi colpi nell'aurora.

Diego ha visto sfilare le ombre... Aska era in piedi, gli è passata accanto, spinta lungo le scale. Gli è sembrato che avesse il suo vestito di ciniglia, la sua tromba. Forse niente di quello che ha visto è davvero successo.

Diego lascia scorrere il tempo, aspetta che il silenzio diventi duro e fermo. Che inghiotta le urla, il male che è appena stato, esploso dalla terra. Sente lo stupro nelle ossa, nell'ano, nella milza. Tutti i suoi organi sono fuori posto, carne che batte nel cervello.

Non ha fatto nulla, non ha mosso un dito. Quando Aska gli è passata accanto la sua carne gli è sembrata lava pietrificata.

Esce dal suo nascondiglio, dalla tenda che lo ha nascosto ma non lo ha separato dal male. Non è morto, non è del tutto vivo. Le gambe rigide, gli occhi che vorrebbero cadere, come pietre. Registrano immagini che non s'imprimono, franano nel suo stomaco come in un tombino. Si affaccia in quella stanza divelta, inghiotte l'odore che è rimasto, una fornace di esalazioni organiche e di nicotina. Le lenzuola con le impronte degli scarponi, la sedia capovolta, i pezzi di fango. Prende la sua giacca, la sua macchina fotografica e scende.

Sente un canto. È Anela giù in basso, la proprietaria di quella locanda per studenti, per commessi viaggiatori, che s'è trasformata in un bordello per orchi. La donna è curva sotto i tavoli che ha rimesso al loro posto, sta raccogliendo i resti delle tazze. Non li butta, se li strofina addosso sul grembiule e poi li deposita sul banco delle colazioni, li mette in fila come reperti archeologici.

Diego assiste allucinato a quella raccolta di cocci, la donna culla la sua follia cantando placida come una contadina che spigola.

Solleva appena gli occhi su quel ragazzo dal petto nudo sotto la camicia, fa un passo indietro, per un attimo pensa che sia uno di quei diavoli.

Diego le chiede che fine hanno fatto le ragazze, dove le hanno portate.

La donna scuote le spalle, non lo sa. Ha un marito da seppellire, quel vecchio morto lungo le scale. Si mette un fazzoletto, escono insieme in cortile. Le galline sono tutte morte, punteggiano il prato con i loro corpi, gli hanno sparato per gioco, per provare quelle armi nuove. Diego resta a guardare il vento che muove le piume.

Rotola via in quella luce d'inchiostro blu, sottomarina. Entra nel primo posto aperto che gli capita, non sa se è un cinema o una chiesa. Vede solo quelle panche scure, si stende, e si addormenta. Sogna qualcosa. Sogna quando l'eroina saliva e arrivava la botta buona. Sogna quel culmine lì, quando il sangue si scioglieva, i nervi sembravano fili docili... le spine se ne andavano dal corpo, la pelle si apriva, si allargava di squame morbide... e un mare caldo gli allagava i canali. Era *la cosa bella*, la fuga.

Aska ha viaggiato su una camionetta, è stata scaricata. Non sa che posto sia quello, forse una fabbrica in disuso. Al suo paese da piccola la prendevano in giro, la chiamavano *mrkva*, carota, per via dei capelli. Avere un colore così in testa è già un destino, richiami l'attenzione degli uccelli, come una zucca aperta in mezzo a un campo.

Si tocca le gambe per tenerle ferme, ma i muscoli friggono come salcicce in una padella.

Non sente dolore, un liquido le cola da qualche parte,

dalla testa nel collo, dietro. Vorrebbe vedere più di quello
che vede, ma le palpebre sembrano due topi che si muovono in una trappola.

Le altre donne si lamentano, lei no. Le fanno camminare,
le spingono con i fucili. Vede un capannone con dei grovigli argentati, dei macchinari.

Le chiudono in una stanza lunga, con una striscia di finestre alte. Scivolano lungo il muro, sfinite, si addormentano
accucciate sulle proprie zampe, come galline.

Aska si chiede dov'è il mondo. Da che parte è la scuola di musica, la kafana dove si fermava a fare colazione. Il
giorno dopo, quando portano via la prima donna, si alza
in piedi, spera di essere chiamata lei. Vuole gridare, denun-
ciare quello che le hanno fatto. Vuole parlare con il militare
che le ha accolte, quello con la divisa impeccabile, che ha
fatto portare gallette e minestra.

Quando la donna torna dopo molte ore, sanguina dal naso,
scivola sulle sue scarpe come se avessero l'olio dentro. Nessuna ha il coraggio di avvicinarsi, di chiedere cosa c'è lì fuori. Se prima erano unite l'una all'altra come un gregge di pecore nel buio, nei giorni che seguono lentamente si separano.
Cercano angoli dove nascondersi in quella stanza. Ma non c'è
nessun posto dove potersi nascondere, bisognerebbe attraversare il muro e per farlo bisognerebbe non avere il corpo.

Aska ha la tromba. La stringe al petto come un cuore.
Suona. Ci mette tutto il fiato che non ha. Vuole consolare
le donne, vuole andarsene.

Le dicono di stare zitta, le tirano dietro qualcosa.

I militari portano delle coperte, un mucchio marrone che
buttano da una parte. In fondo alla camerata c'è un bagno,
Aska aspetta il suo turno per lavarsi. L'acqua è tutto ciò che
desidera. La prende una gioia infantile, ebete, come quando si buttava nel fiume con i suoi amici, restava in quelle
pozze gelate a saltare e si guardava la pelle bianca trasparente nel verde della corrente.

Dalle fessure in alto filtra quella luce che scivola all'interno velata di pulviscolo. Intorno nessun rumore di macchine, di città. Parla con le donne, alcune sono contadine

ma molte sono donne di livello, laureate. Nessuna crede che quella cosa sia possibile, che quel posto sia davvero un campo di prigionia.

Aska adesso fa i turni alle cucine, insieme alle altre. Quando suona gli uomini le fanno i complimenti, sono felici che ci sia un po' di musica, un po' di allegria in quella stanza triste, di pecore spaventate che cominciano a puzzare.

Di notte vengono. Aska si nasconde. Portano via due, tre donne alla volta. Quando tornano nessuno le guarda. Ormai sanno. Che devono dimenticare subito. Le riportano all'alba. Non vogliono essere guardate dalle altre. Zoppicano verso il cesso. Portano via anche lei, la notano per via di quei capelli, è un pesciolino rosso, è facile pescarla. Nel buio gli occhi si posano, sente quelle risate.

Aska resiste. Poi prendono anche la piccola, una bambina di dodici anni. E lei non torna.

Aska continua a suonare, è convinta che la musica la salverà. Non si chiede più dov'è la sua vita, dov'è il ragazzo italiano, dov'è la kafana in cui si fermava con gli amici a scherzare, a suonare il jazz. Ha le labbra aride come sale. Si chiede dov'è la piccola, quando gli uomini incappucciati l'hanno scelta si è alzata di scatto, li ha seguiti con la stessa prontezza che doveva avere a scuola quando i suoi insegnanti la chiamavano per interrogarla.

Ogni tanto la fanno suonare nuda. Lei soffia nella tromba la sua paura. Il ragazzo che sembrava il più educato, quello con la macchia scura sotto l'occhio, le riempie la bocca come un pitale, le spegne sul collo quello che fuma, come se la sua nuca fosse il pavimento di un bar.

Tornano a prenderla altre volte.

Capisce perché la piccola non ce l'ha fatta. Il corpo.

Il corpo di Aska pare anestetizzato. Il dolore è sordo, resta prigioniero altrove. Sembra attraversare un corpo accanto al suo. Come un fulmine che cade a terra e ti raggiunge con una scossa, un percorso che passa attraverso altre cose.

Il problema è dopo, nelle ore successive alle violenze. Quando si accorge che non riesce più a rientrare nel suo corpo.

Da quando la piccola non è tornata Aska vede solo una luce che si chiude come lo sportellino della stufa dove si nascondeva da bambina. Un buon nascondiglio che però la spaventava, aveva paura di non riuscire più a uscirne, e che sua madre accendesse il fuoco senza accorgersi di lei lì dentro. Guarda il fuoco che si arrampica sulla sua pelle, s'infila dentro come una miccia.

Le note musicali le vengono sempre davanti, le cascano dal cielo mentre la violentano... sono capelli che cadono da una spazzola.

Aska non sente più le loro voci, le parole sono sempre le stesse. *Troia musulmana, puttana turca, chiama Izetbegović, chiama il tuo presidente, chiedigli dov'è...* ridono, si divertono tra loro.

Perché continuano a chiamarla *puttana musulmana?* Sono anni che non entra in una moschea. Lei è una ragazza moderna, laica, una musicista, ha studiato solfeggio, sa comporre, parla italiano, inglese, tedesco, prendeva la pillola anticoncezionale.

Sono monotoni, tutto è monotono. Il crescendo delle violenze è sempre più o meno lo stesso. Ci sono quelli che si sbrigano, c'è un ragazzino nuovo, che forse non vorrebbe farlo e che non riesce nemmeno a guardarla, però ha paura degli altri. Perché devono stare tutti insieme, nella stessa stalla, nella stessa pecora. Ci sono quelli troppo ubriachi e ce ne sono un paio che vorrebbero soltanto ucciderla, Aska lo sente, tirarle il collo fino in fondo. Però forse hanno degli ordini precisi.

Una delle donne ha visto la piccola, la buccia che restava di lei. Ha sentito le urla di uno dei comandanti. Era infuriato con i suoi ragazzi che si erano lasciati andare. Poi li ha perdonati, gli ha detto di buttare la buccia nel fiume.

La notte Aska sogna lunghi nasi di lattice grigiastro, quelli che facevano a scuola nelle ore di laboratorio artistico e che i ragazzi usavano alla festa di fine anno. I nasi si staccano dal filo, volano un po' come pipistrelli, poi si fermano sulle spalle di uomini come mantelli, come pastrani. Sono uomini pallidi, forse già morti. Forse sono la morte. Indossano solo questi mantelli, e poi calzettoni neri fino al ginocchio, scarpe lucide e niente altro. È l'alba, è la luce ghiaccia di un duello. Gli uomini sono tanti giudici, si stringono in cerchio, come pipistrelli che si abbracciano. Lei è al centro, come nella festa di fine anno a scuola, quando i ragazzi travestiti con i nasi facevano il treno intorno alla ragazza prescelta urlando *prossima stazione, prossima stazione...*

Aska sa qual è la prossima stazione. Tenta d'impiccarsi, ma non ci riesce perché la corda non è una vera corda ma un paio di collant scadenti.

Non suona più la tromba. Il ragazzo che le faceva sempre i complimenti, quello con gli occhi azzurri come vetro, l'ha usata nel suo corpo.

Ora lei può morire come la piccola.

Il corpo. Il corpo è un sacco rovesciato e messo a seccarsi per farne una bisaccia. Il corpo è una lunga catena di corpi che soffrono. Si chiede che fine abbiano fatto le foglie di verza di sua madre e gli occhiali di suo fratello.

Poi invece la lasciano stare, non la chiamano più. La lasciano vagabondare nelle cucine.

Diego non c'è più riuscito. Ci riusciva sempre, ma da quella notte non è più riuscito a trovare *la cosa bella*. È tornato in Italia. L'ha cercata su ogni vetro che ha toccato. Un giorno ha fotografato per ore una scatola di tonno... ha visto quel pesce macero nell'olio, quella carne rosa. Ha pensato alla vita di quel grande pesce prima. Tornando a casa dall'aeroporto, quella sera, si è fermato all'idroscalo di Ostia. Aveva ritrovato il fiuto balordo di un tempo, sapeva quali occhi cercare. Si è fatto d'eroina in piedi, la schiena appoggiata contro un manifesto del Campari scolorito dalla salsedine.

È tornato all'inferno. Ogni tanto qualcuno della Croce Rossa Internazionale fa visita nei campi, allora gli aguzzini mettono in ordine, fanno sparire le donne ridotte peggio. I cameramen filmano bestiame umano denutrito come nei Lager della Seconda guerra mondiale. Adesso Diego sa che lei è lì. È riuscito a entrare nel campo. Ha fatto amicizia con uno dei carcerieri, un ragazzo con una macchia scura sotto l'occhio. Ha una Polaroid con sé. È stata una buona idea, tornare a Sarajevo carico di quelle grosse cartucce quadrate. Le ha portate per i bambini, loro adorano quella lingua lucida che esce dalla macchina fotografica come da una bocca. Non poteva immaginare che piacessero così tanto anche ai cetnici del campo. Tutti adesso vogliono una Polaroid. Si mettono in posa, con le loro divise, i passamontagna alzati sulla testa, le lunghe barbe nere. Guardano le fotografie che escono subito, scrivono qualcosa sotto, sulla striscia bianca: il loro nome, un messaggio per la fidanzata o per la madre. Diego adesso scatta veloce anche con la Leica. I cetnici gli danno confidenza, mentre si mettono in posa raccontano com'è dura la vita dei monti. Sono vanitosi, ci tengono. Gli piace l'obiettivo, gli piace essere guardati. E Diego li guarda. Anche il comandante si mette in posa, un uomo grande, con un viso gentile, occhi azzurri come il mare. Si fa fotografare da solo e con i suoi ragazzi alle spalle, i fucili piantati in terra. Chiede se la luce è buona. Diego ci perde tempo, cerca il giusto taglio. Il comandante cerca il suo profilo migliore, distende un po' il collo, perché è l'unico difetto che ha, il collo un po' corto. Sono miti, con lui, si mettono lì con i loro coltelli, le loro solitudini di assassini. Diego fotografa i diavoli, ride, scherza con loro. I volti s'imprimono sulla pellicola.

Lo invitano a cena. Le donne si muovono come meduse intorno al tavolo, portano zuppa e spezzatino d'agnello. Poi vede lei, la riconosce per via dei capelli. Non si volta, resta curvo sul piatto. Gli rimane solo la sensazione di un movimento rotatorio, è lei che muove la testa come un pianeta perso.

Dopo cena il comandante apre il cassetto, cava fuori un po' di polvere buona, tirano insieme.

Al comandante piace la sua Polaroid, è ultramoderna, a colori. Diego si toglie anche l'orologio che ha al polso, è un cronografo, segna l'ora di tutto il mondo. Lo lascia lì sul tavolo del comandante con gli occhi azzurri come mare. E chiede quel favore, quello scambio: la carota, la prigioniera dai capelli rossi. La conoscono, accipicchia se la conoscono. Il ragazzo di Genova annuisce alle loro risate, ai loro gesti. Apre lo zaino, cava fuori diecimila marchi avvolti in carta da pacchi, li mette accanto alla Polaroid, all'orologio. Sorride.

Aska cammina allo scoperto, la portano in quella stanza. Lo scambio avviene lì. Indossa una giacca a vento flaccida. Diego alza appena gli occhi, fa un cenno con la testa, sì, è lei.

Aska non lo riconosce subito, i topi pesano sugli occhi. Per un attimo pensa che sia semplicemente un nuovo aguzzino. Anche lui è cambiato, non ha più la sua barba da capra, ha lunghi fili spinosi che sembrano un cespuglio bruciato.

Escono dal Lager così, come se niente fosse. Attraversano lo spiazzo argentato del campo, passano il cancello. Lei non ce la fa neppure a reggersi alla motocicletta, sviene diverse volte, neppure il vento la tiene su.

Il medico musulmano è un uomo basso, livido di carnagione, indossa una strana giacca da comico, con le maniche un po' corte, come quelle di un bambino cresciuto. La testa calva è solcata da vene che mentre parla si gonfiano, paiono serpenti prigionieri. Annuisce, si tira giù i polsini della camicia. Aska ha qualche frattura calcificata e un timpano perforato. Per il resto non ha lesioni interne, anche la milza è a posto. È una donna forte. Il medico abbassa lo sguardo, gli orifizi si rimetteranno a posto, ci vorrà il suo tempo, come dopo un parto.

Non vuole soldi, scaccia la mano di Diego, abbassa la testa. Una patina di sudore riluce su quel cranio scuro disegnato da grosse vene. Dice *Dio non dovrà perdonare nessuno*. Dice che si vergogna di appartenere alla razza umana. Quando gli dice che Aska è incinta Diego non capisce, deve farselo ripetere.

Ha quel rullino in tasca, lo cerca. Lo strangola con la mano sudata.

Diego non sa nulla di donne usate come trincee dove strofinare i fucili. Il medico sa. È una pratica della guerra, fecondare i campi di semi cattivi.

Aska è incinta di cinque mesi, non può abortire.

Il medico musulmano dice *Dio non perdonerà nemmeno i bambini*.

È un vecchio musulmano, ha un simbolo appuntato sulla giacca. Cura la pecora. Ogni tanto srotola il piccolo tappeto che ha portato con sé e prega, si abbassa fino al pavimento. Sembra volersi fare inghiottire da Dio

Diego guarda quel corpo anziano genuflesso, e si chiede dov'è la sua fede. Gli piacerebbe avere un conforto simile.

Si rolla una canna. Si è messo a pensare alla storia di Erode, era una di quelle che piacevano di più ai bambini al catechismo, anche a lui piaceva, era atterrito. Sulla testa calva del medico ha visto le vene gonfiarsi. Adesso le immagina scivolare dal cranio come serpenti placidi, risalire una culla attratti dall'odore del latte, avvolgere il collo di un neonato e strangolarlo, per poi tornare lentamente nella pelle della testa del medico sazi e silenziosi.

Aska nel letto non si muove, ogni tanto sente quelle mani che scendono su di lei per disinfettare le ferite, per curarla. Sono mani lontane, farfalline su un frutto guasto. Quel corpo non le appartiene più, non è più il suo, sonnecchia insieme a lei, semplicemente.

Il corpo come un pianeta che vaga nel cosmo, che sprofonda da un vuoto all'altro. Il corpo come un secchio abbandonato che raccoglie acqua piovana, scolo di tetti, sporco di ruggine. Il corpo come un buco attraversato da un razzo, uno di quegli shuttle, di quegli sputnik, che entra dalla vagina ed esce dalla testa. Lasciando una coda di fuoco, come la Fiamma Eterna. Il corpo come un insieme di punti che tirano, cellule che combattono l'una contro l'altra.

Il medico le fa iniezioni che la calmano, che leniscono il dolore, ma lei non ne avrebbe bisogno, resterebbe calma comunque. E nemmeno si chiede perché la tengono lì, perché non la lasciano crepare in pace, come una bestia in un nido di fogliame.

È nel ventre che l'ha partorita, è ferma nello stesso modo. Il dolore è una membrana che comprime come un sacco amniotico.

Diego prepara un brodo. La bocca di Aska è un cassetto aperto, un becco di carne morta... il brodo cade sul mento, come acqua da una fontana.

Diego suona la chitarra, mentre la luce precipita nella notte. Forse la musica le farà bene.

Il corpo di Aska si muove appena, solo ogni tanto è scosso da un tremore, leggero come quello di una foglia che sta per staccarsi.

È una tortura essere vivi. Assistere al dolore gli sembra peggiore del dolore stesso. La candela sul pavimento muove le ombre, illumina i fantasmi. Non ha mosso un dito per difenderla, è indietreggiato per non vedere, si è schiacciato le orecchie con le mani per non sentire le urla.

Adesso non può staccarsi da quel corpo. Batte le ciglia nel buio, lentamente. Il corpo sul letto è nero, sembra l'Igman di notte. La pelle strappata di Aska formicola, ricresce. Tira per richiudersi. I lembi di carne si congiungono.

È terribile sentire il corpo svegliarsi, rinascere come tutto, come l'alba, come l'erba. I topi hanno lasciato i suoi occhi che si stanno sgonfiando, il nero dei lividi comincia a ingiallirsi. Aska vede i jeans di Diego, sente il suo respiro.

Beve la prima tazza di brodo. Diego le tiene la testa, lei non può guardarlo in faccia, non vuole. Si vergogna di se stessa, di quello che le hanno fatto. Tiene sempre gli occhi bassi.

Ha una crosta sulla bocca, Diego aspetta che quella crosta cada. Guarda il ciuffo di capelli rossi fuori dal bozzolo del lenzuolo. Aspetta il giorno in cui lei gli chiederà *dove ti eri nascosto?*

Diego ha quel rullino pieno. Ha gli aguzzini in tasca.

Sa che il male si mette in fila, in branco, perché è vile e non può restare solo. Ha bisogno di essere guardato. E lui ha guardato. Anche lui ha violentato.

Aska ha quel segno sulla nuca, quel cratere di sigarette. È l'occhio del suo aguzzino che la guarda, un regalo che non sarà eterno. Perché per fortuna il corpo non dura.

Non si è accorta di essere incinta perché ha continuato a

perdere sangue spesso. Ora vuole abortire, è l'unica cosa che vuole, vomitare il catarro dei diavoli.

Il medico musulmano ha detto *Dio non perdonerà nemmeno i bambini.*

Lo sputerà fuori, è scritto. È un destino necessario. È scritto nelle vene del vecchio medico e nelle tavole del corpo. È una legge antica, come quella del Corano.

Davanti alle moschee si ferma, si avvicina al lavatoio, si lava le mani, la nuca dove c'è quel bottone nero. Quel buco. Pensa alle parole dell'imam, quando da bambina andava alla moschea piccola con i genitori e il fratello.

Nel giorno del giudizio la sepolta viva dovrà dare spiegazioni del perché le è toccata quella sorte terribile.

Adesso la trombettista punk, incerta sulle leggi della terra, si aggrappa a un cielo popolato dai profeti. Chiede a Dio di buttare al macero il coagulo dei diavoli. Nelle zone scoperte rallenta il passo. Spera che uno sniper le spari in pancia, che sia un cetnico a liberarla di quel sangue infetto.

Diego le ha portato dei nuovi abiti, una casacca turca color crema, lei l'ha chiusa fino all'ultima asola. Ha un aspetto virginale.

Anche lui ha paura. Di solito gli uomini non sanno cosa accade nel corpo delle donne. Ma lui sa tutto, ha passato molto tempo nei centri di assistenza per coppie sterili. Sa esattamente come avviene la fecondazione, l'ha vista sottovetro. Vede il gamete che scivola nella bolla dell'ovulo, una bolla che si piega e inghiotte come una medusa. Vede quella separazione di cellule, come un cuore, come quei noccioli doppi delle nespole.

Guarda Aska che riposa. Sente il rumore di quella moltiplicazione che avviene nel suo corpo. Tutto è così lontano dal freddo nitore del vetro... Pensa a un riccio, a un ovulo trafitto da mille spunzoni neri. Vede quel riccio staccato dalla roccia che fluttua in fondo al mare.

Vede quel concepimento oscuro. Insetti uno sull'altro nello stesso buco.

Guarda quel corpo lapidato che mentre muore fiorisce.

Gli verrebbe da abbandonarsi alla fatalità muta del dolore di Aska e credere insieme a lei, insieme al medico musulmano, che quell'essere che si sta formando non meriti l'acqua amniotica della vita.

Ha fotografato pozzanghere, non sa bene per quale ragione, probabilmente perché è nato in una città di mare e di pioggia, di buche che si riempiono e si svuotano. È sempre stato attratto da quei fossi dove l'acqua sonnecchia un po', torva e luccicante, inghiottendo gli umori della luce, dei passaggi. Gonfiandosi da dentro come un cuore liquido. Si è chinato, attratto da questi occhi che lo hanno guardato e che lui ha guardato. Non veri pozzi, piuttosto coperchi liquidi di pochi centimetri. Pianeti di terra, sfilacciature d'acqua. Le pozzanghere gli hanno insegnato. Sono state una lavagna, come un cielo notturno imbevuto di antiche luminescenze.

Non ha mai pensato di essere un rabdomante, ha fotografato solo piccole paludi urbane. È un ragazzo, non crede nella profondità, gli è sempre piaciuto sentirsi un mezzo deficiente.

È una notte di pioggia, i boati degli obici si confondono tra i tuoni.

Quando si affaccia alla finestra è giorno e ha smesso di piovere, vede due arcobaleni. Non ne ha mai visti due insieme. Uno è incredibilmente vicino, sembra nascere lì accanto, è una fonte di luce striata di colori che attraversa il cielo con un arco impeccabile... l'altro è più piccolo, meno intenso... un arcobaleno minore, come lui. Ha i colori slavati e sembra il pallido riflesso dell'altro.

Questo arcobaleno più piccolo, destinato a una fine imminente, lo commuove.

Pensa al bambino. A quello che noi non abbiamo avuto nel migliore dei modi, amandoci. Pensa al bambino che Aska ha nella pancia, incuneato nel peggiore dei modi. Pensa che la vita è sfacciata. Adesso non sono più così lontane, queste due disgrazie. Capisce che questo è semplicemente il disegno.

Non è un caso se lui è entrato in quella stanza. Sa di essere stato pescato. Come un pesce, come il tonno della scatoletta.

513

Non è contento, ma non importa. Ha visto quell'arcobaleno piccolo e sbiadito, quella verità inferiore. È lì che Dio s'è esposto.

Il ragazzo è incerto, forse anche l'orrore insensato ha un suo posto, nella molle geometria del mondo. E forse il senso è questo bambino che adesso arriva da un cancello nero. Anche lui ha paura che il bambino possa avere tre teste, cinque code, e un cuore cattivo. Anche lui ha paura che quel male non possa figliare che male. Però è pronto a rischiare.

Forse il bambino sarà la ricompensa.

Le darà i soldi stabiliti, anche il doppio. Dirà a sua moglie che il bambino è il suo. Lei potrà ricominciare a suonare.

Aska sta meglio. Una mattina è seduta sul letto. Lui le ha portato le pesche di papà Armando che io ho portato da Roma. Lei morde, il succo le cola sul mento. Quel sapore così dolce e inaspettato è peggio del resto. È una nostalgia che lei non vuole più avere

Lui le dice *devi riprendere a suonare, a cantare*. Quanto coraggio potrebbe mettere nella sua nuova voce. Raccogliere il grido di quelle come lei, delle donne della stanza mattatoio. Della bambina che non è mai tornata. Farne il filo bianco che divide le tenebre dall'aurora.

Quella vita ristagna come sterco in una stalla, così tacita che lei si dimentica di essere abitata. Non vuole lasciare la sua città. Ha sempre desiderato andarsene e adesso vuole restare. Le piace il carcere di quelle strade obbligate, la gente che guarda il proprio destino ridotto a pura follia.

Un'altra immagine del Corano, il Šejtan maledetto da Dio perché non vuole inginocchiarsi davanti all'uomo fatto di fango.

Un giorno è seduta su una panchina. Un cameraman esagitato si aggira tra le macerie, lei sonnecchia al sole, non sta poi così male. Nemmeno si accorge di quel microfono che le tengono vicino alla bocca.

Il giornalista le chiede *che speranze ha per il suo futuro e quello del suo Paese?*

Aska gli chiede se è vero quel microfono, se funziona.

Il giornalista è sconcertato, certo che funziona.

Aska sa di non avere speranze, il suo corpo è un nido di serpenti, adesso li sente muoversi.

Pensa a questo microfono che funziona ma che non serve a nulla perché nessuno sentirà la sua voce.

L'unico suono che le viene è quello di una pecora che si è persa.

Beee, beee.

Diego non sa se quella disperazione che li unisce è amore. Da ragazzo poteva scegliere un'altra strada. *C'è solo una strada*, pensa, *quella che abbiamo percorso.* La vita umana è uno straccio, che pulisce sempre la stessa superficie.

Lui le prende una mano. Ora è passato un po' di tempo, può toccarla.

Non le guarda il ventre, non osa. Le guarda la nuca. Ha portato gli inchiostri e gli aghi con sé. Le spinge l'ago sotto la pelle qualche sera dopo. È lei a chiederglielo, non sopporta la visione di quella cicatrice granulosa come un orifizio, quel buco di sigaretta sulla nuca che si è richiuso malamente.

La mano del ragazzo trema, ha paura di farle del male. Aska è immobile. Che male può farle quel piccolo ago? Il suo corpo è drogato di dolore. Queste fitte che s'incuneano sotto la pelle sono quasi un piacere. Ha una pietra al collo che ogni notte la porta giù. Carponi in quella stanza.

Diego è bravo con le mani, se la cava. Fa prima il disegno con la biro, poi ricalca con l'ago. Un puntino dopo l'altro. Al porto di Genova non c'era un solo camallo senza inchiostro nella pelle, è stato facile imparare.

I tatuaggi sono segni nuovi scelti da te. Metti qualcosa tra la tua pelle e il destino. Un sorso di coraggio.

Aska ha scelto una rosa, è lui che l'ha consigliata. Su quella cicatrice grinzosa i petali sembreranno veri. L'orrore sepolto da un fiore.

Quando cascano le crosticine e la rosa emerge, Aska la tocca. È la prima volta che si tocca la nuca. Non può vedere. Diego allora le solleva i capelli e le fa una fotografia vicinissima.

La porta a sviluppare in un laboratorio che ancora funziona. Quando gliela regala lei dice *è come un fiore su una tomba*, è già qualcosa.

È una rosa di Sarajevo.

Sono seduti in un bar senza porte, fuori sparano, le tazzine turche tremano, tremano i fondi di caffè che dovrebbero raccontare il futuro.

Lui è sporco, è un fotoreporter di guerra, finalmente è quello che ha sempre desiderato essere. Le dice *pensaci, butteresti una fortuna. Devi solo resistere un po', è come abortire tra qualche mese. Non dovrai nemmeno vederlo.*

Lei volta la testa di qua e di là, su quei tavoli sporchi, su quella gente in attesa di uscire tra le bombe. Non può sopportare il pensiero di tenere quella cosa viva dentro di sé, di far nascere i suoi aguzzini, di allungargli la vita nel mondo. Le sembra assurdo che quella violenza possa fruttarle tutti quei soldi.

Questo bambino sarà marcio per forza. Non c'è una sola parola buona per lui.

Lui appoggia il mento, la guarda. Si ricorda della prima volta che l'ha sentita suonare. Una guerra fa, una vita fa.

Gli dice *va bene*, lo terrà nella stalla ancora qualche mese. Ha ragione lui, è un buon affare. Visto che è iniziato è un peccato mandarlo a monte.

Ma quando il bambino si muove Aska trema. Allontana le braccia dal suo corpo, urla. Sogna di partorire figli che la violentano.

Sogna di suonare, di liquefarsi insieme alla sua tromba. Anche i suoi capelli piangono.

Diego vorrebbe dirmi la verità, ma ormai è tardi. Vorrebbe sedersi con me su quella seggiolina verde, farmi il solletico, cadere insieme. Mi guarda la schiena, il silenzio. Posa una mano su quel silenzio. La verità è custodita nelle pieghe di quella guerra. Nella pellicola di quel rullino che gli brucia in tasca.

È uno che non si è mai tenuto un cecio in bocca. Non ha mistero, non ha fascino. È un allocco. Adesso ha quel segreto assurdo. Non può dirmi che il bambino è il figlio dei diavoli, che è risalito dall'inferno. Che è figlio di un muro sporco. Non vuole darmi questo spavento. Non vuole dargli questo destino.

Nel lavatoio davanti alla moschea non c'è più acqua, Aska si lava con la neve che brucia sulla pelle. Quelle abluzioni non basteranno mai a pulirla. Ha voglia di strapparsi la carne. Lo sporco è così dentro.

Quando si piega in terra sente il ventre, il demonio. Prega con l'intenzione di soffocarlo. Mentre lei moriva lui si aggrappava dentro, per questo lo odia e lo odierà sempre. Diego le ha regalato un lungo cappotto di pelo scuro, le piace sembrare un lupo. Non la molla, è sempre lì, dietro ai suoi passi. Ogni tanto si volta e lo scaccia, ogni tanto si lascia abbracciare accanto a un fuoco notturno.

Quando cominciano i dolori è lui quello che suda. Lei non vuole essere toccata, rantola, si appoggia contro un muro con la forza della testa. Sente di nuovo quei colpi. Partorire è di nuovo quello stupro, viscere tagliate da un aratro.

Sua madre una volta le ha parlato del parto, le ha dato un'immagine forte, è come una fiera che ti sbrana da dentro. Una fiera che muore quando il bambino si arrende alla vita e scivola nel canale del parto. E alla fine, nella fase ultima dell'espulsione, copre il dolore con il suo peso. Allora non resta che questo grande peso che è già quello della responsabilità futura.

Sua madre diceva che nel parto c'è già un insegnamento.

Aska si chiede quale insegnamento ci sia in uno stupro.

Pensa ai campi dove correva da bambina, li attraversava con la bicicletta per andare a scuola. In primavera si riempivano di fiori gialli e violetti.

Pensa alla piccola. Quando i cetnici la portarono via abbassò la testa e li seguì diligente.

Si chiede perché Dio non abbia fermato almeno quel momento, perché non l'abbia salvata. Almeno lei. Che era davvero troppo piccola. Una sola per tutte le donne stuprate. Sarebbe bastata quella bambina vergine, lasciata intatta. Una porta si apre nella luce e lei se ne va, tranquilla, con quel sorriso incerto. Le sembra che sia la piccola ad aiutarla a partorire. Gioca a palla contro un muro e conta. Quando la palla cade in terra il bambino è nato. Aska si sente subito meglio. Volta la testa. Così non saprà mai a quale diavolo il bambino somiglia di più, se a quello con gli occhi azzurri, o a quello con il naso largo, o a quello con la macchia scura sotto l'occhio.

Quando il catarro dei diavoli nasce alla luce, viene al mondo nella compiutezza della carne, anche Diego non lo guarda subito. Sbircia il cordone grigio come una corda di nave.

La sua vita si è allontanata da lui in quei mesi. E adesso gli sembra irraggiungibile. Fa una carezza alla pecora, le sussurra *è nato, è finita*.

Diego guarda il neonato. Quel corpo rosso e magro che strilla. Non sembra un diavolo, sembra un polletto, di quelli che girano nello spiedo ancora poco cotti. Magari avrà il cuore cattivo di suo padre, ma chi può dirlo? La voce sembra quella di un agnello rimasto solo in un cespuglio.

Aska la sente. Pensa alla voce della piccola, a quella cantilena docile.

Pensa che non è giusto che la piccola sia scomparsa dalla Terra, restituita al cielo come una buccia marcia. E che invece il bambino dei cetnici sia nato. Stanotte il diavolo stapperà una bottiglia di champagne.

Diego le chiede *non vuoi vedere com'è?*

Lei dice *so com'è stato. Portalo via.*

Prima di andarmene io la guardo. Faccio un passo verso la lettiga. Se glielo chiedessi adesso, lei direbbe la verità. Non ha nulla da perdere. Mi direbbe *guarda che io e il fotografo non abbiamo mai fatto l'amore. Il polletto è figlio dello Spirito Santo di questa guerra, del catarro dei diavoli.* Ma io non mi avvicino. Non voglio sapere niente. Il bambino resterà vergine.

Un arcobaleno in questo cielo inferiore.

Aska è vuota. Ha il ventre pendulo, il seno dove i canali del latte cominciano a gonfiarsi. Ha ancora tra le gambe la sensazione di quel cordone reciso che l'ha separata dal figlio dello stupro. Ora non è più abitata, è di nuovo se stessa.

Ha quei soldi, li conta sul letto. Può cercare di andarsene, d'infilarsi nel bagagliaio di una macchina di notte. Invece sa che non farà nulla di tutto ciò. Era il bambino a tenerla in vita, ora lo sa. Capisce che in realtà, pur odiandolo, ha voluto salvarlo. È allo scoperto di se stessa. Suona la tromba fischiando, pigiando le dita nell'aria, chiudendo gli occhi.

Ora sa che è possibile anche il percorso contrario, che un diavolo può tornare angelo. E che questo forse è l'insegnamento.

Diego non si accorge nemmeno che siamo arrivati all'aeroporto. Guarda qualcosa che gli balugina davanti nella rete degli occhi velati.

Non sale sull'aereo. Si volta e cammina verso se stesso.

Aska stavolta davvero non capisce come mai il fotografo sia ancora lì. È tornato per il secondamento.

Si mette accanto a lei, suona la chitarra, va a cercare da mangiare al Markale. Finché un giorno lei gli dirà che è guarita, che davvero cercherà di vivere. Con i soldi aprirà una scuola di musica.

Sull'isola di Korčula passano l'ultima notte insieme. Lui si arrampica su quella roccia. Vede qualcosa da fotografare. Un bambino che acchiappa pesci, un Ante. È l'eroina che entra nel sangue, è *la cosa bella*. Se una mano interrompesse quel volo per chiedergli com'è andata la vita, lui sorriderebbe, farebbe ok con le dita, è andata degnamente.

Si siede sul legno della sua bara. Si stiracchia le gambe, mi guarda. Ha quel rullino ancora in tasca. Lì ci sono i volti dei diavoli, uno di loro ha ucciso il bambino blu, uno di loro è il padre di Pietro. Il giovane fotografo scemo non ha mai fatto uno scoop. Trascina la pellicola, la brucia nella luce. Toglie Pietro dalla Storia, lo mette nel mondo.

Cammino sulla sabbia

Cammino sulla sabbia, sento che si solleva intorno ai miei passi. Sono uscita dalla stanza, mi sono alzata come un automa. Aska non ha più pianto, ha parlato guardando la tenda bianca che si gonfiava nella finestra. Mi è sembrato un canto perso, una sevdalinka. L'atrocità lontana dal suo imbuto non è più niente, è cenere che vaga. È rimasto l'odore della sua casa, della sua piccola pace.

Sua figlia l'ha chiamata e lei ha spostato la testa con un gesto inquieto. Non ha mai recuperato l'uso dell'orecchio destro. Ha un suono fisso lì dentro, come mare che trascina. Ha sorriso, ha detto *è l'orecchio della Storia*.

Cammino. Vorrei inciampare, ma non inciampo. Vorrei stendermi sulla sabbia, abbracciarla e ringraziare qualcuno, qualcosa, la formica che passa, l'infinito percorso di tutte le vite.

Il corpo di mio figlio in controluce sta saltando, sta facendo a pugni con le onde. È il bambino che s'azzuffa con il ragazzo, che gli dice *lasciami giocare ancora un giorno*.

Esce dal mare, si butta sulla sabbia, poi corre di nuovo incontro alle onde.

«Com'è?» gli grido.

«Meglio della Sardegna.»

Mi chiede se posso fargli qualche fotografia con il telefonino, vuole mostrare quel mare turchino ai suoi amici. *Devono crepare*, dice.

Si mette con le mani sui fianchi, sorride con il naso arricciato e con gli occhi nascosti perché c'è quel sole che splende.

Entro nell'acqua fino ai ginocchi, lo fotografo mentre salta. Il suo corpo in aria e schizzi di mare bianco.

Si è buttato sul bagnasciuga, ha la testa sporca di sabbia, i ricci sembrano quelli di una statua marina. Si volta e mi dice: «Ma', mi sono fatto male a un piede. Ce l'hai un cerotto?».

Frugo nella borsa, frugo come una pazza, con il vento che mi butta i capelli negli occhi. Apro il portafogli, cerco quel cerotto che porto sempre con me, infilato tra i foglietti.

Lo porto per lui, perché si sbuccia sempre, è una vecchia abitudine, vecchia come la nostra abitudine di madre e di figlio, di camminate insieme.

Pietro aspetta, cerca con gli occhi insieme a me, fruga nei miei gesti disordinati. Trovo il cerotto, e mi sembra d'aver trovato chissà che. Anche lui sorride.

«Ce l'hai?»

«Sì, ce l'ho.»

Mi tende il piede, è sporco di sabbia. Ha sbattuto contro una roccia, un pezzo di unghia s'è staccato malamente e sanguina.

«Sciàcquati nel mare.»

Non vuole alzarsi, gli fa male.

Mi abbasso, mi avvicino con la bocca. Succhio quel sangue, quella sabbia. Asciugo il piede tamponandolo con un pezzo della mia gonna.

Il cerotto non si attacca bene perché il dito è rimasto un po' umido, e io poi non trovo gli occhiali. Pietro non si lamenta, anzi mi dice *grazie*.

Chi sei? Quante volte me lo sarei chiesta. Quante volte ti avrei guardato con sospetto. Ridi come rideva Diego, come ridono i ragazzi. Sei scemo e intelligente, sei innocuo e pericoloso. Sei una possibilità tra milioni. Un ragazzo del Duemilaotto, nato a fine dicembre Millenovecentonovantadue a Sarajevo. Sei uno dei primi figli degli stupri etnici.

Respira.

Sta appoggiato su un fianco, inerte come una barca tirata a riva, il culo ossuto infilato in un costume da surfista australiano. Si volta, gli guardo il dente che si è rotto, le guance troppo magre. Respira.

Quanti pezzi ci sono in un corpo? La piega dove si attacca e pende un orecchio. Il disegno di un pugno. Un occhio con le sue ciglia che si muovono. L'osso del ginocchio. I peli, come erba sbiadita.

Guardo i pezzi di mio figlio Forse l'ho sempre saputo, è questa la verità. E non ho mai voluto saperlo. *Sei libero*, dovrei dirgli, *non sei suo figlio. Sei figlio di un mazzo di diavoli ubriachi d'odio.*

Saltella su un piede solo, si appoggia a me.

«Guarda che io non ce la faccio mica a tenerti...»

«Ce la fai, ce la fai.»

Riconosco qualcosa, la pescheria, che mi sembra sia rimasta la stessa, con la sua tenda di lingue di plastica per scacciare le mosche. E poi un cespuglio di gerani selvatici, grande come un albero.

Pietro mi ha detto *voglio andarci Voglio andare sul luogo dov'è morto papà.* Improvvisamente lo chiama *papà,* e tutto mi sembra così assurdo.

Cammino dietro questa menzogna. Pietro si inerpica in silenzio.

È stata Aska a indicarmi il punto, è facile, c'è solo questa grande roccia che sembra la testa di un dinosauro con la bocca aperta.

Diego si è infilato in quella bocca

Aska mi ha detto *stava tornando da te era pronto.*

Poi ha cominciato a salire.

C'era la luce giusta, quella di un attimo prima del tramonto. La luce delle sue fotografie migliori.

Pietro si guarda intorno. È più veloce di me, è già in cima.

«Stai attento!»

Ho paura, paura.

«Non c'è niente!» urla.

Quando lo raggiungo ripete piano: «Non c'è niente, ma'...».

Che cosa si aspettava? Un santuario? Una lapide? Una macchina fotografica scolpita nella roccia?

Sono sudata e vecchia e lui è giovane come uno di questi gabbiani che volano. Ci sediamo, restiamo a guardare il mare che sembra davvero infinito. Pietro mi mette una mano intorno alla spalla. Forse è la prima volta che mi protegge. Poi mi infila qualcosa in mano, con un gesto rude dei suoi. Mi trema il mento.

«La confezione fa schifo» dice.

Apro questa cartata rossa, stropicciata, che deve tenersi in tasca da chissà quanto, da quella sera sotto la fontana. È una spilla, una rosa in filigrana d'argento. È quella che stava in quella vetrina nella Baščaršija...

«Ti piace?»

«Sì.»

«Lo sapevo che ti piaceva.»

Fruga tra la sterpaglia, torna con un pezzo di canna, la spacca in due sul suo ginocchio. Fa una croce, prova a chiuderla con qualche filo d'erba che però non tiene. Allora prende la bandana che ha in tasca e annoda insieme i pezzi di canna. Prende questa croce e la infila nel terriccio.

«Quanto durerà?»

C'è un tale vento...

Pietro mi dà il suo telefonino, mi chiede di fotografarlo accanto a quella croce.

Parliamo ancora un po'.

«Ma io che faccio da grande, ma'?»

«Tu che cosa vuoi fare?»

«Non lo so.»

«Ti piace suonare, magari diventi un musicista...»

Mi dice che gli piacerebbe aprire una catena di alberghi a sette stelle. Vorrebbe progettare la suite più grande del mondo, con dentro un campo da golf da diciotto buche.

Poi mi guarda.

«Io lo so perché papà è salito quassù.»

Alza un braccio, indica il mare.

«Perché da qui si vede l'Italia.»

Sorride.

«Aveva nostalgia di noi due, ma'...»

Aska è rimasta sotto il pergolato, non ha avuto il coraggio di avvicinarsi. Si è lavata i capelli, li sta lasciando asciugare all'aria. L'ho vista muoversi, apparecchiare la tavola, piegarsi a raccogliere un giocattolo della figlia. Una donna come me.

Adesso ci guarda avanzare verso di lei.

Nelle campagne molte donne hanno ucciso questi figli, le madri hanno aiutato le loro figlie a sbarazzarsene. Donne tranquille si sono trasformate in disperate assassine. Aska è andata in uno di quei centri di assistenza per donne tranciate dalla guerra, ma solo quando è nata sua figlia, quando il suo corpo s'è aperto per la seconda volta e lei e Gojko hanno pianto a lungo, tenendosi, solo allora ha sentito che l'odio si staccava da lei come il sacco inutile della placenta.

Aska ha il volto basso, con una mano smuove i capelli umidi.

Mentre mi avvicino vedo quel gesto che ripete, vedo il suo volto che si sgretola, la bocca che si apre e si richiude.

Pietro ha gli occhi bassi sul telefonino, gli do un colpetto.

«Lei è Aska, la moglie di Gojko.»

Pietro solleva i suoi occhi indaco. Sorride, arriccia le guance magre, le tende una mano.

«Ciao, Pietro.»

Aska resta con quella mano. Non riesce a lasciarla.

Pietro allora si avvicina con il busto, con la testa. Bacia Aska di qua e di là sulle guance. E lei apre le braccia e lo stringe.

Vedo quel destino che si chiude.

Si volta, dice che va a prendere i bicchieri.

La trovo in cucina, spalle al muro. Piange immobile. Quando mi vede sorride.

Ha una mano stretta sulla bocca, sul naso, respira in quella mano.

Gojko si avvicina, la copre con il suo corpo rumoroso.

Sono stati a lungo amici prima di diventare una coppia.

Sono andati al cinema insieme, hanno chiacchierato nei bar dei film che avevano visto e di altre cose stupide. Del resto non parlavano, era facile, sapevano già tutto. Parlava il silenzio, era già una cura.

Gojko ha preparato la griglia, si affanna intorno alla brace nel vento che monta dal mare. Mangiamo pesce dalle squame bruciate che cadono via come corteccia, e resta carne bianca e profumata, umida del suo sapore. Mangiamo mare, stanotte.

Pietro mi chiede se può bere un po' di vino, e Gojko gli riempie il bicchiere prima che io abbia detto di sì. Pietro ride, dice *non me ne andrei più.*

Aska lo guarda. Ha mangiato piano, lei, come una cameriera, come una suora. Non ha mai smesso di guardare Pietro, anche se in realtà ha alzato poco gli occhi. Li ha tenuti bassi sui bicchieri, sui piatti, sulla sua vita. Quasi temesse di disturbare la mia.

Forse si vergogna. Per anni la vergogna l'ha perseguitata e forse questi sono gli ultimi battiti. Sembra spaesata, come un'intrusa, come una che sta rubando.

È un piccolo dolore in questa sera dolce, eppure non posso farci niente. Ognuno di noi ce l'ha dentro se stesso. Lottare per perdere è il fesso agonismo delle anime.

Il vento soffia sulla brace che sembra spegnersi e non si spegne mai. Pietro parla con Sebina, scrivono parole sui tovaglioli di carta, giocano con il pane.

Gojko s'infila nel gioco, chiede *qual è la più bella parola del mondo?*

Sebina dice *mare.*

Pietro è indeciso tra *libertà* e *tennis.*

Il cielo è pieno di stelle. Le solite stelle, quelle vicine e quelle lontane. Quelle che ci fanno arrendere.

Gli occhi di Gojko sono quelli di un guerriero che ha perso. Di un poeta ubriaco. Guarda Pietro e dice: «Per me la più bella parola del mondo è *grazie*».

Alza il bicchiere, fa un brindisi con la bottiglia, poi lo punta al cielo, punta una stella e dice: «Grazie».

Il male è morto stanotte.

Ci salutiamo sul molo, come amici che si rivedranno, in ciabatte e zaini come turisti. Corpi intorno si muovono. Chi immaginerebbe una storia come la nostra, infilata in questa carne qualunque che all'alba si saluta? Il mare tace, ingoia ancora un po' di notte.

Gojko ci guida nel ritorno, è un tragitto breve, incredibilmente. All'aeroporto di Sarajevo prendiamo un caffè, i gomiti appoggiati su quel bancone a ferro di cavallo con la gente che fuma.

«Che farai adesso?»

«Tra due settimane a Sarajevo comincia il festival del cinema, c'è Kevin Spacey quest'anno... magari porto a spasso Kevin Spacey, gli faccio vedere da dove ci sparavano, gli faccio fare *the war tour*.»

Ride, poi è triste. È come Pietro.

Devo andarmene perché chiamano il volo, perché siamo stati tristi e allegri troppe volte. Do un pugno sulla spalla al mio Gojko, annuisce, come un bestione, come un cinghiale.

Non si piange, è questo il patto. Sento il duro della sua barba.

Siamo mare che va e torna. Ci sarà un'altra volta?

Strappo l'ultimo morso d'odore, di questa Bosnia, di questo amore.

Pietro sull'aereo dice che il decollo e la parte più brutta, si può cadere, i motori sforzano al massimo. È nervoso. Ha appiccicato la gomma che mastica sotto il tavolino, è tutto regolare.

Ho gli occhiali da sole, i miei fari neri. Annuisco in silenzio. Penso *placati, figlio mio. Non stai mai zitto, non stai mai fermo. Quanta vita hai nel corpo?*

L'Igman sotto è piccolo, è il dorso di un gatto. Sono piccole le case, come quelle del Monopoli.

Mi sento come quel nanetto di gesso rapito da un giardino inglese che ha fatto il giro del mondo. Sì, un pupazzo che è stato sballottato più del dovuto.

Dopo un po' Pietro sonnecchia, la testa reclinata verso

l'oblò, una gamba alzata sul sedile. Riposano i suoi pensieri, il suo marasma di ragazzo. Le nuvole passano, sporcate dai raggi del sole che tramonta.

Guardo l'ala dell'aereo che come sempre pare ferma. Penso a mio padre. Forse Diego si era confidato con lui in quel garage di mare... forse Armando ha sempre saputo. E i suoi occhi hanno tenuto il segreto. È morto due anni fa. Lo accompagnavo a una visita di controllo per il pacemaker. Mi sono fermata in doppia fila, sono scesa per comprare qualcosa al supermercato, al volo, come sempre. Gli ho lasciato le chiavi della macchina, *se qualcuno suona spostala.* Quando sono uscita con i sacchetti i clacson suonavano uno sull'altro. Papà era fermo al suo posto, la testa reclinata sul collo. Sembrava davvero che dormisse. Ho mollato i sacchetti per terra, non mi sentivo più le braccia. Era una situazione surreale, la gente continuava a imprecare contro di me per quel brutto parcheggio. Ho dovuto aspettare la polizia mortuaria prima di poter spostare la macchina. Pioveva, sono rimasta sotto i vetri appannati accanto al corpo di mio padre, in questa città senza pazienza.

Aria di Roma, di mare. L'immensa plafoniera dell'aeroporto pieno di luci, di aerei in fila per decollare. Pietro ha passi lunghi, felici. È nella sua città, dov'è cresciuto, dove va in giro in motorino.

Mi guarda: «Che c'hai?».

«Sono rimbambita.»

«Ha ragione papà, devi prendere la papaia.»

A terra, sulla navetta che ci porta all'uscita, Pietro riaccende il telefonino, guarda i messaggi. Sbircio lo schermo, c'è la fotografia dell'ombelico di Dinka, il suo piercing.

Giuliano aspetta insieme agli autisti con i cartelli. Vedo lo scatto che fa quando ci vede. Stringe Pietro, lo tiene per la nuca, lo annusa.

«Ciao, Pietro.»

«Ciao, papà.»

Con me è timido come lo era mio padre, mi dà un bacio,

mi guarda poco. Mi tiene d'occhio mentre prende lui le borse. Ha paura del mio umore.

«Tutto bene?»

«Tutto bene.»

Ha fretta, adesso che siamo tornati ha fretta. Di lasciare l'aeroporto, quel luogo dove ci si separa.

«Cosa hai fatto? Hai mangiato fuori tutte le sere?»

«Sei tornata arrabbiata?»

Sorrido, ci riconosciamo.

La prima volta che venne a prendermi in borghese per portarmi a cena restammo senza benzina sul raccordo. Faceva un freddo becco, passava solo qualche camion. *Sono abituato alle macchine di servizio, scusami.* Ci incamminammo a piedi, stretti contro il guardrail, i fari ci sbattevano in faccia. Giuliano allargava le braccia, *ti faccio strada io.* Poi scoprii che non aveva praticamente niente al di fuori del suo lavoro, la sua casa sembrava un residence, e forse lo era. Mi ricordo un mucchio di forchette e di cucchiai ancora nelle scatole. Glieli sciacquai io, glieli misi nel cassetto. Siamo sempre stati un po' ridicoli insieme, credo che questa sia la nostra bellezza. La vita è un buco che s'infila in un altro buco. E stranamente lo riempie.

In macchina Pietro non smette di parlare di tutto quello che ha visto. Si ricorda date, nomi. Parla con la bocca di Gojko. *L'Europa non ha fatto niente... Karadžić lo hanno arrestato solo adesso perché si sono messi d'accordo...*

È seduto dietro ma si affaccia continuamente in mezzo a noi. Bussa sulla spalla di Giuliano. Gli mostra le foto che ha fatto con il cellulare. Quando arriva quella della roccia, la salta. Io sono tranquilla come quella croce sulla roccia, credo.

Giuliano gira la chiave, la porta di casa si apre, la luce si accende, tornano i libri, il divano.

Pietro guarda il tennis in televisione, io mi strucco, butto il batuffolo sporco nel cestino. Spengo le luci, controllo il gas. In frigorifero non c'è niente, solo le cose che ho lasciato io, un'insalata floscia, una coppia di vasetti di yogurt.

Esco sul terrazzo, mi appoggio alla ringhiera. Giuliano mi raggiunge, mette una mano sulla mia. Guardiamo il bar lì sotto, i ragazzini appoggiati alle micromacchine.

«Cosa hai fatto oggi?»

Si è mosso all'alba per sbaraccare un campo abusivo di scarti dell'Est.

È il lavoro di quest'estate. Un lavoro che lo deprime. Gli piace sempre meno, questo mondo che prende le impronte digitali ai bambini Rom, che scheda le creature minori.

Racconto tutto. Giuliano ascolta, braccia conserte, militari. La gola che inghiotte, manda giù. È lui che mi trascina da Pietro. Ha bisogno di vederlo. Di vedere quel respiro.

La porta è chiusa, sulla maniglia il DO NOT DISTURB rubato all'albergo di Sarajevo. Entriamo lo stesso. Il cetnico dorme nel letto Ikea allungabile che ormai non si allunga più, la chitarra per terra accanto al telefonino, ai jeans accartocciati. Giuliano si china, resta lì ad annusargli la nuca. Come l'ultimo cane, come l'ultimo padre. Solleva la chitarra, l'appoggia al muro, prende il telefonino, lo mette in carica, raccoglie i jeans, li piega. Gira nella stanza... giro anch'io. Cerchi di noi insieme.

Ringraziamenti

Grazie a Renata Colorni, sentinella del mio lavoro.
Grazie ad Antonio Franchini, agitatore silenzioso.
A Giulia Ichino per la passione della sua lettura.
A Moira Mazzantini, perché lei c'è sempre.
A Gloria Piccioni, che nella vita ha camminato.
A Mario Boccia, le sue fotografie mi hanno fatto vedere.
Grazie ad Asja, per la sua anima.

Indice

Arnoldo Mondadori Editore S.p.A.

Questo volume è stato stampato
presso Mondadori Printing S.p.A.
Stabilimento Nuova Stampa Mondadori - Cles (TN)

Stampato in Italia - Printed in Italy